잡아 주는 **자율학습 기본서**

고등 **셀파**

세계지리

고인석·윤정현·최재영·최재희·최종현

이 책의 구성과 특징

⦿ 교과서 내용 정리

❶ **교과서 핵심 개념 정리** 핵심 개념을 중심으로 4종 교과서의 내용을 체계적으로 정리

❷ **고득점을 위한 셀파 Tip** 시험에 꼭 출제되는 핵심 부분을 한눈에 볼 수 있도록 정리

⦿ 셀파 자료 탐구

❶ **핵심 자료 & 자료 분석** 시험에 자주 활용되는 교과서와 수능의 주요 자료를 수록하고, 상세하게 설명

❷ **교과서 자료 더 보기** 여러 검정 교과서의 다양한 자료들을 완벽하게 숙지

⦿ 개념 완성

❶ **개념 완성** 앞에서 정리한 교과서의 주요 내용을 주제별로 깔끔하게 표로 정리하고, 빈칸 채우기로 주요 개념을 다시 확인

⦿ 탄탄 내신 문제

❶ **내신 문제와 서술형 문제** 내신 기출 문제와 예상 문제, 시험 비중이 높아지고 있는 서술형 문제로 집중 연습

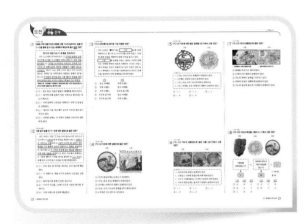

도전 수능 문제

수능, 평가원, 교육청 기출 문제로 수능 유형 연습

BOOK 2 | 딱 맞는 풀이집

딱 맞는 풀이집

모든 문제에 대한 상세한 풀이, 자료를 분석하는 셀파 −Tip, 정답을 찾아가는 셀파 −Tip, 내 것으로 만드는 셀파 −Tip 등의 코너를 통한 친절한 해설 수록

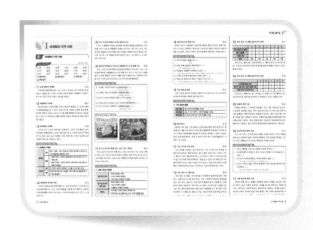

이 책의 **차례**

CONTENTS

고등 셀파 세계지리

4종 교과서 단원별 페이지 찾아보기

천재교과서	금성출판사	미래엔	비상교육
10 ~ 25	12 ~ 25	10 ~ 23	10 ~ 25
30 ~ 45	30 ~ 41	30 ~ 39	32 ~ 45
46 ~ 55	42 ~ 49	40 ~ 45	46 ~ 51
56 ~ 67	50 ~ 62	46 ~ 57	52 ~ 61
72 ~ 77	68 ~ 73	66 ~ 67	68 ~ 73
78 ~ 89	74 ~ 85	70 ~ 79	74 ~ 85
90 ~ 101	86 ~ 97	80 ~ 93	86 ~ 99
106 ~ 111	102 ~ 107	102 ~ 106	106 ~ 111
112 ~ 123	108 ~ 117	107 ~ 117	112 ~ 123
128 ~ 133	122 ~ 127	124 ~ 129	128 ~ 131
134 ~ 146	128 ~ 139	103 ~ 139	132 ~ 143
150 ~ 155	144 ~ 149	146 ~ 149	148 ~ 153
156 ~ 167	150 ~ 161	150 ~ 161	154 ~ 169
172 ~ 179	166 ~ 177	168 ~ 177	174 ~ 185
180 ~ 191	178 ~ 183	178 ~ 183	186 ~ 191
196 ~ 199	188 ~ 191	188 ~ 191	198 ~ 203
200 ~ 211	192 ~ 202	192 ~ 201	204 ~ 215

I

세계화와
지역 이해

이 단원의 핵심 포인트

중단원	핵심 포인트	학습일
01 세계화와 지역 이해	• 세계화와 지역화 • 지리 정보와 공간 인식 • 세계의 지역 구분	월 일 ~ 월 일

셀파와 내 교과서 단원 비교

셀파	천재교과서	미래엔	비상교육	금성출판사
01 세계화와 지역 이해	01 세계화와 지역화	01 세계화와 지역화	01 세계화와 지역화	01 세계화와 지역화
	02 지리 정보와 공간 인식	02 지리 정보와 공간 인식	02 지리 정보와 공간 인식	02 고지도에 나타난 세계관과 지리 정보
	03 세계의 권역 구분	03 세계의 지역 구분	03 세계의 지역 구분	03 세계의 권역 구분

01 세계화와 지역 이해

1 세계화와 지역화

1. 세계화의 의미와 영향

(1) **의미** 교통·통신의 발달❶에 따른 **시·공간적 거리 단축**으로 정치·경제·사회·문화 등 다양한 분야에서 세계가 하나의 공동체로 통합되는 현상 └─ 시·공간적 제약은 감소함.

(2) **영향** 〔자료 01〕

① **국경의 의미 약화** 인간 활동 공간의 지리적 확대와 국제적 상호 연계성이 증대됨.

② **경제의 세계화** 지구적 차원의 협력과 국제적 분업❷을 통한 생산성·효율성 증대 및 소비 활동 확대 → 상품 판매 범위 확대, 국제 무역량 및 관광객 증가, 지역 간 경쟁 및 빈부 격차 심화

③ **문화의 세계화** 전 세계 다양한 문화적 교류 확대 → 문화 전파 과정에서 서로 다른 문화가 융합되어 국경을 초월한 세계 문화 형성, 새로운 문화 창조, 문화 갈등 및 문화의 획일화

2. 지역화와 지역화 전략

(1) **지역화** 지역의 생활 양식이나 사회·문화·경제 활동 등이 세계적 차원에서 가치를 지니게 되는 현상

(2) **지역화 전략** 세계화에 대응하기 위해 경제·문화적 측면에서 다른 지역과 차별화할 수 있는 계획을 마련하는 것 〔자료 02〕

지리적 표시제	특정 지역의 지리적 특성을 반영한 우수 상품이 그 지역에서 생산·가공되었음을 증명하고 표시하는 제도
장소 마케팅❸	지역의 특정 장소를 하나의 상품으로 인식하고, 매력적으로 보일 수 있도록 이미지와 시설 등을 개발하는 전략
지역 브랜드화	지역이나 지역의 상품과 서비스, 축제 등을 브랜드로 인식시켜 지역 이미지를 높이고, 지역 경제를 활성화하는 전략

3. 세계화와 지역화 시대의 대응

(1) **글로컬라이제이션(Glocalization)** 〔자료 03〕

① 세계화(Globalization)와 지역화(Localization)의 합성어로 세방화 또는 현지화라고도 함.

② 세계화를 추구하면서도 각 지역의 고유한 의식, 문화, 기호, 행동 양식 등을 존중하는 전략 → 세계화와 지역화의 효과를 동시에 추구

(2) **올바른 지역화 추구** 지방 정부나 자치 단체가 경제적·문화적으로 자립할 수 있는 분위기를 조성하고, 세계의 지방 정부나 자치 단체들과의 교류를 활성화해야 함.

2 지리 정보와 공간 인식

1. 지도와 세계관

(1) **지도**

① **의미** 지표면을 일정한 비율로 줄여서 기호를 사용해 평면에 나타낸 것

② **특징** 공간 정보를 공유하기 위해 사용된 의사소통 수단이자, 지역을 관리하고 통치하는 수단으로 활용되었음.

(2) **지도와 공간 인식**

① 지도에는 제작자의 가치관이나 제작 당시의 지배적 세계관이 담겨 있음. → 옛 지도에는 시대와 장소에 따라 서로 다른 공간 인식이 담겨 있음.

② 지리적 세계의 인식 범위는 주거지, 지역, 국가, 세계 등으로 확대되어 왔음.

❶ **교통·통신의 발달**
교통수단의 발달에 따라 접근성이 향상되고 생활 공간의 범위가 넓어졌다. 그리고 통신 기술의 발달로 지역 간 정보 교환도 활발해졌다. 이에 따라 국경의 의미가 약화되었다.

❷ **항공기 산업의 국제적 분업**

대한민국 / 미국 / 미국, 캐나다 / 이탈리아 / 미국 / 미국 / 이탈리아 / 일본 / 프랑스 / 일본 / 미국 / 미국, 영국
(B 항공기 제작사, 2017)

미국에 본사를 둔 다국적 기업 B사는 세계 여러 국가의 협력 업체로부터 부품을 공급받아 항공기를 생산한다.

❸ **빌바오의 장소 마케팅**
에스파냐의 빌바오는 1980년대 철강 산업과 조선 산업이 쇠퇴하면서 위기를 맞이하였으나, 이후 미술관과 문화 시설을 활용한 장소 마케팅으로 세계적인 관광지로 발전하였다.

자료 01 세계화의 영향

(가) '소비의 세계화'가 국내 자영업자들에게도 새로운 기회를 제공하고 있다. 한류 열풍을 타고 한국산 제품 수요가 아시아 각국을 중심으로 확대되면서 국내 온라인 쇼핑몰들은 '해외 직판(역직구)'으로 시장 영역을 넓혀 가고 있다.

(나) 세계화와 교통수단의 발달은 '감염병의 세계화'를 촉진하였다. 사람만 비행기나 배를 타고 옮겨 다니는 게 아니라, 사람을 따라 감염병도 세계 여러 지역으로 이동하였다. ○○대 연구팀은 항공기 여행이 인플루엔자의 확산에 끼치는 영향을 입증한 적이 있다.

자료 분석 | 교통과 통신의 발달로 국가 간 교류가 증대되면서 세계화가 진전되었다. 이로 인해 (가)처럼 상품 판매가 확대되는 등 긍정적인 영향도 있지만, (나)처럼 감염병이 세계적으로 확산되는 등 부정적인 영향도 나타났다.

교과서 자료 더 보기 +

| 교통 발달에 따른 시간 거리의 단축 |

마차·범선 평균 속도 16km/h / 1500~1840년
증기선 평균 속도 25km/h
프로펠러 비행기 평균 속도 480~640km/h / 1850~1930년
제트 비행기 평균 속도 800~1,120km/h / 1950년대 / 현재

[경제지리학, 2011.]

자료 02 지리적 표시제

더블린 아이리시 위스키(증류주)
보르도·보졸레·부르고뉴 와인, 코냐크 증류주, 노르망디 카망베르(치즈), 바욘 햄
아이다호 감자, 워싱턴 사과, 플로리다 오렌지, 비데일리아 양파, 나파밸리 와인
미털라인·라인헤센·라인가우·모젤 와인, 뮌헨 맥주
아일랜드
독일
프랑스
이탈리아
에스파냐
그리스
레스보스 우조(증류주), 시티아 올리브유
대한민국
일본
반슈 메밀면
미국
인도
벌교 꼬막, 보성녹차, 양양 송이
다르질링 차, 이카트·칸치푸람 실크, 카슈미르 캐시미어, 파시미나 숄
자메이카
콜롬비아
키안티·토스카나·캄파니아 와인, 부팔라 캄파니아 모차렐라(치즈), 시칠리아 오렌지
자메이카 블루마운틴 커피
바에나 올리브유, 투론 전통 과자, 라만차 사프란
콜롬비안 커피
Café de Colombia
대 서 양
태 평 양
인 도 양
0°

(세계지식재산권기구, 2017)
0   2,000 km

자료 분석 | 지리적 표시제는 특정 지역의 기후, 지형, 토양 등 지리적 특성을 반영한 우수 상품에 대해 그 지역에서 생산, 제조, 가공된 상품임을 나타내는 표시를 할 수 있도록 인정하는 제도로, 세계화에 대응하기 위한 지역화 전략 중 하나이다.

교과서 자료 더 보기 +

| 지역 브랜드화 |

미국 뉴욕은 'I ♥ NY'라는 브랜드를 통해 매력적이고 활기찬 도시 이미지를 얻게 되었고, 다양한 관광 상품을 개발하여 관광 수익을 올리고 있다. 이는 지역 브랜드화의 대표적 사례 중 하나이다.

자료 03 햄버거의 세계화와 글로컬라이제이션

▲ 사우디아라비아의 햄버거

▲ 인도의 햄버거

▲ 필리핀의 햄버거

▲ 한국의 햄버거

자료 분석 | 미국에서 상업적 판매가 시작된 햄버거는 전 세계로 전파되었으며, 각 지역의 고유한 문화와 결합하여 다양한 형태로 발달하였다. 이슬람교를 믿는 사우디아라비아에서는 화덕에서 구운 얇은 빵인 난에 소고기를, 힌두교도가 많은 인도에서는 닭고기를 넣은 햄버거가 판매된다. 쌀을 주식으로 하는 필리핀에서는 빵 대신 밥을 이용해 햄버거를 만들기도 한다. 우리나라에서는 불고기를 넣은 햄버거를 판매하기도 한다.

2. 동양의 세계 지도와 세계관

(1) 중국의 세계 지도와 세계관

① 송나라의 화이도, 명나라의 대명혼일도 <u>중화사상</u>이 반영되어 있어 지도의 중앙에 중국이 위치함.
    _{└ 중국을 세계의 중심이라고 여기는 사상}

② 곤여만국전도(1602년)④ 서양 선교사들의 유입으로 세계 인식 범위가 넓어지면서 제작된 서구식 세계 지도로, 경선과 위선을 이용하여 제작되었음.

(2) 우리나라의 세계 지도와 세계관 자료04

① **혼일강리역대국도지도(1402년)** 조선 전기 국가 주도로 제작된 세계 지도로, 중국이 지도의 중앙에 크게 표현됨. _{└ 아메리카, 오세아니아 등 신대륙은 표현되어 있지 않음.}

② **천하도** 조선 중기 이후 민간에서 제작된 세계 지도로, 천원지방 사상⑤·중화사상·도교적 세계관의 영향을 받음. _{└ 산해경에 등장하는 상상의 나라들(삼수국, 모민국, 여인국 등)이 표현됨.}

③ **지구 전후도(1834년)** 조선 후기 실학자 최한기·김정호가 목판본으로 제작한 것으로, 지구 전도와 후도로 구성됨, 경위선을 사용하였으며 중국 중심의 세계관을 극복하는 계기가 됨.

3. 서양의 세계 지도와 세계관

(1) 고대의 세계 지도 자료05 _{메소포타미아 문명이 발달한 티그리스·유프라테스강 유역에 형성된 고대 도시}

바빌로니아의 점토판 지도	• 기원전 600년경에 제작된 현존하는 가장 오래된 세계 지도 • 바빌론과 그 주변 지역 및 미지의 세계를 표현함.
프톨레마이오스의 세계 지도	• 150년경 고대 그리스의 지리적 지식이 집대성된 세계 지도 • 지구를 구형으로 인식하고 경위선 망을 평면에 투영하는 방식으로 제작 • 지중해 연안 및 유럽이 비교적 정확하게 표현되어 있고, 아시아·아프리카를 비롯하여 미지의 땅까지 표현되어 있음.

(2) 중세의 세계 지도 자료06

티오(TO) 지도	• 중세 유럽에서 제작 • 지도의 중심에 예루살렘이 위치 → **크리스트교** 세계관 반영 • 지도의 위쪽이 동쪽을 가리킴.
알 이드리시의 세계 지도	• 중세 아랍에서 제작 • 지도의 중심에 메카가 위치함→ 이슬람교 세계관 반영 • 지도의 위쪽이 남쪽을 가리킴. _{└ 이슬람교의 대표적 성지}
포르톨라노 해도⑥	• 13세기경부터 유럽에서 제작된 항해용 지도 • 항해 요충지마다 나침반의 방향을 알려 주는 방사선이 직선으로 나타나 있음.

(3) 근대의 세계 지도

① 대항해 시대(콜럼버스의 신대륙 발견, 마젤란의 세계 일주) 이후 지리 지식 확대 → 아메리카와 오세아니아가 지도에 표현되기 시작함.

② 메르카토르의 세계 지도⑦(1569년) 직선으로 그려진 경선과 위선이 수직으로 교차함, 고위도 지역으로 갈수록 면적이 지나치게 확대된다는 단점이 있음.

4. 지리 정보 기술의 활용

(1) 지리 정보의 수집과 표현

① **지리 정보** 어떤 장소나 지역에 대한 정보 → 이를 통해 지역성과 지역성의 변화를 파악함.

② **지리 정보의 종류** _{└ 위도와 경도로 표현되는 수리적 위치, 지형지물로 표현하는 지리적 위치 등이 있음.}

공간 정보	장소의 위치와 형태를 나타냄.
속성 정보	장소가 가진 자연적·인문적 특성을 나타냄.
관계 정보	한 장소와 다른 장소 간의 관계를 나타냄.

고득점을 위한 셀파 Tip

우리나라의 시대별 지도

조선 전기	혼일강리역대국도지도
조선 중기	천하도
조선 후기	지구 전후도

서양의 시대별 지도

고대	바빌로니아 점토판 지도, 프톨레마이오스 세계 지도
중세	티오 지도, 알 이드리시의 세계 지도, 포르톨라노 해도
근대	메르카토르의 세계 지도

④ 곤여만국전도

아시아, 유럽, 아프리카, 아메리카, 미지의 남방 대륙(오세아니아와 남극)까지 표현한 서양식 세계 지도이다.

⑤ 천원지방(天圓地方)

하늘은 둥글고 땅은 네모나고 평평하다는 뜻으로, 동양인들의 전통적 천하관 또는 우주관이다.

⑥ 포르톨라노 해도(지중해 부분)

해안의 항구와 도시를 자세히 표현하였다.

⑦ 메르카토르의 세계 지도

각도가 일정한 항로가 직선으로 그려져 있어 나침반을 이용하던 대항해 시대 선원들이 널리 사용하였다.

자료 **04** 공통 자료 우리나라의 옛 지도와 세계관

▲ 혼일강리역대국도지도   ▲ 천하도   ▲ 지구 전후도

자료 분석 | 혼일강리역대국도지도는 우리나라에서 제작한 세계 지도 중 현존하는 최고(最古)의 세계 지도로 중국이 중앙에 위치하며, 조선을 상대적으로 크게 표현하였다. 천하도는 조선 중기 이후에 제작된 관념적 세계 지도로, 세계를 하나의 원으로 나타냈다. 지구 전후도는 조선 후기 실학 사상의 영향을 받아 제작한 지도로, 중화적 세계관을 극복하고 서양의 근대적 지리 지식을 반영하였다.

자료 **05** 공통 자료 서양의 고대 지도와 세계관

(가) 바빌로니아의 점토판 지도   (나) 프톨레마이오스의 세계 지도

고대 오리엔트에서 사용하던 문자가 적혀 있음.

원 밖의 삼각형으로 미지의 세계를 표현하였음.

원반 모양의 세계와 두 개의 동심원으로 둘러싸인 바다를 표현하였음.

원의 안쪽에는 현실 세계인 신바빌로니아 왕국을 표현하였음.

유럽   아시아   인도   아프리카

교과서 탐구 풀이

Q (나) 지도에 그려지지 않은 대륙을 찾아보고, 그 이유를 지도 제작 시기를 고려하여 추론해 보자.

A 프톨레마이오스의 지도가 그려진 150년경에는 아직 신대륙의 존재가 알려지지 않았기 때문에 아메리카 대륙과 오세아니아 대륙이 그려져 있지 않다.

자료 분석 | (가) 바빌로니아의 점토판 지도는 메소포타미아 문명이 번영했던 지역에서 발견된 지도로, 현존하는 세계 지도 중 가장 오래된 것으로 알려져 있다. (나) 프톨레마이오스의 세계 지도는 고대 그리스의 지리적 지식을 집대성한 세계 지도로 지구가 구형임을 나타내고자 경위선을 곡선으로 표현하였다.

자료 **06** 공통 자료 서양의 중세 지도와 세계관

▲ 이시도르의 티오(TO) 지도

▲ 헤리퍼드 세계 지도

TO 지도를 기본으로 하여 흑해, 지중해, 나일강 등은 T자 모양이고, 대륙을 둘러싼 바다는 O자 모양임.

교과서 자료 더 보기

| 알 이드리시의 세계 지도 |

이슬람교 세계관을 반영하여 지도 중앙에 이슬람교 성지인 메카를 표현하였다.

자료 분석 | 중세에 제작된 티오(TO) 지도는 원형으로 세계를 표현하고, 세계를 아시아, 유럽, 아프리카 세 대륙으로 구분하였다. 그리고 크리스트교 세계관을 반영하여 지도 중앙에 예루살렘을 두었다.

③ 지리 정보의 수집

직접 조사	조사 지역을 방문하여 실측, 설문, 면접 등을 통해 지리 정보 수집
간접 조사	지도, 문헌 등을 통한 지리 정보 수집
원격 탐사	• 인공위성 · 항공기 등을 이용하여 관측 대상과의 접촉 없이 먼 거리에서 측정을 통해 지리 정보 수집 • 넓은 지역의 정보를 실시간 · 주기적으로 수집 가능, 인간의 접근이 어려운 지역의 지리 정보 수집 가능

④ 지리 정보의 표현 그래프, 종이 지도, 컴퓨터로 제작한 지도⑧ 등 다양한 방법으로 표현

⭐ **(2) 지리 정보 시스템**(GIS: Geographic Information System) 자료 07

의미	지리 정보를 수치화하여 컴퓨터에 입력 · 저장하고, 사용자의 요구에 따라 분석 · 가공 · 처리하여 필요한 결과물을 얻는 지리 정보 기술
특징	• 컴퓨터를 활용하여 지표의 복잡한 지리 정보를 다양한 유형 및 크기로 지도화할 수 있음. • 지리 정보의 통합과 분석이 용이하고, 공간의 이용과 관리에 대한 신속하고 합리적인 의사결정이 가능함. └ 다양한 지리 정보를 여러 개의 데이터 층으로 구분하고, 이를 결합하여 분석하는 중첩 분석이 많이 사용됨
활용	위성 위치 확인 시스템(GPS)⑨, 웹(Web) GIS 기술⑩, 사물 인터넷⑪, 증강 현실 분야 등의 기술과 결합하여 이용 분야가 확대됨.

3 세계의 지역 구분

1. 세계의 권역 구분

(1) 지역과 권역의 의미

① 지역 지리적 특성이 다른 곳과 구분되는 지표상의 공간 범위

② 권역 지역을 구분하는 기준 중 세계를 나누는 가장 큰 규모의 공간 단위 → 지표면에서 이루어지는 자연과 인간의 관계, 지역성⑫ 등 이해 가능

(2) 세계 권역 구분의 주요 지표

자연적 지표	위치, 지형, 기후, 식생, 수륙 분포 등의 자연환경과 관련된 요소
문화적 지표	의식주, 언어, 종교 등 인간이 자연환경에 적응하며 만들어 낸 생활 양식과 관련된 요소
기능적 지표	기능의 중심이 되는 핵심지와 그 배후지로 이루어지는 권역을 설정할 수 있는 요소

└ 중심지의 경제 · 사회적 영향 등을 받는 중심지 주변 지역

(3) 세계 각 권역의 특성 자연 · 인문 특성이 어우러져 나타남, 같은 권역 안에서도 다양한 특성이 나타남, 권역의 경계는 명확한 선보다는 두 권역 간의 점이 지대⑬ 형태로 나타나는 경우가 많음.

⭐ **2. 세계의 다양한 권역 구분** 자료 08

(1) 규모에 따른 권역 구분 넓은 지역을 구분할 때와 좁은 지역을 구분할 때에 따라 구분 방법이 달라짐. → 지역 연구 주제에 따라 적절한 규모로 지역을 구분해야 함.

(2) 관점에 따른 권역 구분 기준에 따라 다양한 권역으로 구분됨.

① 자연환경 중심 기후, 지형 등과 같은 자연적 요소에 따라 구분 → 5대양 6대주

② 인문적 요소 중심 문화, 정치 등과 같은 인문적 요소에 따라 구분 → 어떤 지표를 중요시하는가에 따라 경계가 달라짐.

③ 지구적 쟁점 중심 쟁점과 관련된 지역을 한 권역으로 묶어서 구분 → 쟁점이 뚜렷하지 않거나 사라지면 구분 근거가 모호해짐.

---

⑧ **전자 지도의 특징**

오늘날의 전자 세계 지도는 종이 지도와 달리 다양하고 정확한 정보를 담을 수 있고, 원하는 정보를 추출하거나 통합할 수 있으며, 다양한 형태로 가공할 수 있다.

⑨ **위성 위치 확인 시스템**(GPS: Global Positioning System)

인공위성을 활용하여 사용자나 특정 사물의 현재 위치, 이동 방향, 속도 등을 알려 주는 시스템이다.

⑩ **웹(Web) GIS**

인터넷을 통해 지리 정보를 검색, 분석, 처리할 수 있는 시스템이다.

⑪ **사물 인터넷**(IoT: Internet of Things)

각종 사물에 감지기와 통신 기능을 내장하여 인터넷에 연결하는 기술이다.

고득점을 위한 셀파 Tip

세계의 다양한 권역 구분

규모에 따른 구분	대륙, 국가, 국가 내부 행정 단위 등 규모에 따른 지역 구분
관점에 따른 구분	자연환경, 인문 환경, 쟁점 등에 따른 지역 구분

⑫ **지역성**

지역의 자연환경과 인문 환경이 결합하여 형성된 그 지역만의 독특한 특성을 말한다.

⑬ **점이 지대**

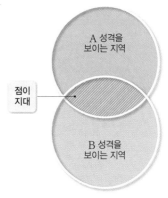

점이 지대는 서로 인접한 두 지역의 특성이 함께 나타나는 지역이다.

자료 07 지리 정보 시스템(GIS)

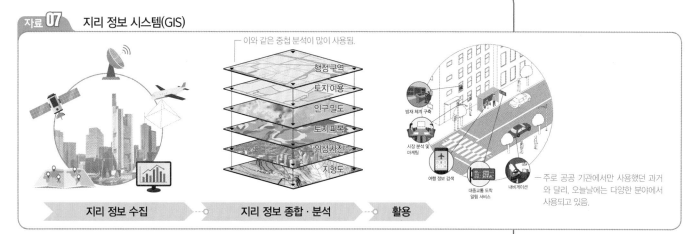

이와 같은 중첩 분석이 많이 사용됨.

행정 구역
토지 이용
인구 밀도
토지 피복
위성 사진
지형도

방재 체계 구축

시장 분석 및 마케팅

여행 정보 검색

대중교통 도착 알림 서비스

내비게이션

주로 공공 기관에서만 사용했던 과거와 달리, 오늘날에는 다양한 분야에서 사용되고 있음.

지리 정보 수집 ▷ 지리 정보 종합·분석 ▷ 활용

자료 분석 | 사용자의 요구에 따라 다양한 지리 정보를 수집·종합·분석하여 제공하는 지리 정보 시스템(GIS)은 입지 결정, 도시 계획, 자연재해 예방 등 다양한 공간적 의사 결정에서 큰 역할을 한다. 최근 스마트 기기와 인터넷을 이용하여 누구나 쉽게 일상생활에서 지리 정보를 활용하고 있다.

자료 08 세계의 다양한 권역 구분

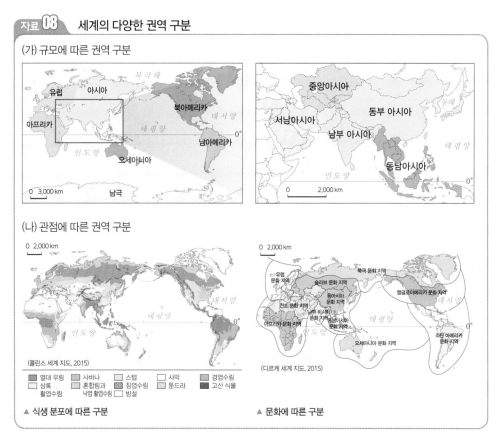

(가) 규모에 따른 권역 구분

북극해 / 유럽 / 아시아 / 아프리카 / 북아메리카 / 대서양 / 인도양 / 남아메리카 / 오세아니아 / 0° / 0 3,000 km / 남극

중앙아시아 / 서남아시아 / 동부 아시아 / 동해 / 남부 아시아 / 태평양 / 동남아시아 / 인도양 / 0 2,000 km / 0°

(나) 관점에 따른 권역 구분

0 2,000 km / 대서양 / 태평양 / 인도양 / 0°

(콜린스 세계 지도, 2015)

열대 우림 | 사바나 | 스텝 | 사막 | 경엽수림
상록 활엽수림 | 혼합림과 낙엽 활엽수림 | 침엽수림 | 툰드라 | 고산 식물
빙설

▲ 식생 분포에 따른 구분

0 2,000 km / 북극 문화 지역 / 유럽 문화 지역 / 슬라브 문화 지역 / 앵글로아메리카 문화 지역 / 건조 문화 지역 / 동아시아 문화 지역 / 대서양 / 남부 아시아 문화 지역 / 동남아시아 문화 지역 / 아프리카 문화 지역 / 태평양 / 라틴 아메리카 문화 지역 / 오세아니아 문화 지역 / 인도양 / 0°

(디르케 세계 지도, 2015)

▲ 문화에 따른 구분

자료 분석 | • 세계를 구분할 때는 아시아, 유럽, 아프리카, 오세아니아, 아메리카 등 (가)의 왼쪽 지도처럼 대륙을 중심으로 구분하여 넓은 지역의 총체적인 지리 정보를 파악할 수 있다. 하지만 필요에 따라서 (가)의 오른쪽 지도처럼 대륙을 국가나 도시 등 작은 지역으로 세밀하게 구분할 수도 있다.
• (나)의 왼쪽 지도는 자연환경 지표인 식생을 기준으로 권역을 구분한 것이고, 오른쪽 지도는 종교·언어·민족 등 문화가 유사하게 나타나는 지역을 하나의 권역으로 묶은 것이다. 이처럼 세계 권역을 구분하는 기준은 매우 다양하며, 여러 요소를 종합하여 권역 구분의 지표로 활용할 수 있다.

교과서 자료 더 보기

| 관점에 따른 아메리카의 구분 |

리오그란데강 / 앵글로아메리카 / 라틴 아메리카 / 대서양 / 북아메리카 / 남아메리카 / 파나마 지협 / 태평양 / 0 3,000 km

지리적 기준으로 아메리카를 구분할 때는 파나마 지협을 경계로 북아메리카와 남아메리카로 나눌 수 있다. 문화적 기준으로 구분할 때는 리오그란데강을 경계로 앵글로아메리카와 라틴 아메리카로 나눌 수 있다. 이처럼 기준이 되는 관점에 따라 지역 구분이 달라진다.

1 세계화와 지역화

세계화	의미	정치·경제·사회·문화 등 다양한 분야에서 세계가 하나의 공동체로 통합되는 현상
	영향	• 경제적 측면: 국제적 (❶)을 통한 생산성 증대, 국가 간 경쟁 심화 • 문화적 측면: 다양한 문화적 교류 확대, 문화 갈등 및 문화의 획일화
지역화	의미	한 지역이 세계적 차원에서 가치를 지니게 되는 현상
	전략	지리적 표시제, 지역 (❷), 장소 마케팅 등을 통해 지역 경제 활성화

2 지리 정보와 공간 인식

지도와 세계관	중국	• 중국 중심의 세계관인 (❸)사상 반영 → 화이도, 대명혼일도 • 서양 선교사의 유입으로 세계 인식 범위 확대 → 곤여만국전도
	우리 나라	• 조선 전기와 중기에는 중국 중심의 세계관 반영 → 혼일강리역대국도지도, 천하도 • 조선 후기 실학사상의 영향으로 근대적 지도 도입 → 지구 전후도
	서양 고대	• 바빌로니아의 점토판 지도: 바빌론과 그 주변 지역 등을 표현한 현존하는 가장 오래된 지도 • 프톨레마이오스의 세계 지도: 경위선의 개념과 투영법이 사용되었음.
	서양 중세	• 티오(TO) 지도: 크리스트교 세계관 반영, 지도의 위쪽이 동쪽 • 알 이드리시의 세계 지도: (❹) 세계관 반영, 지도의 위쪽이 남쪽
	서양 근대	메르카토르의 세계 지도: 경위선이 직교하여 항해용으로 이용, 고위도 지역의 면적 왜곡
지리 정보		• 종류: 공간 정보, 속성 정보, 관계 정보 • 수집: 직접 조사, 간접 조사, 원격 탐사 • 활용: 지리 정보를 컴퓨터에 입력·저장하고, 분석·가공·처리하여 결과물을 얻는 (❺) (GIS)

3 세계의 지역 구분

(❻)	위치, 지형, 기후, 식생 등에 따라 구분
인문적	의식주, 언어, 종교 등에 따라 구분
쟁점적	쟁점과 관련된 지역을 한 권역으로 묶어서 구분

정답 ❶ 분업 ❷ 브랜드화 ❸ 중화 ❹ 이슬람교 ❺ 지리 정보 시스템 ❻ 자연적

01 그래프는 세계 일주 소요 시간 변화를 나타낸 것이다. 이에 따른 영향을 추론한 것으로 가장 적절한 것은?

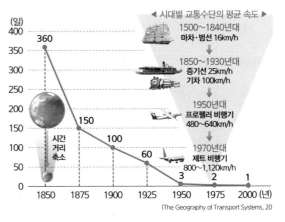

(The Geography of Transport Systems, 20

① 국제 관광객 수가 감소할 것이다.
② 다국적 기업의 영향력이 약화될 것이다.
③ 국가 및 지역 간 상호 교류가 증가할 것이다.
④ 기업 간 국제 협력과 국제적 분업이 축소될 것이다.
⑤ 국경이 경제 활동에 미치는 영향력이 강화될 것이다.

02 다음 글을 통해 학습할 수 있는 내용으로 적절하지 않은 것은?

> 사회 관계망 서비스(SNS)를 통해 '한국식 화장(化粧) 기법'을 다룬 콘텐츠들이 세계의 많은 사람들 사이에서 공유되고 있으며, 우리나라의 화장품을 찾는 해외 수요도 증가하고 있다. 국내 화장품 기업들도 해외 진출에 적극적이다. 국내 A사는 우리나라에 본사를 두고 미국, 프랑스 등에 연구 센터, 중국에 생산 공장을 설립해 해외 시장 확대에 나섰다. 특히, A사는 각 국가별 기후, 문화 등을 고려한 제품 개발에 노력하였다. 그 사례로 타이에서는 덥고 습한 기후로 자극받은 피부를 진정시킬 수 있는 크림 제품을 출시하여 좋은 반응을 얻었다.

① 지역의 특성을 반영한 현지화 전략
② 지리적 표시제를 활용한 지역화 전략
③ 생산 전문화를 통한 국제적 분업의 확대
④ 다국적 기업의 성장에 따른 세계화의 촉진
⑤ 통신 기술 발달에 따른 시·공간적 제약의 완화

03 다음 글의 밑줄 친 ⑦∼㉣에 대한 옳은 설명을 〈보기〉에서 고른 것은?

> 세계화는 ⑦ 정치·경제·사회·문화 등 모든 부문에서 세계가 하나의 공동체로 통합되는 현상을 말한다. 경제의 세계화는 ⓒ 세계가 하나의 단일 시장이 되어가는 현상을 말하며, 문화의 세계화는 ⓒ 전 세계의 다양한 문화가 서로 활발하게 교류하는 것이다. 한편, 세계화와 더불어 ㉣ 지역성이 지역의 수준을 넘어 세계적인 가치를 지니게 되는 현상이 발생하기도 한다.

> ┤ 보기 ├
> ㄱ. ⑦으로 국가 간 상호 의존성이 약화되었다.
> ㄴ. ⓒ으로 기업 활동의 공간적 분업이 축소되었다.
> ㄷ. ⓒ으로 문화 갈등 및 소수 문화 쇠퇴 등이 발생하기도 한다.
> ㄹ. ㉣은 장소 마케팅, 지역 브랜드화, 지리적 표시제 등을 통해 나타날 수 있다.

① ㄱ, ㄴ ② ㄱ, ㄷ ③ ㄴ, ㄷ
④ ㄴ, ㄹ ⑤ ㄷ, ㄹ

★04 다음은 세 국가의 현지화 햄버거를 소개한 것이다. (가)∼(다)에 해당하는 국가를 지도의 A∼C에서 고른 것은?

> (가) 돼지를 기피하는 이슬람교도를 위해 소고기 패티를 사용하고 화덕에서 구운 얇은 난으로 빵을 대체한 햄버거
> (나) 소를 신성시하는 힌두교도를 위해 소고기 대신 닭고기 패티를 사용하고 각종 향신료를 넣어 만든 햄버거
> (다) 소고기 또는 돼지고기 패티를 사용하고 빵 대신 쌀밥을 이용해 만든 햄버거

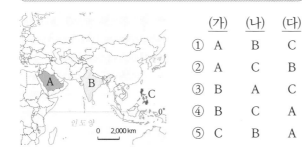

	(가)	(나)	(다)
①	A	B	C
②	A	C	B
③	B	A	C
④	B	C	A
⑤	C	B	A

05 (가), (나)에서 설명하는 세계 지도를 〈보기〉에서 고른 것은?

> (가) O 형태의 바다로 둘러싸인 세계를 세 개의 대륙으로 구분하여 표현하였다. 지도 위에는 종교적 이상향을 표현하였다.
> (나) 작은 점토판에 세계가 평평한 원반 모양으로 새겨져 있다. 지도 중심에는 바빌론과 유프라테스강이 그려져 있으며, 원 밖에는 미지의 세계를 표현하였다.

┤ 보기 ├

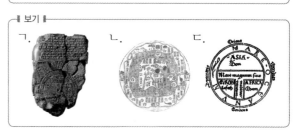

ㄱ.　　　　　ㄴ.　　　　　ㄷ.

　　(가) (나)　　　　(가) (나)　　　　(가) (나)
① 　ㄱ 　ㄴ 　② 　ㄴ 　ㄱ 　③ 　ㄴ 　ㄷ
④ 　ㄷ 　ㄱ 　⑤ 　ㄷ 　ㄴ

★06 (가), (나) 지도에 대한 설명으로 옳은 것은?

(가)　　　　　　(나)

① (가)에는 경선과 위선이 표시되어 있다.
② (나)에는 종교적 이상향이 표현되어 있다.
③ (가)는 (나)보다 원본의 제작 시기가 이르다.
④ (가)의 A와 (나)의 B는 모두 아프리카에 해당한다.
⑤ (가), (나) 모두 아메리카가 표현되어 있다.

07 (가)~(다) 지도의 특징을 그림의 A~C에서 고른 것은?

(가)　　　　(나)　　　　(다)

| 지도의 위쪽이 남쪽입니까? | ⇨ 예 | A |

⇩ 아니요

| 크리스트교 세계관이 반영되었습니까? | ⇨ 예 | B |

⇩ 아니요

| C |

	(가)	(나)	(다)		(가)	(나)	(다)
①	A	B	C	②	A	C	B
③	B	A	C	④	B	C	A
⑤	C	B	A				

08 다음 세계 지도에 대한 설명으로 옳은 것은?

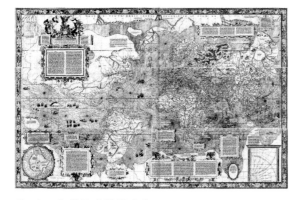

① 지도의 위쪽이 동쪽이다.
② 중세 시대 유럽에서 제작되었다.
③ 이슬람교 세계관이 반영되어 있다.
④ 고위도의 면적이 왜곡되어 나타나 있다.
⑤ 처음으로 경위도의 개념이 사용된 지도이다.

[09~10] 다음은 인도네시아 수마트라섬에 대해 수집한 정보이다. 이를 보고 물음에 답하시오.

▲ (가) 수마트라섬 부근 위성 사진

2021년 7월 28일, ㉠ 북위 3°10′, 동경 98°23′에 위치한 인도네시아 수마트라섬의 시나붕 화산이 폭발하였다. ㉡ 인도네시아는 약 130여 개의 활화산이 있을 정도로 지각이 불안정하며, 시나붕 화산은 특히 최근 화산 폭발이 잦다. 시나붕 화산은 지난 2010년에 400년 만의 분화를 시작한 이후 2014년, 2016년, 2020년에도 분화하였다.

09 위 자료의 밑줄 친 ㉠, ㉡에 해당하는 지리 정보의 종류로 바르게 연결된 것은?

	㉠	㉡		㉠	㉡
①	공간 정보	관계 정보	②	공간 정보	속성 정보
③	관계 정보	공간 정보	④	속성 정보	공간 정보
⑤	속성 정보	관계 정보			

10 위 자료의 (가)와 같은 지리 정보 수집 방법에 대한 옳은 설명을 〈보기〉에서 고른 것은?

┤ 보기 ├
ㄱ. 주기적인 지리 정보의 변화를 파악하기 어렵다.
ㄴ. 개발 도상국보다 선진국에서 활발하게 이용된다.
ㄷ. 인간의 접근이 어려운 지역에 대한 정보를 얻을 수 있다.
ㄹ. 직접 조사보다 지리 정보 수집에 활용되기 시작한 시기가 이르다.

① ㄱ, ㄴ　　　② ㄱ, ㄷ　　　③ ㄴ, ㄷ
④ ㄴ, ㄹ　　　⑤ ㄷ, ㄹ

11 표는 (가)~(다) 국가의 지리 정보를 나타낸 것이다. 이에 대한 설명으로 옳지 않은 것은? (단, (가)~(다)는 베트남, 프랑스, 볼리비아 중 하나임.)

	㉠ 수도의 위도·경도	면적 (만 km²)	㉡ 인구 (만 명)
(가)	2°21′E, 48°51′N	54.9	6,543
(나)	105°51′E, 21°02′N	33.1	9,817
(다)	68°09′W, 16°30′S	109.9	1,183

① ㉠은 위치를 나타내는 공간 정보이다.
② ㉡은 원격 탐사 기법을 사용하여 수집된 정보이다.
③ (가)는 북반구에 위치하고 있다.
④ (나)는 (다)보다 인구 밀도가 높다.
⑤ (가)는 프랑스, (나)는 베트남, (다)는 볼리비아이다.

12 다음은 세계지리 수업 장면의 일부이다. 교사의 질문에 옳게 대답한 학생만을 있는 대로 고른 것은?

지난 시간에 배운 지리 정보 시스템에 대해 이야기해 볼까요?

• 주제: 지리 정보 시스템(GIS)
– 의미
– 특징
– 활용

교사

갑: 지리 정보를 컴퓨터에 입력하고 분석·가공하여 결과물을 얻는 기술이에요.

을: 위성 위치 확인 시스템(GPS) 등의 기술과 결합하여 사용되기도 해요.

병: 기술을 이용하기가 어려워 공공 기관에서만 주로 사용하고 있어요.

정: 다양한 지리 정보를 제공하는 각각의 데이터층을 중첩하여 최적의 지역을 선정하는 데 사용해요.

① 갑, 을   ② 갑, 병   ③ 병, 정
④ 갑, 을, 정   ⑤ 을, 병, 정

13 다음 〈조건〉을 고려해 아동 기금을 지원하고자 한다. 최종 지원 대상 국가를 지도의 A~E에서 고른 것은?

〈조건〉
평가 항목별 점수는 표와 같으며, 각 항목별 점수의 합이 가장 큰 국가를 최종 지원 대상 국가로 선정함.

	1점	2점	3점
유소년층 인구 비율(%)	40 미만	40~45	45 이상
영아 사망률(‰)	40 미만	40~60	60 이상
1인당 GNI($)	1,000 이상	500~1,000	500미만

	유소년층 인구 비율(%)	영아 사망률 (‰)	1인당 GNI($)
A	47.0	66	735
B	43.5	62	2,659
C	39.9	37	638
D	43.6	41	903
E	40.1	29	452

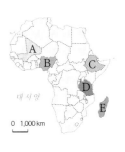

0 1,000 km

① A   ② B   ③ C   ④ D   ⑤ E

14 다음 〈조건〉을 만족하는 국가에 자동차 대리점을 설립하고자 한다. 최종 후보국을 지도의 A~E에서 고른 것은?

〈조건〉
조건1: 도시화율 80% 이상
조건2: 외국인 직접 투자 100억 달러 이상
조건3: 1인당 GNI 1만 달러 이상

도시화율(%)
■ 90 이상
■ 80~90
□ 70~80
□ 70 미만
(국제 연합, 2020년)

외국인 직접 투자 (억 달러)
■ 150 이상
■ 100~150
□ 50~100
□ 50 미만
(국제 연합, 2019년)

1인당 GNI(달러)
■ 15,000 이상
■ 10,000~15,000
□ 5,000~10,000
□ 5,000 미만
(통계청, 2019년)

① A
② B
③ C
④ D
⑤ E

15 다음 글의 밑줄 친 ⑦~⑩에 대한 설명으로 옳지 <u>않은</u> 것은?

> 권역은 세계를 나누는 가장 큰 규모의 공간적 단위이며, 권역을 구분하는 지표에는 ⑦ 자연적 지표, ⑥ 문화적 지표, 기능적 지표 등이 있다. ⑥ 서로 다른 권역 사이의 경계에는 양쪽의 특성이 혼재되어 나타나는 경우가 대부분이므로, 권역의 경계를 명확하게 구분하는 것은 매우 어렵다.
>
> 또한, 같은 지역이라도 관점에 따라 권역 구분이 달라질 수 있다. 그 예로 아메리카 대륙은 리오그란데강을 경계로 ⑧ 앵글로아메리카와 라틴 아메리카로 구분되며, 파나마 지협을 기준으로 ⑩ 북아메리카와 남아메리카로 구분된다.

① ⑦에는 기후, 식생, 토양 등이 있다.
② ⑥에는 종교, 언어, 민족 등이 있다.
③ ⑥에 해당하는 지역을 '동질 지역'이라고 부른다.
④ ⑧은 ⑥에 따른 권역 구분 중 하나이다.
⑤ ⑩은 ⑦에 따른 권역 구분 중 하나이다.

16 (가), (나) 지도에 대한 옳은 설명을 <보기>에서 고른 것은?

(가)	(나)
	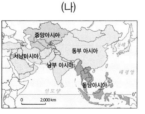

┤ 보기 ├
ㄱ. (가)는 대륙을 기준으로 권역을 구분한 것이다.
ㄴ. (나)를 통해 아시아를 더 작은 규모로 구분할 수도 있음을 알 수 있다.
ㄷ. (가)보다 (나)에 표현되는 지리적 범위가 넓다.
ㄹ. (나)는 (가)보다 넓은 지역의 총체적인 지리 정보를 파악하기에 유리하다.

① ㄱ, ㄴ ② ㄱ, ㄷ ③ ㄴ, ㄷ
④ ㄴ, ㄹ ⑤ ㄷ, ㄹ

17 다음 세계 지도의 권역 구분 기준으로 옳은 것은?

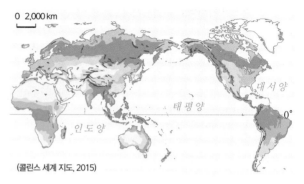

(콜린스 세계 지도, 2015)

① 식생
② 종교
③ 문화권
④ 인구 밀도
⑤ 1인당 국내 총생산

18 다음 지도에 대한 설명으로 옳은 것은?

(디르케 세계 지도, 2015)

① 기능 지역 구분에 해당한다.
② 세계를 규모에 따라 구분하였다.
③ 지역을 나누는 가장 큰 기준은 기후와 지형이다.
④ 각 지역은 종교, 언어, 민족 등의 특징이 비슷하게 나타난다.
⑤ 앵글로아메리카와 라틴 아메리카 문화 지역은 지리적인 측면에서 대륙의 규모로 나눈 지역이다.

19 다음 글을 읽고 세계화의 긍정적 영향과 부정적 영향을 각각 한 가지씩만 서술하시오.

> (가) 힙합(Hip Hop)은 1970년대 미국 뉴욕의 브롱크스 거리에서 시작된 음악이다. 헐렁한 바지에 야구 모자를 쓴 힙합 음악가들의 메시지는 국경을 뛰어넘어 전 세계로 퍼져 나갔다. 오늘날 힙합 음악은 환경, 교육, 정의 등 다양한 주제를 전달하는 수단으로 활용되며 소통의 예술로 발전하고 있다.
>
> (나) 가믈란(Gamelan)은 선율 타악기와 현악기가 어우러지는 인도네시아의 민속 음악이다. 하지만 1980년대부터 서양 음악의 영향으로 가믈란은 점차 고유성을 잃어 가기 시작하였다. 외국인 관광객의 취향에 맞추어 연주하고, 흥미 위주의 공연을 하면서 가믈란만의 전통성은 사라지고 있다.

20 (가), (나) 세계 지도를 보고 물음에 답하시오.

(가)   (나)

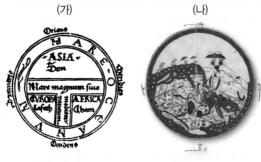

(1) (가), (나) 지도의 명칭을 쓰시오.

(2) (가), (나) 지도에 드러난 세계관을 쓰고, 그렇게 생각한 까닭을 각각 서술하시오.

21 다른 시기에 제작된 두 세계 지도를 보고, (가) 지도와 비교해 (나) 지도가 가진 장점을 세 가지 서술하시오.

(가)

(나)

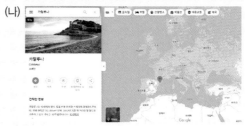

22 다음 지도를 보고 물음에 답하시오.

*세로선은 두 권역의 점이 지대를 나타낸 것임.

(교육부, 2015, 『하크 세계 지도』, 2012)

(1) 지도 속에서 두 권역 사이에 세로선으로 나타나는 지역을 무엇이라고 부르는지 쓰시오.

(2) (1)과 같은 지역이 나타나는 까닭을 서술하시오.

01 | 교육청 기출 |

다음은 어떤 대중가요와 관련된 신문 기사의 일부이다. 밑줄 친 ㉠~㉢을 통해 알 수 있는 세계화의 특징으로 옳지 <u>않은</u> 것은?

> **한국의 대중가요가 세계를 정복하다!**
>
> 가수 △△씨의 뮤직비디오가 ㉠ 인터넷 동영상 공유 사이트에 공개된 지 6개월여 만에 조회수가 10억 건을 넘어섰다. ㉡ 가까운 아시아부터 아프리카 지역에 이르기까지 전 세계 220여 개국의 사람들이 시청한 것으로 나타났다. 게다가 보는 것에 그치지 않고 여러 국가의 청소년, 연예인 등 각계각층의 사람들은 플래시 몹*을 하고 ㉢ 자신들의 생각을 담은 각종 패러디 영상을 제작하여 동영상 공유 사이트나 블로그에 올리기도 하였다.
>
> * 플래시 몹: 누리꾼들이 이메일이나 휴대전화로 특정 시간과 장소를 정한 뒤 모여서 약속된 행동을 하고 흩어지는 행위

① ㉠ – 정보 통신 기술의 발달이 세계화를 촉진시킨다.

② ㉠ – 과거에 비해 문화가 다른 지역으로 확산되는 속도가 빠르다.

③ ㉡ – 지역 문화의 고유성은 약화되고 지역 간 동질성은 강화된다.

④ ㉡ – 정보의 이동 속도에서 공간적 거리의 중요성이 커지고 있다.

⑤ ㉢ – 전파된 문화는 각 지역의 문화와 어우러져 변화하게 된다.

02 | 평가원 응용 |

다음 글의 밑줄 친 ㉠~㉢에 대한 설명으로 옳은 것은?

> 푸드 서비스 기업 □□사는 미국 일리노이주 시카고시 인근에서 ㉠ 1965년에 첫 매장을 개장한 이래, ㉡ 세계 여러 지역으로 진출하여 ㉢ 120여 나라에 3만 8천여 개의 매장을 가진 세계적 규모의 프랜차이즈 업체로 성장하였다. 최근에는 ㉣ 각 지역의 특성에 맞는 메뉴를 개발하여 지역 특화 상품을 판매하기도 한다. 각국에서 판매되는 이 기업의 햄버거 가격을 달러로 환산한 ㉤ ○○ 지수는 세계 여러 국가의 물가 수준을 비교할 때 활용된다.

① ㉠ – 지리 정보 중 위치를 나타내는 공간 정보에 해당한다.

② ㉡ – 이 영향으로 개별 국가의 문화적 고유성은 강화된다.

③ ㉢ – 원격 탐사를 통해 수집한 정보이다.

④ ㉣ – 지리적 특성을 고려한 다국적 기업의 현지화 전략이다.

⑤ ㉤ – 지역 브랜드화 전략에 해당한다.

03 | 교육청 응용 |

(가), (나)에 들어갈 용어로 가장 적절한 것은?

> • 미국 뉴욕은 'I♥NY'라는 <u>(가)</u> 을/를 통해 매력적이고 활기찬 도시 이미지를 얻게 되었고, 다양한 관광 상품을 개발하여 관광 수익을 올리고 있다.
>
> • <u>(나)</u> 에 등록된 프랑스 상파뉴 지역의 샴페인은 지역화 전략의 대표적 사례이다. 이곳은 프랑스에서 연평균 기온이 상대적으로 낮아 신맛이 강한 포도가 재배된다. 이 포도를 이용해 발포성 와인인 샴페인을 생산하여 지역 경쟁력을 갖추게 되었다.

	(가)	(나)
①	장소 마케팅	지역 브랜드
②	지역 브랜드	장소 마케팅
③	지역 브랜드	지리적 표시제
④	지리적 표시제	장소 마케팅
⑤	지리적 표시제	지역 브랜드

04 | 평가원 기출 |

(가), (나) 지도에 대한 설명으로 옳은 것은?

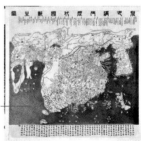

(가)　　　(나)

① (가)의 중심부에는 B 반도가 위치한다.

② (가)는 중국 중심 세계관이 반영되었다.

③ (나)에는 아메리카 대륙이 표현되어 있다.

④ (나)는 크리스트교의 영향을 받아 제작되었다.

⑤ A 하천은 인도양으로 유입된다.

| 평가원 기출 |

05 (가), (나) 지도에 대한 옳은 설명을 〈보기〉에서 고른 것은?

(가)　　　　　(나)

┤ 보기 ├
ㄱ. (가)는 크리스트교 세계관이 반영되어 있다.
ㄴ. (나)에는 상상의 나라가 표현되어 있다.
ㄷ. (가), (나)는 모두 지도의 위쪽이 남쪽이다.
ㄹ. (가), (나)에는 모두 아메리카 대륙이 표현되어 있다.

① ㄱ, ㄴ　　　② ㄱ, ㄷ　　　③ ㄴ, ㄷ
④ ㄴ, ㄹ　　　⑤ ㄷ, ㄹ

| 수능 기출 |

06 (가), (나) 지도의 공통점으로 옳은 것을 〈보기〉에서 고른 것은?

(가)　　　　　(나)

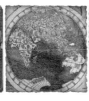

┤ 보기 ├
ㄱ. 아프리카와 유럽이 표현되어 있다.
ㄴ. 르네상스 시대에 유럽인에 의해 제작되었다.
ㄷ. 지구가 구(球)체라는 인식에 기초하여 제작되었다.
ㄹ. 지도의 윗부분에는 종교적 이상향이 표현되어 있다.

① ㄱ, ㄴ　　　② ㄱ, ㄷ　　　③ ㄴ, ㄷ
④ ㄴ, ㄹ　　　⑤ ㄷ, ㄹ

| 수능 기출 |

07 (가), (나) 지도의 공통점으로 옳은 것은?

(가)　　　　　(나)

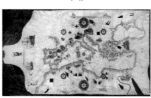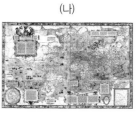

▲ 포르톨라노 해도(지중해 부분)　▲ 메르카토르의 세계 지도

① 항해를 목적으로 제작되었다.
② 오세아니아 대륙이 표현되어 있다.
③ 지도의 위쪽이 동쪽을 가리키고 있다.
④ 대륙의 면적이 정확하게 표현되어 있다.
⑤ 지도의 중심에 종교적 이상향이 표현되어 있다.

| 수능 기출 |

08 (가)~(다) 지도의 특징을 그림의 A~C에서 고른 것은?

(가)　　　　(나)　　　　(다)

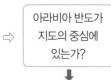

기원전에 제작되었는가? ⇨ 아라비아 반도가 지도의 중심에 있는가? ⇨ C

⇨ 아니요

↓ 예

↓ A　↓ B

	(가)	(나)	(다)		(가)	(나)	(다)
①	A	B	C	②	A	C	B
③	B	A	C	④	B	C	A
⑤	C	B	A				

09 지도에 대한 옳은 설명을 〈보기〉에서 고른 것은?

〈A 기업의 국가별 점포 현황(2015년)〉

백만 명당 점포 수
- 10 이상
- 5~10
- 1~5
- 1 미만

0 2,000 km

| 보기 |
ㄱ. 공간 정보와 속성 정보가 표현되어 있다.
ㄴ. 점포 수의 시간적 변화를 파악할 수 있다.
ㄷ. A 기업은 세계를 무대로 활동하는 다국적 기업이다.
ㄹ. 점포 수에 따라 국가의 면적을 왜곡하여 만든 지도이다.

① ㄱ, ㄴ 　② ㄱ, ㄷ 　③ ㄴ, ㄷ
④ ㄴ, ㄹ 　⑤ ㄷ, ㄹ

10 표는 (가)~(다) 국가의 지리 정보를 나타낸 것이다. 이에 대한 설명으로 옳은 것은?

	(가)	(나)	(다)
해안선과 국토의 모양	0 500 km	0 500 km	0 1,000 km
㉠ 수도의 경위도	9°4′N, 7°29′E	41°17′S, 174°47′E	45°25′N, 75°41′W
㉡ 인구 (천 명)	195,875	4,743	37,075
면적(km²)	923,768	268,838	9,984,670

① ㉠은 지리 정보 중 속성 정보에 해당한다.
② ㉡은 원격 탐사를 이용하여 수집된 정보이다.
③ (가)는 아프리카에 속한다.
④ (가)는 (다)보다 인구 밀도가 낮다.
⑤ (나), (다)의 해안은 모두 인도양에 접해 있다.

11 다음은 세계지리 수업 장면의 일부이다. 교사의 질문에 적절하게 대답한 학생을 고른 것은?

원격 탐사를 통해 다음 자료를 얻을 수 있습니다. 이와 같은 유형의 자료를 통해 어떤 지리 정보를 파악할 수 있을까요?

교사

갑: 동부 아시아의 황사 이동 경로입니다.
을: 유럽 대도시의 도로망과 녹지 분포입니다.
병: 북부 아프리카의 취업률과 교육 수준입니다.
정: 북아메리카에 본사를 두고 있는 다국적 기업의 상담 서비스 만족도입니다.

① 갑, 을 　② 갑, 병 　③ 을, 병
④ 을, 정 　⑤ 병, 정

12 (가), (나)에 대한 옳은 설명만을 〈보기〉에서 있는 대로 고른 것은?

(가) 실내 조사에서 정리된 지리 정보를 확인하고 보완하기 위해 계획된 경로를 따라 현장을 직접 방문하여 해당 지역의 지리 정보를 수집하는 방식이다.
(나) 지표면으로부터 반사 또는 방출되는 에너지를 인공위성이나 항공기 등에 탑재된 센서로 감지하여 지리 정보를 수집하는 방식이다.

| 보기 |
ㄱ. (가)의 주요 조사 방법으로는 관찰, 실측, 면담이 있다.
ㄴ. (나)의 활용 사례로 북극해 해빙(海氷)의 면적이나 남극 상공의 오존층 파괴 범위 파악 등을 들 수 있다.
ㄷ. (나)는 (가)보다 지리 정보 수집에 활용된 시기가 늦다.
ㄹ. △△ 여행사 관광 프로그램 속의 유럽 여행지에 대한 만족도 조사에는 (나)가 (가)보다 적합하다.

① ㄱ, ㄴ 　② ㄱ, ㄹ 　③ ㄷ, ㄹ
④ ㄱ, ㄴ, ㄷ 　⑤ ㄴ, ㄷ, ㄹ

| 평가원 응용 |

13 다음 자료를 바탕으로 여성 의류 판매 지점을 개설하려고 한다. 가장 적합한 국가를 고른 것은? (단, 합산 점수가 가장 높은 국가를 선택함.)

〈평가 기준〉

	1인당 GDP (달러)	총인구 (만 명)	여성 취업률 (%)
1점	3,000 미만	8,000 미만	40 미만
2점	3,000~5,000	8,000~15,000	40~70
3점	5,000 초과	15,000 초과	70 초과

〈국가 정보〉

	1인당 GDP (달러)	총인구 (만 명)	여성 취업률 (%)
방글라데시	1,517	16,467	33.0
베트남	2,342	9,554	73.2
인도네시아	3,847	26,399	50.7
타이	6,595	6,904	60.5
필리핀	2,999	10,492	49.6

① 타이 ② 베트남 ③ 필리핀
④ 방글라데시 ⑤ 인도네시아

| 수능 기출 |

14 다음 〈점수 산정 기준〉의 합산 점수가 가장 높은 국가에 출산의료 센터의 건립을 지원하고자 한다. 가장 적합한 국가를 지도의 A~E에서 고른 것은?

〈점수 산정 기준〉

	1인당 GDP(달러)	도시화율(%)	출생률(‰)
1점	2,000 초과	40 초과	30 미만
2점	1,000~2,000	30~40	30~40
3점	1,000 미만	30 미만	40 초과

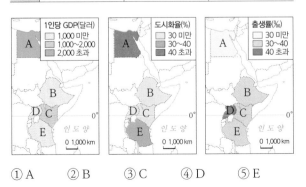

① A ② B ③ C ④ D ⑤ E

| 신유형 |

15 지도는 서로 다른 지표를 통해 세계의 권역을 구분한 것이다. (가), (나)의 기준이 된 지표를 바르게 연결한 것은?

(가)

[구드 세계 지도, 2016.]

(나)
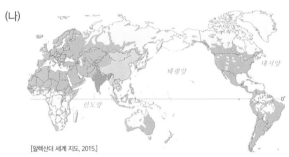

[알렉산더 세계 지도, 2015.]

	(가)	(나)		(가)	(나)
①	기후	종교	②	언어	식생
③	종교	민족	④	인구	경제 수준
⑤	식생	국내 총생산			

| 신유형 |

16 (가), (나) 선은 아메리카를 구분하는 각기 다른 기준선이다. 이에 대한 옳은 설명을 〈보기〉에서 고른 것은?

┌─ 보기 ─────────────────
ㄱ. 아메리카 대륙은 지리적인 측면에서 (가) 선을 경계로 나눌 수 있다.
ㄴ. 멕시코는 (가) 선의 남쪽에 위치하므로 브라질과 같은 문화 지역으로 묶여 있다.
ㄷ. (나) 선을 경계로 북쪽은 선진국, 남쪽은 개발 도상국이다.
ㄹ. (나) 선은 파나마 지협을 경계로 아메리카 대륙을 나눈 것이다.
└──────────────────────

① ㄱ, ㄴ ② ㄱ, ㄷ ③ ㄴ, ㄷ
④ ㄴ, ㄹ ⑤ ㄷ, ㄹ

Ⅱ

세계의 자연환경과
인간 생활

이 단원의 핵심 포인트

중단원	핵심 포인트	학습일
01 세계의 기후 지역과 열대 기후	• 기후의 이해 • 세계의 기후 지역 • 열대 기후의 특징 • 열대 기후 지역의 식생과 주민 생활	월 일 ~ 월 일
02 온대 기후와 건조 및 냉·한대 기후	• 온대 기후의 특징 • 온대 기후 지역의 주민 생활 • 건조 기후의 특징 • 건조 기후 지역의 지형과 주민 생활 • 냉·한대 기후의 특징 • 냉·한대 기후 지역의 지형과 주민 생활	월 일 ~ 월 일
03 세계의 주요 대지형과 특수한 지형들	• 대지형의 형성 • 세계의 주요 대지형 • 화산 지형 • 카르스트 지형 • 해안 지형	월 일 ~ 월 일

셀파와 내 교과서 단원 비교

셀파	천재교과서	미래엔	비상교육	금성출판사
01 세계의 기후 지역과 열대 기후	01 세계의 기후 지역	01 열대 기후 환경	01 열대 기후 환경	01 열대 기후의 특징
	02 열대 기후 환경			
02 온대 기후와 건조 및 냉·한대 기후	03 온대 기후 환경	02 온대 기후 환경	02 온대 기후 환경	02 온대 기후의 지역적 차이
	04 건조 및 냉·한대 기후 환경과 지형	03 건조 및 냉·한대 기후 환경과 지형	03 건조 기후 환경과 냉대 및 한대 기후 환경	03 건조 기후와 냉·한대 기후
03 세계의 주요 대지형과 특수한 지형들	05 세계의 주요 대지형	04 세계의 주요 대지형	04 세계의 주요 대지형	04 세계의 대지형
	06 독특하고 특수한 지형들	05 독특하고 특수한 지형들	05 독특한 지형들	05 독특하고 특수한 지형들

01 세계의 기후 지역과 열대 기후

1 기후의 이해

대기 중에서 일어나는 모든 현상을 일컫는 기상(날씨)과는 다름.

1. 기후 어떤 지역에서 장기간에 걸쳐 매년 되풀이되는 대기 현상의 종합적인 평균 상태

2. 기후 요소 기후를 구성하는 요소 예 기온, 강수, 바람, 습도, 증발량 등

기온	• 태양 복사 에너지의 영향을 크게 받음. • 지구의 자전에 의해 일변화가 나타나고 공전에 의해 연변화가 나타남.
강수	• 대기 중의 수증기가 비, 눈, 우박 등의 형태로 지표에 떨어지는 것 • 대체로 저위도 지역과 남·북위 50° 부근에서 많고, 남·북위 30° 부근과 극지방에서 적음.
바람	• 기온 차이에 따른 기압 차이로 인해 공기가 움직임. • 바람은 기압이 높은 곳에서 낮은 곳으로 붊.

3. 기후 요인 기후 요소의 지역 차이에 영향을 주는 요인 예 위도, 해발 고도, 수륙 분포, 지형 등

위도 자료01	• 저위도에서 고위도로 갈수록 단위 면적당 일사량이 감소하여 기온이 낮아짐.❶ • 저위도 지역은 일사량이 많아 연중 상승 기류가 발달하여 강수량이 많고, 극지방은 일사량이 적어 연중 하강 기류가 발달하여 강수량이 적음. → 이로 인해 대기 대순환이 발생함.
해발 고도	• 해발 고도가 높아질수록 기온이 낮아짐. • 해발 고도가 높아지면서 강수량은 증가하는 경향이 나타남.
수륙 분포	대륙과 해양의 비열❷ 차이로 인해 동위도상의 내륙이 해안보다 기온의 연교차가 크고, 강수량이 적게 나타남.
지형	산지가 평지보다, 바람받이 사면이 비그늘 사면❸보다 강수량이 많음.
격해도	바다와 떨어져 있는 정도의 차이로 인해 내륙이 해안보다 기온의 연교차와 일교차가 큼.
해류	난류가 흐르는 해안은 한류가 흐르는 해안에 비해 기온이 높고 강수량이 많은 편임.
기단	기온과 수증기량 등의 성질이 비슷한 거대한 공기 덩어리로, 한 지역의 날씨와 기후는 기단의 영향을 많이 받음.
전선	성질이 다른 기단 사이에서 전선이 발달하며, 전선대를 따라 일반적으로 강수가 발생함.

2 세계의 기후 지역 자료02 —식생 분포에 영향을 주는 기온과 강수량을 기준으로 구분함. (쾨펜의 기후 구분)

	1차 기후 구분		2·3차 기후 구분	
수목 기후	열대 기후(A)	최한월 평균 기온 18℃ 이상	• 열대 우림 기후(Af) • 열대 몬순 기후(Am) • 사바나 기후(Aw)	• f: 연중 습윤 • s: 여름 건조 • w: 겨울 건조 • m: 계절풍(몬순❹) 기후
	온대 기후(C)	최한월 평균 기온 −3~18℃	• 지중해성 기후(Cs) • 온대 겨울 건조 기후(Cw) • 온난 습윤 기후(Cfa) • 서안 해양성 기후(Cfb)	• a: 최난월 평균 기온 22℃ 이상 • b: 최난월 평균 기온 22℃ 미만, 월평균 기온 10℃ 이상인 달이 4개월 이상
	냉대 기후(D)	최한월 평균 기온 −3℃ 미만, 최난월 평균 기온 10℃ 이상	• 냉대 습윤 기후(Df) • 냉대 겨울 건조 기후(Dw)	
무수목 기후	한대 기후(E)	최한월 평균 기온 10℃ 미만	• 툰드라 기후(ET) • 빙설 기후(EF)	• T: 최난월 평균 기온 0~10℃ • F: 최난월 평균 기온 0℃ 미만
	건조 기후(B)	연 강수량 500mm 미만	• 스텝 기후(BS) • 사막 기후(BW)	• S: 연 강수량 250~500mm • W: 연 강수량 250mm 미만

---

❶ 위도에 따른 일사량 차이

태양 광선을 비스듬히 받음. 고위도
태양 광선을 약간 비스듬히 받음. 중위도
태양 광선을 수직에 가깝게 받음. 저위도
90°N(북극)
베르호얀스크 −15.3℃ 60°N
30°N
상하이 16.2℃ 0°
싱가포르 26.4℃ 30°S

*각 도시의 기온은 연평균 기온이며, 1961~1990년 평균값임. (기상청, 2016)

적도에서 고위도로 갈수록 단위 면적당 태양 에너지의 양이 감소하므로 연평균 기온이 낮아진다.

❷ 비열(cal/g·℃)

어떤 물질 1g의 온도를 1℃ 올리는 데 필요한 열량이다. 물은 흙보다 비열이 크기 때문에 해양은 대륙보다 기온 변화가 작다.

물질	비열(cal/g·℃)
물	1.0
모래	0.2

❸ 바람받이와 비그늘

산지에서 바람이 불어 올라가는 쪽을 바람받이, 그 반대편 즉 바람이 산을 넘어 불어 내려가는 쪽을 비그늘이라고 한다.

❹ 몬순(monsoon)

계절에 따라 주기적으로 방향이 바뀌는 바람으로, 계절풍과 같은 의미로 사용된다. 몬순은 대륙과 해양의 비열 차이에 의해 나타나며, 여름에 해양에서 대륙 쪽으로 불고, 겨울에는 반대로 대륙에서 해양 쪽으로 분다.

자료 01 대기 대순환과 위도별 기후 차이

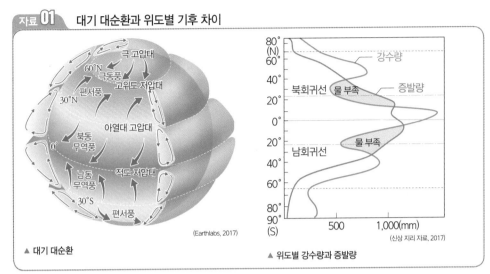

▲ 대기 대순환

▲ 위도별 강수량과 증발량

(Earthlabs, 2017)

(신상 지리 자료, 2017)

자료 분석 |
- 대기 대순환이란 지구적 규모에서 일어나는 공기의 흐름이다. 대기 대순환은 위도별 에너지의 불균형 때문에 일어나는데, 기온이 높은 적도 부근에서는 대기가 상승하는 적도 저압대가 형성되고, 적도 부근에서 상승한 기류는 남·북위 30° 부근에서 하강하여 아열대 고압대를 이룬다. 기온이 낮은 극 부근에서는 대기가 하강하는 극고압대가 형성된다. 남·북위 30° 부근에서 적도 쪽으로는 무역풍이 불고, 고위도 쪽으로는 편서풍이 분다. 그리고 양극 지방에서 남·북위 60° 부근으로는 극동풍이 분다.
- 대기 대순환에 따라 북동 무역풍과 남동 무역풍이 수렴하는 적도 저압대에서는 강수량이 많다. 남·북위 30° 부근의 아열대 고압대는 하강 기류가 발달하여 강수량이 적기 때문에 세계적인 사막들이 분포한다. 극동풍과 편서풍이 만나 한대 전선대를 형성하는 고위도 저압대는 강수량이 많은 편이다.

● 교과서 자료 더 보기 ✛

| 지구의 공전과 계절 변화 |

지구는 자전축이 23.5°만큼 기운 채로 태양 주위를 공전하므로 지구상의 위치에 따라 태양의 고도와 밤낮의 길이가 달라진다. 하지에는 북회귀선(북위 23.5°)에서, 춘분과 추분에는 적도에서, 동지에는 남회귀선(남위 23.5°)에서 태양의 고도가 가장 높다. 따라서 적도 부근은 일 년 내내 태양열을 가장 많이 받고, 중위도 지역은 계절 변화가 뚜렷하다. 한편 적도 주변은 일 년 내내 낮의 길이가 12시간 정도이고, 중위도와 고위도 지역은 낮의 길이가 여름에는 길고 겨울에는 짧아 계절별 일사량의 차이가 크다.

자료 02 공통 자료 세계의 기후 구분과 식생

(필립스 국제 학생 지도, 2014)

(신상 지리 자료, 2017)

자료 분석 | 독일의 기후학자인 쾨펜(Köppen)은 식생 분포에 영향을 주는 기온과 강수량을 기준으로 세계의 기후를 구분하였다. 쾨펜은 알파벳 기호로 기후형을 표현하였으며, 그 기준만 이해하면 기후 특색을 쉽게 파악할 수 있게 하였다. 쾨펜의 기후 구분은 식생, 토양 등의 특징이 담겨 있어 산업, 문화 등을 이해하는 데 중요한 바탕이 된다. 이후 미국의 지리학자인 트레와다(Trewartha)는 쾨펜의 기후 구분에 해발 고도가 높은 지역에서 나타나는 고산 기후(H)를 추가하였다.

● 교과서 자료 더 보기 ✛

| 수목 기후와 무수목 기후 |

수목(樹木)은 땅 위에 줄기가 있는 목본 식물을 일컫는 용어로, 흔히 나무라고 한다. 수목 기후는 나무가 자라는 기후이고, 무수목 기후는 나무가 자라지 못하는 기후이다. 무수목 기후에는 강수량이 부족한 건조 기후와 나무가 자라기에 너무 추운 한대 기후가 속한다.

3 열대 기후의 특징

1. 열대 기후의 분포와 특징 자료 **03**

(1) 분포 적도를 중심으로 남·북회귀선 사이의 저위도 지역

(2) 특징

기온의 일교차가 기온의 연교차보다 더 큼.

① 최한월 평균 기온이 18℃ 이상이고, 연 강수량이 500mm보다 많음.

② 기온의 연교차와 일교차가 작으며, 적도 수렴대❺의 이동에 따라 강수량의 지역 차가 뚜렷함.

③ 화학적 풍화 작용을 강하게 받아 붉은색을 띠는 라테라이트라는 토양이 분포함.

2. 열대 기후의 구분 강수 시기와 강수량에 따라 구분 자료 **04**

열대 우림 기후(Af)	• 연중 적도 수렴대의 영향 → 일 년 내내 기온이 높고 비가 많이 내림.(연 강수량 2,000mm 이상) • 강한 일사로 상승 기류가 발달하여 스콜❻이 거의 매일 발생함. • 분포: 아프리카의 콩고 분지, 동남아시아의 적도 부근, 남아메리카의 아마존 분지 등
사바나 기후 (Aw)	• 연 강수량은 900~1,800mm 정도로 열대 우림보다 적음. • 우기(적도 수렴대의 영향)와 건기(아열대 고압대의 영향)의 구분이 뚜렷함. • 분포: 중앙아프리카, 중남부 아메리카, 남부 아시아, 오스트레일리아 북부 등
열대 몬순 기후(Am)	• 열대 우림 기후와 사바나 기후의 중간 형태 • 우기에는 적도 수렴대와 고온 다습한 계절풍, 건기에는 아열대 고압대와 건조한 계절풍의 영향을 받음. → 우기의 강수 집중도 높음. • 분포: 동남 및 남부 아시아 일대, 남아메리카의 북동부 등

3. 열대 고산 기후

(1) 분포 저위도의 고산 지역 예 남아메리카의 안데스 산지, 아프리카 동부의 아비시니아고원

(2) 특징 일 년 내내 월평균 기온이 15℃ 내외의 온화한 날씨가 나타남. → 고산 도시 발달

상춘 기후라고도 부름.

4 열대 기후 지역의 식생과 주민 생활

1. 열대 기후의 식생 자료 **05**

열대 우림 기후 지역, 열대 몬순 기후 지역에 분포함.

열대림	• 특징: 다양한 종류의 상록 활엽수가 분포하며, 크고 작은 나무들이 다층의 숲을 이룸. • 최근의 문제점: 무분별한 개발 → 열대림의 면적 축소, 토양 침식, 생물 종 다양성 감소, 지구 온난화 가속화, 사막화 등 — 일 년 내내 잎이 푸른 활엽수를 말함.
사바나	키가 큰 풀이 자라는 초원에 키가 작은 관목❼이 드문드문 분포함.

2. 열대 기후의 주민 생활

(1) 의복 통풍이 잘되는 개방적인 형태의 간단한 의복

(2) 전통 가옥

열대 우림 및 열대 몬순 기후	• 주변에서 쉽게 구할 수 있는 나무·풀 등을 주요 재료로 함. • 개방적인 구조의 고상(高床) 가옥❽ 발달 — 창이 커서 통풍이 잘됨. • 빗물이 잘 흘러내리도록 지붕을 급경사로 만듦.
사바나 기후	• 주로 풀이나 진흙으로 집을 짓고, 동물 가죽으로 지붕을 덮음. • 유목 지역에서는 이동식 가옥도 나타남.

(3) 산업

과거	• 이동식 화전 농업❾: 얌, 카사바, 타로 등 식량 작물을 재배함. • 유목: 주로 사바나 기후 지역에서는 소, 양, 염소 등의 유목이 이루어짐. • 벼농사: 열대 몬순 기후 지역에서는 벼의 2~3기작이 이루어짐. — 가축과 함께 물과 풀을 찾아 이동하는 목축 방식임.
오늘날	• 플랜테이션❿: 기호 작물, 원료 작물을 대규모로 재배하여 수출함. • 관광 산업: 열대림 트레킹, 전통 부족 생활 체험 관광, 사바나 지역의 사파리 관광 등

고득점을 위한 셀파 Tip

열대 기후의 구분

열대 우림 기후	연중 고온 다습
사바나 기후	건기와 우기의 구분이 뚜렷
열대 몬순 기후	계절풍의 영향으로 우기의 강 수 집중도가 높음.

❺ **적도 수렴대**

북동 무역풍과 남동 무역풍이 수렴하는 곳이다. 적도 수렴대는 북반구가 여름일 때는 적도 북쪽, 북반구가 겨울일 때는 적도 남쪽으로 이동한다.

❻ **스콜**

열대 기후 지역에서 내리는 대류성 강수로, 짧은 시간에 집중적으로 쏟아지는 소나기이다.

❼ **관목**

일반적으로 사람의 키보다 작고 원줄기와 가지의 구별이 분명하지 않으며, 밑동에서 가지를 많이 치는 나무를 말한다.

❽ **고상 가옥**

지면에서 올라오는 습기와 열기를 차단하고 해충의 침입을 막기 위해 가옥의 바닥을 지면에서 띄워 짓는다.

❾ **이동식 화전 농업**

많은 강수량으로 땅속의 영양분이 빠져나가 토양이 척박하기 때문에 3~4년 주기로 이동하며 숲에 불을 질러 그 재로 지력을 보충하는 형태의 농업 방식이다.

❿ **플랜테이션**

선진국의 자본과 기술, 원주민의 노동력, 열대의 기후 환경이 결합된 형태의 상업적 농업이다. 열대 우림 기후 지역에서는 카카오, 천연고무, 바나나 등이, 사바나 기후 지역에서는 커피, 목화 등이 주로 재배된다.

자료 03 공통 자료 | 열대 기후의 분포와 특징

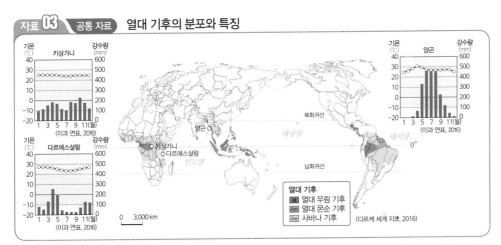

자료 분석 | 열대 기후는 적도를 중심으로 남·북회귀선 사이의 저위도 지역에 주로 분포한다. 열대 기후 지역은 기온의 지역적 차이보다 강수의 지역적 차이가 훨씬 뚜렷한 곳이다. 열대 기후는 강수량 및 강수의 계절 분포에 따라 열대 우림 기후, 사바나 기후, 열대 몬순 기후로 나눈다.

자료 04 적도 수렴대의 이동과 열대 기후

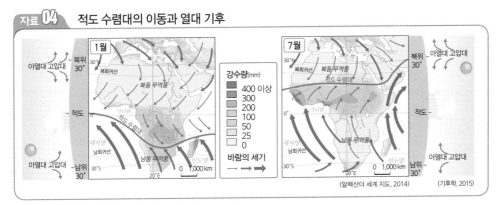

자료 분석 | 적도 주변의 열대 우림 기후 지역은 적도 수렴대가 남북으로 이동해도 항상 영향권에 포함되기 때문에 일년 내내 비가 많이 내린다. 사바나 기후 지역은 태양의 고도가 높아질 때는 적도 수렴대의 영향권에 들어 우기가 되지만, 태양의 고도가 낮아지면 아열대 고압대의 영향을 받아 건기가 된다.

자료 05 열대 기후 지역의 식생

▲ 열대림

▲ 사바나 초원

자료 분석 | 열대림은 크고 작은 나무들이 다층의 숲을 이루고 있어 식물의 종류가 다양하다. 키 큰 나무의 높이는 50~60m에 이른다. 한편 사바나 초원은 소림과 장초의 경관이 주가 된다. 대체로 열대 우림 기후 지역에 가까울수록 나무가 많으며, 우기에는 풀이 무성하게 자란다.
— 나무가 드문드문 있는 숲을 말함.

● 교과서 자료 더 보기 +

| 열대 고산 기후 |

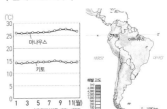

해발 고도가 높아질수록 기온이 낮아지는 현상 때문에, 열대 기후가 나타나는 저위도의 고산 지역에서는 연중 우리나라의 봄과 같은 기후가 나타난다. 에콰도르의 수도 키토는 적도 부근에 위치하지만, 해발 고도가 높아 일 년 내내 온화하다.

● 교과서 자료 더 보기 +

| 스콜 |

스콜은 지표면 기온이 높은 오후 시간대에 주로 발생하며, 강풍, 천둥, 번개 등을 동반하기도 한다.

● 교과서 자료 더 보기 +

| 고상 가옥 |

1 기후의 이해

기후 요소	기온, 강수, 바람, 습도 등 기후를 구성하는 요소
기후 요인	• 저위도에서 고위도로 갈수록 기온이 낮아짐. • 해발 고도가 높아질수록 기온이 낮아짐. • 육지와 바다의 (❶　　　) 차로 인해 동위도상의 해안보다 내륙이 기온의 연교차가 큼. • 평지보다 산지가, 비그늘 사면보다 (❷　　　) 사면이 강수량이 많음. • 난류가 흐르는 해안은 한류가 흐르는 해안에 비해 강수량이 많은 편임. • 그밖에 격해도, 기단, 전선 등의 요인도 기후 요소의 지역 차이에 영향을 줌.

2 세계의 기후 지역

수목 기후	• 열대 기후(A): 최한월 평균 기온 18℃ 이상 • 온대 기후(C): 최한월 평균 기온 −3~18℃ • (❸　　　) 기후(D): 최한월 평균 기온 −3℃ 미만, 최난월 평균 기온 10℃ 이상
무수목 기후	• 한대 기후(E): 최난월 평균 기온 10℃ 미만 • 건조 기후(B): 연 강수량 500mm 미만

3 열대 기후의 특징

열대 우림 기후	연중 적도 수렴대의 영향으로 일 년 내내 강수량이 많음, 강한 일사로 오후에 대류성 강수인 (❹　　　)이 자주 내림.
사바나 기후	우기(적도 수렴대의 영향)와 건기(아열대 고압대의 영향)의 구분이 뚜렷함.
열대 몬순 기후	계절풍의 영향으로 긴 우기와 짧은 건기가 번갈아 나타남.
열대 고산 기후	저위도의 고산 지역에서 연중 월평균 기온이 15℃ 내외인 봄과 같은 (❺　　　) 기후가 나타남.

4 열대 기후 지역의 식생과 주민 생활

식생	• 열대림: 주로 (❻　　　)가 분포하며, 다층의 숲을 이룸. • 사바나: 소림장초의 초원	
주민 생활	전통 가옥	• 열대 우림 및 열대 몬순 기후: 개방적인 구조의 고상 가옥, (❼　　　)경사의 지붕 • 사바나 기후: 풀이나 진흙으로 집을 짓고, 동물 가죽으로 지붕을 덮음.
	산업	• 과거: 이동식 화전 농업, 유목, 벼농사 등 • 오늘날: 플랜테이션, 관광 산업 등

정답 ❶ 비열 ❷ 바람받이 ❸ 냉대 ❹ 스콜 ❺ 상춘 ❻ 상록 활엽수 ❼ 급

탄탄 내신 문제

01 표는 지도의 A~F 지역을 사례로 기후 요인과 기후 요소의 관계를 나타낸 것이다. (가)~(다)에 들어갈 내용으로 옳은 것은?

기후 요인	기후 요소의 지역 차
(가)	A는 B보다 연평균 기온이 높다.
(나)	C는 D보다 기온의 연교차가 작다.
(다)	E는 F보다 연중 기온이 낮다.

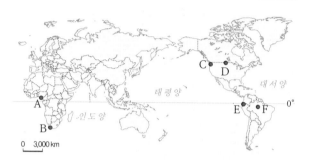

	(가)	(나)	(다)
①	위도	수륙 분포	해발 고도
②	위도	해발 고도	수륙 분포
③	해발 고도	위도	수륙 분포
④	해발 고도	수륙 분포	위도
⑤	수륙 분포	위도	해발 고도

02 자료는 위도별 강수량과 증발량을 나타낸 것이다. 이에 대한 설명으로 옳은 것은?

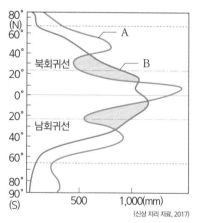

(신상 지리 자료, 2017)

① A는 증발량, B는 강수량을 나타낸다.
② 위도 20°N 부근은 강수량이 많은 편이다.
③ 남·북회귀선 부근에서는 물 부족 현상이 나타난다.
④ 강수량과 증발량은 고위도 저압대 부근에서 가장 많다.
⑤ 극지방으로 갈수록 강수량과 증발량은 대체로 증가한다.

03 그림은 어느 시기 태양의 고도를 나타낸 것이다. 이 시기 A~C 지역에 대한 옳은 설명을 〈보기〉에서 고른 것은? (단, 시기는 하지와 동지 중 하나임.)

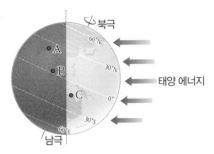

┌─ 보기 ┐
ㄱ. A는 C보다 평균 기온이 높다.
ㄴ. A는 B보다 낮의 길이가 짧다.
ㄷ. B는 C보다 대류성 강수의 빈도가 높다.
ㄹ. C는 A보다 적도 수렴대의 영향을 크게 받는다.
└─────┘

① ㄱ, ㄴ   ② ㄱ, ㄷ   ③ ㄴ, ㄷ
④ ㄴ, ㄹ   ⑤ ㄷ, ㄹ

☆04 그림의 (가)~(라)에 들어갈 기후 유형에 대한 설명으로 옳지 않은 것은?

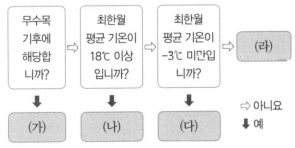

① (가)에는 건조 기후가 들어갈 수 있다.
② (나)는 기온의 연교차보다 일교차가 크다.
③ (다)의 식생은 상록 활엽수림이 주를 이룬다.
④ (라)가 나타나는 지역은 대체로 편서풍의 영향을 받는다.
⑤ (가)~(라) 중 지역별 연 강수량은 (나)가 가장 많은 편이다.

☆05 지도는 열대 기후 지역의 일부를 나타낸 것이다. (가), (나) 지역에 대한 설명으로 옳은 것은?

① (가) 지역은 연중 아열대 고압대의 영향을 받는다.
② (나) 지역은 건기와 우기가 뚜렷하게 나타난다.
③ (가)와 (나) 지역의 구분 기준은 최한월 평균 기온이다.
④ (가) 지역은 (나) 지역보다 단위 면적당 수목 밀도가 낮다.
⑤ (나) 지역은 (가) 지역보다 연 강수량이 많다.

☆06 그래프는 세 지역의 월평균 기온과 강수량을 나타낸 것이다. (가)~(다) 지역에 대한 설명으로 옳지 않은 것은?

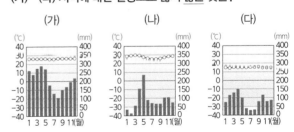

① (가)는 적도 부근에 위치해 있다.
② (나)는 북반구에 위치해 있다.
③ (나)는 (가)보다 일 년 중 적도 수렴대의 영향을 받는 시간이 짧다.
④ (다)는 (가)보다 해발 고도가 높은 곳에 위치해 있다.
⑤ (가)~(다)는 모두 기온의 일교차가 기온의 연교차보다 크다.

07 그림은 적도 수렴대의 이동을 나타낸 것이다. 이에 대한 옳은 설명을 〈보기〉에서 고른 것은? (단, (가), (나)는 1월, 7월 중 하나임.)

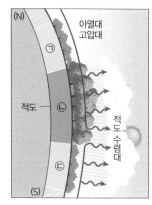
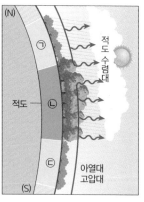

┤ 보기 ├
ㄱ. (가) 시기는 7월, (나) 시기는 1월이다.
ㄴ. (가) 시기에 ㉢은 낮보다 밤이 길다.
ㄷ. (나) 시기에 ㉢은 ㉠보다 초원의 풀이 말라 있다.
ㄹ. ㉡은 ㉠, ㉢에 비해 강수량의 월별 편차가 작다.

① ㄱ, ㄴ   ② ㄱ, ㄷ   ③ ㄴ, ㄷ
④ ㄴ, ㄹ   ⑤ ㄷ, ㄹ

08 자료는 두 기후 지역의 식생을 정리한 것이다. (가), (나) 지역의 공통된 기후 특징으로 옳은 것은?

(가)   (나)

▲ 크고 작은 나무들이 다층의 숲을 이루고 있으며, 식물의 종류가 매우 많음.   ▲ 키가 큰 풀이 자라는 초원에 나무가 드문드문 자라고 야생 동물이 자주 보임.

① 계절풍의 영향을 강하게 받는다.
② 거의 매일 대류성 강수가 내린다.
③ 연 증발량이 연 강수량보다 많다.
④ 최한월 평균 기온이 18℃ 이상이다.
⑤ 연중 봄과 같은 온화한 날씨가 지속된다.

09 다음 자료에 나타난 전통 가옥을 특징적으로 볼 수 있는 지역에 대한 옳은 설명을 〈보기〉에서 고른 것은?

지붕의 경사가 급하며, 야자나무의 잎이나 볏짚으로 지붕을 만든다. 재료는 나무인데, 바닥을 지면으로부터 띄워서 집을 짓는다.

┤ 보기 ├
ㄱ. 강수량이 적은 지역이다.
ㄴ. 주로 상록 활엽수림이 분포한다.
ㄷ. 해발 고도가 높아 연중 온화한 날씨가 나타난다.
ㄹ. 통풍이 잘되는 개방적인 형태의 의복이 발달하였다.

① ㄱ, ㄴ   ② ㄱ, ㄷ   ③ ㄴ, ㄷ
④ ㄴ, ㄹ   ⑤ ㄷ, ㄹ

10 밑줄 친 ㉠~㉣에 대한 설명으로 옳지 않은 것은?

열대 우림 기후 지역에서는 전통적으로 수렵과 채집 생활을 하거나 ㉠ 이동식 화전 농업을 하였다. 근래에는 ㉡ 플랜테이션이 활발하게 이루어지고 있다.
사바나 기후 지역에서는 전통적으로 ㉢ 유목이 많이 이루어졌다. 최근에는 ㉣ 사파리 관광 등의 산업이 발달하고 있다.

① ㉠을 통해 주로 커피, 카카오, 바나나 등을 대규모로 재배하였다.
② ㉠은 척박한 토양을 극복하기 위한 농업 방식이다.
③ ㉡은 외국의 자본과 기술의 투입 비중이 높은 농업 방식이다.
④ ㉢은 가축과 함께 물과 풀을 찾아 이동하는 목축 방식이다.
⑤ ㉣은 우기에 풀이 무성하게 자라 야생 동물이 많이 서식하는 기후 특성을 이용한 산업이다.

서술형 문제

11 표는 위도에 따른 기압대와 강수 분포를 나타낸 것이다. 이를 보고 물음에 답하시오.

위도	기압대	강수
90°N 부근	극고압대	소우지
60°N 부근	고위도 저압대	다우지
30°N 부근	㉠	소우지
0° 부근	적도 저압대	㉡

(1) ㉠에 들어갈 알맞은 말을 쓰시오.

(2) 적도 부근의 기압대를 고려하여 ㉡의 특징을 서술하시오.

12 다음 자료를 보고 물음에 답하시오.

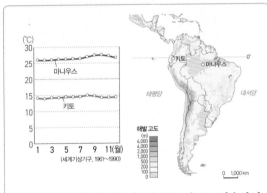

남아메리카의 키토와 마나우스는 위도는 비슷하지만 기온은 차이가 크다. 이는 두 지역의 ___(가)___ 의 차이 때문이다.

(1) (가)에 들어갈 기후 요인을 쓰시오.

(2) (1)을 고려하여 키토의 기온 특성을 마나우스와 비교하여 서술하시오.

13 (가), (나) 지역의 기후 그래프를 보고 물음에 답하시오.

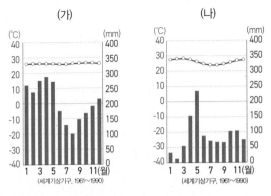

(1) (가), (나) 지역에 해당하는 기후를 쓰시오.

(2) (가), (나) 지역에 주로 분포하는 식생의 특징을 간략히 서술하시오.

14 그래프는 말레이시아의 시간대별 강수 비중을 나타낸 것이다. 이를 보고 물음에 답하시오.

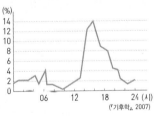

(1) 말레이시아에서 오후 시간대에 볼 수 있는 강수를 무엇이라고 부르는지 쓰시오.

(2) 말레이시아의 기후를 고려하여 (1)의 강수 특징을 서술하시오.

| 평가원 기출 |

01 그림은 대기 대순환 모식도이다. A~C 위도대에서 나타나는 현상에 대한 옳은 설명을 〈보기〉에서 고른 것은?

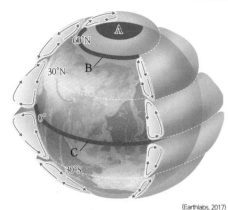

(Earthlabs, 2017)

┌ 보기 ┐

ㄱ. A에서는 연중 편서풍이 탁월하게 분다.

ㄴ. B에서는 아열대 고압대가 형성된다.

ㄷ. C에서는 A에서보다 단위 면적당 연평균 일사량이 많다.

ㄹ. C에서는 B에서보다 대류성 강수 발생 일수가 많다.

① ㄱ, ㄴ ② ㄱ, ㄷ ③ ㄴ, ㄷ
④ ㄴ, ㄹ ⑤ ㄷ, ㄹ

| 교육청 기출 |

02 그래프는 지도에 표시된 세 지역의 풍향별 바람의 출현 비율을 나타낸 것이다. (가)~(다)를 지도의 A~C에서 고른 것은?

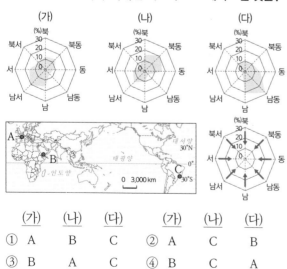

	(가)	(나)	(다)		(가)	(나)	(다)
①	A	B	C	②	A	C	B
③	B	A	C	④	B	C	A
⑤	C	A	B				

| 교육청 기출 |

03 다음 자료의 (가)~(다)에 들어갈 기후 요인으로 가장 적절한 것은?

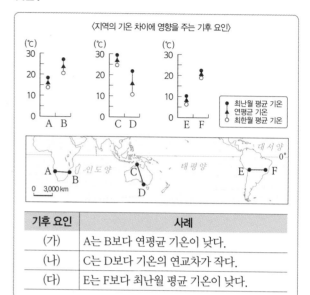

기후 요인	사례
(가)	A는 B보다 연평균 기온이 낮다.
(나)	C는 D보다 기온의 연교차가 작다.
(다)	E는 F보다 최난월 평균 기온이 낮다.

	(가)	(나)	(다)
①	위도	해류	해발 고도
②	해류	위도	해발 고도
③	해류	해발 고도	위도
④	해발 고도	해류	위도
⑤	해발 고도	위도	해류

| 평가원 기출 |

04 (가), (나) 시기 A~D 지역에 관한 설명으로 옳지 <u>않은</u> 것은? (단, (가), (나) 시기는 각각 1월, 7월 중 하나임.)

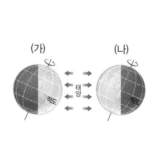

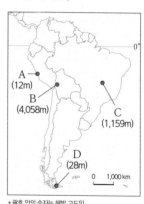

*괄호 안의 숫자는 해발 고도임.

① (가) 시기 평균 기온은 B가 C보다 낮다.

② (나) 시기 강수량은 A가 C보다 적다.

③ (나) 시기 밤의 길이는 D가 A보다 길다.

④ (가), (나) 시기 간 평균 기온의 차이는 B가 D보다 작다.

⑤ (가), (나) 시기 간 강수량 차이는 C가 D보다 크다.

| 신유형 |

05 (가)~(다) 기후에 해당하는 지역을 지도의 A~E에서 고른 것은?

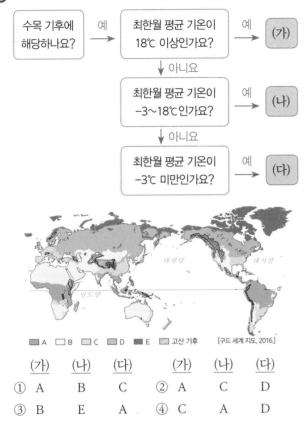

수목 기후에 해당하나요? → 예 → 최한월 평균 기온이 18℃ 이상인가요? → 예 → (가)

↓ 아니요

최한월 평균 기온이 −3~18℃인가요? → 예 → (나)

↓ 아니요

최한월 평균 기온이 −3℃ 미만인가요? → 예 → (다)

■ A □ B □ C □ D ■ E ▨ 고산 기후 [구드 세계 지도, 2016.]

	(가)	(나)	(다)		(가)	(나)	(다)
①	A	B	C	②	A	C	D
③	B	E	A	④	C	A	D
⑤	C	D	E				

| 수능 기출 |

06 다음 글의 (가)~(다) 기후에 대한 설명으로 옳은 것은?

쾨펜에 따르면 열대 기후는 강수 특성에 따라 다음과 같이 세분된다. ⬚(가)⬚는 연중 습윤하며 모든 달의 강수량이 60mm 이상이다. ⬚(나)⬚는 건기와 우기가 뚜렷하고 가장 건조한 달의 강수량이 60mm 이하이다. ⬚(다)⬚는 ⬚(가)⬚와 ⬚(나)⬚의 중간형으로 월 강수량이 60mm 이하인 달이 있기는 하지만, 고온 다습한 계절풍의 영향을 받아 대개 연 강수량이 2,000mm를 넘는다.

① (가)는 편서풍대에 나타나며 해류의 영향으로 강수량이 많다.
② (나)는 동남아시아와 오스트레일리아 북부에서도 나타난다.
③ (다) 지역은 세계 최대의 목화 생산 지역이다.
④ (나) 지역은 (다) 지역보다 단위 면적당 수목 밀도가 높다.
⑤ (가)~(다) 모두 연교차가 일교차보다 더 크다.

| 신유형 |

07 다음 자료와 관련이 깊은 지역의 기후 그래프로 적절한 것은?

아프리카 적도 부근 동쪽에 위치하며, 1981년에 세계 문화유산으로 등록된 이곳은 마사이어로 '끝없는 평원'이라는 뜻의 화산 고원 지대이다. 이곳에 서식하는 누(gnu), 얼룩말, 영양들은 우기에 응고롱고로 분화구에 모여 번식한다. 그러나 건기가 시작되면 이 동물들은 먹이를 찾아 드넓은 평원을 가로질러 하천이 있는 곳으로 이동한다.

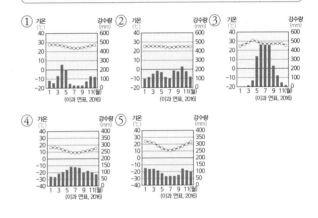

| 평가원 기출 |

08 A~C 지역의 기후 특징에 대한 옳은 설명을 〈보기〉에서 고른 것은?

* ( ) 안의 숫자는 평균 해발 고도임.

┤ 보기 ├
ㄱ. A는 최한월 평균 기온이 18℃ 이상이다.
ㄴ. C는 연중 적도 수렴대 안에 위치한다.
ㄷ. B는 A보다 7월 평균 기온이 높다.
ㄹ. C는 B보다 연 강수량이 적다.

① ㄱ, ㄴ ② ㄱ, ㄷ ③ ㄴ, ㄷ
④ ㄴ, ㄹ ⑤ ㄷ, ㄹ

| 수능 기출 |

09 그래프는 지도에 표시된 세 지점의 누적 강수량을 나타낸 것이다. (가)~(다) 지역에 대한 옳은 설명을 〈보기〉에서 고른 것은?

  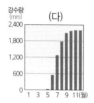

* 누적 강수량은 1월부터 해당 월까지의 강수량을 합한 값임.

┌─ 보기 ┐
ㄱ. (가)는 기온의 일교차보다 기온의 연교차가 크다.
ㄴ. (다)는 아시아에 위치한다.
ㄷ. 북회귀선까지의 최단 거리는 (가)가 (다)보다 짧다.
ㄹ. (나)는 (다)보다 12월 강수량이 많다.
└──────────┘

① ㄱ, ㄴ 　② ㄱ, ㄷ 　③ ㄴ, ㄷ
④ ㄴ, ㄹ 　⑤ ㄷ, ㄹ

| 교육청 기출 |

11 그래프는 지도에 표시된 세 지역의 시기별 강수량을 나타낸 것이다. (가)~(다) 지역에 대한 설명으로 옳은 것은?

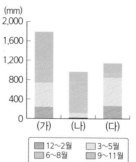 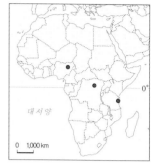

① (가)는 연중 적도 수렴대의 영향을 받는다.
② (나)는 12~2월에 동물들이 풀을 찾아 북쪽으로 이동한다.
③ (가)는 (나), (다)보다 건기와 우기의 구분이 뚜렷하다.
④ (나)와 (다)는 기온의 일교차보다 연교차가 크게 나타난다.
⑤ (다)는 6~8월에 (나)보다 대류성 강수가 자주 내린다.

| 교육청 기출 |

10 그래프는 지도에 표시된 세 지역의 기온과 강수량 특성을 나타낸 것이다. (가)~(다) 지역에 대한 설명으로 옳은 것은?

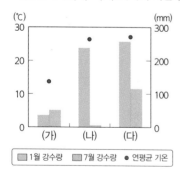 

① (가)는 7월보다 1월에 정오의 태양 고도가 높다.
② (나)는 (다)보다 대류성 강수 일수가 많다.
③ (다)는 (가)보다 해발 고도가 높다.
④ (나), (다)는 동일한 국가에 위치한다.
⑤ (가)~(다)는 모두 기온의 연교차가 일교차보다 크다.

| 평가원 기출 |

12 그래프는 지도에 표시된 A~C 지역의 강수량 값에 관한 것이다. 이에 대한 설명으로 옳지 <u>않은</u> 것은? (단, (가)~(다)는 지도의 A~C 지역 중 하나임.)

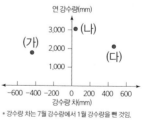 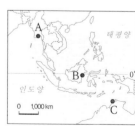

* 강수량 차는 7월 강수량에서 1월 강수량을 뺀 것임.

① (가)는 C이다.
② (나)에서는 상록 활엽수가 우거진 밀림이 나타난다.
③ (다)는 B보다 연 강수량이 많다.
④ B는 기온의 연교차가 일교차보다 작다.
⑤ C에서는 아열대 고압대의 영향을 받는 건기가 나타난다.

13 | 교육청 기출 |
그래프는 지도에 표시된 세 지역의 월평균 기온과 월 강수 편차를 나타낸 것이다. (가)~(다)에 해당하는 지역을 지도의 A~C에서 고른 것은?

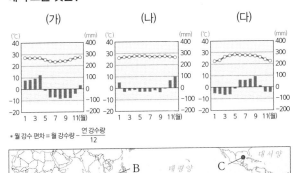

* 월 강수 편차 = 월 강수량 - $\dfrac{연 강수량}{12}$

	(가)	(나)	(다)		(가)	(나)	(다)
①	A	B	C	②	A	C	B
③	B	A	C	④	B	C	A
⑤	C	B	A				

15 | 교육청 응용 |
다음 자료는 여행기의 일부이다. (가)에 들어갈 내용으로 가장 적절한 것은?

> 점심을 먹고 오후에는 고무나무 농장에서 수액 채취 체험을 했다. 그런데 갑자기 비가 내렸다. 여행 안내인이 "여기는 거의 매일 오후에 비가 내려요."라고 말해 주었다. 버스를 타고 숙소로 돌아오는 도중에 비가 그쳤고, 창밖으로 _____(가)_____ 이 보였다.

① 대규모 올리브 농장
② 끝없이 펼쳐진 모래 언덕
③ 카카오를 수확하고 있는 모습
④ 타이가로 불리는 빽빽한 침엽수림
⑤ 양떼가 풀을 뜯고 있는 드넓은 초원

16 | 신유형 |
다음 자료의 ㉠, ㉡에 대한 옳은 설명을 〈보기〉에서 고른 것은? (단, ㉠은 식생, ㉡은 토양임.)

| 보기 |
ㄱ. ㉠은 단순림을 이룬다.
ㄴ. ㉠은 이산화 탄소를 흡수하는 기능을 한다.
ㄷ. ㉡은 매우 비옥하다.
ㄹ. ㉡은 화학적 풍화 작용을 받아 붉은색을 띤다.

① ㄱ, ㄴ   ② ㄱ, ㄷ   ③ ㄴ, ㄷ
④ ㄴ, ㄹ   ⑤ ㄷ, ㄹ

14 | 교육청 기출 |
사진은 두 기후 지역의 전통 가옥 모습이다. (가), (나) 기후 지역에 대한 설명으로 옳은 것은?

(가) 관목과 풀을 이용한 평평한 지붕 / 흙, 재, 소똥을 섞어 바른 벽면
(나) 비가 잘 흘러내리는 경사진 지붕 / 지면과 떨어진 바닥

① (가)는 연중 적도 수렴대의 영향을 받는다.
② (나)는 기온의 연교차가 기온의 일교차보다 크다.
③ (나)는 (가)보다 수목의 평균 키가 크다.
④ (가)는 이동식 경작, (나)는 유목이 활발하다.
⑤ (가), (나) 모두 비옥한 흑색의 체르노젬이 발달한다.

02 온대 기후와 건조 및 냉·한대 기후

Ⅱ. 세계의 자연환경과 인간 생활

1 온대 기후의 특징

1. 온대 기후의 분포와 특징 〈자료 01〉

(1) **분포** 대체로 편서풍이 부는 중위도 지역

(2) **특징**

① 최한월 평균 기온이 -3℃~18℃이고, 연 강수량이 대체로 500mm보다 많음.

② 계절에 따른 일사량의 차이가 커서 사계절이 뚜렷하게 나타나며, 농경과 인간 생활에 유리함.

③ 낙엽 활엽수와 침엽수①의 혼합림이 많음.
　　　　　　　　　　　　　　　　└ 인구 밀도가 높고 세계적인 대도시들이 많이 위치함.

(3) **온대 대륙 서안과 대륙 동안의 기후 차**

① **원인** 편서풍과 수륙 분포의 영향

② **특징** 대륙 서안은 편서풍의 영향으로 기온의 연교차가 작지만, 대륙 동안은 계절풍②의 영향으로 기온의 연교차가 크고 강수의 계절 차가 상대적으로 큼.

2. 온대 기후의 구분 계절별 강수량과 여름철 기온에 따라 구분 〈자료 02〉

서안 해양성 기후(Cfb)	• 위도 40~60° 부근의 대륙 서안 지역 예 서부 유럽, 북아메리카의 북서 해안, 칠레 남부, 오스트레일리아 남동부, 뉴질랜드 등 • 연중 바다에서 불어오는 편서풍의 영향으로 여름이 서늘하고 겨울이 온화함. • 대륙 동안보다 기온의 연교차가 작음, 연중 습도가 높고 강수일수가 많음.
지중해성 기후(Cs)	• 위도 30~40° 부근의 대륙 서안 지역 예 지중해 연안, 미국 캘리포니아주, 칠레 중부, 오스트레일리아 남서부, 아프리카 남서단 등 • 여름에는 아열대 고압대의 영향으로 고온 건조, 겨울에는 편서풍 및 전선대의 영향으로 온난 습윤 └ 여름에 산불이 많이 발생함.
온난 습윤 기후(Cfa)	• 위도 30~40° 부근의 대륙 동안 지역 예 중국 남동부, 미국 남동부, 남아메리카 남동부, 오스트레일리아 동부 등 • 연중 습윤하지만, 여름에 무덥고 강수량이 많으며 건기가 뚜렷하지 않음.
온대 겨울 건조 기후 (Cw)	• 위도 20~30° 부근의 대륙 동안 지역 예 중국 남부, 인도차이나반도 북부, 남아메리카의 아르헨티나 중부 등 • 여름에는 고온 다습하고 겨울에는 한랭 건조함.

2 온대 기후 지역의 주민 생활

1. 온대 서안 기후 지역의 주민 생활

서안 해양성 기후	• 농목업: 혼합 농업③ 발달, 대도시 주변에는 낙농업과 화훼 농업 발달　┌ 예 라인강 수운 • 생활 모습: 외출할 때 비옷과 우산을 챙기고, 맑은 날에는 일광욕을 즐김, 내륙 수운 발달
지중해성 기후	• 농목업: 여름에는 수목 농업④, 겨울에는 곡물 재배, 해발 고도가 높은 산지에서는 이목⑤ 발달 • 생활 모습: 두꺼운 흰 벽과 작은 창문의 가옥, 관광 산업 발달, 태양광 발전 발달 　　　　　　　　　　　　　　　　　　　　└ 예 알프스 산지, 메세타 고원

2. 온대 동안 기후 지역의 주민 생활

농목업	• 동부 및 동남아시아: 벼농사 발달, 저위도 지역은 벼의 2기작, 일조량이 많고 강수량이 풍부한 경사지에서는 차 재배 • 북아메리카 남동부: 목화, 콩 등을 대규모로 재배하는 기업적 농업 발달 • 남아메리카 남동부: 대규모의 기업적 목축업과 밀 농사 발달
생활 모습	• 여름철에는 열대 저기압의 영향으로 인해 풍수해, 해일 등의 피해가 발생함. • 하천의 유량 변동이 커 수운 교통 발달에 불리하며, 다목적 댐을 건설함.

고득점을 위한 셀파 Tip

온대 기후의 구분

서안 해양성 기후	편서풍의 영향으로 연중 온난 습윤
지중해성 기후	여름에는 고온 건조, 겨울에는 온난 습윤
온난 습윤 기후	연중 습윤하며, 여름에 고온 다습
온대 겨울 건조 기후	여름에는 고온 다습, 겨울에는 한랭 건조

① 활엽수와 침엽수

잎이 넓은 나무는 활엽수, 잎이 뾰족한 바늘 형태인 나무는 침엽수이다. 활엽수는 가을이나 겨울에 잎이 떨어지는 낙엽 활엽수와 연중 녹색의 잎을 지니는 상록 활엽수로 구분한다.

② 계절풍

계절풍은 대륙과 해양의 비열 차이로 발생한다. 겨울에는 대륙 쪽에 고기압이, 해양 쪽에 저기압이 발달하여 대륙에서 해양으로 계절풍이 분다. 여름에는 해양 쪽에 고기압이, 대륙 쪽에 저기압이 발달하여 해양에서 대륙 쪽으로 계절풍이 분다. 따라서 겨울에는 기온이 낮고 건조하지만, 여름에는 기온이 높고 강수량이 많다.

③ 혼합 농업

밀, 보리 등과 같은 식량 작물과 귀리, 사탕무 등과 같은 사료 작물을 재배하면서 가축을 함께 기르는 방식을 말한다.

④ 수목 농업

고온 건조한 여름에도 잘 견디는 포도, 올리브, 오렌지, 코르크 등과 같은 경엽수를 이용한 농업을 말한다.

└ 잎이 작고 단단하며, 껍질이 두껍고 뿌리가 깊어 수분 증발을 막는 나무

⑤ 이목

양이나 염소 등의 가축을 건조한 여름철에는 산지의 초지에서 방목하고 겨울철에는 저지대로 이동하여 사육하는 방식의 목축업이다.

셀파 자료 탐구

자료 01 | 공통 자료 | 온대 기후의 분포와 특징

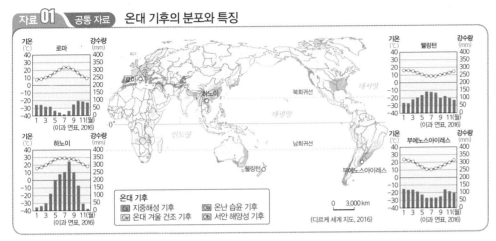

온대 기후
- Cs 지중해성 기후
- Cw 온대 겨울 건조 기후
- Cfa 온난 습윤 기후
- Cfb 서안 해양성 기후

0 — 3,000 km

(디르케 세계 지도, 2016)

자료 분석 | 온대 기후는 주로 중위도 지역에 위치하며, 계절에 따른 일사량의 변화가 크기 때문에 사계절이 뚜렷하게 나타난다. 온대 기후는 강수의 계절 분포와 최난월 평균 기온 등을 기준으로 서안 해양성 기후, 지중해성 기후, 온대 겨울 건조 기후, 온난 습윤 기후로 구분한다.

교과서 탐구 풀이

Q 온대 서안과 동안 기후의 연교차를 비교해 보자.

A 기온의 연교차는 대체로 저위도에서 고위도로 갈수록, 해안에서 대륙 내부로 갈수록 커진다. 대륙 서안은 기온의 연교차가 작은 반면, 대륙 동안이나 내륙 지역은 기온의 연교차가 크게 나타난다.

자료 02 | 온대 서안과 동안 기후

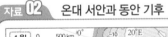

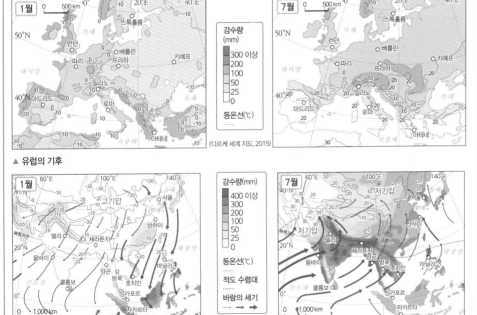

▲ 유럽의 기후

▲ 아시아의 계절풍 기후

교과서 탐구 풀이

Q 아시아에서 나타나는 계절풍의 풍향을 정리해 보자.

구분	1월	7월
인도 반도	북동 계절풍	남서 계절풍
인도 차이나 반도	북동 계절풍	남서 계절풍
동 아시아	북서 계절풍	남동·남서 계절풍

자료 분석 |
- 온대 서안 기후: 북반구가 겨울인 1월에는 지중해성 기후 지역과 서안 해양성 기후 지역 모두 편서풍과 전선대의 영향으로 습윤한 기후가 나타난다. 북반구가 여름인 7월에는 아열대 고압대가 북상하면서 지중해성 기후 지역은 고온 건조한 기후가 나타나고, 서안 해양성 기후 지역은 편서풍과 전선대의 영향을 받아 습윤하고 서늘한 기후가 나타난다.
- 온대 동안 기후: 북반구가 겨울인 1월에는 대륙이 해양보다 더 차가워져 대륙에서 해양으로 계절풍이 불어 강수량이 적다. 반면 북반구가 여름인 7월에는 대륙이 해양보다 더 빨리 가열되어 해양에서 대륙으로 계절풍이 불어 강수량이 많다.

3 건조 기후의 특징

1. 건조 기후의 특징과 구분 자료 03

(1) 특징 연 강수량 500mm 미만, 강수량보다 증발량이 많음, 일교차가 매우 큼.
　　　　　　　　　　　　　　└ 대기 중의 습도가 낮기 때문임.
(2) 구분

사막 기후 (BW)	• 특징: 연 강수량 250mm 미만, 식생이 거의 없으며 자갈·암석 사막이 대부분임. • 분포: 남·북회귀선 부근, 대륙 내부, 한류가 흐르는 해안 등
스텝 기후 (BS)	• 특징: 연 강수량 250~500mm, 짧은 풀이 자라 초원을 이룸. • 분포: 사막을 둘러싼 지역에 분포

└ 강수에 의한 유기물의 손실이 적어 비옥한 흑색토가 분포함.

2. 사막의 형성 원인 자료 04

아열대 고압대 지역	대기 대순환에 따라 연중 하강 기류가 발달함.
대륙 내부 지역	바다와 멀리 떨어져 있어 수분 공급을 받기 어려움.
대륙 서안의 한류 연안 지역	대기가 안정되어 있어 상승 기류가 형성되기 어려움.
탁월풍의 비그늘 지역	고온 건조한 바람이 지속적으로 불어옴.

4 건조 기후 지역의 지형과 주민 생활

1. 건조 기후 지역의 지형

(1) 지형 형성 작용
① 강수량이 적고 기온의 일교차가 커서 물리적 풍화 작용⑥이 활발함.
② 바람에 의한 침식 및 퇴적 작용이 활발함.
③ 간헐적으로 내리는 비에 의해 포상홍수⑦ 침식과 퇴적 작용이 나타남.

(2) 주요 지형 자료 05

바람에 의해 형성되는 지형	• 버섯바위: 바람에 날린 모래가 바위의 아랫부분을 깎아 형성된 버섯 모양의 바위 • 삼릉석⑧: 바람에 날린 모래의 침식으로 여러 개의 평평한 면과 모서리가 생긴 돌 • 사구: 바람에 날린 모래가 쌓여 만들어진 모래 언덕, 탁월풍이 부는 지역에서는 초승달 모양의 바르한이 형성됨. • 사막 포도: 모래가 바람에 날려 제거되어 자갈만 넓게 남은 지표면
유수에 의해 형성되는 지형	• 페디먼트: 포상홍수 침식에 의해 형성되는 완경사의 침식면 • 와디: 비가 내릴 때만 물이 흐르는 하천 → 평상시 교통로로 이용 • 플라야: 건조 분지에 퇴적층이 두껍게 쌓여 이루어진 평평한 땅, 비가 내릴 때 물이 고이면 일시적으로 호수(플라야호) 형성　염호이기 때문에 생활용수 및 농업용수로 사용이 어려움. • 선상지: 골짜기 입구에 유수에 의해 운반된 자갈과 모래 등이 퇴적되어 형성된 부채꼴 모양의 지형, 여러 개의 선상지가 연속적으로 발달하면 바하다라고 함.
메사와 뷰트	• 메사: 침식에 강한 상단의 경암층이 덮개 역할을 하여 탁자 모양으로 남게 된 지형 • 뷰트: 메사가 침식·풍화되면서 비석 모양으로 남은 지형

2. 건조 기후 지역의 주민 생활

사막 기후	• 전통 가옥: 벽이 두껍고 창문이 작으며 지붕은 평평한 흙벽돌집⑨ • 농업: 오아시스, 외래 하천⑩, 관개 시설 등을 이용하여 오아시스 농업과 관개 농업 → 밀, 목화, 대추야자⑪ 등을 재배　└ 사막 가운데에 샘이 솟고 풀과 나무가 자라는 곳 • 유목: 염소, 양, 낙타 등 사육 → 육류, 유제품 생산
스텝 기후	• 전통 가옥: 조립과 해체가 쉬운 천막집 예 몽골의 게르 • 농업: 밀, 옥수수 등을 재배하며, 특히 신대륙에서는 기업적 밀 농사가 행해짐. • 목축업: 염소, 양 등의 유목이나 기업적 방목이 이루어짐.

고득점을 위한 셀파 Tip

건조 기후의 구분

사막 기후	연 강수량 250mm 미만, 식생이 빈약함.
스텝 기후	연 강수량 250~500mm, 짧은 풀이 자라 초원을 이룸.

⑥ 풍화 작용
오랜 시간에 걸쳐 바위나 돌이 햇빛, 공기, 물 등에 의하여 제자리에서 점차 부서지는 현상이다.

⑦ 포상홍수
건조 기후 지역에서 많은 비가 짧은 시간 동안 내릴 때 빗물이 산비탈에서 지표면을 덮는 형태로 넓게 퍼져 흘러내리는 것을 말한다.

⑧ 삼릉석의 형성
삼릉석은 주로 사막에서 바람의 작용에 의해 생긴 암석이다. 한쪽 면이 깎이면 암석은 균형을 잃고 움직여 또 다른 면이 바람에 노출되어 깎인다.

⑨ 흙벽돌집

⑩ 외래 하천
강수량이 많은 지역에서 발원하여 사막을 통과하는 하천이다. 사하라 사막을 통과하는 나일강이 대표적이다.

⑪ 대추야자
서남아시아와 북부 아프리카 사막 기후 지역의 오아시스 주변에서 흔히 볼 수 있는 수목이다. 열매는 거의 주식에 가까울 정도로 해당 지역에서 애용되며, 나무는 목재와 땔감으로 사용된다.

셀파 자료 탐구

건조 기후
BS 스텝 기후
BW 사막 기후

0   3,000 km

(디르케 세계 지도, 2016)

자료 분석 | 건조 기후는 연 강수량이 약 250mm 미만인 사막 기후와 250~500mm인 스텝 기후로 나뉜다. 사막 기후는 아열대 고압대와 대륙 내부에 주로 나타나며, 스텝 기후는 사막 주변에 발달한다.

▲ 암석 사막

▲ 자갈 사막

사막은 구성 물질에 따라 암석 사막, 자갈 사막으로 구분되며 모래사막은 전체 사막 중 약 10% 정도이다.

자료 04 · 사막의 주요 형성 원인

상승 기류   하강 기류

▲ 아열대 고압대 지역

건조한 공기   습윤한 공기

▲ 바다와 멀리 떨어진 대륙 내부 지역

대기가 안정되어 상승 기류가 생기지 않음.   따뜻한 공기

한류

▲ 중위도 대륙 서안의 한류 연안 지역

습윤한 공기   건조한 공기

▲ 탁월풍의 비그늘 지역

자료 분석 |
• 아열대 고압대 지역: 연중 하강 기류의 영향으로 맑고 건조한 날씨가 이어짐. 예 사하라 사막
• 대륙 내부 지역: 바다로부터 수증기를 공급받기 어려워 비가 적게 내림. 예 타커라마간 사막
• 한류 연안 지역: 대기가 안정되어 있어 비가 거의 내리지 않음. 예 아타카마 사막
• 비그늘 지역: 습한 바람이 높은 산지에 가로막혀 건조한 기후가 나타남. 예 파타고니아 사막

자료 05 · 공통 자료 · 건조 기후 지역의 지형

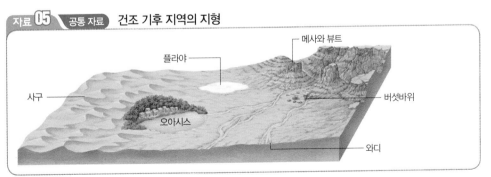

메사와 뷰트

플라야

사구

오아시스

버섯바위

와디

자료 분석 | 건조 기후 지역에서는 물리적 풍화가 활발하게 진행된다. 또한 식생이 거의 없어 일시적인 유수나 바람에 의한 침식 및 퇴적 작용이 활발하여 암석이 노출되거나 모래와 자갈로 덮인 특이한 경관이 나타난다.

● **교과서 자료 더 보기**

| 풍화 작용 |

화학적 풍화	지표 환경의 영향으로 암석의 화학 성분에 변화가 일어나는 작용
물리적 풍화	지표에서 일어나는 압력 및 기온의 변화 등과 같이 물리적인 요인에 의해 입자의 크기가 점차 작게 부서지는 작용

5 냉·한대 기후의 특징

1. 냉대 기후의 특징과 구분 자료 06

(1) **특징** 최한월 평균 기온이 −3℃ 미만, 최난월 평균 기온이 10℃ 이상이며, 연교차가 큼, 침엽수림(타이가⑫)이 나타나며, 척박한 산성 토양(포드졸⑬)이 분포함.

(2) **구분** 겨울 강수량의 많고 적음에 따라 구분

냉대 습윤 기후(Df)	• 특징: 강수량이 연중 고르게 나타남. • 분포: 동부 유럽, 서부 시베리아, 캐나다 등
냉대 겨울 건조 기후(Dw)	• 특징: 여름에 강수가 집중되고 겨울이 건조함. • 분포: 동아시아 북부 등

2. 한대 기후의 특징과 구분

(1) **특징** 최난월 평균 기온이 10℃ 미만

(2) **구분** 최난월 평균 기온 0℃를 기준으로 구분

툰드라 기후(ET)	• 특징: 최난월 평균 기온이 0℃~10℃, 짧은 여름 동안 작은 풀과 이끼류 등이 자람. • 분포: 북극해 주변과 일부 고산 지대
빙설 기후(EF)	• 특징: 최난월 평균 기온이 0℃ 미만, 지표면이 연중 눈과 얼음으로 덮여 있음. • 분포: 남극 대륙, 그린란드 내륙

'나무가 자랄 수 없는 땅'이라는 말에서 유래하였으며, 오늘날에는 고위도 지역의 기후와 식생을 의미함.

6 냉·한대 기후 지역의 지형과 주민 생활

★1. 냉·한대 기후 지역에서 발달하는 지형 자료 07

(1) **빙하 지형** 극지방, 고산 지역, 과거 빙기 때 빙하로 덮여 있던 지역에 분포

	빙식곡	빙하가 이동하면서 침식하여 만든 U자 형태의 골짜기(U자곡)
빙하 침식 지형	권곡	빙식곡의 상류에 오목하게 패인 지형 → 내부에 빙하호가 발달하기도 함.
	호른	산 정상부가 빙하에 의해 깎여 나가고 남은 뾰족한 봉우리
	현곡	본류 빙식곡에 합류하는 지류 빙식곡 → 폭포가 발달하기도 함.
	피오르	빙식곡이 해수면 상승으로 바닷물에 잠겨 형성된 좁고 깊은 만
빙하 퇴적 지형	빙퇴석(모레인)	빙하가 운반한 많은 양의 모래와 자갈 등이 빙하 말단 혹은 측면에 퇴적된 지형
	드럼린	빙하 운반 물질로 이루어진 숟가락을 엎어 놓은 모양의 지형 — 드럼린의 형태로 대략적인 빙하의 이동 방향을 알 수 있음.
	에스커	융빙수에 의해 형성된 제방 모양의 퇴적 지형
	빙력토 평원	빙하의 후퇴로 남게 된 자갈, 모래, 점토 등이 퇴적된 넓은 평야 — 척박하여 농업에 불리함.

└ 빙하가 쌓은 물질은 분급이 불량하고, 융빙수가 쌓은 물질은 분급이 양호함.

(2) **주빙하 지형** 빙하 주변 지역이나 고산 지대에 분포

주요 작용	활동층의 동결과 융해⑭, 얼음의 쐐기 작용, 솔리플럭션⑮ 등
주요 지형	• 일 년 내내 녹지 않는 영구 동토층, 여름에 일시적으로 녹는 활동층이 분포 • 토양 속 수분의 동결과 융해가 반복되면서 물질의 분급이 일어나 구조토⑯ 형성

2. 냉·한대 기후 지역의 주민 생활

냉대 기후	• 전통 가옥은 통나무로 지으며, 남부 지역은 밭농사, 북부 지역은 임업이 발달함. • 빙하 지형을 관광 자원이나 수력 발전으로 이용함.
한대 기후	• 툰드라 기후: 고상 가옥⑰이 발달했으며, 농사가 불가능하여 순록 유목, 수렵 및 어업 활동을 하여 생선과 고기를 날것으로 먹었음. _{부족한 비타민과 무기질을 보충하기 위해} • 빙설 기후: 최근 북극 항로 개통, 자원 채굴 등 극지방 개발에 대한 관심이 높아짐.

고득점을 위한 셀파 Tip

냉·한대 기후의 구분

냉대 기후	최한월 평균 기온이 −3℃ 미만, 최난월 평균 기온이 10℃ 이상
한대 기후	최난월 평균 기온이 10℃ 미만

⑫ 타이가
냉대 기후 지역에 분포하는 침엽수림 지대를 말한다. 타이가는 단순림이며, 가공이 쉬운 연질목이 대부분이므로 경제적 가치가 매우 높다.

⑬ 포드졸
겨울이 길고 추운 지역의 침엽수림이 우세한 지역에 주로 발달하는 토양으로, 회백색의 얕은 토양층이 나타나며 산성을 띤다.

⑭ 활동층의 동결과 융해에 따른 지형 형성
땅속의 수분이 얼 때는 자갈이 지표와 평행하게 움직였다가 녹을 때는 중력 방향으로 움직여 동결과 융해가 반복되면서 자갈이 이동하게 된다.

⑮ 솔리플럭션
영구 동토층 위의 활동층이 여름에 녹으면서 경사면을 따라 흘러내리는 현상을 말한다.

⑯ 구조토

⑰ 고상 가옥

토양이 녹아 건물이 붕괴되는 것을 방지하기 위해 땅에 기둥을 박고 지표면에서 띄워서 집을 짓는다.

자료 **06** 공통 자료 냉대 및 한대 기후의 분포와 특징

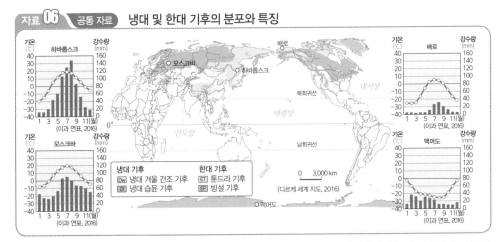

자료 분석 | • 냉대 기후는 북반구에서 주로 나타나는데, 남반구에는 냉대 기후가 나타날 수 있는 위도대인 40~70°에 대륙이 거의 없어 분포가 제한적이기 때문이다. 냉대 기후는 강수 시기에 따라 겨울이 건조한 냉대 겨울 건조 기후와 연중 습윤한 냉대 습윤 기후로 구분한다.
• 한대 기후는 주로 양 극지방과 그 주변에 분포한다. 한대 기후는 최난월 평균 기온 0℃를 기준으로 툰드라 기후와 빙설 기후로 구분된다.

교과서 **자료** 더 보기 +

| 영구동토층 |

영구 동토층이란 일 년 내내 0℃ 미만의 온도로 얼어 있는 토양층을 말한다. 지구상에서 영구 동토층이 분포하는 지역을 영구 동토대라고 부르는데, 그 범위는 대체로 타이가가 나타나는 냉대 기후 지역 및 한대 기후 지역에 걸쳐 있다. 영구 동토층은 최종 빙기 이후 동결 상태가 지속되어, 여름철에만 일부 지표가 녹아 습지를 이루고는 한다.

자료 **07** 공통 자료 빙하 지형

에스커 ▶
▲ 드럼린
◀ 호른

자료 분석 | 빙하는 눈이 계속 쌓여 다져진 대규모의 얼음덩어리이다. 빙하는 이동하면서 호른, 권곡, 빙식곡 등 다양한 빙식 지형을 형성한다. 이후 빙하가 후퇴한 자리에는 빙력토 평원이 형성되는데, 드럼린, 에스커, 모레인 등의 다양한 빙퇴적 지형을 볼 수 있다.

교과서 **자료** 더 보기 +

| 피오르 |

해수면 상승으로 빙식곡이 침수된 곳에는 피오르가 형성된다. 피오르 경관은 매우 아름다워 이를 보기 위해 많은 관광객이 찾아오고 있다.

1 온대 기후의 특징

서안 해양성 기후	연중 (❶)의 영향으로 기온의 연교차가 작고, 강수량이 고름.
지중해성 기후	여름에는 아열대 고압대의 영향으로 고온 건조, 겨울에는 편서풍 및 전선대의 영향으로 온난 습윤
온난 습윤 기후	연중 습윤하지만, 여름에 무덥고 강수량이 많으며 건기가 뚜렷하지 않음.
온대 겨울 건조 기후	여름에는 (❷)하고 겨울에는 한랭 건조함.

2 온대 기후 지역의 주민 생활

온대 서안	• 서안 해양성 기후: 혼합 농업, 낙농업, 화훼 농업 발달 • 지중해성 기후: 올리브, 포도 등을 재배하는 (❸) 농업 및 이목 발달, 관광 산업 발달
온대 동안	• 동부 및 동남아시아: 벼농사 발달 • 남아메리카 남동부: 기업적 목축업과 밀 농사 발달

3 건조 기후의 특징

사막 기후	연 강수량 (❹)mm 미만, 식생이 빈약함.
스텝 기후	연 강수량 250~500mm, 짧은 풀이 자라 초원을 이룸.

4 건조 기후 지역의 지형과 주민 생활

주요 지형	• 바람에 의해 형성되는 지형: 버섯바위, 삼릉석, 사구, 사막 포도 등 • 유수에 의해 형성되는 지형: 페디먼트, 와디, 플라야, 선상지 등
주민 생활	• 사막 기후: 흙벽돌집, 오아시스 농업, 관개 농업 • 스텝 기후: (❺)집, 밀 농사, 유목 및 방목

5 냉·한대 기후의 특징

냉대 기후	최한월 평균 기온이 −3℃ 미만, 최난월 평균 기온이 10℃ 이상, 연교차가 큼.
한대 기후	최난월 평균 기온이 (❻)℃ 미만

6 냉·한대 기후 지역의 지형과 주민 생활

주요 지형	빙하 지형	• (❼) 지형: 빙식곡, 권곡, 호른, 현곡, 피오르 등 • 퇴적 지형: 빙퇴석, 드럼린, 에스커, 빙력토 평원 등
	주빙하 지형	토양의 동결과 융해에 따라 구조토 등 지형 형성
주민 생활	냉대	통나무집, 임업, 관광 산업
	한대	(❽) 가옥, 유목, 자원 개발

정답 ❶ 편서풍 ❷ 고온 다습 ❸ 수목 ❹ 250 ❺ 천막 ❻ 10 ❼ 침식 ❽ 고상

탄탄 내신 문제

01 (가)~(다) 기후 및 기후 지역에 대한 설명으로 옳은 것은?

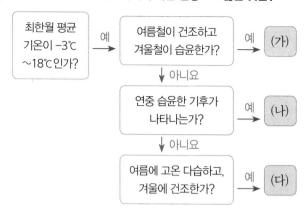

① (가)는 목초지 조성에 유리하다.
② (나)는 수목 농업이 널리 행해진다.
③ (다)는 혼합 농업이 주로 이루어진다.
④ (가)는 (나)보다 겨울철 강수 집중률이 높다.
⑤ (나)는 대륙 동안, (다)는 대륙 서안에 주로 분포한다.

★02 그래프는 세 지역의 월평균 기온과 월 강수량을 나타낸 것이다. (가)~(다) 지역에 대한 설명으로 옳은 것은?

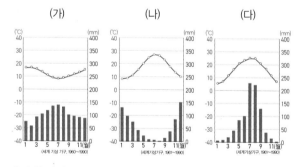

① (가)에서는 벼의 2기작이 활발하게 이루어진다.
② (나)는 여름에 아열대 고압대의 영향을 크게 받는다.
③ (다)는 6~8월에 주로 대륙에서 해양으로 계절풍이 분다.
④ (나)는 대륙 동안, (다)는 대륙 서안에 위치한다.
⑤ (가)는 북반구, (나)와 (다)는 남반구에 위치한다.

03 지도는 두 시기의 기온과 강수량 및 풍향을 나타낸 것이다. 이에 대한 옳은 설명을 〈보기〉에서 고른 것은? (단, (가), (나) 시기는 1월과 7월 중 하나임.)

(가) (나)

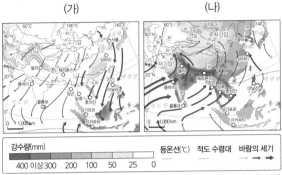

(디르케 세계 지도, 2015)

┃ 보기 ┃
ㄱ. (가)는 1월, (나)는 7월에 해당한다.
ㄴ. (가) 시기는 (나) 시기보다 홍수 발생 가능성이 낮다.
ㄷ. (나) 시기는 (가) 시기보다 기온의 지역 차가 크다.
ㄹ. (가) 시기에서 (나) 시기로 가면서 남풍 계열의 바람이 북풍 계열로 바뀐다.

① ㄱ, ㄴ   ② ㄱ, ㄷ   ③ ㄴ, ㄷ
④ ㄴ, ㄹ   ⑤ ㄷ, ㄹ

★05 (가), (나) 기후 그래프가 나타나는 지역에 대한 옳은 설명을 〈보기〉에서 고른 것은?

(가) (나)

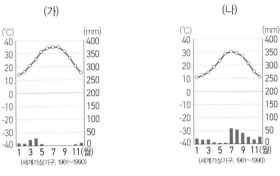

┃ 보기 ┃
ㄱ. (가)는 강수량이 증발량보다 많다.
ㄴ. (나)에는 비옥한 흑색토가 분포한다.
ㄷ. (가)는 (나)보다 식생 밀도가 낮다.
ㄹ. (가)에는 주로 기업적 목축, (나)에는 주로 오아시스 농업이 발달한다.

① ㄱ, ㄴ   ② ㄱ, ㄷ   ③ ㄴ, ㄷ
④ ㄴ, ㄹ   ⑤ ㄷ, ㄹ

04 지도는 유럽의 계절별 기온과 강수량을 나타낸 것이다. 이에 대한 설명으로 옳은 것은?

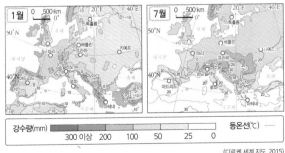

(디르케 세계 지도, 2015)

① 런던은 키예프보다 기온의 연교차가 크다.
② 아테네는 런던보다 여름 강수 집중률이 높다.
③ 1월에 스톡홀름은 프라하보다 낮의 길이가 길다.
④ 베를린과 스톡홀름은 7월보다 1월에 강수량이 많다.
⑤ 파리는 마드리드보다 연중 편서풍의 영향을 크게 받는다.

06 (가)~(라) 그림에 대한 설명으로 옳은 것은?

(가) (나)

(다) (라)

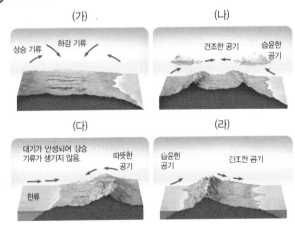

① (가)는 한류의 영향을 받아 형성된 사막이다.
② (나)는 연중 아열대 고압대의 영향을 받아 형성된 사막이다.
③ (다)는 바다로부터 멀리 떨어져 있어 형성된 사막이다.
④ (다)는 해발 고도가 높아 수증기 공급이 어려워 형성된 사막이다.
⑤ (라)는 탁월풍의 비그늘 지역에 형성된 사막이다.

07 그림은 건조 지형의 모식도이다. (가)~(라) 지형에 대한 설명으로 옳지 <u>않은</u> 것은? (단, 사구, 와디, 플라야, 버섯바위만 고려함.)

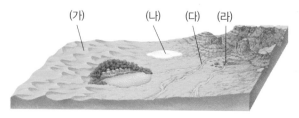

① (가)는 비교적 형태 변화가 자주 나타난다.
② (나)에 물이 고이면 일시적으로 호수를 형성한다.
③ (다)는 비가 올 때에만 물이 일시적으로 흐르는 하천이다.
④ (라)는 윗부분보다 아랫부분이 집중적으로 침식된다.
⑤ (가)와 (라)는 유수, (나)와 (다)는 바람에 의해 형성된다.

08 그래프는 세 지역의 월평균 기온과 월 강수량을 나타낸 것이다. (가)~(다) 지역에 대한 설명으로 옳은 것은?

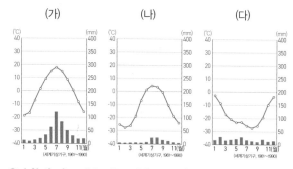

① (가)의 지표면은 연중 얼음으로 덮여 있다.
② (나)는 물리적 풍화 작용보다 화학적 풍화 작용이 활발하다.
③ (다)는 상록 활엽수림이 넓게 나타난다.
④ (가)는 (다)보다 7월에 낮의 평균 길이가 길다.
⑤ (가)~(다)는 강수량보다 증발량이 많아 매우 건조하다.

09 그림은 빙하 지형의 모식도이다. (가)~(라) 지형에 대한 설명으로 옳은 것은? (단, 호른, 드럼린, 에스커, 빙식곡만 고려함.)

① (가)는 빙하의 퇴적 작용으로 형성되었다.
② (나)는 빙하가 여러 방향에서 깎아 만든 봉우리이다.
③ 빙하가 후퇴한 후 (다)가 바닷물에 잠기면 피오르가 된다.
④ (라)는 빙하에 의해 운반된 물질이 퇴적된 지형이다.
⑤ (나)는 (라)보다 구성 물질의 분급이 양호하다.

10 사진은 어느 두 기후 지역의 전통 가옥이다. (가), (나) 지역의 특징을 〈보기〉에서 골라 바르게 연결한 것은?

▲ (가) 기후 지역의 전통 가옥   ▲ (나) 기후 지역의 전통 가옥

| 보기 |
ㄱ. 강수량보다 증발량이 많다.
ㄴ. 연중 고온 다습하고 해충이 많다.
ㄷ. 토양층이 녹아 움직이는 경우가 있다.
ㄹ. 계절풍의 영향으로 여름철에 강수량이 많다.

	(가)	(나)		(가)	(나)		(가)	(나)
①	ㄱ	ㄴ	②	ㄱ	ㄷ	③	ㄴ	ㄹ
④	ㄷ	ㄱ	⑤	ㄹ	ㄴ			

서술형 문제

11 지도의 (나) 지역과 비교한 (가) 지역의 상대적인 특징을 아래 제시된 〈조건〉을 고려하여 서술하시오.

┌ 조건 ┐
• 기온의 연교차   • 1월 평균 기온
• 8월 평균 기온   • 계절별 강수 편차
└

12 지도의 A, B 지역은 같은 건조 기후 지역이지만 사막 형성 원인이 다르다. 그 이유를 각각 서술하시오.

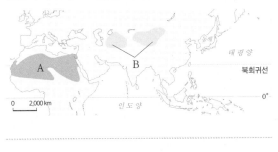

13 사진은 냉대 기후 지역에서 볼 수 있는 식생이다. 이와 관련하여 발달한 전통 가옥과 산업 특징을 각각 서술하시오.

14 다음 사진을 보고 물음에 답하시오.

(1) (가), (나) 가옥의 공통점을 쓰시오.

(2) (가), (나) 가옥 구조가 발달하게 된 배경을 기후와 관련지어 비교하여 서술하시오.

15 다음은 툰드라 기후 지역의 주민 생활에 대한 학생들의 발표 장면이다. (가)~(다)와 같은 현상이 나타나는 이유를 각각 서술하시오.

옛날부터 생선과 고기를 날로 먹는 경우가 많았어요.
(가)

동물의 털과 가죽으로 만든 두꺼운 옷과 신발을 신어요.
(나)

순록을 유목하거나 물고기, 바다표범 등을 사냥하며 살았어요.
(다)

| 평가원 응용 |

01 지도의 (가), (나) 기후 지역에 대한 설명으로 옳은 것은?

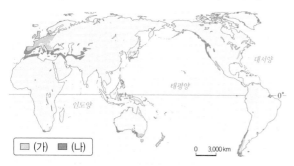

① (가)는 연중 계절풍의 영향을 받는다.

② (가)는 건기와 우기가 뚜렷하게 구분된다.

③ (나)는 겨울보다 여름이 건조하다.

④ (가)는 (나)보다 여름철 평균 기온이 높다.

⑤ (가), (나) 모두 최한월 평균 기온이 -3℃ 미만이다.

| 교육청 기출 |

02 그림은 유라시아 대륙의 온대 기후 분포를 모식적으로 나타낸 것이다. 이에 대한 설명으로 옳은 것은? (단, (가)~(다)는 각각 지중해성 기후, 서안 해양성 기후, 온대 겨울 건조 기후 지역 중 하나이며, A와 B는 각각 여름, 겨울 중 하나임.)

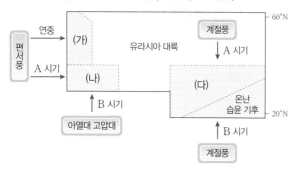

① (가)는 오렌지나 올리브를 재배하는 수목 농업이 활발하다.

② (나)는 B 시기에 밀 농사가 활발하다.

③ (다)는 B보다 A 시기에 열대 저기압의 영향을 많이 받는다.

④ (가)는 (다)보다 A와 B 시기의 강수량 차이가 크다.

⑤ (다)는 (나)보다 B 시기의 강수량이 많다.

| 수능 기출 |

03 그래프는 세 지역의 기후 특성을 나타낸 것이다. (가)~(다) 지역을 바르게 연결한 선을 지도의 A~E에서 고른 것은?

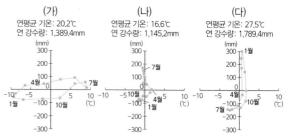

* 가로축은 월 기온 편차(월평균 기온 - 연평균 기온)를 나타냄.
** 세로축은 월 강수 편차(월 강수량 - 연 강수량/12)를 나타냄.

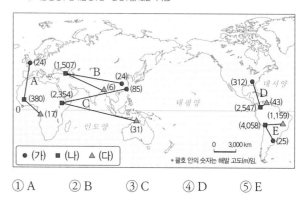

① A ② B ③ C ④ D ⑤ E

| 수능 기출 |

04 표는 지도에 표시된 세 지역의 시기별 기온 편차와 강수 편차를 나타낸 것이다. 이에 대한 설명으로 옳은 것은? (단, (가), (나) 시기는 각각 1월과 7월 중 하나임.)

시기	편차 \\ 지역	A	B	C
(가)	기온 편차 (℃)	6.9	-5.7	9.5
(가)	강수 편차 (mm)	-6.6	86.9	-35.1
(나)	기온 편차 (℃)	-6.0	6.1	-8.6
(나)	강수 편차 (mm)	1.6	-49.3	5.9

* 기온 편차 = 월평균 기온 - 연평균 기온
** 강수 편차 = 월 강수량 - (연 강수량 ÷ 12)

① (가) 시기는 1월, (나) 시기는 7월이다.

② A에서는 올리브 등을 재배하는 수목 농업이 주로 이루어진다.

③ (가) 시기에 B는 주로 무역풍의 영향을 받는다.

④ (나) 시기에 C는 아열대 고압대의 영향으로 건기가 나타난다.

⑤ (나) 시기에 밤의 길이는 A~C 중 A가 가장 길다.

| 평가원 기출 |

05 표는 지도에 표시된 세 지역의 태양 고도각과 월 강수량을 나타낸 것이다. A~C 지역에 대한 설명으로 옳은 것은? (단, (가), (나) 시기는 각각 1월, 7월 중 하나임.)

지역	(가) 시기 태양 고도각	(나) 시기 월 강수량
A	32°	71.8mm
B	72°	2.5mm
C	89°	21.3mm

* 태양 고도각은 태양이 하루 중 가장 높이 떴을 때 태양이 지표면과 이루는 각으로 해당 월의 평균값을 나타냄.

① A는 (가) 시기보다 (나) 시기에 평균 기온이 낮다.

② C는 (가) 시기에 주로 계절풍의 영향으로 건기가 나타난다.

③ B는 C보다 (나) 시기의 평균 기온이 높다.

④ A~C 중 (가), (나) 시기 간 강수량 차이가 가장 큰 지역은 C이다.

⑤ A~C 중 (나) 시기에 낮 길이가 가장 짧은 지역은 A이다.

| 평가원 기출 |

06 지도는 세계 주요 사막의 분포를 나타낸 것이다. A~E에 대한 설명으로 옳은 것은?

① A는 해발 고도가 높아 수증기 공급이 어려워 형성된 사막이다.

② B는 연중 아열대 고압대의 영향을 받아 형성된 사막이다.

③ C는 한류의 영향을 받아 형성된 사막이다.

④ D는 바다로부터 멀리 떨어져 있어 형성된 사막이다.

⑤ E는 탁월풍의 비그늘 지역에 형성된 사막이다.

| 수능 기출 |

07 다음 글의 밑줄 친 ㉠~㉣에 대한 옳은 설명을 〈보기〉에서 고른 것은?

> 건조 기후 지역 내에서 형성되는 하천은 대부분 ㉠ 비가 내릴 때만 일시적으로 물이 흐르는 하천이다. 건조 분지 내부의 저지대에는 비가 많이 내리면 일시적으로 물이 고여 ㉡ 플라야호가 발달하기도 한다. 한편 급경사의 좁은 골짜기를 흐르던 하천이 넓은 평지를 만나면 운반 물질이 퇴적되어 ㉢ 선상지가 형성된다. 또한 건조 기후 지역에서는 정상부는 평탄하고 주변부는 급사면인 ㉣ 메사 또는 뷰트를 볼 수 있다.

┤ 보기 ├

ㄱ. ㉠을 외래 하천이라 한다.

ㄴ. ㉡은 담수호이며 관개용수로 널리 활용된다.

ㄷ. ㉢이 연속적으로 발달하여 이어진 지형을 바하다라고 한다.

ㄹ. ㉣은 경암층과 연암층이 차별 침식을 받아 형성된다.

① ㄱ, ㄴ　　② ㄱ, ㄷ　　③ ㄴ, ㄷ

④ ㄴ, ㄹ　　⑤ ㄷ, ㄹ

| 교육청 응용 |

08 다음은 학생과 교사가 어떤 지형에 대해 스무고개를 하고 있는 장면의 일부이다. (가) 지형에 해당하는 사진으로 옳은 것은?

	학생		교사
한 고개	강수량보다 증발량이 많은 기후 지역에서 발달합니까?	…	예
두 고개	주로 유수(流水)의 영향을 받아 형성된 지형입니까?	…	아니요
세 고개	바람의 퇴적 작용이 지형 형성의 주된 원인입니까?	…	아니요
네 고개	이 지형은 (가)입니까?	…	예

① 　② 　③

④ 　⑤

09 | 교육청 기출 |
(가) 지역의 전통적인 주민 생활로 적절하지 **않은** 것은?

> 우리는 드디어 ⬚ (가) ⬚ 에 도착했다. 이곳 사람들은 대추야자, 석류, 레몬 등을 재배한다. 날씨는 덥고 주변은 온통 모래 천지이다. 간혹 모래가 집을 뒤덮어 버릴 때도 있다. 원래 이곳과 오만 사이에는 육로가 있었으나 모래가 덮치는 바람에 끊기고 말았다. 그래서 지금은 바다로만 통하고 있다.   – 「이븐 바투타 여행기」 –

① 오아시스 농업과 관개 농업을 한다.
② 주로 흙벽돌을 이용하여 집을 짓는다.
③ 양, 낙타 등과 함께 이동 생활을 한다.
④ 긴 천으로 온몸을 가리는 옷을 입는다.
⑤ 쌀로 만든 국수와 볶음밥을 주식으로 먹는다.

10 | 교육청 기출 |
다음 글은 시베리아 지역의 기후 변화에 관한 것이다. 밑줄 친 **(가)** 기후의 그래프로 적절한 것은?

> 최근 러시아 시베리아 지역이 엄청난 변화를 겪고 있다. 이 지역의 기온이 수십 년 동안 지속적으로 상승하고 있다. 이러한 상황이 지속된다면 시베리아 북부의 툰드라 기후 지역은 (가) 기후 지역으로, (가) 기후 지역은 온대 기후 지역으로 점차 변화될 가능성이 있다. 이로 인해 단순 침엽수림 지역인 타이가는 낙엽 활엽수가 섞이면서 혼합림 지역으로 변화될 것이다.

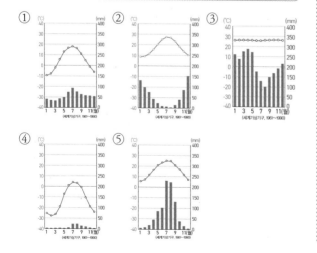

11 | 교육청 응용 |
그림은 빙하 침식 지형의 모식도이다. A~D 지형에 대한 옳은 설명을 〈보기〉에서 고른 것은? (단, A~D는 각각 현곡, 호른, 빙식곡, 빙하호 중 하나임.)

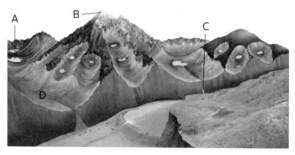

┤ 보기 ├
ㄱ. A는 권곡 안에 형성된 빙하호이다.
ㄴ. B에서는 물리적 풍화보다 화학적 풍화가 활발하다.
ㄷ. C는 지류 빙식곡에서 본류 빙식곡으로 물이 떨어지는 폭포이다.
ㄹ. D는 V자 모양의 골짜기이다.

① ㄱ, ㄴ   ② ㄱ, ㄷ   ③ ㄴ, ㄷ
④ ㄴ, ㄹ   ⑤ ㄷ, ㄹ

12 | 평가원 응용 |
그림은 빙하 퇴적 지형의 모식도이다. 이에 대한 설명으로 옳지 **않은** 것은? (단, A~D는 각각 드럼린, 모레인, 빙하호, 에스커 중 하나임.)

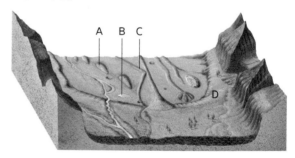

① A의 형태로 대략적인 빙하의 이동 방향을 알 수 있다.
② B는 비가 내릴 때에만 일시적으로 물이 고이는 염호이다.
③ C는 빙하가 녹은 물이 빙하의 밑을 흐르면서 제방 모양으로 토사가 퇴적되어 형성된다.
④ D는 주로 빙하에 의해 운반된 물질이 퇴적되어 형성된다.
⑤ C는 D보다 구성 물질의 분급이 양호하다.

| 평가원 기출 |

13 다음 자료의 (가) 기후 지역에 대한 설명으로 옳은 것은?

> (가) 에는 별난 경관이 나타난다. 겨울과 여름이 반복되면서 땅속의 자갈들이 지표면으로 올라와 쌓여 원이나 다각형 같은 기하학적인 모양을 만들어 낸다. 심지어 사진과 같이 길이 1km가 넘는 균열들이 서로 교차하며 지표면에 다각형의 망을 만들기도 한다. 여름철에 지표면이 녹으면 물 빠짐이 좋지 않아, 이 다각형의 망에는 일정한 간격을 두고 작은 연못들이 형성된다.

① 식생은 낙엽 활엽수림이 가장 넓게 분포한다.

② 유기물이 많은 비옥한 흑토가 넓게 분포한다.

③ 바람의 작용으로 형성된 버섯바위와 바르한을 볼 수 있다.

④ 가축 사육과 작물 재배를 함께 하는 혼합 농업이 이루어진다.

⑤ 지면에 열이 전달되지 않도록 바닥을 높이 띄운 가옥을 볼 수 있다.

| 교육청 응용 |

14 다음 자료의 밑줄 친 ㉠~㉣에 대한 옳은 설명을 〈보기〉에서 고른 것은?

> 북극해 연안 러시아의 ㉠ 야말반도에는 순록을 키우는 네네츠인이 산다. 이들은 ㉡ 계절에 따라 이동을 하는데, 이는 ㉢ 순록의 먹이를 찾기 위해서이다. 이동을 하지 않을 때에는 야르살레와 같은 마을에 모여 산다. 최근 야말반도 일대에는 천연가스 개발로 인해 유입 인구가 증가하면서 ㉣ 지역의 변화가 나타나고 있다.

┤ 보기 ├

ㄱ. ㉠ - 여름철에 지의류, 이끼류 등이 자란다.

ㄴ. ㉡ - 주로 겨울에는 북쪽, 여름에는 남쪽으로 이동한다.

ㄷ. ㉢ - 가죽으로 옷과 이불, 가옥 등을 만든다.

ㄹ. ㉣ - 전체 인구에서 순록 유목민이 차지하는 비율이 늘고 있다.

① ㄱ, ㄴ 　② ㄱ, ㄷ 　③ ㄴ, ㄷ

④ ㄴ, ㄹ 　⑤ ㄷ, ㄹ

| 교육청 기출 |

15 (가), (나) 동물이 주로 서식하는 지역의 자연환경을 비교할 때, A, B에 해당하는 지표로 옳은 것은?

(가)	몸의 열을 식히기 위해 귀가 크며, 물기가 없고 뜨거운 모래에 발이 빠지지 않고 화상을 입지 않도록 발바닥에도 털이 나 있다.
▲ ○○ 여우	
(나)	긴 겨울에는 눈 속에 몸을 숨기기 위해 몸의 털이 흰색으로 변하고, 짧은 여름에는 흙과 바위틈에 숨기 위해 회갈색으로 변한다.
▲ △△ 토끼	

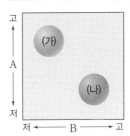

	A	B
①	일교차	증발량
②	증발량	일교차
③	증발량	결빙 일수
④	결빙 일수	증발량
⑤	결빙 일수	일교차

| 평가원 응용 |

16 다음은 두 지리 교사가 답사 중에 나눈 대화 내용이다. 밑줄 친 ㉠~㉤에 대한 설명으로 옳은 것은?

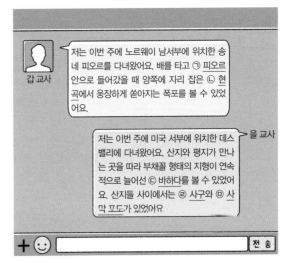

> 갑 교사: 저는 이번 주에 노르웨이 남서부에 위치한 송네 피오르를 다녀왔어요. 배를 타고 ㉠ 피오르 안으로 들어갔을 때 양쪽에 자리 잡은 ㉡ 현곡에서 웅장하게 쏟아지는 폭포를 볼 수 있었어요.
>
> 을 교사: 저는 이번 주에 미국 서부에 위치한 데스밸리에 다녀왔어요. 산지와 평지가 만나는 곳을 따라 부채꼴 형태의 지형이 연속적으로 늘어선 ㉢ 바하다를 볼 수 있었어요. 산지들 사이에서는 ㉣ 사구와 ㉤ 사막 포도가 있었어요.

① ㉠은 유수에 의해 형성된 V자형 계곡이 침수된 해안이다.

② ㉡은 파랑의 침식과 지반의 융기로 형성된 계단 모양의 지형이다.

③ ㉢ 주변에는 드럼린이 주로 나타난다.

④ ㉣ 중 한 방향의 바람이 우세하게 불어 형성된 것을 페디먼트라고 한다.

⑤ ㉣보다 ㉤의 구성 물질의 입자 크기가 크다.

03 세계의 주요 대지형과 특수한 지형들

1 대지형의 형성

1. 지형 형성 작용

(1) **내적 작용** 조륙 운동❶, 조산 운동❷, 화산 활동처럼 지형을 만드는 힘이 지구 내부에서 비롯된 작용 → 대지형 형성

(2) **외적 작용** 하천, 바람, 파랑, 빙하에 의한 침식·운반·퇴적 작용처럼 지형을 만드는 힘이 지구 외부의 태양 에너지에서 비롯된 작용 → 소지형 형성 └ 지형의 기복을 줄이는 역할을 함.

2. 판 구조 운동과 대지형의 형성 (자료 01)

(1) **판 구조 운동** 지각판❸이 지구 내부의 맨틀 대류❹에 따라 서서히 이동하여 서로 충돌하거나 갈라지며 대지형을 형성함.

(2) **판의 경계 유형** └ 판의 경계는 지각이 불안정함.

두 판이 갈라지는 경계	• 해양판의 분리: 두 판 사이로 마그마가 흘러나와 해령을 형성하며 지각을 확장함. (예) 대서양 중앙 해령 • 대륙판의 분리: 단층이 발생하여 일부 지각은 솟아올라 높은 산지가 형성되고 일부 지각은 내려앉아 지구대가 형성됨. (예) 동아프리카 지구대
두 판이 수렴하는 경계	• 대륙판과 대륙판의 수렴: 대규모의 습곡 산맥이 형성됨. (예) 히말라야산맥 • 해양판과 대륙판의 수렴: 밀도가 높은 해양판이 대륙판 밑으로 밀려들어 가면서 육지에 습곡 산맥이 형성되며 해저에는 해구❺가 형성됨. (예) 안데스산맥 • 해양판과 해양판의 수렴: 해구와 호상 열도가 형성됨. (예) 쿠릴·순다 열도 등
두 판이 어긋나는 경계	판과 판이 서로 미끄러질 때의 마찰로 인해 지진이 빈번하게 발생함. (예) 샌안드레아스 단층

2 세계의 주요 대지형 (자료 02)

└ 지층이나 지각 일부가 횡압력을 받아 형성된 산지로, 대규모 조산 운동이 일어날 때 습곡 작용이 활발하게 나타남.

	안정육괴	고기 습곡 산지	신기 습곡 산지
형성	시·원생대에 조산 운동을 받은 이후 오랜 기간 동안 침식을 받아 형성됨.	고생대에서 중생대에 걸쳐 조산 운동을 받아 형성 → 비교적 지각 안정	중생대 말에서 신생대에 조산 운동을 받아 형성 → 지각 불안정
특징	• 주로 대륙의 내부에 위치함. • 순상지❻, 구조 평야❼ 등이 있으며, 대부분 고원상의 대지나 대평원을 이루고 있음. • 철광석이 많이 매장되어 있음.	• 안정육괴 주변에 주로 분포함. • 평균 해발 고도가 낮은 편이고 경사 완만하며, 산지의 연속성이 약함. • 석탄이 많이 매장되어 있음.	• 판의 경계와 가까움. • 평균 해발 고도가 높은 편이고 경사가 급하며, 산지의 연속성이 강함. • 석유, 천연가스 등의 지하자원이 많이 매장되어 있음.
사례	• 발트·시베리아·로렌시아·아프리카·브라질 순상지 등 • 유럽-러시아 대평원, 북아메리카 중앙 평원, 오스트레일리아 중앙 평원 등 ▲ 널리버 평원	우랄산맥, 애팔래치아산맥, 그레이트디바이딩산맥, 스칸디나비아산맥 등 ▲ 애팔래치아산맥	• 환태평양 조산대: 로키산맥, 안데스산맥 등 • 알프스-히말라야 조산대: 알프스산맥, 히말라야산맥 등 지각이 매우 두꺼워 화산 활동은 활발하지 않음. ▲ 알프스산맥

---

❶ **조륙 운동**
넓은 범위에 걸쳐 지각이 서서히 솟아오르거나 가라앉는 운동이다.

❷ **조산 운동**
판 경계부 지역에서 단층과 습곡 등에 의해 발생하는 급격한 지각 변동을 말한다. 이러한 조산 운동이 발생하는 지역을 조산대라고 한다.

❸ **지각판**
지각판은 지구 표면을 덮고 있으며, 대륙판과 해양판으로 구분된다.

❹ **맨틀 대류**
핵 가까이 위치한 맨틀 물질은 열을 받아 밀도가 낮아지므로 상승하게 되고, 지각 가까이 도달한 맨틀 물질은 열을 잃어 밀도가 높아지므로 하강하여 대류가 일어난다.

❺ **해구**
대륙사면과 심해저의 경계를 따라 형성된 수심이 깊은 V자형의 골짜기이다.

고득점을 위한 셀파 Tip

세계의 대지형

안정육괴	• 시·원생대에 형성 • 순상지, 구조 평야
고기 습곡 산지	• 고생대~중생대에 형성 • 해발 고도가 낮고 경사가 완만하며, 연속성이 약함.
신기 습곡 산지	• 중생대 말~신생대에 형성 • 해발 고도가 높고 경사가 급하며, 연속성이 강함.

❻ **순상지**
시·원생대의 조산 운동으로 만들어진 화성암이나 변성암이 고생대부터 침식을 받아 지표에 노출되어 형성된 지형이다.

❼ **구조 평야**
퇴적된 수평 지층이 극심한 지각 변동을 받지 않고 거의 그대로 유지된 평원이다. 구조 평야에 단단한 암석과 무른 암석이 교대로 층을 이루며 완만하게 경사져 있는 경우에는 케스타라고 하는 지형이 형성되기도 한다.

자료 01 공통 자료 세계의 판 구조와 판의 경계 유형

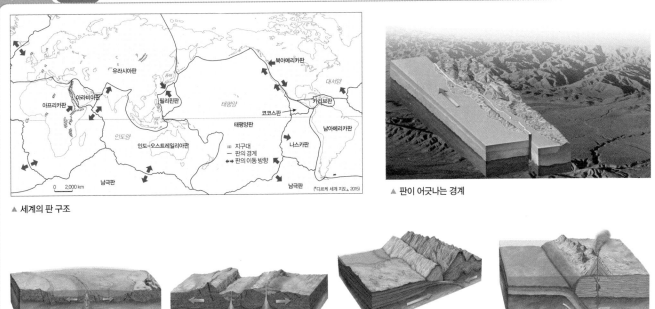

▲ 세계의 판 구조

▲ 판이 어긋나는 경계

▲ 해양판의 분리　　▲ 대륙판의 분리　　▲ 대륙판과 대륙판의 수렴　　▲ 해양판과 대륙판의 수렴

자료 분석 | 지각은 크고 작은 여러 개의 판으로 나뉘어져 있고, 이들 판은 지각 밑의 맨틀 대류에 의해 이동하면서 서로 충돌하거나 갈라지면서 대지형을 형성한다. 이러한 지각판의 이동을 판 구조 운동이라고 한다. 지각판이 서로 만나는 경계 지역에서는 판들의 움직임에 따라 높은 산맥이나 해구, 호상 열도 등이 형성되며, 지각이 불안정하여 지진과 화산 활동이 자주 발생한다. 지각판이 갈라지는 경계 지역에서는 맨틀에서 마그마가 상승하여 새로운 지각이 만들어지기도 한다.

자료 02 공통 자료 세계의 주요 대지형

태평양을 둘러싸고 신기 조산대가 연속적으로 분포하는 지역으로, 태평양판, 남아메리카판, 북아메리카판, 유라시아판이 서로 만나는 경계 지역임. 지진과 화산 활동이 활발하여 '불의 고리'라고도 불림.

● **교과서 자료 더 보기**

| 신기 조산대 |

신기 조산대는 태평양판을 중심으로 남아메리카판, 북아메리카판, 유라시아판이 서로 만나는 환태평양 조산대와 알프스-히말라야 조산대로 구분된다. 신기 습곡 산지는 대부분 신기 조산대에 분포한다. 판의 경계부에 해당하는 곳이 많아 지각이 불안정하여 화산 및 지진 활동이 활발하다.

자료 분석 | 세계의 대지형은 조산 운동을 받은 시기에 따라 안정육괴, 고기 습곡 산지, 신기 습곡 산지로 구분된다. 안정육괴는 대체로 대륙 내부에 분포하며, 고기 습곡 산지는 안정육괴 주변에, 신기 습곡 산지는 대륙의 주변부에 주로 분포한다.

03 세계의 주요 대지형과 특수한 지형들

3 화산 지형

1. 형성 화산 활동으로 용암, 화산재, 화산탄, 화산 가스 등이 분출하면서 형성됨.

2. 주요 지형 자료03
└─ 용암의 점성에 따라 화산의 형태가 달라짐.

성층 화산	화산 쇄설물[8]과 용암류가 여러 층으로 쌓인 원추 모양의 화산
순상 화산	점성이 낮아 유동성이 큰 현무암질 용암의 분출로 형성된 완경사의 화산
종상 화산	점성이 높은 유문암이나 안산암질 용암의 분출로 형성된 급경사의 화산
칼데라	화산이 폭발하여 용암이 분출된 후 화구의 함몰로 형성된 지형 → 물이 고이면 칼데라호 형성
용암 대지	유동성이 큰 현무암질 용암이 대규모로 열하 분출하여 형성된 평탄한 지형
주상 절리	현무암질 용암이 식으면서 만들어진 기둥 모양의 지형 └─ 지각의 갈라진 틈새
용암동굴	용암이 분출할 때 상층의 용암은 굳어지고 하층 내부의 용암은 흘러가 형성된 동굴

└─ 판의 경계에 대다수가 분포함.

3. 화산 지대의 주민 생활 비옥한 화산재 토양을 바탕으로 한 농업, 화산 지대에 매장된 자원을   ┌─ 구리·주석·유황 등
바탕으로 한 광업, 뜨거운 지하수를 이용한 지열 발전, 온천과 간헐천[9] 등을 활용한 관광업

4 카르스트 지형

1. 형성 탄산칼슘 성분을 함유한 석회암이 빗물이나 지하수에 용식 및 침전되어 형성됨.

2. 주요 지형 자료04
└─ 가운데에는 배수가 원활한 싱크 홀이라는 배수구가 있음.

돌리네	석회암이 용식 작용을 받아 움푹 파인 웅덩이 모양의 땅 → 여러 개가 연결되면 우발레 형성
카렌	석회암이 지표에 노출되어 차별적으로 용식된 후 남아 뾰족하게 돌출된 암석
탑 카르스트	석회암이 물의 차별적인 용식 작용을 받아 남게 된 탑 모양의 봉우리 ┌─ 중국의 구이린, 베트남의 할롱베이가 유명함.
석회화 단구	석회암의 탄산칼슘 성분이 침전되면서 만들어진 계단 모양의 지형
석회동굴	빗물이나 지표수가 땅속으로 흘러들면서 석회암층이 용식되어 만들어진 동굴

└─ 습윤 기후 지역의 석회암 지대에서 잘 나타남.

3. 카르스트 지형의 이용 독특한 경관을 바탕으로 한 관광 산업, 석회암을 이용한 시멘트 공업, 배수가 양호한 석회암 풍화토(테라로사)를 이용한 밭농사

5 해안 지형

1. 형성 파랑[10], 연안류, 조류, 바람 등의 작용과 해수면 변동이나 지반 운동[11] 등으로 형성됨.

2. 주요 지형 자료05

암석 해안	해식애	해안의 산지나 구릉이 파랑의 침식을 받아 형성된 절벽
	파식대	해식애가 후퇴하고 남은 평탄면
	해식동굴	해식애의 약한 부분이 파랑의 침식으로 깊게 파여 형성된 동굴
	시 스택	파랑의 침식을 견디고 남은 바위기둥 ── 아치 모양으로 남은 것은 시 아치라고 함.
	해안 단구	과거의 파식대 또는 퇴적 지형이 지반의 융기나 해수면 변동으로 현재의 해수면보다 높은 곳에 위치하게 된 계단 모양의 지형
모래 해안	사빈	하천이나 암석 해안에서 공급된 모래가 파랑과 연안류에 의해 퇴적된 지형
	해안 사구	사빈의 모래가 바람에 날려 쌓인 모래 언덕
	사주	파랑과 연안류에 의해 운반된 모래가 둑처럼 길게 퇴적된 지형
	석호	후빙기 해수면 상승으로 형성된 만의 입구를 사주가 가로막아 형성된 호수
갯벌 해안		점토, 모래 등의 미립 물질이 조류에 의해 퇴적되어 형성됨.
산호초 해안		수심이 깊지 않은 열대 해안에서 석회질의 산호충 유해가 퇴적되어 형성됨.

└─ 우리나라의 서해안, 캐나다 동부 연안, 미국 동부 연안, 북해 연안, 아마존강 하구 등에 발달

고득점을 위한 셀파 Tip

독특하고 특수한 지형

화산 지형	성층·순상·종상 화산, 칼데라, 용암 대지, 주상 절리, 용암동굴 등
카르스트 지형	돌리네, 카렌, 탑 카르스트, 석회화 단구, 석회동굴 등
해안 지형	암석 해안, 모래 해안, 갯벌 해안, 산호초 해안 등

❽ 화산 쇄설물
화산의 폭발에 의하여 방출된 크고 작은 바위 파편을 말한다.

❾ 간헐천
뜨거운 물이 수증기와 함께 일정한 간격으로 분출하는 온천이다.

❿ 파랑 에너지의 집중과 분산

파랑 에너지가 집중되는 곳에는 주로 암석 해안이 형성되고, 파랑 에너지가 분산되는 만에는 주로 모래 해안이나 갯벌 해안이 형성된다.

⓫ 해수면 변동이나 지반 운동에 따른 해안 지형 변화
해수면이 하강하거나 지반이 융기하면 해안선이 단조로워지고, 해수면이 상승하거나 지반이 침강하면 해안선이 복잡해진다.

리아스 해안	하천의 침식 작용으로 형성된 계곡에 바닷물이 들어와 만들어진 해안 예 에스파냐 북서부 해안, 우리나라 남서 해안
피오르 해안	빙하의 침식 작용으로 형성된 계곡에 바닷물이 들어와 만들어진 해안 예 노르웨이 해안, 뉴질랜드 남섬의 남서부 해안

▲ 해수면 상승 또는 지반의 침강에 따른 해안선 형성

자료 03 | 공통 자료 | 칼데라호의 형성 과정

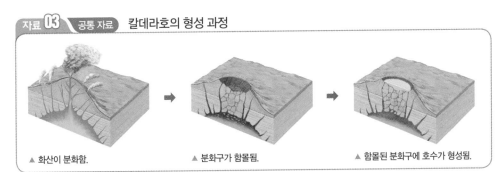

▲ 화산이 분화함. ▲ 분화구가 함몰됨. ▲ 함몰된 분화구에 호수가 형성됨.

자료 분석 | 마그마가 지표로 분출되어 화산이 형성되고, 지하에는 빈 공간이 생기게 된다. 이후 빈 공간이 압력을 견디지 못하고 산의 정상부가 붕괴되면서 꺼져 내리면, 분화구 주변이 붕괴되어 칼데라가 형성되고, 이곳에 빗물과 지하수가 채워져 칼데라호가 형성된다.

● **교과서** 자료 더 보기 +

| 화산의 종류 |

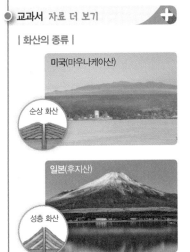

미국(마우나케아산)

순상 화산

일본(후지산)

성층 화산

자료 04 | 탑 카르스트의 형성 과정

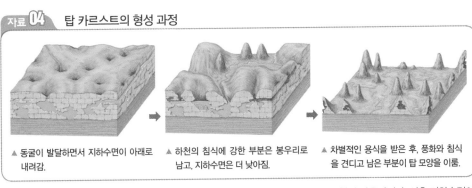

▲ 동굴이 발달하면서 지하수면이 아래로 내려감. ▲ 하천의 침식에 강한 부분은 봉우리로 남고, 지하수면은 더 낮아짐. ▲ 차별적인 용식을 받은 후, 풍화와 침식을 견디고 남은 부분이 탑 모양을 이룸.

자료 분석 | 석회암이 빗물이나 지하수에 용식되면 돌리네, 우발레, 석회동굴 등의 지형이 만들어진다. 이후 지하수면이 내려가는 도중에 풍화와 침식을 견디고 남은 부분이 마치 탑과 같은 모양으로 남게 되면 이를 탑 카르스트라 한다.

● **교과서** 자료 더 보기 +

| 석회동굴 |

석회암이 용식 작용을 받아 동굴이 형성되고 탄산칼슘이 침전되어 종유석, 석순, 석주 등의 내부 지형이 형성된다.

자료 05 | 해안 지형 모식도

해안 단구 / 해식동굴 / 석호 / 해안 사구 / 사빈 / 해식애 / 파식대 / 사주 / 시 스택 / 시 아치 / 육계도

자료 분석 | 파랑의 침식 작용을 많이 받는 곳에서는 암석 해안이 발달하며, 해식애와 파식대, 해식동굴, 시 스택 등이 형성된다. 파랑과 연안류의 퇴적 작용이 활발한 만에서는 모래 해안이 발달하며, 사빈, 사주, 해안 사구 등이 형성된다.

● **교과서** 자료 더 보기 +

| 리아스 해안과 피오르 해안 |

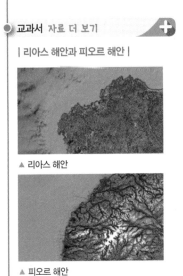

▲ 리아스 해안

▲ 피오르 해안

1 대지형의 형성

지형 형성 작용	지구 내부 에너지에 의한 조륙·조산 운동, 화산 활동에 의해 (❶) 형성
판 구조 운동	지각판이 서로 충돌하거나 갈라지면서 대지형을 형성함. → 판의 경계는 지각이 불안정함.

2 세계의 주요 대지형

안정육괴	(❷)의 조산 운동으로 형성, 오랜 기간 침식 작용을 받음.
고기 습곡 산지	고생대에서 중생대의 조산 운동으로 형성, 해발 고도가 낮고 완만하며 연속성 약함.
신기 습곡 산지	중생대 말에서 신생대의 조산 운동으로 형성, 해발 고도가 높고 험준하며 연속성이 강함.

3 화산 지형

성층 화산	수차례의 용암 분출로 형성된 원추 모양의 화산
순상 화산	점성이 작은 용암의 분출로 형성된 완경사의 화산
종상 화산	점성이 큰 용암의 분출로 형성된 급경사의 화산
칼데라	화산이 폭발하여 용암이 분출된 후 화구의 함몰로 형성된 지형 → 물이 고이면 (❸) 형성
용암 대지	유동성이 큰 용암이 열하 분출하여 형성된 대지

4 카르스트 지형

돌리네	석회암이 용식을 받아 움푹 파인 웅덩이 모양의 땅 → 여러 돌리네가 결합하면 (❹)라고 함.
(❺)	지표에 노출된 석회암이 차별적 용식을 받은 후 남은 뾰족한 암석
탑 카르스트	석회암이 차별적인 용식 작용을 받아 거의 수직에 가까운 절벽을 이루게 된 봉우리
석회동굴	빗물이나 지표수가 땅속으로 흘러들면서 석회암층이 용식되어 만들어진 동굴

5 해안 지형

암석 해안	• 해식애: 파랑의 침식으로 형성된 해안 절벽 • (❻): 해식애가 후퇴하고 남은 평탄면 • 시 스택: 파랑의 침식을 견디고 남은 바위기둥
모래 해안	• 사빈: 모래가 파랑과 연안류에 의해 퇴적된 지형 • 해안 사구: 사빈의 모래가 바람에 날려 형성된 모래 언덕 • (❼): 후빙기 해수면 상승으로 형성된 만의 입구를 사주가 막아 형성된 호수
갯벌 해안	점토, 모래 등의 미립 물질이 조류에 의해 퇴적되어 형성됨.
산호초 해안	수심이 깊지 않은 열대 해안에서 석회질의 산호충 유해가 퇴적되어 형성됨.

정답 ❶ 대지형 ❷ 시·원생대 ❸ 칼데라호 ❹ 우발레 ❺ 카렌 ❻ 파식대 ❼ 석호

탄탄 내신 문제

01 다음 글의 밑줄 친 ㉠, ㉡에 대한 설명으로 옳지 <u>않은</u> 것은?

> 지구는 매우 다양한 지형들로 이루어져 있는데, 이러한 지형은 ㉠ 지구 내부로부터 작용하는 힘과 ㉡ 지구 외부로부터 작용하는 힘에 의해 형성되는 것이다.

① ㉠에는 조륙, 조산 활동 등이 포함된다.
② ㉡은 주로 하천, 빙하, 바람 등에 의해 발생한다.
③ ㉡은 지표면의 울퉁불퉁한 기복을 줄이는 작용을 한다.
④ ㉠은 ㉡보다 규모가 큰 지형을 만들어낸다.
⑤ ㉠의 영향을 받는 지역에서는 ㉡의 영향이 나타나지 않는다.

★02 (가), (나)의 사례 지역을 지도의 A~E에서 골라 바르게 연결한 것은?

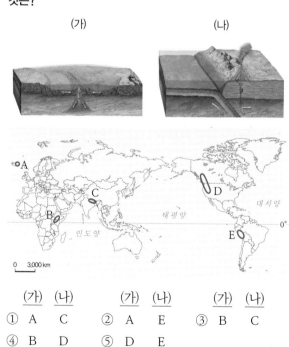

(가)   (나)

	(가)	(나)		(가)	(나)		(가)	(나)
①	A	C	②	A	E	③	B	C
④	B	D	⑤	D	E			

[03~04] 지도는 세계의 대지형 분포를 나타낸 것이다. 이를 보고 물음에 답하시오.

03 (가)~(다)에 대한 옳은 설명을 <보기>에서 고른 것은?

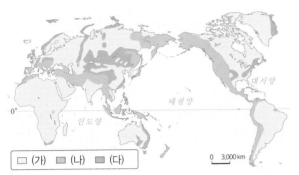

| ☐ (가) | ▨ (나) | ▨ (다) |

0 ─ 3,000 km

┤ 보기 ├
ㄱ. (가)에는 철광석이 많이 매장되어 있다.
ㄴ. (나)는 (다)보다 산지의 연속성이 뚜렷하다.
ㄷ. (다)는 (나)보다 화산 활동이 활발하다.
ㄹ. (가)~(다) 중 대체로 판의 경계와의 거리가 가까운 지형은 (가)이다.

① ㄱ, ㄴ ② ㄱ, ㄷ ③ ㄴ, ㄷ
④ ㄴ, ㄹ ⑤ ㄷ, ㄹ

04 위 지도의 (나), (다)의 상대적 특성이 그래프와 같이 나타날 때, A, B에 들어갈 항목으로 옳은 것은?

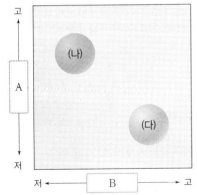

고
│
A
│
저
저 ──── B ──── 고

* '저'는 낮다 또는 늦다를 의미하고, '고'는 높다 또는 이르다를 의미함.

	A	B
①	평균 해발 고도	지진의 발생 빈도
②	지진의 발생 빈도	평균 해발 고도
③	지진의 발생 빈도	산지의 형성 시기
④	산지의 형성 시기	지진의 발생 빈도
⑤	산지의 형성 시기	평균 해발 고도

05 사진은 세계의 대지형과 관련된 경관이다. (가)~(라)에 대한 옳은 설명을 <보기>에서 고른 것은?

(가) 아이슬란드 열곡

(나) 히말라야산맥

(다) 동아프리카 지구대

(라) 샌안드레아스 단층

┤ 보기 ├
ㄱ. (가)는 해령에서 분출한 용암이 굳어서 형성되었다.
ㄴ. (나)의 주변 지역에서는 화산 활동이 활발하다.
ㄷ. (다)는 판의 수렴 과정에서 발달한 지형이 발달한다.
ㄹ. (라)는 두 개의 판이 어긋나 미끄러지는 경계에 발달했다.

① ㄱ, ㄴ ② ㄱ, ㄹ ③ ㄴ, ㄷ
④ ㄴ, ㄹ ⑤ ㄷ, ㄹ

06 다음 글의 밑줄 친 ㉠~㉤에 대한 설명으로 옳지 않은 것은?

화산은 지하 깊은 곳의 마그마와 가스가 지각의 틈이나 약한 부분을 통해 지표면 위로 분출하여 형성된다. 이에 따라 ㉠ 순상 화산, ㉡ 종상 화산, ㉢ 성층 화산 등의 화산체가 형성되고, 이외에도 ㉣ 용암 대지, ㉤ 칼데라 등의 다양한 화산 지형도 나타난다.

① ㉠ – 점성이 작은 용암이 분출할 때 잘 형성된다.
② ㉡ – ㉠보다 경사가 가파른 화산체이다.
③ ㉢ – 한 차례의 분출로 형성된 소규모 화산이다.
④ ㉣ – 지각의 갈라진 틈을 따라 용암이 분출하여 형성된다.
⑤ ㉤ – 화구가 함몰되면서 형성된다.

07 지도는 화산 분포 및 지진 발생 지역을 표시한 것이다. 이에 대한 설명으로 옳은 것은?

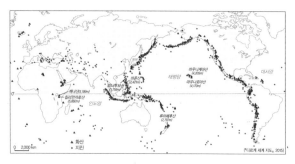

① 주요 순상지를 따라 분포한다.
② 판의 경계 부근을 따라 분포한다.
③ 주변에 고기 습곡 산지가 분포한다.
④ 히말라야산맥 부근에는 활화산이 많이 있다.
⑤ 지진 발생 지역과 화산 분포는 서로 관련이 없다.

08 다음은 화산 활동과 주민 생활에 대한 학습 노트의 일부이다. (가)에 들어갈 적절한 내용으로 옳지 <u>않은</u> 것은?

> 〈화산 활동과 주민 생활〉
> 1. 화산 활동에 의한 피해 유형
>   (1) 용암류에 의한 농경지의 매몰 피해
>   (2) 화산 쇄설물 등에 의한 인명 피해
> 2. 인간 생활에 유리한 측면
>   (가)

① 지구의 열적 균형 유지
② 구리, 유황 등 광물 자원의 채굴
③ 지열을 이용한 난방용 전기 생산
④ 온천과 간헐천을 이용한 관광 산업 발달
⑤ 화산재로 비옥한 토양을 바탕으로 농업 발달

★09 (가), (나) 동굴에 대한 설명으로 옳은 것은? (단, (가), (나)는 석회동굴과 용암동굴 중 하나임.)

① (가)는 석회암의 용식 작용으로 만들어졌다.
② (나)의 기반암은 주로 현무암이다.
③ (나)의 내부에서는 종유석, 석순 등을 볼 수 있다.
④ 형성 과정에서 (가)는 (나)보다 기후의 영향을 많이 받았다.
⑤ (가)는 석회동굴, (나)는 용암동굴이다.

10 (가), (나) 지형에 대한 옳은 설명을 〈보기〉에서 고른 것은?

(가) 석회화 단구(파묵칼레)   (나) 주상 절리(자이언츠 코즈웨이)

┤ 보기 ├
ㄱ. (가)는 화구가 함몰된 후 물이 고여 형성되었다.
ㄴ. (가)는 물에 용해된 탄산칼슘이 침전되어 형성되었다.
ㄷ. (나)는 용식에 강한 부분이 탑 모양으로 남아 형성되었다.
ㄹ. (나)는 분출한 용암이 빠르게 냉각되는 과정에서 형성되었다.

① ㄱ, ㄴ   ② ㄱ, ㄷ   ③ ㄴ, ㄷ
④ ㄴ, ㄹ   ⑤ ㄷ, ㄹ

11 그림은 카르스트 지형의 모식도이다. A~D 지형에 대한 설명으로 옳은 것은? (단, 돌리네, 석회동굴, 우발레, 탑 카르스트만 고려함.)

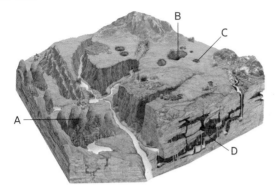

① A는 베트남의 할롱베이에서 볼 수 있다.
② B는 화구의 함몰로 형성되었다.
③ C는 대체로 배수가 불량하다.
④ D는 용암의 이동과 관련 있다.
⑤ B가 연속하여 발달하면 D가 된다.

12 다음은 세계지리 수업 장면이다. 교사의 질문에 옳게 대답한 학생을 고른 것은?

① 갑, 을   ② 갑, 정   ③ 을, 병
④ 을, 정   ⑤ 병, 정

13 그림은 해안 지형의 모식도이다. (가), (나)에 대한 설명으로 옳은 것은?

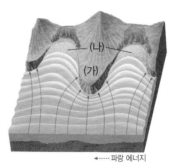

① 조차가 큰 해안에서는 (가)에서 갯벌이 발달한다.
② 지반이 융기하면 (가)에서는 해안 단구를 볼 수 있다.
③ (나)에서는 침식 작용이 활발하여 사빈이 발달한다.
④ (가)를 만, (나)를 곶이라고 한다.
⑤ 파랑 에너지는 (가)에서 분산되고 (나)에 집중된다.

14 다음 글의 밑줄 친 ㉠~㉾에 대한 설명으로 옳은 것은?

> 암석 해안은 파랑에 의해 다양한 지형이 형성된다. ㉠ 파식대, ㉡ 해식애, ㉢ 해식동굴, ㉣ 시 스택, 시 아치 등의 지형이 발달한다.
> 모래 해안은 하천이나 배후의 기반암으로부터 공급된 모래가 파랑과 연안류에 의해 퇴적되어 형성된다. 모래 해안은 주로 해수욕장으로 이용되는 ㉤ 사빈 이외에도 ㉥ 석호, 사주, 해안 사구 등의 지형이 나타난다.

① ㉡의 후퇴로 ㉠의 면적이 넓어진다.
② ㉢은 파랑 에너지가 분산되는 곳에 잘 발달한다.
③ ㉣은 농경지로 이용되거나 취락이 입지한다.
④ ㉤은 조차가 큰 해안에서 잘 발달한다.
⑤ ㉥의 면적은 시간이 지날수록 점점 넓어진다.

15 (가) 해안과 비교한 (나) 해안의 상대적 특성을 그림의 A~E에서 고른 것은?

(가) 모래 해안

(나) 갯벌 해안

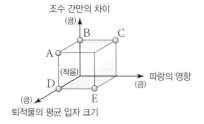

① A
② B
③ C
④ D
⑤ E

16 지도의 (가), (나) 해안에 대한 옳은 설명을 〈보기〉에서 고른 것은?

┌─ 보기 ┐
ㄱ. (가)에는 산호초 해안이 넓게 나타난다.
ㄴ. (나)는 해수면 상승으로 V자곡이 침수되어 형성되었다.
ㄷ. 빙하 침식 지형은 (나)보다 (가)에서 주로 볼 수 있다.
ㄹ. (가), (나)는 연중 한류의 영향을 받는다.

① ㄱ, ㄴ   ② ㄱ, ㄷ   ③ ㄴ, ㄷ
④ ㄴ, ㄹ   ⑤ ㄷ, ㄹ

17 지도에 표시된 해안 지역의 공통점에 대한 설명으로 옳지 <u>않</u>은 것은?

① 조류에 의한 퇴적 작용으로 형성된다.
② 밀물 때는 잠기고 썰물 때는 드러난다.
③ 양식장이나 염전으로 이용되기도 한다.
④ 주로 모래보다 입자가 고운 물질들이 퇴적된다.
⑤ 바다 쪽으로 돌출된 해안 지역에서 주로 발달한다.

18 (가)~(다)에 대한 설명으로 옳지 <u>않</u>은 것은?

(나)

▲ 화산 폭발로 형성된 분화구

(가)

▲ 급경사의 해안 절벽과 바위기둥

(다)

▲ U자 모양으로 파인 골짜기

① (가)는 주로 파랑의 침식 작용으로 형성되었다.
② (나)는 지하의 마그마가 분출하여 형성되었다.
③ (다)는 주로 빙하의 침식 작용으로 형성되었다.
④ 온천 개발은 (나)보다 (가) 주변이 유리하다.
⑤ (가), (나), (다)는 모두 관광 자원으로 활용 가능하다.

19 지도에 표시된 A, B 산지의 특징을 제시된 〈조건〉의 측면에서 비교하여 서술하시오.

┌ 조건 ┐
• 형성 시기   • 해발 고도   • 매장된 자원

20 그림을 보고 물음에 답하시오.

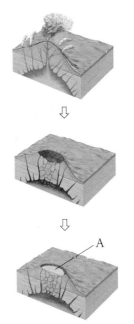

(1) A 지형의 이름을 쓰시오.

(2) A 지형의 형성 과정을 서술하시오.

21 그림을 보고 물음에 답하시오. (단, A~C는 돌리네, 석회동굴, 탑 카르스트만 고려함.)

(1) A, B 지형의 이름을 쓰시오.

(2) C 지형의 이름을 쓰고, 형성 과정을 서술하시오.

22 그림을 보고 물음에 답하시오.

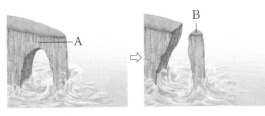

(1) A, B 지형의 이름을 쓰시오.

(2) A, B 지형의 공통적인 형성 원인을 서술하시오.

01 | 교육청 기출 |
자료는 판의 경계 유형을 정리한 세계지리 노트의 일부이다. 이에 대한 옳은 설명을 〈보기〉에서 고른 것은?

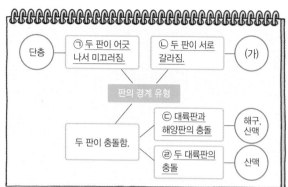

┤ 보기 ├
ㄱ. (가)에는 '순상지'가 들어갈 수 있다.
ㄴ. ㉠의 사례로 동아프리카 지구대를 들 수 있다.
ㄷ. ㉡에서는 새로운 지각이 생성된다.
ㄹ. ㉢은 ㉣보다 화산 활동이 활발하다.

① ㄱ, ㄴ   ② ㄱ, ㄷ   ③ ㄴ, ㄷ
④ ㄴ, ㄹ   ⑤ ㄷ, ㄹ

02 | 수능 기출 |
(가)~(마)에서 볼 수 있는 대표적인 대지형에 대한 설명으로 옳은 것은?

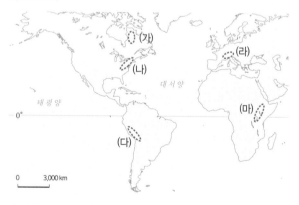

① (가) – 두 판이 수평으로 어긋나 미끄러져 형성되었다.
② (나) – 신생대에 대륙판과 대륙판이 충돌하여 형성되었다.
③ (다) – 시·원생대에 형성된 후 오랜 침식을 받은 안정 육괴이다.
④ (라) – 고생대의 조산 운동으로 만들어진 산지이다.
⑤ (마) – 대륙판이 갈라지면서 만들어지는 지구대가 나타난다.

03 | 평가원 기출 |
지도에 표시된 대지형 A~E에 대한 설명으로 옳은 것은?

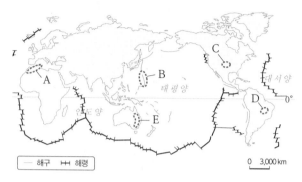

① A의 산지는 고생대~중생대 초기 조산 운동으로 형성되었다.
② B에서는 마그마 상승에 의해 판이 서로 반대 방향으로 움직인다.
③ C는 대륙 지각과 해양 지각이 만나는 곳으로 화산 활동이 활발하다.
④ D는 주로 시·원생대 이후 오랜 침식을 받아 형성되었다.
⑤ E의 산지는 신생대 조산 운동으로 형성되었다.

04 | 교육청 기출 |
다음 자료는 지도에 표시된 구간의 지형 단면을 나타낸 것이다. 이에 대한 설명으로 옳은 것은? (단, (가), (나) 지형 단면도는 각각 지도에 표시된 ㉠, ㉡ 단면선 중 하나임.)

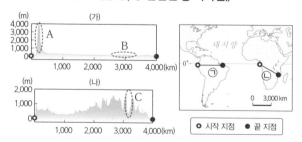

① (가)는 ㉡, (나)는 ㉠이다.
② A는 고생대에 습곡 운동으로 형성된 산지이다.
③ B는 지진과 화산 활동이 활발한 지역이다.
④ C는 대륙판이 갈라지면서 형성된 지구대이다.
⑤ A는 B보다 철광석이 풍부하게 매장되어 있다.

| 교육청 기출 |

05 다음 자료의 (가), (나)에 해당하는 국가를 지도의 A~D에서 고른 것은?

〈화폐로 살펴보는 세계의 산지 이야기〉

(가)의 화폐에는 세계에서 가장 높은 산과 힌두교 사원이 표현되어 있다. 또한 화폐의 뒷면에는

▲ (가)의 화폐

대륙판과 대륙판이 충돌하여 형성된 산맥을 배경으로 고산 지대에 서식하는 야크(yak)가 그려져 있다.

(나)의 화폐에는 잉카 문명의 유적지인 마추픽추가 그려져 있다.

▲ (나)의 화폐

이곳은 대륙판과 해양판이 충돌하여 형성된 산맥에 위치하며, 사방이 험준한 산으로 둘러싸인 고대 도시로 알려져 있다.

	(가)	(나)
①	A	C
②	A	D
③	B	A
④	B	D
⑤	D	C

| 교육청 기출 |

06 다음 자료의 밑줄 친 ㉠~㉤에 대한 설명으로 옳은 것은?

아프리카에서 가장 높은 킬리만자로산은 ㉠ 동아프리카 지구대에 위치한다. ㉡ 산 정상부의 만년설이 햇빛을 반사하기 때문에 주민들은 '빛나는 산'이라고 부른다. 킬리만자로산은 전체적인 모습이 ㉢ 순상 화산의 형태이며, 서로 다른 시기에 분출된 용암으로 형성된 세 개의 봉우리가 있는 ㉣ 성층 화산이다. 5,895m로 가장 높은 봉우리인 키보봉의 정상에는 ㉤ 칼데라호가 있다.

① ㉠ - 해양판과 대륙판의 충돌로 형성되었다.
② ㉡ - 분포 고도 하한선이 낮아지고 있다.
③ ㉢ - 주로 유동성이 작은 용암의 분출로 형성되었다.
④ ㉣ - 수차례 용암 분출과 화산 쇄설물 퇴적으로 형성되었다.
⑤ ㉤ - 경암과 연암의 차별 침식으로 형성되었다.

| 평가원 기출 |

07 다음 글은 여행기의 일부이다. 밑줄 친 부분들을 통해 공통적으로 추론할 수 있는 지형에 대한 설명으로 옳지 않은 것은?

이번에 여행한 곳은 일본의 아소 국립 공원 일대이다. 처음에 도착한 타카치 협곡은 계곡의 양쪽에 발달한 다각형의 주상 절리가 인상적이었다. 다음으로 방문한 곳에서 아소산 정상의 나카타케 화구호를 안내하는 표지판을 보았다. 더 걷다 보니 고온의 지하수를 이용하여 전기를 생산하는 핫쵸바루 지열 발전소가 나왔다.

① 지구 내부 에너지에 의해 형성된다.
② 주변에 간헐천과 온천이 나타나기도 한다.
③ 용암의 성질에 따라 다양한 형태로 만들어진다.
④ 판의 경계나 지각의 약한 부분을 따라 주로 분포한다.
⑤ 탄산칼슘이 풍부한 기반암으로 되어 있어 시멘트 공업이 발달한다.

| 교육청 기출 |

08 다음 자료의 A, B 지형에 대한 옳은 설명을 〈보기〉에서 고른 것은?

〈붉은 후지산〉

일본의 후지산을 판화로 표현하였다. 눈 쌓인 화구에서 산 아래 숲까지 대비되는 색을 사용하여 긴장감 있게 묘사하였다.

〈이강승경漓江勝景〉

중국 구이린의 아름다운 산수를 수묵화로 표현하였다. 탑과 같이 우뚝 솟은 여러 개의 봉우리들을 인상 깊게 묘사하였다.

┤ 보기 ├
ㄱ. A는 마그마가 분출하여 형성되었다.
ㄴ. A의 정상부에는 지표수에 의해 용식된 지형이 나타난다.
ㄷ. B는 주로 습윤 기후 지역의 석회암 지대에서 나타난다.
ㄹ. B는 해수면 상승으로 빙식곡이 바닷물에 잠겨 형성되었다.

① ㄱ, ㄴ   ② ㄱ, ㄷ   ③ ㄴ, ㄷ
④ ㄴ, ㄹ   ⑤ ㄷ, ㄹ

| 평가원 기출 |

09 다음 자료에서 설명하는 ㉠ 지형의 형성 원인으로 가장 적절한 것은?

▲ 구이린을 배경으로 한 화폐　　▲ 할롱베이를 배경으로 한 화폐

　두 지폐는 각각 중국 구이린과 베트남 할롱베이의 아름다운 자연 경관을 담고 있다. 이들 지역에서 볼 수 있는 ㉠ 탑 모양의 봉우리들은 독특한 경관을 이루며, 주변에서 신비로운 동굴들도 볼 수 있어 해마다 많은 관광객들이 찾고 있다.

① 지반의 융기
② 빙하의 퇴적 작용
③ 조류의 퇴적 작용
④ 유동성이 큰 용암의 분출
⑤ 기반암의 차별적 용식 작용

| 평가원 기출 |

10 다음은 세계지리 답사 보고서의 일부이다. 밑줄 친 ㉠~㉣에 관한 옳은 설명을 〈보기〉에서 고른 것은?

　이번 답사에서는 ㉠ 석회암 지대의 카르스트 지형을 둘러보았다. 첫 답사지는 튀르키예의 파묵칼레 지역이었다. 파묵칼레에서는 ㉡ 탄산칼슘이 녹은 물이 경사면을 흐르면서 형성된 계단 모양의 지형을 볼 수 있었다. 두 번째 답사지는 슬로베니아의 디나르 카르스트 지역이었다. 이 지역에서는 다양한 규모의 ㉢ 돌리네, 우발레 등의 지형을 볼 수 있었다. 마지막 답사지인 슬로바키아 카르스트 국립 공원에서는 ㉣ 종유석, 석순 등의 지형이 위아래 방향으로 길게 자라고 있는 모습을 볼 수 있었다.

┤ 보기 ├

ㄱ. ㉠의 발달은 건조한 기후 환경에서보다 습윤한 기후 환경에서 잘 이루어진다.
ㄴ. ㉡은 탑 카르스트라고 한다.
ㄷ. ㉢은 지표, ㉣은 지하에 주로 발달한다.
ㄹ. ㉣은 물리적 풍화 작용으로 형성된 침식 지형이다.

① ㄱ, ㄴ　　　② ㄱ, ㄷ　　　③ ㄴ, ㄷ
④ ㄴ, ㄹ　　　⑤ ㄷ, ㄹ

| 교육청 응용 |

11 그림의 A~D에 대한 옳은 설명을 〈보기〉에서 고른 것은?

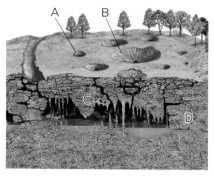

┤ 보기 ├

ㄱ. A는 화구의 함몰로 형성된 칼데라이다.
ㄴ. B는 여러 개의 A가 연결되어 확장된 것이다.
ㄷ. C는 탄산칼슘이 침전되어 발달하는 지형이다.
ㄹ. D는 점성이 큰 용암이 굳어져 형성된 기반암이다.

① ㄱ, ㄴ　　　② ㄱ, ㄷ　　　③ ㄴ, ㄷ
④ ㄴ, ㄹ　　　⑤ ㄷ, ㄹ

| 교육청 기출 |

12 자료는 두 사람이 여행하면서 작성한 누리 소통망(SNS)의 내용이다. ㉠, ㉡ 지형에 대한 옳은 설명을 〈보기〉에서 고른 것은?

지수　노르웨이 ›　　…

♥ 좋아요 32 개

지수 바닷물이 육지로 깊숙이 들어온 ㉠ 좁고 긴 협만을 지날 때 절벽으로부터 떨어지는 폭포는 한 폭의 그림 같다.
#노르웨이 #크루즈여행

선호　베트남 ›　　…

♥ 좋아요 27 개

선호 장구한 세월을 이기고 바다에 우뚝 솟아 있는 ㉡ 석회암의 기암괴석과 동굴이 주는 신비로움을 느낄 수 있다.
#베트남 #카약체험여행

┤ 보기 ├

ㄱ. ㉠은 후빙기 해수면 상승으로 형성되었다.
ㄴ. ㉡은 용식 작용을 받은 탑 모양의 지형이다.
ㄷ. ㉡에서는 기둥 모양의 주상 절리를 볼 수 있다.
ㄹ. ㉠은 ㉡보다 고온 다습한 환경에서 발달한다.

① ㄱ, ㄴ　　　② ㄱ, ㄷ　　　③ ㄴ, ㄷ
④ ㄴ, ㄹ　　　⑤ ㄷ, ㄹ

| 평가원 응용 |

13 A~C 해안 지형에 대한 설명으로 옳지 <u>않은</u> 것은? (단, A~C 는 사빈, 시 스택, 해식애만 고려함.)

① A는 차별 침식으로 육지와 분리된 바위섬이다.

② B는 시간이 지나면서 육지 쪽으로 후퇴한다.

③ C는 조차가 큰 해안에서 잘 발달한다.

④ B는 곶에서, C는 만에서 주로 발달한다.

⑤ A는 파랑의 침식 작용으로, C는 파랑의 퇴적 작용으 로 형성된다.

| 수능 응용 |

14 (가)~(라) 해안 지형에 대한 옳은 설명을 〈보기〉에서 고른 것 은? (단, 갯벌, 사빈, 석호, 해식애만 고려함.)

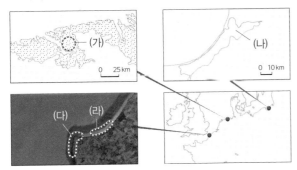

| 보기 |

ㄱ. (가)는 주로 연안류의 퇴적 작용으로 형성된다.

ㄴ. (나)는 사주가 만의 입구를 막아 형성된다.

ㄷ. (다)는 파랑의 침식 작용으로 형성된다.

ㄹ. (라)는 파식대가 융기되어 형성된다.

① ㄱ, ㄴ   ② ㄱ, ㄷ   ③ ㄴ, ㄷ

④ ㄴ, ㄹ   ⑤ ㄷ, ㄹ

| 평가원 기출 |

15 다음은 세계지리 수업 장면이다. 교사의 질문에 옳은 대답을 한 학생을 고른 것은?

① 갑, 을   ② 갑, 병   ③ 을, 병

④ 을, 정   ⑤ 병, 정

| 교육청 기출 |

16 자료는 SNS 대화 내용의 일부이다. 교사의 말에 바르게 답한 학생을 고른 것은?

① 갑, 을   ② 갑, 병   ③ 을, 병

④ 을, 정   ⑤ 병, 정

III

세계의 인문 환경과 인문 경관

이 단원의 핵심 포인트

중단원	핵심 포인트	학습일
01 세계의 주요 종교	• 세계 주요 종교의 특징과 전파 • 세계 주요 종교의 성지와 경관 및 주민 생활	월 일 ~ 월 일
02 세계의 인구와 도시	• 세계의 인구 성장과 변천 • 세계의 인구 이주 • 도시화와 세계의 도시화 • 세계 도시와 세계 도시 체계	월 일 ~ 월 일
03 세계의 주요 식량 및 에너지 자원	• 세계의 주요 식량 자원의 특징과 이동 • 세계의 주요 에너지 자원의 특징과 이동	월 일 ~ 월 일

셀파와 내 교과서 단원 비교

셀파	천재교과서	미래엔	비상교육	금성출판사
01 세계의 주요 종교	**01** 세계 주요 종교의 전파와 종교 경관	**01** 주요 종교의 전파와 종교 경관	**01** 주요 종교의 전파와 종교 경관	**01** 세계의 주요 종교
02 세계의 인구와 도시	**02** 세계의 인구 변천과 인구 이주	**02** 세계의 인구 변천과 인구 이주	**02** 세계의 인구 변천과 인구 이주	**02** 세계의 인구 변천과 인구 이주
	03 세계의 도시화와 세계 도시 체계	**03** 세계의 도시화와 세계 도시 체계	**03** 세계 도시와 세계 도시 체계	**03** 세계 도시의 등장과 세계 도시 체계
03 세계의 주요 식량 및 에너지 자원	**04** 세계 주요 식량 자원과 국제 이동	**04** 주요 식량 자원과 국제 이동	**04** 주요 식량 자원과 국제 이동	**04** 세계의 식량 자원
	05 세계 주요 에너지 자원과 국제 이동	**05** 주요 에너지 자원과 국제 이동	**05** 주요 에너지 자원과 국제 이동	**05** 세계 주요 에너지 자원과 국제 이동

01 세계의 주요 종교

1 세계 주요 종교의 특징과 전파

1. 세계 주요 종교의 특징

(1) 보편 종교와 민족 종교

① **보편 종교** 인류 차원의 보편적 진리를 강조하고 모든 민족을 포교의 대상으로 삼는 종교
   ⓔ 크리스트교, 이슬람교, 불교

② **민족 종교** 특정 민족 및 그 문화와 관계가 깊고 신자도 해당 민족을 중심으로 분포하는 종교
   ⓔ 힌두교, 유대교❶ 등

(2) 세계 주요 종교의 특징과 분포 자료 01 자료 02

크리스트교	• 특징: 유일신교로, 예수를 구원자로 믿으며 이웃 사랑을 중시하는 성경의 가르침을 따름, 세계에서 신자 수가 가장 많음. • 분포: 유럽, 아메리카, 오세아니아, 아프리카 남부 지역에 주로 분포 • 종파: 가톨릭교(남부 유럽, 라틴 아메리카, 필리핀), 개신교(북서부 유럽, 앵글로아메리카, 오세아니아), 동방 정교❷(그리스, 러시아, 동부 유럽) ┌ 유럽의 종교 개혁 이후 형성되어 앵글로아메리카로 청교도 이주
이슬람교	• 특징: 유일신교로, 알라를 섬기며 이웃 사랑과 선행을 강조함, 쿠란❸에 담겨 있는 이슬람 율법에 따라 생활하며, 신앙 실천의 5대 의무(신앙 고백, 하루 다섯 번의 기도, 자선을 위한 희사, 라마단 기간의 금식, 메카 성지 순례)를 엄격히 지킴. • 분포: 북부 아프리카, 서남·중앙·동남아시아에 주로 분포 • 종파: 다수의 수니파와 소수의 시아파(이란의 대부분과 이라크 일부에 집중)
불교	• 특징: 석가모니의 가르침을 실천하며, 신에 대한 신앙보다는 개인의 깨달음을 얻기 위한 수행과 자비를 중시하고 윤회 사상을 믿음. • 분포: 남부 아시아, 동남 및 동아시아를 중심으로 분포 • 종파: 상좌부(소승) 불교(남부 및 동남아시아), 대승 불교(동아시아), 티베트(라마) 불교(티베트 고원, 부탄, 몽골) └ 스리랑카, 인도차이나 반도
힌두교	• 특징: 다신교로, 윤회 사상을 믿으며 선행과 고행을 통한 수련을 중시함, 보편 종교인 불교보다 세계 신자 수가 많음. • 분포: 신자의 대부분이 인도에 분포함.

2. 세계 주요 종교의 기원과 전파 자료 03

구분	기원지	전파 특징
크리스트교	팔레스타인❹ 지역	• 1세기 초 예수에 의해 창시 • 로마 제국의 국교 선포 이후 유럽 전역으로 전파 • 유럽 열강(에스파냐, 포르투갈, 영국 등)의 식민지 개척으로 세계 각지로 전파
이슬람교	메카	• 7세기 초 무함마드에 의해 창시 • 정복 전쟁(서남아시아와 북부 아프리카)과 이슬람 상인의 무역 활동(남부 및 동남아시아)으로 전파
불교	인도 북부	• 기원전 6세기경 석가모니에 의해 창시 • 카스트 제도❺와 브라만교❻에 대한 개혁 운동으로 시작 • 동남아시아(상좌부 불교)와 동아시아(대승 불교)로 전파
힌두교	인도 북부	• 브라만교를 모체로 고대 인도에서 발생 • 인도 주변 일부 지역(네팔, 스리랑카 등)으로 전파 ┌ 네팔로 확산되어 네팔의 최대 종교가 됨.

고득점을 위한 셀파 Tip

주요 종교의 특징

크리스트교	• 팔레스타인에서 발생하여 전 세계로 전파 • 성경의 가르침 따름.
이슬람교	• 메카에서 발생하여 서남아시아와 북부 아프리카 등지로 전파 • 이슬람 율법 중시
불교	• 인도 북부에서 발생하여 남부 아시아와 동남아시아 등지로 전파 • 개인의 수행 중시
힌두교	• 인도 북부에서 발생하여 인도 주변 일부 지역에 전파 • 다양한 신을 믿음.

❶ **유대교**
여호와를 믿는 유일신교로, 크리스트교와 이슬람교의 모체가 된다. 서남아시아에서 기원하였으며, 구약 성서를 성전으로 하는 유대인들의 민족 종교이다. 유대교도들은 돼지고기, 비늘 없는 물고기 등을 금기시한다.

❷ **동방 정교**
1054년 동서 교회 분열로 로마 가톨릭 교회와 분리된 크리스트교 종파이다. 주로 로마의 동쪽 지역에 해당하기 때문에 동방 정교라고 한다.

❸ **쿠란**
이슬람교 창시자인 무함마드가 알라에게 받은 계시를 기록한 이슬람교 경전으로, 이슬람교도들은 아랍어 원전만 인정한다.

❹ **팔레스타인**
이스라엘을 중심으로 하는 지중해의 동부 해안 일대를 말한다.

❺ **카스트 제도**
인도의 세습적 계급 제도로, 브라만-크샤트리아-바이샤-수드라 순으로 계급이 구성된다.

❻ **브라만교**
고대 인도에서 브라만 계급을 주축으로 성립된 인도의 민족 종교이다. 카스트 신분 제도에 바탕을 두고 있다.

자료 01 세계의 종교 인구 구성과 지역별 종교 비중

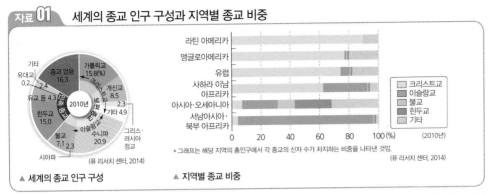

▲ 세계의 종교 인구 구성

▲ 지역별 종교 비중

* 그래프는 해당 지역의 총인구에서 각 종교의 신자 수가 차지하는 비중을 나타낸 것임.

(퓨 리서치 센터, 2014)

자료 분석 | • 세계 인구의 약 85%가 종교를 가지고 있으며 그 중 60% 이상이 보편 종교를 믿는다. 보편 종교 중 크리스트교, 이슬람교, 불교 순으로 신자가 많다. 한편, 민족 종교인 힌두교는 보편 종교인 불교보다 신자 수가 많다.
• 유럽과 유럽인들이 진출했던 지역(앵글로아메리카, 라틴 아메리카 등)은 크리스트교 신자 수 비중이 높으며, 이슬람교의 발상지인 서남아시아와 북부 아프리카는 이슬람교 신자 수 비중이 높다. 아시아는 다양한 종교가 공존하고 있으며, 특히 힌두교와 불교는 다른 지역에 비해 그 비중이 높다.

자료 02 공통 자료 세계 주요 종교의 분포

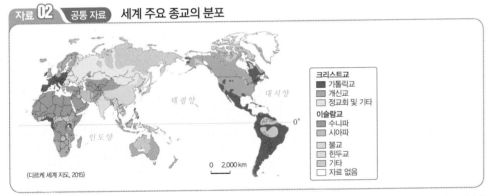

자료 분석 | 크리스트교의 분포 범위가 가장 넓으며, 이슬람교는 서남아시아, 북부 아프리카, 중앙아시아, 동남아시아에 분포하고 있다. 불교는 동남아시아와 동아시아에 넓게 분포하고 있다. 힌두교는 인도와 그 주변에 국한되어 있다.

자료 03 세계 주요 종교의 전파

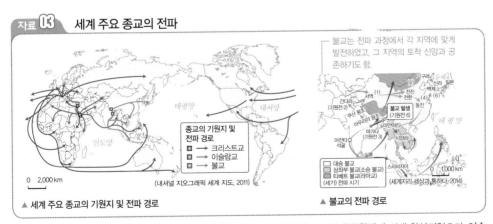

▲ 세계 주요 종교의 기원지 및 전파 경로

▲ 불교의 전파 경로

자료 분석 | 크리스트교는 로마 제국의 영향과 지리상의 발견 후 선교 활동 및 식민지 확대에 의해 확산되었으며, 이슬람교는 군사적 정복 활동 및 상업 활동으로 확산되었다. 불교는 동남 및 동부 아시아로 전파되었으나 정작 기원지인 인도에서는 쇠퇴하였다.

교과서 자료 더 보기

| 주요 종교의 지역별 신자 비율 |

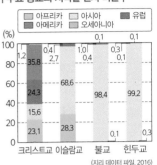

(지리 데이터 파일, 2016)

크리스트교는 모든 대륙에 고르게 분포하고 있으며, 불교와 힌두교는 아시아에 집중되어 있다. 이슬람교는 아시아에서의 비중이 높지만 아프리카에도 신자가 많다.

교과서 탐구 풀이

Q 서남아시아에서 멀리 떨어진 인도네시아에 이슬람교가 분포하는 이유를 설명해 보자.

A 값비싼 향신료가 재배되던 인도네시아를 이슬람 상인들이 왕래하면서 활발한 상업 활동과 함께 포교 활동이 이루어지면서 인도네시아에 이슬람교가 전파되었다. 현재 인도네시아는 세계 최대 이슬람 국가이다.

교과서 탐구 풀이

Q 크리스트교가 전 세계에 광범위하게 확산된 이유를 말해 보자.

A 15세기 말 신대륙 발견 이후 유럽인의 세계 진출이 활발해지면서 전 세계로 크리스트교가 전파되었다. 가톨릭교는 주로 남부 유럽인들에 의해 라틴 아메리카와 필리핀으로, 개신교는 주로 북서부 유럽인들에 의해 앵글로아메리카와 오세아니아로, 정교회는 동부 유럽으로 전파되었다.

2 세계 주요 종교의 성지와 경관 및 주민 생활

1. 세계 주요 종교의 성지 [7] 자료 04

크리스트교	• 팔레스타인 지역(베들레헴, 갈릴리호, 예루살렘 등): 예수의 행적이 남아 있는 장소 • 바티칸: 가톨릭교의 총 본산으로 4세기 교황청 입지 이후 가톨릭교의 중심지 • 로마, 알렉산드리아, 안티오크 등: 큰 교회의 중심지
이슬람교	• 메카: 이슬람교 창시자 무함마드의 탄생지이자, 성지 순례의 대상지 • 메디나: 무함마드의 묘지가 위치한 곳
불교	• 룸비니: 석가모니 탄생지 • 부다가야: 석가모니가 깨달음을 얻은 곳 • 사르나트: 석가모니가 최초로 설법한 장소 ┌─ 불교의 교리를 설명하여 가르치는 것 • 쿠시나가라: 석가모니가 열반한 장소 └─ 불교에서 말하는 최고의 이상적인 경지인 해탈
힌두교	• 바라나시: 갠지스강 유역에 위치한 도시로, 매년 수백만 명의 힌두교도들이 순례하는 지역 • 갠지스강: 힌두교도들이 가장 신성시하는 강으로, 강물이 영혼을 정화시킨다고 믿음.

2. 세계 주요 종교의 경관과 주민 생활 자료 05

(1) 주요 종교의 경관

크리스트교 종파별 예배 건물 (성당, 교회)의 모습 과 장식이 다양함.	• 십자가와 종탑이 보편적으로 나타남. • 가톨릭교: 성당은 뾰족한 탑과 둥근 천장이 특징이고, 대체로 규모가 큼. • 개신교: 가톨릭교의 성당에 비해 교회의 형태가 비교적 단순하고 규모가 작은 편임. • 동방 정교: 교회의 장식이 정교하고 화려함.
이슬람교	• 모스크(마스지드)[8]: 중앙의 돔형 둥근 지붕과 주변의 뾰족한 첨탑(미나렛)이 특징이며, 예배당의 규모가 큼. ┌─ 지역 공동체의 중심지 역할을 하기 때문임. • 아라베스크 문양: 우상 숭배를 금지하는 쿠란의 가르침에 따라 사람이나 동물 대신 식물, 문자 등을 기하학적으로 내벽, 외벽 등에 배치한 문양
불교 연꽃과 보리수가 상징임.	• 사원과 불상을 모시는 불당, 부처의 사리[9]가 모셔진 불탑[10] 등이 특징적임. • 수레바퀴 문양: 윤회를 상징하는 문양
힌두교	• 사원을 신이 거주하는 곳으로 여기며, 외부와 내부를 다양한 신들의 모습으로 정교하게 장식함. └─ 다신교이기 때문임. • 가트: 갠지스강가의 계단으로, 죄를 씻기 위한 목욕 의식을 준비하는 장소

(2) 종교와 관련된 다양한 주민 생활

크리스트교	교회에서 예배, 결혼식, 장례식 등이 치러짐.
이슬람교	• 할랄 식품[11]을 먹으며, 술과 돼지고기를 금기시함. ─ 경전인 쿠란에 명시되어 있음. • 여성들은 얼굴이나 몸 일부 또는 전체를 가리는 천이나 베일로 만든 의복을 착용함.  ▲ 부르카 눈을 포함한 전신을 가림. 눈 부위는 얇은 천을 사용하며 장갑을 끼기도 함. ┌─ 윤회 사상과 관련이 깊음.　▲ 니카브 눈을 제외한 전신을 가림. 색상이 다양한 것이 특징임.　▲ 히잡 얼굴만 내어 놓는 두건 모양이며 쿠란에도 언급된 의상　▲ 차도르 부르카와 비슷한 헐렁한 겉옷의 일종이며 속에는 양장을 입는 경우가 많음.
불교	살생을 금하며 일부 유목 생활을 하는 주민을 제외하면 육식을 대체로 금기시함.
힌두교	• 소를 신성시하며 소고기를 금기시함. • 카스트 제도에 기반한 생활 양식이 존재함.

주요 종교의 성지와 경관

구분	성지	경관
크리스트교	팔레스타인	십자가, 종탑
이슬람교	메카, 메디나	모스크, 아라베스크
불교	룸비니, 부다가야	불당, 불탑
힌두교	바라나시	다양한 신의 조각, 가트

[7] 주요 종교의 성지 위치

예루살렘은 유대교, 크리스트교, 이슬람교의 성지이다. 메카는 이슬람교, 룸비니와 부다가야는 불교, 바라나시는 힌두교의 성지이다.

[8] 모스크

이슬람교의 예배 장소인 모스크는 단순한 예배 장소를 넘어 사람들의 삶의 중심이자 지역의 상징이기도 하다. 모스크에 있는 첨탑은 예배 시간을 알려 주는 기능을 한다.

[9] 사리

석가모니 및 오랜 수행을 한 성자의 화장 후 남은 유골을 지칭한다. 불교에서는 오랜 기간 수행한 공덕의 결과물로 이해한다.

[10] 지역에 따른 불탑 모양

불탑은 지역에 따라 재료와 형태가 다르다. 대체로 한국은 석탑, 중국은 전탑, 일본은 석탑의 양식을 띤다.

[11] 할랄 식품

이슬람 율법으로 허용되어 이슬람교도가 먹을 수 있는 음식으로, '할랄'은 아랍어로 '허용되다'라는 의미이다.

셀파 자료 탐구

자료 **04** **다양한 종교의 성지, 예루살렘**

▲ 성묘 교회

성 안의 좁은 구역에 유대인, 크리스트교도, 이슬람교도, 아르메니아인이 공존하고 있음.

■ 주요 종교 시설
✝ 십자가의 길
▣ 크리스트교 사원
☪ 이슬람교 사원
✡ 유대교 사원

0   200 m
(『하크 세계 지도』, 2015)

▲ 황금돔 사원

▲ 통곡의 벽

자료 분석 | 예루살렘은 유대교, 크리스트교, 이슬람교의 성지이다. 예루살렘의 구시가지는 크게 네 구역으로 나뉘어져 있다. 크리스트교 구역에는 예수가 안장되었던 묘지에 세워진 성묘 교회가, 이슬람교 구역에는 무함마드가 승천한 황금돔 사원이, 유대교 구역에는 유대 민족 신앙의 상징인 통곡의 벽이 있어 세 종교 신자들의 순례가 끊이지 않고 있다.

자료 **05** 공통 자료   **세계 주요 종교 경관**

▲ 바티칸의 산피에트로 성당(크리스트교)

▲ 메카의 카바 신전(이슬람교)

▲ 부다가야의 마하보디 사원(불교)

▲ 인도의 스리미낙시 사원(힌두교)

자료 분석 | 종교마다 다른 경관이 나타난다. 신도는 예배 건물, 묘지 등 종교 건축물을 신성시하며, 종교의 기원지나 성지 등을 성스럽게 여긴다. 바티칸의 산피에트로 성당은 가톨릭교의 총 본산으로 크리스트교의 성지 중 하나이다. 메카의 카바 신전은 이슬람교 최대의 성지로 무함마드가 탄생한 곳으로 알려져 있으며, 많은 이슬람교 신자들이 성지 순례를 위해 이곳을 찾는다. 부다가야는 불교 최고의 성지로, 석가모니가 깨달음을 얻은 곳이다. 스리미낙시 사원은 벽면에 다양한 신들의 모습이 조각되어 있다.

● 교과서 **자료 더 보기** ➕

| 국기에 나타난 종교 상징 |

▲ 핀란드 국기

▲ 튀르키예 국기

핀란드, 덴마크, 영국 등 크리스트교 문화권인 유럽 지역의 국기에서는 십자가 문양을 주로 그려 넣는다. 튀르키예, 튀니지, 알제리, 파키스탄 등 이슬람교 지역의 국기에서는 초승달을 쉽게 찾아볼 수 있는데, 무함마드가 계시를 받은 새벽을 나타내는 초승달을 이슬람교의 상징으로 사용하기 때문이다.

● 교과서 **자료 더 보기** ➕

| 인도의 갠지스강 풍경 |

갠지스강은 힌두교 신자들이 성스럽게 여기는 강으로, 강물이 영혼을 정화하는 능력이 있다고 믿어 매년 수백만 명의 힌두교 신자들이 갠지스강을 찾아 몸을 씻는 의식을 행한다.

개념 완성

1 세계 주요 종교의 특징과 전파

크리스트교	특징	• 유일신교로, 성경의 가르침을 따름. • 세계 신자 수가 가장 많음.
	종파	가톨릭교, 개신교, 동방 정교
	전파	(❶) 지역에서 기원하여 세계 각지 (유럽, 아메리카, 오세아니아 등지)로 전파됨.
이슬람교	특징	• 유일신교로, 쿠란의 가르침을 따름. • 신앙 실천의 5대 의무를 지킴.
	종파	수니파, 시아파
	전파	(❷)에서 기원하여 정복 전쟁과 상인의 무역 활동으로 북부 아프리카, 서남·중앙·동남아시아 등지로 전파됨.
불교	특징	• (❸)의 가르침을 실천함. • 수행과 자비 중시, 윤회 사상을 믿음.
	종파	상좌부(소승)·대승·티베트(라마) 불교
	전파	인도 북부에서 기원하여 남부·동남·동아시아 등지로 전파됨.
힌두교	특징	• 다신교로, 수련을 중시함. • 윤회 사상을 믿음. • 보편 종교인 불교보다 신자 수 많음.
	전파	인도 북부에서 기원하여 네팔 등 인도 주변 일부 지역에 전파됨.

2 세계 주요 종교의 성지와 경관 및 주민 생활

크리스트교	성지	팔레스타인 지역
	경관	• 십자가, 종탑 • 종파별 예배 건물(성당, 교회)의 모습과 장식이 다양함.
	주민 생활	교회에서 예배, 결혼식, 장례식 등이 치러짐.
이슬람교	성지	메카, 메디나
	경관	• 모스크: 중앙 돔 지붕, 주변 첨탑 • (❹) 문양: 식물, 문자 등의 기하학적인 모양을 배치함.
	주민 생활	• 할랄 식품 섭취, 술과 돼지고기 금기 • 여성들은 몸을 가리는 의복 착용
불교	성지	룸비니, 부다가야
	경관	불상, 불당, 불탑
	주민 생활	살생을 금하며, 대체로 육식을 금기시함.
힌두교	성지	(❺)강이 있는 바라나시
	경관	다양한 신들의 모습의 그림·조각
	주민 생활	소를 신성시하여 (❻) 금기

정답 ❶ 팔레스타인 ❷ 메카 ❸ 석가모니 ❹ 아라베스크 ❺ 갠지스 ❻ 소고기

탄탄 내신 문제

01 다음 글의 (가), (나)에 들어갈 종교의 사례를 바르게 연결한 것은?

> 세계의 종교는 크게 (가) 와 (나) 로 구분한다. (가) 는 전 인류가 포교 대상이며, 국경과 민족을 넘어 전 세계로 전파된 종교이다. 이에 비해 (나) 는 같은 문화를 공유하는 민족과 국가에 국한되어 나타나며, 주변 지역으로 확산이 쉽지 않아 특정 지역에 분포한다.

	(가)	(나)
①	불교	힌두교
②	힌두교	유대교
③	유대교	크리스트교
④	이슬람교	불교
⑤	크리스트교	이슬람교

★02 그래프는 세계의 종교 인구 비중을 나타낸 것이다. A~D 종교에 대한 설명으로 옳은 것은? (단, A~D는 불교, 이슬람교, 크리스트교, 힌두교 중 하나임.)

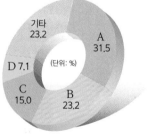

(퓨 리서치 센터, 2017)

① A는 민족 종교이다.
② C의 신자들은 유일신을 믿는다.
③ B는 A보다 아시아에서 신자 수가 많다.
④ D는 B보다 기원한 시기가 늦다.
⑤ B와 D는 모두 서남아시아에서 기원하였다.

03 그래프는 주요 지역별 종교 비중을 나타낸 것이다. (가)~(라) 종교의 비중이 가장 높은 국가를 지도의 A~D에서 고른 것은?

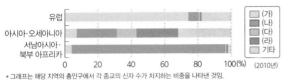

* 그래프는 해당 지역의 총인구에서 각 종교의 신자 수가 차지하는 비중을 나타낸 것임.

(퓨 리서치 센터, 2014)

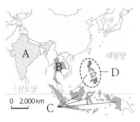

	(가)	(나)	(다)	(라)
①	A	C	B	D
②	B	A	C	D
③	B	D	C	A
④	D	B	A	C
⑤	D	C	B	A

04 다음은 (가), (나) 종교의 포교 활동 모습이다. (가), (나) 종교에 대한 옳은 설명을 〈보기〉에서 고른 것은?

(가)

여러분! 세상을 창조한 유일한 신은 하느님입니다. 하느님의 사랑을 전파하기 위해 인간 세상으로 오신 예수의 말씀을 따르는 생활을 해야만 구원을 받을 수 있답니다. 자, 다 같이 기도하겠습니다. 아멘!

(나)

여러분! 사람은 누구나 부처가 될 수 있습니다. 자비와 평등을 실천하며, 욕심을 버리고 꾸준히 수행하면 누구라도 해탈의 경지에 도달할 수 있습니다. 나무아미타불 관세음보살.

┤ 보기 ├
ㄱ. (가)는 보편 종교, (나)는 민족 종교이다.
ㄴ. (가)는 (나)보다 전 세계 분포 면적이 넓다.
ㄷ. (가)의 기원지는 (나)의 기원지보다 강수량이 적다.
ㄹ. (가), (나) 모두 기원지에서 신자 수 비중이 가장 높다.

① ㄱ, ㄴ 　② ㄱ, ㄷ 　③ ㄴ, ㄷ
④ ㄴ, ㄹ 　⑤ ㄷ, ㄹ

★05 지도는 세계 3대 보편 종교의 기원지와 전파 경로를 나타낸 것이다. A~C 종교에 대한 설명으로 옳은 것은?

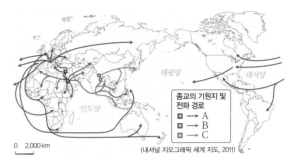

(내셔널 지오그래픽 세계 지도, 2011)

① A의 신자들은 윤회 사상을 믿는다.
② B의 사원에서는 십자가와 종탑을 볼 수 있다.
③ C의 신자들은 메카로 성지 순례를 한다.
④ 세계 신자 수는 A 〉 C 〉 B 순으로 많다.
⑤ 종교의 기원 시기는 C 〉 A 〉 B 순으로 이르다.

06 (가)~(다) 종교의 성지를 지도의 A~C에서 고른 것은?

┌─────────────────────────────┐
│ (가) 은/는 크리스트교도에게 예수가 십자가에 못
박혀 죽은 성스러운 곳이고, (나) 은/는 무함마드가 탄
생한 곳으로, 수많은 이슬람교도들이 찾아오는 곳이다.
(다) 은/는 석가모니가 깨달음을 얻은 곳으로, 불교의
중요한 성지로 손꼽는다.
└─────────────────────────────┘

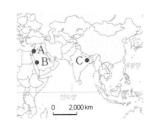

	(가)	(나)	(다)
①	A	B	C
②	A	C	B
③	B	A	C
④	B	C	A
⑤	C	A	B

07 자료는 예루살렘 구시가지의 주요 종교 경관을 나타낸 것이다. (가)~(다) 종교에 대한 설명으로 옳지 <u>않은</u> 것은?

(가)

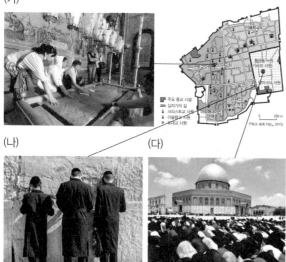

(나)   (다)

① (가)~(다) 모두 유일신을 믿는다.

② (가)는 (다)보다 세계 신자 수가 많다.

③ (나)는 (다)보다 기원 시기가 이르다.

④ (나)와 (다)는 모두 돼지고기를 금기시한다.

⑤ (가)는 민족 종교, (나)는 보편 종교이다.

08 자료의 ㉠, ㉡에 들어갈 종교에 대한 옳은 설명을 〈보기〉에서 고른 것은?

- 튀르키예의 국기에는 초승달이 그려져 있다. (㉠)에서는 무함마드가 계시를 받은 새벽을 나타내는 초승달을 상징으로 사용하기 때문이다.

▲ 튀르키예 국기

- 핀란드의 국기에는 십자가 문양이 그려져 있다. (㉡)에서는 십자가를 예수의 고행과 부활을 의미하는 대표적인 상징으로 사용하기 때문이다.

▲ 핀란드 국기

┃ 보기 ┃

ㄱ. ㉠은 정복과 무역 활동에 의한 전파가 활발했다.

ㄴ. ㉡의 종파로는 수니파와 시아파가 있다.

ㄷ. ㉠과 ㉡의 기원지는 서남아시아에 위치한다.

ㄹ. ㉠과 ㉡의 종교 시설에는 다양한 신들의 조각상이 장식되어 있다.

① ㄱ, ㄴ   ② ㄱ, ㄷ   ③ ㄴ, ㄷ

④ ㄴ, ㄹ   ⑤ ㄷ, ㄹ

★09 사진은 두 종교 신자들의 종교 활동 모습이다. (가), (나) 종교에 대한 설명으로 옳은 것은?

(가)   (나)

① (가)의 수도자들은 육식을 선호한다.

② (나)의 대표적인 종교 경관은 모스크이다.

③ (가)와 (나)는 모두 윤회 사상을 믿는다.

④ (가)와 (나)는 아시아에 분포하는 민족 종교이다.

⑤ (가)는 서남아시아, (나)는 남부 아시아에서 기원하였다.

10 그림은 어느 종교 신자들의 모습이다. 이 종교에 대한 옳은 설명을 〈보기〉에서 고른 것은?

▲ 부르카   ▲ 니카브   ▲ 히잡   ▲ 차도르

┃ 보기 ┃

ㄱ. 소를 신성시하여 소고기 섭취를 금기시한다.

ㄴ. 신자들은 경전인 쿠란의 가르침을 실천하며 생활한다.

ㄷ. 윤회 사상을 믿으며, 선행과 고행을 통한 수련을 중시한다.

ㄹ. 사원에는 우상 숭배를 금지하는 아라베스크 문양이 그려져 있다.

① ㄱ, ㄴ   ② ㄱ, ㄷ   ③ ㄴ, ㄷ

④ ㄴ, ㄹ   ⑤ ㄷ, ㄹ

서술형 문제

11 지도는 크리스트교의 전파를 나타낸 것이다. 이를 보고 물음에 답하시오.

(1) A, B 종교의 명칭을 쓰시오.

(2) 라틴 아메리카와 앵글로아메리카에 A, B 종교가 전파된 배경을 각각 서술하시오.

12 지도는 불교의 전파 과정을 나타낸 것이다. 이를 보고 물음에 답하시오.

(1) A~C 종파의 명칭을 쓰시오.

(2) A 종파가 분포하는 지역의 불탑의 특성을 한국, 중국, 일본 세 국가로 나누어 서술하시오.

13 사진은 (가) 종교 사원의 경관이다. 이를 보고 물음에 답하시오.

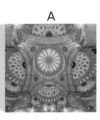

(1) A는 사원의 천장에 장식된 문양이다. 이 문양의 명칭을 쓰시오.

(2) (가) 종교의 명칭을 쓰고, 이 신자들이 생활하면서 지켜야 하는 신앙 실천 의무를 서술하시오.

14 다음 글을 읽고 물음에 답하시오.

> [(가)]의 성지는 주로 해안과 강변에 자리 잡고 있다. [(가)] 신자들은 신성한 강에서 목욕을 하면 영혼이 정화된다고 믿는데, [(나)]은 그들에게 가장 신성한 장소이다. 그래서 매년 수백만 명의 힌두교 신자들이 영혼을 정화하기 위해 [(나)] 유역이 위치한 바라나시를 찾는다.

(1) (가) 종교와 (나) 강의 명칭을 쓰시오.

(2) 아래 제시된 용어 중 (가) 종교와 관련 있는 용어를 활용하여 (가) 종교의 특징을 서술하시오.

> 유일신교   다신교   윤회 사상   찬양
> 선행   고행   소고기   돼지고기

| 신유형 |

01 지도는 세계의 종교 분포를 나타낸 것이다. A~D 종교에 대한 설명으로 옳지 <u>않은</u> 것은?

0   2,000 km
(디르케 세계 지도, 2015)

범례: A / B / C / D / 기타 / 자료 없음

① A는 남부 아시아에서 기원하였다.
② B는 메카로의 성지 순례를 종교적 의무로 한다.
③ C는 윤회 사상을 중시하며 개인의 해탈을 강조한다.
④ D는 소를 신성시하여 소고기 섭취를 금기시한다.
⑤ D는 C보다 세계에서 신자 수가 많다.

| 평가원 응용 |

02 표의 (가)~(다) 종교에 대한 설명으로 옳은 것은? (단, (가)~(다)는 불교, 이슬람교, 크리스트교 중 하나임.)

〈지역별 총인구 대비 신자 수 비중〉

지역 종교	아시아· 태평양	앵글로 아메리카	서남아시아 및 북부 아프리카	유럽	중·남부 아프리카	라틴 아메리카
힌두교	25.3	0.7	0.5	0.2	0.2	0.1
(가)	24.3	1.0	93.0	5.9	30.2	0.1
(나)	11.9	1.1	0.1	0.2	0.0	0.0
(다)	7.1	77.4	3.7	75.2	62.9	90.0
기타	31.4	19.8	2.7	18.5	6.7	9.8
합계	100	100	100	100	100	100

※ 오세아니아는 아시아·태평양에 포함되고 기타에는 무종교가 포함됨.

① (가)의 최대 성지에는 모스크와 카바 신전이 있다.
② (나)의 기원지는 서남아시아이다.
③ (다)의 신자들은 술과 돼지고기를 금기시한다.
④ (가)는 (나)보다 발생 시기가 이르다.
⑤ (나)와 (다)는 모두 유일신을 믿는다.

| 교육청 응용 |

03 자료는 말레이시아의 다양한 축제에 대한 내용이다. (가)~(다)에 해당하는 종교를 그래프의 A~C에서 고른 것은?

(가) '하리 라야 푸아사'는 한 달 간의 라마단 금식 기간이 끝난 후 맞는 새 날이라는 의미로, 금식을 통해 큰 마음을 가지게 된 것을 축하하는 날이다.
(나) '웨삭 데이'는 석가모니의 탄생과 열반을 기념하는 날로, 사원에서는 스님들의 독경 의식 등 다채로운 행사가 마련된다.
(다) '타이푸삼'은 19세기 인도 이민자들에 의해 전래된 축제로 참회와 속죄의 고행이며, 축제의 마지막 날에는 화려한 등짐을 메고 주문에 맞춰 사원을 돈다.

〈지역별 신자 비율〉

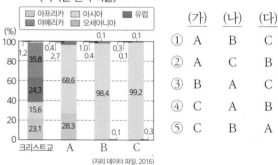

범례: 아프리카 / 아메리카 / 아시아 / 오세아니아 / 유럽

(지리 데이터 파일, 2016)

	(가)	(나)	(다)
①	A	B	C
②	A	C	B
③	B	A	C
④	C	A	B
⑤	C	B	A

| 평가원 기출 |

04 자료는 세 국가의 종교별 신자 수 비율을 나타낸 것이다. A~C 종교에 대한 옳은 설명을 〈보기〉에서 고른 것은? (단, A~C는 각각 불교, 이슬람교, 힌두교 중 하나임.)

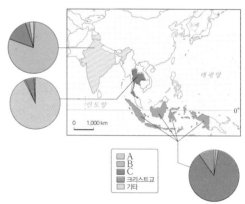

0   1,000 km

범례: A / B / C / 크리스트교 / 기타

| 보기 |

ㄱ. A는 서남아시아의 메카에서 발생하였다.
ㄴ. B는 민족 종교이다.
ㄷ. C의 대표적인 종교 경관은 돔형 지붕과 첨탑이 있는 모스크이다.
ㄹ. A는 C보다 전 세계 신자 수가 많다.

① ㄱ, ㄴ   ② ㄱ, ㄷ   ③ ㄴ, ㄷ
④ ㄴ, ㄹ   ⑤ ㄷ, ㄹ

05 | 교육청 기출 |
다음은 방송 프로그램 기획서 내용 중 일부이다. (가), (나) 종교에 대한 설명으로 옳은 것은?

〈기획 의도〉
두 팀이 서로 다른 종교의 사원을 여행하며 세계의 다양한 종교 경관과 문화 소개

〈내용 구성〉

• (가)의 사원을 여행하는 팀	• (나)의 사원을 여행하는 팀
– 촬영 국가: 쿠웨이트	– 촬영 국가: 인도
– 촬영 장소: 그랜드 모스크	– 촬영 장소: 스리미낙시 사원

– 촬영 내용: 돔형 지붕과 첨탑, 사원에 장식된 아라베스크 문양을 감상하는 모습 등	– 촬영 내용: 수많은 신들의 조각상, 사원 안에서 각자의 신에게 기도하는 신자들의 모습 등

① (가)는 돼지고기를 금기시한다.
② (가)의 신자들은 윤회 사상을 믿는다.
③ (나)의 신자들은 라마단 기간에 낮 동안 금식한다.
④ (가)와 (나)의 발상지는 모두 남부 아시아에 위치한다.
⑤ (가)는 민족 종교, (나)는 보편 종교이다.

06 | 교육청 기출 |
사진은 세계 3대 보편 종교의 건축물에서 볼 수 있는 경관이다. (가)~(다) 종교에 대한 설명으로 옳은 것은?

(가)	(나)	(다)

▲ 기하학적 무늬의 아라베스크 문양 ▲ 성화를 주제로 한 스테인드글라스 ▲ 사원과 탑 곳곳에 장식된 연꽃 문양

① (가)의 신자들은 소를 신성시하여 소고기를 먹지 않는다.
② (나)의 신자에게는 성지 순례가 5대 의무 중 하나이다.
③ (다)는 신대륙의 식민지 지배 과정에서 확산되었다.
④ (가)는 서남아시아, (다)는 남부 아시아에서 기원하였다.
⑤ (다)는 (가)보다 세계 신자 수가 많다.

07 | 수능 기출 |
지도는 동남아시아의 주요 종교 분포를 나타낸 것이다. (가)~(다) 종교에 대한 옳은 설명만을 〈보기〉에서 있는 대로 고른 것은?

□ (가)
□ (나)
□ (다)
▨ 전통 종교
■ 힌두교

| 보기 |

ㄱ. (가)는 남부 아시아에서 기원하여 지역에 따라 여러 종파로 발전했다.
ㄴ. (나)는 서남아시아에서 기원하여 주변의 건조 지역을 중심으로 전파되었다.
ㄷ. (다)는 식민지 개척 시기에 주로 유럽인들에 의해 신대륙으로 전파되었다.
ㄹ. 전 세계의 신자 수는 (가) 〉 (나) 〉 (다) 순이다.

① ㄱ, ㄷ   ② ㄱ, ㄹ   ③ ㄴ, ㄹ
④ ㄱ, ㄴ, ㄷ   ⑤ ㄴ, ㄷ, ㄹ

08 | 교육청 기출 |
다음 글의 (가) 종교에 대한 설명으로 옳은 것은?

할랄, 식품 기업 성장의 걸림돌인가? 디딤돌인가?

　　(가)　　신자들은 종교 율법에 따라 돼지고기를 먹지 않는다. 이처럼 신자들에게 허용되지 않는 음식을 하람(haram) 음식이라고 한다. 이와 달리 먹는 것이 허용된 음식이 할랄(halal) 음식이다. 이 종교는 세계에서 두 번째로 신자가 많아 판매 시장의 규모가 크다. 이 시장에 진출하기 위한 식품 기업들에게 할랄 인증은 큰 걸림돌이다. 할랄 인증의 절차가 엄격하고 까다롭기 때문이다. 반면, 할랄 인증을 받은 식품은 절차가 까다로운 만큼 위생과 품질이 우수하다는 인식이 퍼져, 이 종교 신자가 아닌 사람들에게도 인기를 끌고 있다. 오히려, 할랄 인증이 기업 성장의 디딤돌이 될 수도 있는 것이다.

① 민족 종교에 해당한다.
② 십자가와 종탑이 대표적 경관이다.
③ 부다가야와 룸비니가 대표적인 성지이다.
④ 사원에는 다양한 신들의 모습이 조각되어 있다.
⑤ 신자들은 하루에 다섯 번씩 성지를 향해 예배를 한다.

| 교육청 기출 |

09 다음 글의 (가)~(다) 종교에 대한 설명으로 옳은 것은? (단, (가)~(다)는 각각 불교, 이슬람교, 크리스트교 중 하나임.)

> (가) 신자가 많은 ◇◇ 국가의 국기에는 초록색 바탕에 초승달 문양이 들어가 있다. 초록색은 천국과 평화를, 초승달은 진리의 시작을 상징한다. (나) 신자가 많은 △△ 국가의 국기는 초록색, 백색, 적색의 3색으로 구성되어 있다. 이 나라 출신 문학가인 단테는 『신곡』에서 초록색은 소망, 백색은 믿음, 적색은 사랑을 나타낸다고 하였다. (다) 신자가 많은 ○○ 국가에서는 하늘, 땅, 불, 물, 바람을 뜻하는 청색, 황색, 적색, 녹색, 백색의 깃발들이 불당과 탑 주변에서 펄럭이는 모습을 흔히 볼 수 있다.

① (가)의 신자들은 하루에 다섯 차례 성지를 향해 기도한다.
② (나)는 살생을 금하며 윤회 사상을 중시한다.
③ (다)의 주요 성지로 예루살렘과 바티칸 등이 있다.
④ (가)는 (나)보다 세계 신자 수가 많다.
⑤ (가)는 (다)보다 기원 시기가 이르다.

| 평가원 응용 |

10 그래프는 3개 대륙의 A~D 종교별 신자 수 비율을 나타낸 것이다. A~D 종교에 대한 설명으로 옳은 것은? (단, (가), (나)는 각각 아시아와 아프리카 중 하나임.)

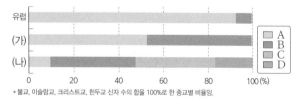

* 불교, 이슬람교, 크리스트교, 힌두교 신자 수의 합을 100%로 한 종교별 비율임.

① C의 종교 경관은 불상과 불탑이 대표적이다.
② A는 B보다 기원지에서 신자 수 비중이 높다.
③ B는 D보다 발생 시기가 이르다.
④ C와 D의 신자들은 모두 윤회 사상을 믿는다.
⑤ 세계 신자 수는 A 〉 B 〉 D 〉 C 순으로 많다.

| 평가원 응용 |

11 다음은 A, B 종교의 사원을 둘러보고 찍은 사진과 감상평이다. 이에 대한 옳은 설명을 〈보기〉에서 고른 것은?

구분	A 종교	B 종교
사진		
감상평	중앙의 돔형 구조물과 주변의 첨탑이 어우러져 있고, '아라베스크' 양식의 기하학적 무늬가 그려져 있어 이색적이다.	큰 탑과 그 주변에 수많은 작은 탑이 있으며, 부처를 상징하는 여러 불상이 있다. 특히 황금빛의 화려한 외관이 인상적이다.

| 보기 |
ㄱ. A는 라마단 기간 금식을 종교적 의무로 한다.
ㄴ. B는 세계에서 신자 수가 가장 많다.
ㄷ. A는 B보다 발생 시기가 늦다.
ㄹ. A, B의 발상지는 모두 아프리카이다.

① ㄱ, ㄴ ② ㄱ, ㄷ ③ ㄴ, ㄷ
④ ㄴ, ㄹ ⑤ ㄷ, ㄹ

| 신유형 |

12 지도는 다양한 종교가 공존하는 예루살렘을 나타낸 것이다. 이곳에서 볼 수 있는 종교 경관만을 〈보기〉에서 있는 대로 고른 것은?

■ 주요 종교 시설
▨ 십자가의 길
♱ 크리스트교 사원
☪ 이슬람교 사원
✡ 유대교 사원

(『하크 세계 지도』, 2015)

| 보기 |
ㄱ. 성묘 교회를 순례하는 신도
ㄴ. 통곡의 벽 앞에서 기도하는 신도
ㄷ. 황금돔 사원 앞에서 쿠란을 읽는 신도
ㄹ. 갠지스강에서 몸을 닦으며 죄를 씻는 신도

① ㄱ, ㄷ ② ㄱ, ㄹ ③ ㄴ, ㄹ
④ ㄱ, ㄴ, ㄷ ⑤ ㄴ, ㄷ, ㄹ

| 평가원 응용 |

13 다음 자료의 (가), (나) 종교를 지도의 A~C에서 고른 것은?

(가)   (나)

▲ 신자들이 영혼을 정화하기 위해 갠지   ▲ 신자들이 십자가 앞에서 모여 기도를
   스강에서 목욕하는 모습   드리며 예배를 드리는 모습

〈주요 국가의 종교별 신자 수 비율〉

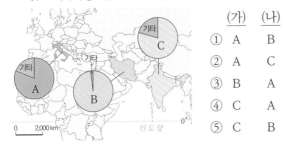

	(가)	(나)
①	A	B
②	A	C
③	B	A
④	C	A
⑤	C	B

| 평가원 응용 |

15 그래프는 지도에 표시된 네 국가의 종교별 신자 수 비중을 나타낸 것이다. 이에 대한 설명으로 옳은 것은? (단, A~D는 각각 불교, 이슬람교, 크리스트교, 힌두교 중 하나임.)

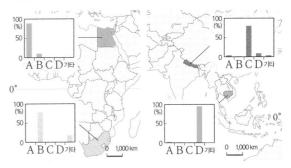

① A의 최대 신자 수 국가는 서남아시아에 위치한다.

② D의 신자들은 소를 신성시하여 소고기를 금기시한다.

③ A는 B보다 기원 시기가 이르다.

④ B는 D보다 세계 신자 수가 많다.

⑤ C는 보편 종교, D는 민족 종교이다.

| 평가원 기출 |

14 자료는 세 국가의 종교별 신자 수 비율을 나타낸 것이다. (가)~(다) 종교에 대한 설명으로 옳은 것은?

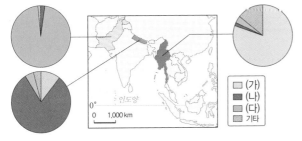

① (가)는 민족 종교이다.

② (나)의 신자 수가 가장 많은 국가는 인도네시아이다.

③ (다)는 여러 신을 섬기는 다신교이다.

④ (다)는 (가)보다 발생 시기가 이르다.

⑤ (가), (나)의 기원지는 남부 아시아이다.

| 교육청 응용 |

16 그래프는 (가)~(다) 종교의 국가별 신자 수를 나타낸 것이다. (가)~(다) 종교의 상대적 특성을 그림의 A~I에서 고른 것은?

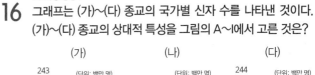

* 각 종교별로 신자 수가 많은 상위 4개국만 제시함.

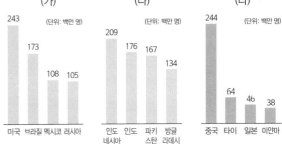

	(가)	(나)	(다)
①	A	E	I
②	B	D	I
③	C	D	H
④	F	A	H
⑤	H	A	F

02 세계의 인구와 도시

1 세계의 인구 성장과 변천

1. 세계의 인구 성장과 분포

(1) **세계의 인구 성장** 산업 혁명 이후 과학 및 의료 기술의 발달과 공공 위생 시설의 개선에 따른 사망률 감소, 경제 성장으로 인한 인구 부양력[1] 증대에 따라 인구가 급격히 성장함.

(2) **세계의 인구 분포** [자료01] ┌─ 과거에는 기후, 지형 등 자연적 요인의 영향을 많이 받았지만, 최근에는 산업, 교통 등 인문적 요인의 영향을 많이 많음.

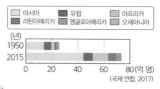

▲ 지역(대륙)별 인구 비중의 변화

인구 밀집 지역	기후가 온화하고 농업에 유리하거나 공업과 서비스업이 발달한 지역
인구 희박 지역	기후·지형 조건이 불리한 지역, 경제 활동이 어렵거나 교통이 불편한 곳

2. 세계의 인구 변천과 인구 구조

(1) **세계의 인구 변천** [자료02]

① **인구 변천 모형** 출생률과 사망률[2] 변화에 따라 인구 성장을 단계별로 구분
┌─ 국가의 경제 발전 수준에 따른 인구 성장 과정을 파악하는 데 용이함.

② **선진국과 개발 도상국의 인구 변천 단계**[3]

선진국	산업 혁명 이후 2단계 진입 → 인구 급증 → 현재는 4단계와 5단계에 속함.
개발 도상국	20세기 중반 이후 산업화 진행 → 인구 급증 → 현재는 2단계나 3단계에 속함.

└─ 아시아, 아프리카 대부분 국가로, 세계 인구의 급격한 증가를 주도함.

(2) **세계의 인구 구조**

① **인구 구조** 인구 집단의 연령별·성별·산업별 인구 구성

② **선진국과 개발 도상국의 인구 구조**[4]
┌─ 결혼과 출산에 대한 인식 변화, 높은 양육비 등으로 합계 출산율이 낮아짐.

연령별	선진국	유소년층 인구 비율이 낮고, 노년층 인구 비율이 높음. → 방추형이나 종형 인구 피라미드가 나타남.
	개발 도상국	유소년층 인구 비율이 높아 유소년 인구 부양비[5]가 높음. → 피라미드형 인구 피라미드가 나타남.
산업별		선진국은 개발 도상국보다 1차 산업 종사자 비율이 낮고, 3차 산업 종사자 비율이 높음.

(선진국) 인구 감소   인구 정체
(개발 도상국) 인구 증가

2 세계의 인구 이주

1. 인구 이주의 요인과 유형

(1) **인구 이주의 요인** 특정 지역의 인구를 다른 지역으로 이주하게 만드는 배출 요인과 다른 지역으로부터 인구를 끌어들여 머무르도록 하는 흡인 요인으로 구분
예: 낮은 임금, 일자리 부족, 빈곤, 자연재해, 인종·정치·종교적 탄압 등
예: 높은 임금, 풍부한 일자리, 쾌적한 거주 환경, 교육·문화·보건 시설 등

(2) **인구 이주의 유형** 동기(자발적, 강제적), 기간(일시적, 영구적), 공간 범위(국내, 국제), 원인(경제적, 종교적, 정치적, 환경적) 등에 따라 구분
└─ 최근 인구 이주는 대부분 경제적 요인임.

2. 인구 이주의 특징[6] [자료03]

(1) **경제적 요인에 따른 국제 이주** 숙련 노동자는 더 나은 생활을 위해 선진국·신흥 공업국에서 선진국으로, 미숙련 노동자는 고용 기회를 찾아 저개발국에서 선진국으로 이주함.
└─ 미숙련 노동자의 이동이 숙련 노동자의 이동보다 월등히 많음.

(2) **정치적 요인에 따른 국제 이주** 내전, 테러 등이 발생하거나 경제난을 겪고 있는 지역에서 발생함.
└─ 대부분 인근 국가로 이동 예) 시리아 → 튀르키예, 이라크

3. 인구 이주에 따른 지역 변화

(1) **인구 유출 지역** 해외 이주 노동자들의 송금액 유입으로 지역 경제 활성화 및 실업률 하락, 지속적인 생산 연령 인구와 고급 기술 및 전문 인력의 유출로 산업 성장 둔화 초래

(2) **인구 유입 지역** 부족한 노동력 확보로 경제 활성화, 문화적 차이에 따른 갈등 발생, 이주자의 집단 주거지 형성으로 지역 갈등 및 도시 문제 발생
└─ 생산 활동을 할 수 있는 연령층의 인구로, 청장년층(15~64세) 인구를 말함.

고득점을 위한 셀파 Tip

세계의 인구 변천과 이주

인구 변천	• 선진국: 노년층 비율 높음, 3차 산업 종사자 비율 높음. • 개발 도상국: 유소년층 비율 높음, 1·2차 산업 종사자 비율 높음.
인구 이주	• 경제적 요인: 고용 환경이 좋은 선진국으로의 이동 • 정치적 요인: 내전·테러 등을 피해 이동

[1] 인구 부양력
한 지역의 인구가 그 지역의 사용 가능한 자원에 의해 생활할 수 있는 능력을 말한다.

[2] 출생률과 사망률
전체 인구에서 일정한 기간에 태어난 사람의 수와 사망한 사람의 수가 각각 차지하는 비율로, 대체로 연간 1,000명당 출생자 수와 사망자 수로 표현한다.

[3] 지역별 인구 변천 ┌─ 출생률에서 사망률을 뺀 값
선진국이 많은 유럽, 앵글로아메리카 등은 인구의 자연 증가율이 낮게 나타나고, 개발 도상국의 비중이 높은 아프리카는 자연 증가율이 세계 평균보다 높게 나타난다. 아시아와 라틴 아메리카는 최근 자연 증가율이 낮아지고 있다.
┌─ 한 여성이 가임 기간 동안 낳을 수 있는 자녀의 수

[4] 선진국과 개발 도상국의 인구 문제

선진국	• 문제점: 합계 출산율의 감소에 따른 낮은 인구 증가율, 노년 인구 비중 증가에 따른 부양 부담 • 해결 방안: 출산 장려 정책, 노인 복지 정책
개발 도상국	• 문제점: 인구 과잉, 기반 시설 부족에 따른 도시 문제 • 해결 방안: 출산율 감소 정책, 인구 분산 정책

[5] 인구 부양비
유소년 부양비+노년 부양비로, 총부양비는 (유소년층 인구+노년층 인구)/청장년층 인구 × 100으로 산출한다.

[6] 또 다른 인구 이동의 유형 사례
• 종교적 이동: 16세기 이후 종교의 자유를 위해 북아메리카로 떠난 유럽인들의 이동
• 강제적 이동: 노예 무역으로 아메리카로 간 아프리카인들의 이동
• 환경적 이동: 기후 변화 및 자연재해에 따른 환경 재앙을 피해 이동

자료 01 세계의 인구 분포

자료 분석 | 세계의 인구 분포는 지역적으로 편중되어 있다. 세계 인구의 대부분은 북반구에 밀집해 있다. 특히, 지형이 평탄하고 토양이 비옥한 아시아 계절풍 지역에 세계의 인구의 절반 가까이 분포하며, 이외에 산업이 일찍이 발달한 유럽, 북아메리카 대서양 연안에 인구가 밀집되어 있다. 반면에 사막이나 극지방, 산악 지형과 같이 기후·지형 조건이 불리한 지역에는 인구가 희박하다.

교과서 자료 더 보기 +

| 지역(대륙)별 인구의 자연 증가율 변화 |

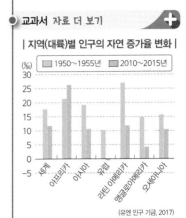

(유엔 인구 기금, 2017)

개발 도상국이 많이 위치한 아프리카, 아시아, 라틴 아메리카 등에서 인구의 자연 증가율이 높게 나타난다.

자료 02 공통 자료 인구 변천 모형의 단계별 특징 및 국가별 인구 구조

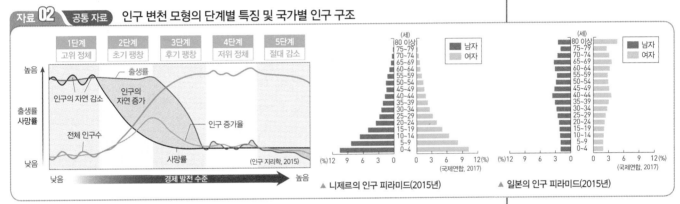

▲ 니제르의 인구 피라미드(2015년)　　▲ 일본의 인구 피라미드(2015년)

자료 분석 | 1단계는 출생률과 사망률이 모두 높아 인구 성장은 정체된다. 2단계는 의학 발달과 경제 성장으로 인구가 폭발적으로 증가한다. 3단계는 인구 억제 정책이 시행되면서 인구 증가율이 둔화된다. 4단계는 출생률과 사망률이 낮아져 인구 성장이 정체된다. 5단계는 출생률이 사망률보다 낮아져 인구가 감소하는 시기이다. 니제르는 2단계, 인도는 3단계, 미국은 4단계, 일본은 5단계에 해당한다.

자료 03 세계의 인구 이주

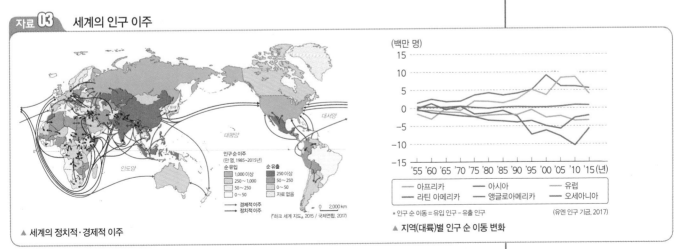

▲ 세계의 정치적·경제적 이주　　▲ 지역(대륙)별 인구 순 이동 변화

자료 분석 | 인구 순 유입 지역은 대체로 선진국이며, 순 유출 지역은 개발 도상국이다. 인구 이주의 대부분을 차지하는 경제적 이주는 아프리카에서 유럽으로, 라틴 아메리카에서 앵글로아메리카로, 동남 및 남부 아시아에서 서남아시아나 동아시아 등지로 이루어진다.

3 도시화와 세계의 도시화

1. 도시화와 도시화 과정 [자료 **04**]

(1) **도시화** 도시 거주 인구 증가, 도시 수 증가, 도시권 확대, 도시적 요소 확대의 과정

(2) **도시화 과정** 도시화율의 정도에 따라 초기 단계, 가속화 단계, 종착 단계로 진행됨.[7]

└─ 전체 인구에서 도시 인구가 차지하는 비율

2. 세계의 도시화 산업 및 경제 발달에 따라 지역별로 차이가 있지만 계속 증가하는 추세임. [자료 **05**]

선진국	• 산업 혁명 이후 공업의 발달과 함께 도시화가 **점진적으로** 진행됨. • 20세기 이후 종착 단계에 이름. → 도시화율이 둔화되고, 교외화 현상이 나타남.
개발 도상국	• 제2차 세계 대전 이후 산업화와 함께 도시화가 급속하게 진행됨. • 현재 가속화 단계에 해당하는 경우가 많음. → 도시 문제 발생(주택 부족, 기반 시설 부족, 환경 오염, 교통 정체 등)

4 세계 도시의 등장과 특징

1. 세계 도시의 의미와 등장 배경

(1) **의미** 세계화 시대에 국가의 경계를 넘어 세계적인 중심지 역할을 수행하는 대도시

(2) **등장 배경** 교통·통신의 발달에 따른 경제 활동의 세계화 → 각 국가의 경제 개방, 자본 및 금융의 국제화 촉진 → 세계 여러 도시 간 연계성 강화

2. 세계 도시의 선정 기준 경제적 측면(다국적 기업의 본사 수, 금융 기관 수, 법률 회사 수 등), 정치적 측면(국제회의의 개최 수, 국제기구의 본부 수 등), 문화적 측면(문화·예술 기관 수, 영향력 있는 대중 매체 수, 스포츠 경기 및 시설 수, 교육 기관 수 등), 도시 기반 시설 측면(국제공항, 각종 편의 시설, 첨단 시스템의 구비 정도 등) [자료 **06**]

└─ 세계 여러 지역과의 접근성 여부 기준

3. 세계 도시의 특징 및 문제점

특징	• 세계의 자본과 첨단 기술 및 정보 등이 집중되고 다른 도시로 전달되는 **중심지 역할** ┐ • 다국적 기업[8]의 본사 및 관련 업무 기능 밀집 ┘ 정보의 허브 역할, 정보 전달 시 터널 효과가 나타남. • 전 세계적인 관리·통제 기능을 수행하기 위한 **생산자 서비스업**[9] 집중 • 고도의 정보 통신 네트워크 및 최신 교통 체계 발달
문제점	• 도시 내 양극화 현상: 고소득층과 저소득층 간 거주지 분리로 사회적 갈등 발생 • 도시 간 양극화 현상: 선진국과 개발 도상국의 세계 도시 간 불균형 심화

4. 주요 세계 도시

뉴욕	국제 연합(UN) 본부가 위치하며, 생산자 서비스업을 중심으로 여러 기능이 조합됨.
런던	'더 시티 오브 런던(The City of London)'[10]을 중심으로 많은 금융 기업의 본사가 입지함.
도쿄	주요 제조·무역 업체의 본사, 각종 생산자 서비스업 등이 집적되어 있음.

5 세계 도시 체계

1. 세계 도시 체계의 의미와 형성

(1) **의미** 도시의 규모·기능·영향력에 따라 세계 도시 간 계층이 형성되어 기능적으로 연계된 체계

(2) **형성 과정** 교통·통신의 발달로 세계 도시들 간 다차원적 연결 → 세계 도시의 계층성 강화

2. 세계 도시 체계의 구분

최상위 세계 도시	뉴욕, 런던, 도쿄	최상위 세계 도시로 갈수록 도시 수는 적어지나, 기능이 많아지고 영향력은 커지며 도시 간 거리는 멀어짐.
상위 세계 도시	파리, 로스앤젤레스, 브뤼셀, 싱가포르, 상파울루 등 ┌─ 유럽 연합(EU) 본부 위치	
하위 세계 도시	서울, 토론토, 마드리드, 홍콩, 시드니, 리우데자네이루 등	

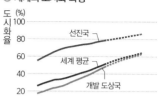

⑦ 세계의 도시화 과정

* 2015년 이후는 추정치임. (유엔 인구 기금, 2017)

도시화 과정은 S자 형태의 도시화 곡선으로 표현되는데, 경제 발전 수준에 따라 선진국과 개발 도상국 간 차이가 있다. 선진국은 오랜 기간 도시화가 이루어진 반면, 개발 도상국은 짧은 기간 동안 도시화가 진행되어 선진국에 비해 도시화 곡선의 기울기가 급하게 나타난다.

고득점을 위한 셀파 Tip

세계 도시와 세계 도시 체계

세계 도시	세계화 시대에 국가의 경계를 넘어 세계적인 중심지 역할을 수행하는 대도시
세계 도시 체계	• 의미: 세계 도시들이 기능적으로 연계된 체계 • 특징: 최상위 세계 도시로 갈수록 도시 수는 적어지나, 기능이 많아지고 영향력은 커지며 도시 간 거리는 멀어짐.

---

⑧ 다국적 기업

두 국가 이상에 제조 공장, 계열 회사 등의 법인을 등록하고 세계적 범위에서 생산·판매 등 경제 활동을 벌이는 기업을 말한다.

---

⑨ 생산자 서비스업

주로 기업의 생산 활동을 지원하는 서비스로, 금융·보험·부동산업·법률·회계 서비스·연구 개발 등이 이에 해당한다.

---

⑩ 더 시티 오브 런던(The City of London)

런던 금융가의 중심으로, 잉글랜드 은행을 비롯해 5,000개가 넘는 금융 기관이 밀집해 있는 곳으로 세계 금융의 중심지이자 런던의 역사적 중심지이다.

셀파 자료 탐구

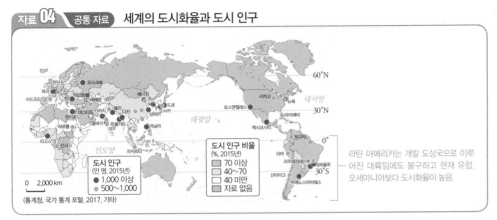

(통계청, 국가 통계 포털, 2017, 기타)

자료 분석 | 1950년에는 세계 인구의 약 30% 정도가 도시에 살았으나, 2018년에는 세계 인구의 약 55%가 도시에 살고 있다. 특히 선진국의 분포 비율이 높은 유럽과 앵글로아메리카는 도시화율이 높게, 개발 도상국의 분포 비율이 높은 아프리카와 아시아는 도시화율이 낮게 나타난다.

자료 05 **대륙별 촌락과 도시 규모별 비중 변화**

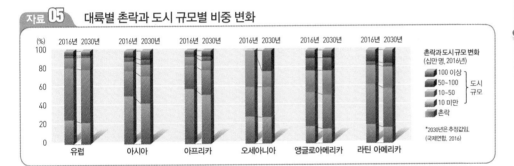

*2030년은 추정값임.
(국제연합, 2016)

자료 분석 | 개발 도상국의 분포 비율이 높은 아시아, 아프리카, 라틴 아메리카는 2016년에 비해 2030년에 촌락 인구 비중이 빠르게 감소하고, 도시 인구가 빠르게 증가할 것으로 예상된다. 또한 도시 자체의 규모도 커져 대도시 내 각종 도시 문제도 발생할 것으로 예상된다. 한편, 선진국의 분포 비율이 높은 유럽, 앵글로아메리카, 오세아니아 역시 도시의 규모는 커질 것으로 예상된다.

자료 06 **세계 도시의 기능과 세계 도시 체계**

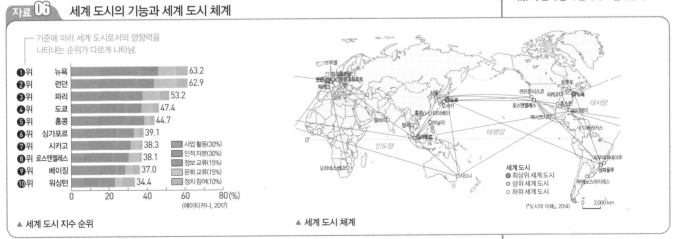

▲ 세계 도시 지수 순위   ▲ 세계 도시 체계

자료 분석 | 세계 도시는 선정 기준과 선정 지표에 따라 종합 순위가 다르게 나타날 수 있다. 대체로 종합적으로 뉴욕, 런던, 도쿄는 전 세계에 영향을 끼치고 있는 최상위 세계 도시이며, 이들 도시에는 전 세계적인 관리·통제·중추 기능이 집중되어 있다. 그 다음의 상위 세계 도시에는 파리, 로스앤젤레스, 브뤼셀 등이 있으며, 하위 세계 도시에는 서울, 토론토, 시드니 등이 있다.

교과서 탐구 풀이

Q 국가별 경제 발전 수준과 도시화율의 관계를 설명해 보자.

A 경제 발전 수준이 높은 선진국은 도시화율이 높게, 상대적으로 경제 발전 수준이 낮은 개발 도상국은 도시화율이 낮게 나타난다.

교과서 자료 더 보기

| 세계와 주요 국가의 도시화율 변화 |

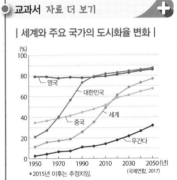

*2015년 이후는 추정치임.
(국제연합, 2017)

영국의 도시화율은 1950년에 이미 75%를 넘었으며, 현재 종착 단계에 도달해 있다. 반면, 중국은 현재 가속화 단계를 지나고 있으며, 우리나라는 도시화가 빠른 속도로 진행되었고, 현재 종착 단계에 도달하였다.

1 세계의 인구 성장과 변천

인구 성장	산업 혁명 이후 의료 기술 발달, 생활 수준 향상 등으로 인구 급증
인구 분포	• 밀집 지역: 기후 온화, 농업 유리, 공업과 서비스업 발달 • 희박 지역: 기후·지형 불리, 경제 미발달, 교통 불편
인구 변천	• 선진국: 현재 4단계·5단계에 속함. • 개발 도상국: 현재 (❶)에 속함.
인구 구조	• 연령별: 선진국은 노년층 인구 비율이 높아 방추형이나 종형의 인구 피라미드가 나타나고, 개발 도상국은 유소년층 인구 비율이 높아 (❷)형 인구 피라미드가 나타남. • 산업별: 선진국은 개발 도상국보다 1차 산업 종사자 비율이 낮고, 3차 산업 종사자 비율이 높음.

2 세계의 인구 이주

특징	• (❸) 이동: 개발 도상국에서 임금 수준이 높고 고용 기회가 많은 선진국으로 이동 • 정치적 이동: 내전·테러 등이나 극심한 경제난으로 인한 이동
지역 변화	• 유출 지역: 지역 경제 활성화, 실업률 하락, 인력 유출로 인한 산업 성장 둔화 • 유입 지역: 노동력 확보로 경제 활성화, 이주자와 원거주민 사이 문화 (❹), 도시 문제

3 도시화와 세계의 도시화

선진국	• 산업 혁명 이후 점진적으로 진행 • 현재 (❺) 단계 → 도시화율 증가 둔화, 교외화 현상 발생
개발 도상국	• 제2차 세계 대전 이후 급속한 도시화 • 현재 가속화 단계 → 각종 도시 문제 발생

4 세계 도시의 등장과 특징

등장 배경	교통·통신의 발달에 따른 경제 활동의 세계화, 국가 간 경제 개방, 세계 여러 도시 간 연계성 강화
특징	• 세계의 자본과 첨단 기술 및 정보 등이 집중 • 다국적 기업의 본사 및 관련 업무 기능 밀집 • (❻) 서비스업 집중 • 고도의 정보 통신 네트워크 및 최신 교통 체계 발달

5 세계 도시 체계

최상위 세계 도시	(❼), 런던, 도쿄	최상위 세계 도시로 갈수록 도시 수는 적어지나, 기능이 많아지고 영향력은 커지며 도시 간 거리는 멀어짐.
상위 세계 도시	파리, 로스앤젤레스, 브뤼셀 등	
하위 세계 도시	서울, 토론토, 마드리드, 홍콩, 시드니 등	

정답 ❶ 2단계·3단계 ❷ 피라미드 ❸ 경제적 ❹ 갈등 ❺ 종착 ❻ 생산자 ❼ 뉴욕

탄탄 내신 문제

01 그래프는 대륙별 인구 성장을 나타낸 것이다. (가)~(라)에 해당하는 대륙이 바르게 연결된 것은?

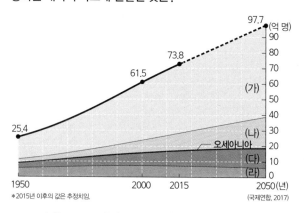

*2015년 이후의 값은 추정치임. (국제연합, 2017)

	(가)	(나)	(다)	(라)
①	유럽	아시아	아메리카	아프리카
②	아시아	유럽	아프리카	아메리카
③	아시아	아프리카	아메리카	유럽
④	아프리카	유럽	아시아	아메리카
⑤	아프리카	아시아	아메리카	유럽

02 지도는 세계의 인구 분포를 나타낸 것이다. 이에 대한 설명으로 옳지 않은 것은?

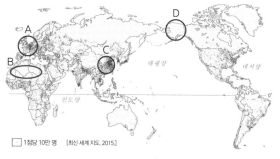

☐ 1점당 10만 명 [최신 세계 지도, 2015.]

① A는 산업이 발달하여 인구 밀도가 높다.
② B는 기후 조건이 불리하여 인구가 희박하다.
③ C는 벼농사의 발달로 인구 부양력이 높다.
④ D는 기온이 낮아 인간 거주에 불리하다.
⑤ 북반구보다 남반구에 더 많은 인구가 분포한다.

03 그래프는 인구 변천 모형을 나타낸 것이다. (가)~(마) 단계에 대한 설명으로 옳은 것은?

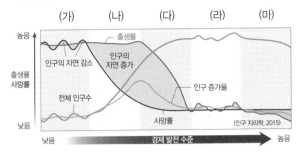

(인구 지리학, 2015)

① (가) 단계는 출생률이 높아 인구의 자연 증가율이 높다.
② (나) 단계는 의학의 발달로 영아 사망률이 급격히 감소한다.
③ (다) 단계에서는 인구가 감소한다.
④ (라) 단계에 해당하는 국가는 대부분 개발 도상국이다.
⑤ (마) 단계는 유소년 부양비가 노년 부양비보다 높다.

04 그림은 두 국가의 인구 구조를 나타낸 것이다. (가), (나) 국가에 대한 옳은 설명을 〈보기〉에서 고른 것은?

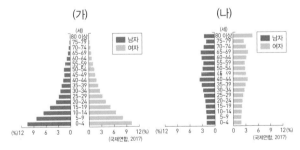

(국제연합, 2017)

┤ 보기 ├
ㄱ. (가)는 선진국, (나)는 개발 도상국이다.
ㄴ. (가)는 (나)보다 총부양비가 높다.
ㄷ. (나)는 (가)보다 인구의 자연 증가율이 높다.
ㄹ. 인구 변천 모형에서 (가)는 2단계, (나)는 5단계에 해당한다.

① ㄱ, ㄴ　　② ㄱ, ㄷ　　③ ㄴ, ㄷ
④ ㄴ, ㄹ　　⑤ ㄷ, ㄹ

05 그래프는 두 국가의 출생률과 사망률 변화를 나타낸 것이다. (가) 국가와 비교한 (나) 국가의 상대적 특징을 그림의 A~E에서 고른 것은?

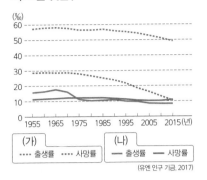

(유엔 인구 기금, 2017)

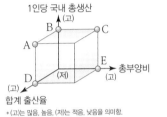

*(고)는 많음, 높음, (저)는 적음, 낮음을 의미함.

① A
② B
③ C
④ D
⑤ E

06 그래프는 지역(대륙)별 인구의 자연 증가율 변화를 나타낸 것이다. (가)~(라) 지역(대륙)에 대한 설명으로 옳은 것은?

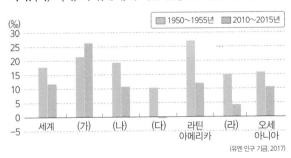

(유엔 인구 기금, 2017)

① (가)에는 선진국이 개발 도상국보다 많다.
② (가)~(라) 중 총인구는 (가)가 가장 많다.
③ (다)는 2010~2015년에 출생률이 사망률보다 낮다.
④ (라)에는 세계에서 인구가 가장 많은 국가가 있다.
⑤ (가)는 (나)보다 청장년층 인구 비율이 높다.

07 그래프는 경제 발전 수준에 따른 인구 특성을 나타낸 것이다. 이에 대한 설명으로 옳은 것은? (단, (가), (나)는 각각 1인당 국내 총생산, 출생률 중 하나이며, A~C는 각각 미국, 에티오피아, 중국 중 하나임.)

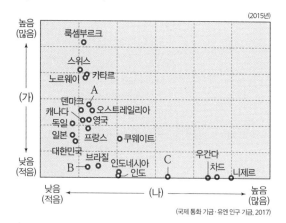

(2015년)
(국제 통화 기금·유엔 인구 기금, 2017)

① (가)는 출생률, (나)는 1인당 국내 총생산이다.
② A는 B보다 인구가 많다.
③ B는 C보다 유소년 인구 부양비가 높다.
④ C는 A보다 인구의 자연 증가율이 높다.
⑤ A는 아시아, B는 아프리카, C는 아메리카에 위치한다.

08 (가), (나) 국가의 인구 특성에 대한 옳은 추론을 〈보기〉에서 고른 것은?

〈국가별 인구 정책〉
• (가) 국가는 여성의 육아 휴직 후 복직을 보장하고, 남성의 육아 휴직 기간을 3년까지 보장하는 제도를 마련했다.
• (나) 국가는 다자녀 부모에게 불이익을 주거나 결혼한 부부에게 임신 연기를 유도하는 등의 정책을 추진하고 있다.

┤ 보기 ├
ㄱ. (가) 국가의 인구 구조는 피라미드형일 것이다.
ㄴ. (나) 국가는 저출산 현상이 심화되었을 것이다.
ㄷ. (가) 국가는 (나) 국가보다 노년층 인구 비율이 높을 것이다.
ㄹ. (나) 국가는 (가) 국가보다 경제 발전 수준이 낮을 것이다.

① ㄱ, ㄴ   ② ㄱ, ㄷ   ③ ㄴ, ㄷ
④ ㄴ, ㄹ   ⑤ ㄷ, ㄹ

09 그림은 인구 이주의 요인을 나타낸 것이다. ㉠ 요인에 해당하는 사례를 〈보기〉에서 고른 것은?

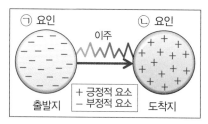

┤ 보기 ├
ㄱ. 낮은 임금   ㄴ. 분쟁이나 전쟁
ㄷ. 우수한 문화 시설   ㄹ. 쾌적한 주거 환경

① ㄱ, ㄴ   ② ㄱ, ㄷ   ③ ㄴ, ㄷ
④ ㄴ, ㄹ   ⑤ ㄷ, ㄹ

10 다음 글의 (가)~(다)에 들어갈 내용으로 가장 적절한 것은?

국제적 인구 이주는 여러 가지 요인으로 발생한다. 산업화 이후 (가) 요인에 의해 소득 수준이 낮고 일자리가 부족한 개발 도상국에서 선진국으로 이주하는 사례가 증가하고 있다. 또한 민족 탄압, 내전, 분쟁 등으로 인한 (나) 요인에 의해서도 국제 이주가 이루어지는데, 시리아 난민이 대표적 사례이다. 한편, 최근 기후 변화 및 자연재해로 인해 다른 국가로 이주하는 (다) 요인에 의한 이주 사례가 증가하고 있다.

	(가)	(나)	(다)
①	경제적	정치적	환경적
②	경제적	환경적	정치적
③	정치적	경제적	환경적
④	정치적	환경적	경제적
⑤	환경적	경제적	정치적

11 그래프는 지역(대륙)별 인구 순 이동 변화를 나타낸 것이다. A~D 지역(대륙)에 대한 설명으로 옳은 것은?

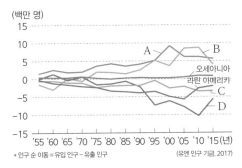

＊인구 순 이동 = 유입 인구 − 유출 인구 (유엔 인구 기금, 2017)

① A는 C보다 총인구가 많다.

② B는 A보다 노령화 지수가 높다.

③ B는 D보다 정치적 이주자 수가 많다.

④ C는 A보다 총부양비가 낮다.

⑤ D는 C보다 합계 출산율이 높다.

13 그래프는 유럽 주요 국가의 이주민 출신국을 나타낸 것이다. 이에 대한 옳은 설명 및 추론을 〈보기〉에서 고른 것은?

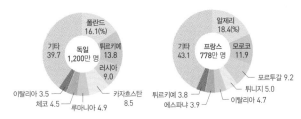

┤ 보기 ├

ㄱ. 독일은 거리가 가까운 동유럽 출신의 이주민이 많다.

ㄴ. 프랑스는 식민 지배 경험으로 영어 사용국에서 이주민이 많이 유입되었다.

ㄷ. 프랑스는 이민자의 유입으로 문화적 차이에 따른 갈등을 겪고 있을 것이다.

ㄹ. 독일과 프랑스 모두 고급 전문 인력들의 유입으로 경제가 활성화되었을 것이다.

① ㄱ, ㄴ　　　② ㄱ, ㄷ　　　③ ㄴ, ㄷ

④ ㄴ, ㄹ　　　⑤ ㄷ, ㄹ

12 그래프는 국가 간 인구 이주 변화를 나타낸 것이다. (가)~(다) 국가에 대한 설명으로 옳은 것은? (단, (가)~(다)는 각각 미국, 시리아, 인도 중 하나임.)

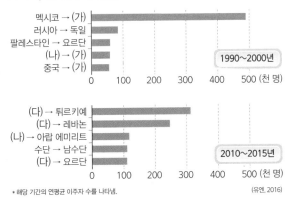

＊해당 기간의 연평균 이주자 수를 나타냄. (유엔, 2016)

① (가)로의 이주 동기는 환경적 요인이 가장 크다.

② (나)의 이주자는 대부분 숙련 노동자이다.

③ (다)는 내전으로 인한 난민이 대량 발생하였다.

④ (가)는 (나)보다 총인구가 많다.

⑤ (나), (다)에서의 이주는 모두 자발적 이주이다.

14 지도는 세계 각국의 도시화율과 도시 인구를 나타낸 것이다. 이에 대한 설명으로 옳은 것은?

(통계청, 국가 통계 포털, 2017, 기타)

① 미국은 중국보다 도시 인구가 많다.

② 오세아니아는 아시아보다 촌락 인구가 많다.

③ 아시아는 라틴 아메리카보다 도시화율이 높다.

④ 도시화율이 가장 높은 대륙이 도시 인구가 가장 많다.

⑤ 1,000만 명 이상 도시 수는 라틴 아메리카가 유럽보다 많다.

15 그래프는 주요 국가의 도시화율 변화를 나타낸 것이다. (가)~(다) 국가에 대한 설명으로 옳은 것은? (단, (가)~(다)는 각각 영국, 우간다, 중국 중 하나임.)

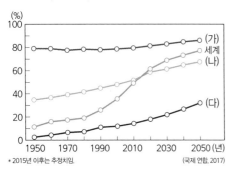

* 2015년 이후는 추정치임. (국제 연합, 2017)

① (가)는 (나)보다 2010년에 도시 인구가 많다.
② (나)는 (다)보다 유소년 인구 부양비가 높다.
③ (다)는 (가)보다 1인당 에너지 소비량이 많다.
④ (가)는 유럽, (나)는 아시아, (다)는 아프리카에 위치한다.
⑤ (가)~(다) 중 2020년 합계 출산율은 (나)가 가장 높다.

16 그래프는 세계 도시 지수 순위를 나타낸 것이다. 이에 대한 옳은 분석을 〈보기〉에서 고른 것은?

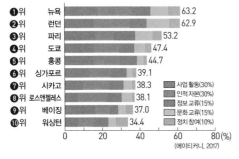

순위		
❶위	뉴욕	63.2
❷위	런던	62.9
❸위	파리	53.2
❹위	도쿄	47.4
❺위	홍콩	44.7
❻위	싱가포르	39.1
❼위	시카고	38.3
❽위	로스앤젤레스	38.1
❾위	베이징	37.0
❿위	워싱턴	34.4

사업 활동(30%) / 인적 자본(30%) / 정보 교류(15%) / 문화 교류(15%) / 정치 참여(10%)

(에이티커니, 2017)

▶ 보기 ◀
ㄱ. 10위권에 속하는 도시는 유럽이 아시아보다 많다.
ㄴ. 정치 관련 지표에서 가장 높은 점수를 받은 도시는 런던이다.
ㄷ. 경제, 문화, 정치 등의 다양한 지표로 도시 순위가 선정되었다.
ㄹ. 세계 도시를 선정하는 지표가 달라지면 도시 순위는 달라질 수 있다.

① ㄱ, ㄴ   ② ㄱ, ㄷ   ③ ㄴ, ㄷ
④ ㄴ, ㄹ   ⑤ ㄷ, ㄹ

17 (가), (나)에 해당하는 도시를 지도의 A~D에서 고른 것은?

(가) 세계적인 기업의 본사, 은행 및 증권 회사 등이 모여 있으며, 국제 연합(UN) 본부가 있어 세계 경제, 문화, 정치의 중심지 기능을 한다.
(나) 1960~1970년대 제조업이 발달하는 과정에서 주요 무역업체의 본사, 관련 서비스 산업 등이 지역 내 분업 체계를 형성하며 세계 도시로 성장하였다.

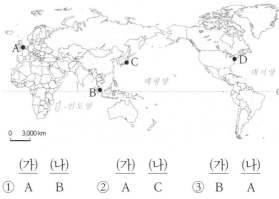

	(가)	(나)		(가)	(나)		(가)	(나)
①	A	B	②	A	C	③	B	A
④	D	B	⑤	D	C			

18 지도는 세계 도시의 계층 체계를 나타낸 것이다. (나)와 비교한 (가)의 상대적 특징으로 옳은 것만을 〈보기〉에서 있는 대로 고른 것은?

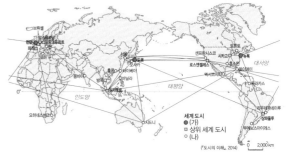

(『도시의 이해』, 2014)

▶ 보기 ◀
ㄱ. 중심지 기능이 다양하다.
ㄴ. 도시 간 평균 거리가 가깝다.
ㄷ. 생산자 서비스업 종사자 비율이 높다.
ㄹ. 세계적인 금융 서비스 기능이 발달해 있다.

① ㄱ, ㄹ   ② ㄴ, ㄷ   ③ ㄱ, ㄴ, ㄹ
④ ㄱ, ㄷ, ㄹ   ⑤ ㄴ, ㄷ, ㄹ

19 그래프는 인구 변천 모형을 나타낸 것이다. 이를 보고 물음에 답하시오. (단, B, C는 각각 사망률, 출생률 중 하나임.)

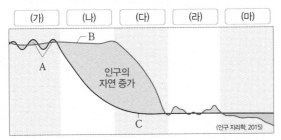

(1) B, C에 해당하는 용어를 쓰고, 이를 토대로 A의 인구 증감 특징을 쓰시오.

(2) (가)~(마) 중 인구가 가장 빠르게 증가하는 단계를 쓰고 그 이유를 서술하시오.

20 (가), (나) 국가의 인구 구조를 보고, 물음에 답하시오.

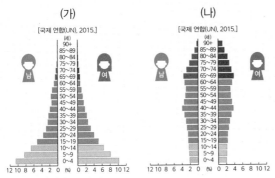

(1) (가) 국가와 비교한 (나) 국가의 상대적인 특징을 아래 제시된 조건을 고려하여 서술하시오.

┤ 조건 ├
• 노년 부양비   • 산업별 인구 구조

(2) (가) 국가에서 나타나는 인구 문제를 쓰고, 이를 해결하기 위한 방안을 서술하시오.

21 지도는 미국과 멕시코 간 인구 이주 현황을 나타낸 것이다. 이를 보고 물음에 답하시오.

(1) 인구 이주로 인한 미국에서의 부정적인 영향을 서술하시오.

(2) 인구 이주로 인한 멕시코에서의 긍정적인 영향을 서술하시오.

22 다음 글을 읽고 물음에 답하시오.

세계 도시는 국제 금융 영향력, 다국적 기업 본사 수, 생산자 서비스업 집중 정도, 국제기구 본부 수, 주요 교통·통신의 결절 등의 중심성을 나타내는 지표로 계층성을 파악할 수 있다. 이에 따라 세계 도시는 ㉠ 최상위 세계 도시, 상위 세계 도시, ㉡ 하위 세계 도시로 구분한다.

(1) ㉠에 해당하는 사례 도시를 쓰시오.

(2) 아래 제시된 조건을 고려하여 ㉡과 비교한 ㉠의 특성을 서술하시오.

┤ 조건 ├
• 도시 수 • 보유 기능 • 도시 간 평균 거리

| 신유형 |

01 다음은 세계지리 수업 장면이다. 교사의 질문에 대한 발표 내용이 옳은 학생을 고른 것은?

인구 분포 특징에 대해서 말해 볼까요?

□1점당 10만 명   [최신 세계 지도, 2015.]

갑: 세계 인구는 남반구보다 북반구에 밀집해 있어요.

을: 농업에 불리한 동아시아 일대는 기후의 영향으로 인구가 희박해요.

병: 북극해 연안은 기후의 영향으로 인구가 희박해요.

정: 오스트레일리아의 내륙은 산지가 많아 인간 거주에 불리해요.

① 갑, 을   ② 갑, 병   ③ 을, 병
④ 을, 정   ⑤ 병, 정

| 교육청 기출 |

02 그래프는 (가), (나) 국가의 인구 구조를 나타낸 것이다. 이에 대한 설명으로 옳은 것은?

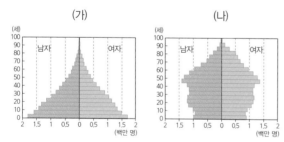

① (가)는 노년 부양비가 유소년 부양비보다 높다.
② (나)는 노년층에서 남초 현상이 나타나고 있다.
③ (가)는 (나)보다 중위 연령이 높다.
④ (나)는 (가)보다 생산 연령 인구가 많다.
⑤ (나)는 (가)보다 출생률과 사망률이 모두 높다.

| 평가원 기출 |

03 교사의 질문에 대한 학생의 발표 내용으로 적절하지 않은 것은?

교사: 그래프를 보고 인구 변천 모델에 근거하여 A~C 국가군의 특성에 대해 추론해 볼까요?

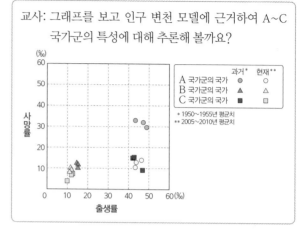

① 갑: A 국가군의 변화는 의료 기술의 보급과 관련이 깊을 것 같아요.
② 을: B 국가군은 저출산과 고령화 현상이 심화되었을 것 같아요.
③ 병: C 국가군의 변화는 산아 제한 정책을 실시하였기 때문일 것 같아요.
④ 정: A 국가군의 자연 증가율의 변화 폭은 C 국가군보다 클 것 같아요.
⑤ 무: C 국가군의 산업화 시기는 A 국가군보다 이를 것 같아요.

| 평가원 기출 |

04 (가), (나)에 해당하는 국가를 그래프의 A~C에서 고른 것은?

(가) 이 국가는 1952년 산아 제한 정책을 실시하였다. 그러나 여전히 높은 출산율이 유지되고 있어 가까운 미래에 인구 최대국이 될 가능성이 높다.

(나) 이 국가는 인구 고령화 수준이 세계 최고로, 최근 노년층 인구 비율이 20%를 넘어섰다. 이로 인해 노년 인구 부양비가 높아지고 있다.

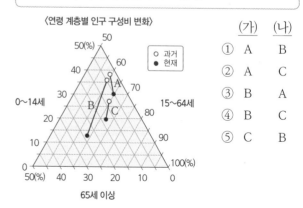

	(가)	(나)
①	A	B
②	A	C
③	B	A
④	B	C
⑤	C	B

| 교육청 기출 |

05 그래프는 지도에 표시된 세 국가의 인구 현황을 나타낸 것이다. (가)~(다) 국가에 대한 설명으로 옳은 것은?

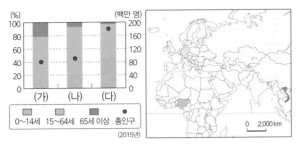

① (가)는 인구의 자연 증가율이 가장 높다.
② (나)는 중위 연령이 가장 높다.
③ (다)는 인구 변천 모형의 인구 감소 단계에 있다.
④ (가)는 (나)보다 노년 인구가 많다.
⑤ (나)는 (다)보다 유소년 부양비가 높다.

| 평가원 기출 |

06 (가)~(다) 국가에 대한 설명으로 옳지 <u>않은</u> 것은? (단, (가)~(다)는 각각 멕시코, 세네갈, 프랑스 중 하나임.)

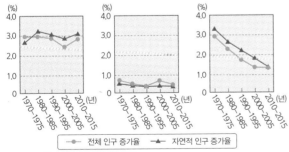

① (가)는 아프리카에 위치한다.
② 2010~2015년 순 이동률이 가장 낮은 국가는 (가)이다.
③ (가)~(다) 중 소득 수준이 가장 높은 국가는 (나)이다.
④ 제시된 기간 동안 (다)는 지속적으로 인구가 감소하였다.
⑤ 1990년 이후 (다)에서 유출된 인구가 가장 많이 이동한 국가는 미국이다.

| 교육청 기출 |

07 그래프는 지역(대륙)별 인구 순 이동 변화를 나타낸 것이다. (가)~(라)에 대한 설명으로 옳은 것은?

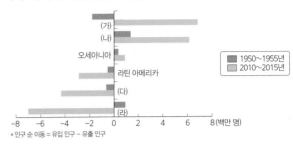

① (가) 대부분의 국가는 도시화의 가속화 단계에 있다.
② (나)는 최근 라틴 아메리카에서의 인구 순 유입이 뚜렷하다.
③ (나)는 (다)보다 유소년 부양비가 높다.
④ (다)는 (라)보다 총인구가 많다.
⑤ (라)는 (가)보다 산업화가 시작된 시기가 이르다.

| 평가원 기출 |

08 그래프는 인구의 국제적 이주 현황을 나타낸 것이다. 이에 대한 옳은 설명을 〈보기〉에서 고른 것은? (단, (가)~(다)는 각각 라틴 아메리카, 아시아, 아프리카 중 하나임.)

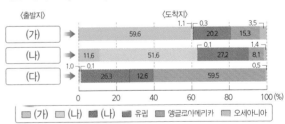

┌ 보기 ┐
ㄱ. (나)는 세계 인구에서 차지하는 인구 비율이 가장 높다.
ㄴ. (가)는 (다)보다 인구 밀도가 높다.
ㄷ. 동일 대륙 내 이주 비율은 라틴 아메리카보다 아프리카가 높다.
ㄹ. 아시아는 유럽으로 이주하는 비율보다 앵글로아메리카로 이주하는 비율이 높다.
└────┘

① ㄱ, ㄴ   ② ㄱ, ㄷ   ③ ㄴ, ㄷ
④ ㄴ, ㄹ   ⑤ ㄷ, ㄹ

09 그래프는 세 대륙의 인구 특성을 나타낸 것이다. 이에 대한 설명으로 옳은 것은? (단, (가)~(다)와 A~C는 각각 아시아, 아프리카, 유럽 중 하나임.)

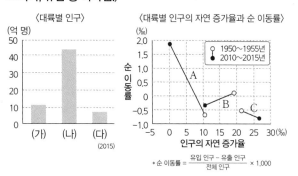

① 1950~1955년 (다)는 유출 인구보다 유입 인구가 많다.
② 1950~1955년 (나)는 (가)보다 인구의 자연 증가율이 높다.
③ 2010~2015년 B는 C보다 순 유출 인구가 많다.
④ 2010~2015년 C는 B보다 전체 인구 증가율이 낮다.
⑤ 2015년 대륙별 인구는 B > A > C 순으로 많다.

10 그래프는 두 지역(대륙)으로 유입된 이주민들의 출신지를 나타낸 것이다. 이에 대한 설명으로 옳은 것은? (단, A~C는 각각 라틴 아메리카, 아시아, 아프리카 중 하나임.)

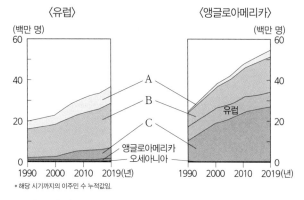

① 이주민의 유입은 유럽이 앵글로아메리카보다 많다.
② 앵글로아메리카는 라틴 아메리카 출신 이주민이 가장 많다.
③ A는 C보다 1인당 지역 내 총생산이 많다.
④ B는 A보다 인구의 자연 증가율이 높다.
⑤ C는 B보다 총인구가 많다.

11 그래프는 지역(대륙)별 도시화율과 도시 인구 변화를 나타낸 것이다. A~D에 대한 설명으로 옳은 것은? (단, A~D는 각각 유럽, 아시아, 아프리카, 앵글로아메리카 중 하나임.)

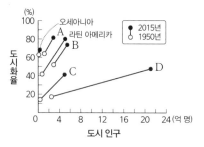

① A는 1950년 도시 인구가 촌락 인구보다 많다.
② C의 국가들은 대부분 2015년 도시화의 종착 단계에 있다.
③ A는 D보다 1950~2015년 도시화율 증가 폭이 크다.
④ B는 D보다 2015년 총인구가 많다.
⑤ A는 유럽, B는 앵글로아메리카, C는 아시아이다.

12 그래프에 대한 옳은 설명을 〈보기〉에서 고른 것은? (단, A~C와 (가)~(다)는 각각 라틴 아메리카, 아프리카, 앵글로아메리카 중 하나임.)

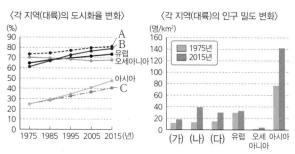

| 보기 |
ㄱ. A는 라틴 아메리카, B는 앵글로아메리카이다.
ㄴ. A는 (가), C는 (나)이다.
ㄷ. (가)에는 최상위 세계 도시가 위치하고 있다.
ㄹ. 2015년 도시 인구는 (가)가 (다)보다 많다.

① ㄱ, ㄴ ② ㄱ, ㄷ ③ ㄴ, ㄷ
④ ㄴ, ㄹ ⑤ ㄷ, ㄹ

| 교육청 기출 |

13 그래프의 (가)~(다) 지역(대륙)에 대한 옳은 설명을 〈보기〉에서 고른 것은? (단, (가)~(다)는 각각 라틴 아메리카, 아프리카, 유럽 중 하나임.)

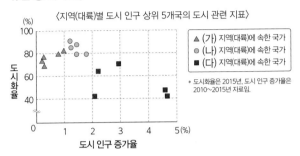

〈지역(대륙)별 도시 인구 상위 5개국의 도시 관련 지표〉

▲ (가) 지역(대륙)에 속한 국가
● (나) 지역(대륙)에 속한 국가
■ (다) 지역(대륙)에 속한 국가

* 도시화율은 2015년, 도시 인구 증가율은 2010~2015년 자료임.

┤ 보기 ├

ㄱ. (가)에는 최상위 계층 세계 도시가 위치한다.

ㄴ. (가)는 (나)보다 산업화의 시작 시기가 이르다.

ㄷ. (가)는 (다)보다 도시 인구 증가에 따른 기반 시설의 부족 문제가 심각하다.

ㄹ. 아프리카 도시 인구 상위 5개국 모두 촌락 인구가 도시 인구보다 많다.

① ㄱ, ㄴ ② ㄱ, ㄷ ③ ㄴ, ㄷ ④ ㄴ, ㄹ ⑤ ㄷ, ㄹ

| 수능 기출 |

14 다음 자료는 매출액 기준 세계 100대 기업에 관한 것이다. 이에 대한 설명으로 옳지 <u>않은</u> 것은?

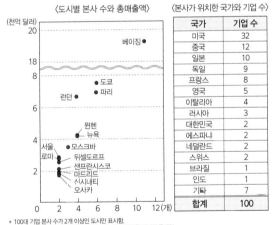

〈도시별 본사 수와 총매출액〉

국가	기업 수
미국	32
중국	12
일본	10
독일	9
프랑스	8
영국	5
이탈리아	4
러시아	3
대한민국	2
에스파냐	2
네덜란드	2
스위스	2
브라질	1
인도	1
기타	7
합계	100

〈본사가 위치한 국가와 기업 수〉

* 100대 기업 본사 수가 2개 이상인 도시만 표시함.
** 도시별 본사 수와 총매출액은 2012년 4월~2013년 3월 까지의 통계임.

① 100대 기업의 본사는 대부분 북반구에 위치하고 있다.

② 도시별 100대 기업의 평균 매출액은 파리가 런던보다 많다.

③ 미국은 중국보다 특정 도시에 대한 100대 기업 본사의 집중도가 낮다.

④ 아시아에서 100대 기업의 본사는 대부분 동부 아시아에 위치해 있다.

⑤ 도시별 100대 기업의 총매출액이 가장 많은 도시가 본사 수도 가장 많다.

| 수능 응용 |

15 (가), (나)에서 설명하는 도시를 지도의 A~D에서 고른 것은?

(가) 이 도시는 세계 각 지역 시각의 기준이 되는 곳이다. 이 도시는 주요 금융 회사와 각종 기관이 자리잡고 있어 국제 자본의 네트워크를 형성하고 있다.

(나) 이 도시는 상위 세계 도시에 해당하는 곳이다. 이 도시에는 유럽 연합(EU)의 본부가 위치하고 있고 국제회의가 개최되고 있어, 국제 경제와 정치의 중심지적 역할을 하고 있다.

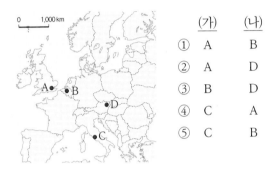

	(가)	(나)
①	A	B
②	A	D
③	B	D
④	C	A
⑤	C	B

| 교육청 응용 |

16 지도는 세계 도시를 계층에 따라 구분하여 나타낸 것이다. (가)~(다) 세계 도시에 대한 옳은 설명을 〈보기〉에서 고른 것은?

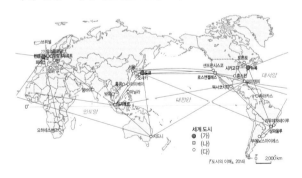

세계 도시
● (가)
□ (나)
· (다)

(『도시의 이해』, 2014)

┤ 보기 ├

ㄱ. (가)는 최상위 세계 도시에 해당한다.

ㄴ. (가)는 (다)보다 생산자 서비스업 종사자 비율이 높다.

ㄷ. (나)는 (다)보다 도시의 수가 많다.

ㄹ. (다)는 (가)보다 도시당 다국적 기업의 본사 수가 많다.

① ㄱ, ㄴ ② ㄱ, ㄷ ③ ㄴ, ㄷ
④ ㄴ, ㄹ ⑤ ㄷ, ㄹ

03

Ⅲ. 세계의 인문 환경과 인문 경관

세계의 주요 식량 및 에너지 자원

1 세계의 주요 식량 자원의 특징과 이동

1. 식량 자원의 의미와 특징

(1) **의미** 인간의 생존과 건강한 생활을 위해 필요한 먹거리로 인간에게 각종 영양소를 공급하는 것

(2) 특징

생산 특징	• 곡물 자원: 생산량은 옥수수 〉 밀 ≒ 쌀 순으로 많고[1], 재배 면적은 밀 〉 옥수수 〉 벼 순으로 넓으며, 단위 면적당 생산량은 옥수수 〉 쌀 〉 밀 순으로 많음. • 육류 자원: 사육 두수는 소 〉 양 〉 돼지 순으로 많으며[2], 육류 생산량은 돼지고기 〉 소고기 〉 양고기 순으로 많음.
수요 특징 자료 01	• 곡물 순 수입 지역: 아시아, 아프리카 등은 곡물 수입량이 수출량보다 많음. ─ 곡물의 국제 가격이 상승할 경우 식량 문제가 발생할 수 있음. • 곡물 순 수출 지역: 아메리카, 오세아니아 등은 많은 양의 곡물을 수출함.

2. 주요 곡물 자원의 특징 및 이동 자료 02

	쌀	밀	옥수수
재배 조건	아시아의 열대 및 아열대 지역이 기원지이며, 성장기에 고온 다습하고 수확기에 건조한 기후가 나타나는 충적 평야가 재배에 유리함.	서남아시아의 건조한 기후 지역이 기원지이며, 내한성 및 내건성이 뛰어나 비교적 기온이 낮고 건조한 기후 조건에서도 잘 자람.	아메리카가 기원지이며, 기후 적응력이 커서 다양한 기후 지역에서 재배됨.
주요 재배지	아시아 계절풍 기후 지역(자급적), 미국 캘리포니아 · 브라질 남부 · 이탈리아 포강 유역 등 (상업적) ─ 전통적인 벼농사 지역은 인구 밀도가 높음.	중국의 화북 · 인도의 펀자브 지역(자급적), 미국 · 캐나다 · 오스트레일리아 등(상업적)	미국(세계 최대 생산국), 중국, 브라질, 아르헨티나 등
특징	• 인구 부양력이 높음. • 생산지와 소비가 대체로 비슷하여 국제 이동량이 적음.	주로 신대륙에서 구대륙으로, 남반구에서 북반구로 이동하며, 국제 이동량이 가장 많음.	주식으로도 이용되지만 가축 사료 및 바이오 에탄올[3]의 원료로 이용됨. ─ 국제 곡물 가격의 상승, 식량 부족 문제의 원인이 됨.

3. 주요 가축의 특징 및 이동[4] 자료 03

소	• 농경 사회에서 노동력을 대신하는 동물로 일찍부터 가축화함. • 고기를 비롯하여 우유, 치즈, 버터 등과 같은 유제품을 제공하여 경제적 가치가 높음. • 브라질, 미국, 오스트레일리아 등 신대륙에서는 대규모 기업적 목축 형태로 사육함. • 소고기 생산량 현황(2012~2016년 평균): 아메리카(44.5%) 〉 아시아(26.5%) 〉 유럽(15.1%) 〉 아프리카(9.4%) 〉 오세아니아(4.5%)
돼지	• 번식력이 강하며, 유목 생활에 적합하지 않아 주로 정착 생활을 하는 지역에서 사육됨. • 서남아시아와 북부 아프리카에서는 거의 사육되지 않음. ─ 이슬람교에서 금기시하기 때문임. • 돼지고기 생산량 현황(2012~2016년 평균): 아시아(57.2%) 〉 유럽(24.0%) 〉 아메리카(17.2%) 〉 아프리카(1.2%) 〉 오세아니아(0.4%)
양	• 고기와 젖 이외에도 가죽과 털을 제공해 줌. ─ 모직 공업의 원료로 이용됨. • 아시아에서는 주로 유목, 오스트레일리아 · 아메리카 등에서는 주로 방목의 형태로 사육됨.
닭	• 조류 중에서 가장 먼저 가축화됨. • 종교 · 문화적인 이유로 기피하는 지역이 없고 사육 기간이 짧아 전 세계적으로 사육 및 소비되고 있음.

고득점을 위한 셀파 Tip

주요 곡물 자원의 특징

쌀	• 아시아 계절풍 기후 지역에서 주로 재배됨. • 국제 이동량이 적음.
밀	• 내건성 · 내한성으로 재배 범위가 넓음. • 국제 이동량이 가장 많음.
옥수수	• 기후 적응력이 커 다양한 기후 지역에서 재배됨. • 최근 사료용 및 에너지원으로 이용됨.

❶ 쌀, 밀, 옥수수의 지역별 생산량

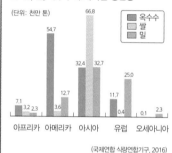

(단위: 천만 톤)

(국제연합 식량연합기구, 2016)

❷ 소, 돼지, 양의 지역별 사육 두수

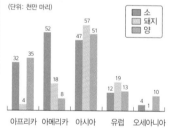

(단위: 천만 마리)

(국제연합 식량연합기구, 2016)

❸ 바이오 에탄올

옥수수, 사탕수수, 수수, 보리, 감자 등의 작물에서 추출한 포도당을 발효시켜 생산한 에탄올로, 휘발성 첨가제로 사용한다.

❹ 목축업의 발달

냉장 및 냉동 기술의 발달로 축산물의 국제 이동량이 증가하였으며, 인구 증가와 소득 수준의 향상, 식생활 구조의 변화로 최근 축산물 소비량이 크게 증가하였다.

자료 01 세계의 곡물 수출국과 곡물 수입국

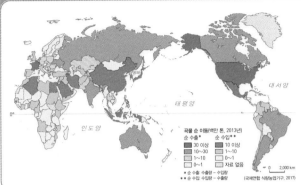

곡물 순 이동(백만 톤, 2013년)
순 수출*   순 수입**
- 30 이상   10 이상
- 10~30   1~10
- 1~10   0~1
- 0~1   자료 없음

* 순 수출 = 수출량 - 수입량
** 순 수입 = 수입량 - 수출량
(국제연합 식량농업기구, 2017)

0   2,000 km

자료 분석 | 지역별 식량 생산 및 수요의 차이로 인해 식량 자원의 국제 이동이 발생한다. 곡물 자원의 주요 수출국은 국토 면적이 넓고 인구 대비 경지 면적이 넓은 미국, 캐나다 등이다. 곡물 자원의 주요 수입국은 인구가 많고 인구 대비 경지 면적이 좁은 일본, 사우디아라비아, 이집트, 우리나라 등이다.

교과서 자료 더 보기 ＋

| 대륙별 곡물 수출 및 수입 |

오세아니아
유럽
아시아
아메리카
아프리카

0 50 100 150 200(백만 톤)

□ 수출
□ 수입

* 2013년 기준 (국제 연합 식량 농업 기구, 2017)

아시아는 많은 인구와 경제 성장의 영향으로, 아프리카는 낮은 농업 기술력과 토양 비옥도 저하 등의 영향으로 곡물 자원의 수입량이 많다. 반면 아메리카와 오세아니아 등은 대규모 상업적 농업으로 많은 양의 곡물을 생산하여 수출하고 있다.

자료 02 공통 자료 쌀, 밀의 생산과 국제 이동

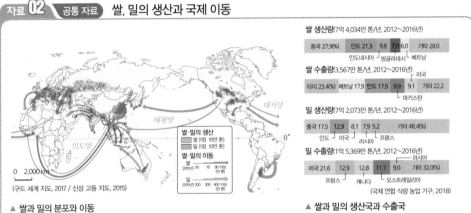

쌀·밀의 생산
▨ 쌀(1점 10만 톤)
▨ 밀(1점 10만 톤)
쌀·밀의 이동
쌀
(2016년) 50   70   90 이상(만 톤)
밀
(2016년) 200   300   400 이상(만 톤)

0   2,000 km

(구드 세계 지도, 2017 / 신상 고등 지도, 2015)

▲ 쌀과 밀의 분포와 이동

쌀 생산량(7억 4,034만 톤/년, 2012~2016년)

중국 27.9(%)	인도 21.3	9.8	7.0	6.0	기타 28.0
		인도네시아	방글라데시	베트남	

쌀 수출량(3,567만 톤/년, 2012~2016년)

타이 23.4(%)	베트남 17.9	인도 17.5	9.9	9.1	기타 22.2
			미국	파키스탄	

밀 생산량(7억 2,073만 톤/년, 2012~2016년)

중국 17.5	12.9	8.1	7.9	5.2	기타 48.4(%)
	인도	미국	러시아	프랑스	

밀 수출량(1억 5,369만 톤/년, 2012~2016년)

미국 21.6	12.9	12.8	11.7	9.0	기타 32.0(%)
	프랑스	캐나다	러시아	오스트레일리아	

(국제 연합 식량 농업 기구, 2018)

▲ 쌀과 밀의 생산국과 수출국

자료 분석 | 쌀은 아시아의 계절풍 기후 지역에서 대부분 생산되며, 생산지에서 소비가 주로 이루어지므로 밀과 옥수수에 비해 국제 이동량은 적다. 쌀은 타이, 베트남 등 동남아시아 지역에서 대부분 수출된다. 밀은 쌀보다 생산되는 지역이 넓으며, 국제 이동량이 많다. 밀은 미국, 캐나다, 오스트레일리아 등 신대륙과 남반구에서의 수출량이 많다.

교과서 자료 더 보기 ＋

| 옥수수의 생산국과 수출국 |

옥수수 생산량(9억 9,973만 톤/년, 2012~2016년)

미국 34.3%	중국 21.9	7.6	기타 30.4
		브라질	우크라이나 2.6
		아르헨티나 3.2	

옥수수 수출량(1억 1,273만 톤/년, 2012~2016년)

미국 35.5%	14.2	13.2	8.9	5.7	기타 22.5
	아르헨티나	브라질	우크라이나	프랑스	

(국제 연합 식량 농업 기구, 2018)

옥수수의 세계 생산량과 수출량은 미국이 가장 많다. 이 밖에 중국, 브라질 등지에서 옥수수를 많이 재배하고, 아르헨티나, 브라질 등지에서 많이 수출한다.

자료 03 주요 가축의 생산과 국제 이동

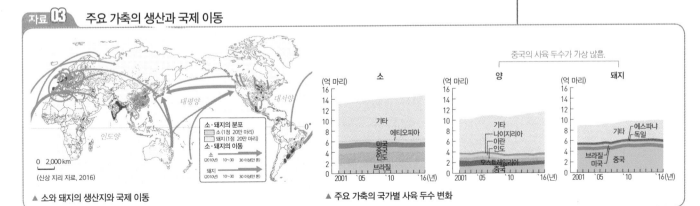

소·돼지의 분포
▨ 소(1점 20만 마리)
□ 돼지(1점 20만 마리)
소·돼지의 이동
소
(2010년) 10~30   30 이상(만 톤)
돼지
(2010년) 10~30   30 이상(만 톤)

0   2,000 km

(신상 지리 자료, 2016)

▲ 소와 돼지의 생산지와 국제 이동

중국의 사육 두수가 가상 낳름.

소 (억 마리) — 기타 / 에티오피아 / 미국 / 중국 / 인도 / 브라질

양 (억 마리) — 기타 / 나이지리아 / 이란 / 인도 / 오스트레일리아 / 중국

돼지 (억 마리) — 기타 / 에스파냐 / 독일 / 브라질 / 미국 / 중국

▲ 주요 가축의 국가별 사육 두수 변화

자료 분석 | 소는 경제적 가치가 높아 세계 각지에서 사육되며, 소고기는 주로 오스트레일리아 등에서 아시아 등으로 이동한다. 돼지는 중국, 미국, 브라질 등지에서 많이 사육되며, 돼지고기는 기본적으로 유럽 내 이동량이 많으며, 주로 아메리카에서 아시아로 많이 이동한다. 양은 구대륙에서는 유목 형태로, 신대륙에서는 기업적 목축 형태로 사육된다.

2 세계의 주요 에너지 자원의 특징과 이동

1. 에너지 자원의 의미와 특징

(1) **의미** 인간 생활과 경제 활동에 필요한 동력을 생산할 수 있는 자원

(2) **특징**

> ┌ 가공하지 않은 순수한 자연 상태의 에너지 자원을 가리키는 것으로,
> 전력과 같이 가공된 2차 에너지와 대비되는 개념임.

소비 특징 자료 04	• 세계의 1차 에너지 자원 소비량은 지속적으로 증가하고 있음. • 석유의 소비 비중은 감소 추세, 신·재생 에너지의 소비 비중은 증가 추세임. • 세계 1차 에너지 자원별 소비량은 석유 〉 석탄 〉 천연가스 〉 수력 〉 원자력 〉 신·재생 에너지 　순으로 많음.
이동 특징	화석 에너지는 소비량 대비 생산량이 많은 지역에서 생산량 대비 소비량이 많은 지역으로 국제 이동이 이루어짐.

2. 주요 에너지 자원의 특징 및 이동 자료 05

┌ 산업용(73%) 〉 가정용 〉 상업용 및 농·수산업용 〉 기타

석탄	• 특징: 산업 혁명 이후 소비량이 빠르게 증가함, 산업용(제철 공업용 및 발전용)으로 이용되는 　비중이 높음. ┌ 미국의 애팔래치아산맥, 오스트레일리아의 그레이트디바이딩산맥, 중국 푸순 등 • 분포: 주로 고기 조산대 주변의 고생대 지층에 매장되어 있음. • 이동: 대체로 편재성⑤이 작아 석유나 천연가스에 비해 국제 이동량이 상대적으로 적은 편임.
석유	• 특징: 19세기 내연 기관⑥의 발명과 자동차 보급으로 소비량이 급증함, 주로 수송용 및 화학 　공업의 원료로 이용됨. 　수송용(65%) 〉 산업용 〉 가정용 〉 기타 ┐ • 분포: 주로 신생대 제3기층 배사 구조⑦에 매장되어 있음, 세계 매장량의 절반 가량이 페르시 　아만 연안 지역에 분포함. ┌ 서남아시아의 정치적 불안에 따른 가격 변동 폭이 큼. ┐ • 이동: 편재성이 크고 소비량이 많아 국제 이동량이 가장 많음.
천연가스⑧	• 특징: 산업용(주로 발전용) 및 가정용으로 사용되는 비중이 높음, 냉동 액화 기술의 발달로 소 　비량이 급증함, 연소 시 대기 오염 배출량이 적은 편임. 산업용 〉 가정용 〉 상업용 및 공공용 〉 수송용 〉 기타 • 분포: 신생대 제3기층 배사 구조에 석유와 함께 매장되어 있는 경우가 많음. • 이동: 주로 파이프라인(육상 구간)이나 액화 천연가스(LNG) 수송선(해상 구간)을 이용하여 　수송됨.
원자력	• 특징: 우라늄이나 플루토늄의 핵분열 시 발생하는 열 에너지로 전력을 생산하며, 적은 양의 　에너지원으로 많은 양의 전력을 생산할 수 있음, 방사능 누출의 위험성과 방사성 폐기물 처 　리에 어려움이 있음. • 원자력 발전소의 입지: 냉각수 공급에 유리하고 지반이 안정된 해안 지역에 주로 입지함.

3. 신·재생 에너지의 개발과 이용 자료 06

(1) **의미** 기존의 화석 에너지를 변환시켜 이용하는 에너지(신 에너지)와 재생이 가능한 에너지(재생 에너지)⑨를 함께 이르는 말

(2) **특징** 환경 친화적이며 고갈 가능성이 낮음. ↔ 에너지 효율이 낮고, 자연적 제약이 커 지역적 편재가 큼.

(3) **주요 신·재생 에너지 분포 특징**

수력	• 분포: 연 강수량이 많은 지역, 높은 산지의 낙차 확보에 유리한 지역, 빙하 지형 • 소비: 중국 〉 캐나다 〉 브라질 〉 미국 〉 러시아
지열	• 분포: 신기 조산대, 판과 판의 경계 부근의 지열이 풍부한 지역 • 생산: 미국 〉 필리핀 〉 인도네시아 〉 뉴질랜드 〉 이탈리아
태양광(열)	• 분포: 중위도 사막, 지중해성 기후 지역 등의 강수량이 적고 일사량이 풍부한 지역 • 소비: 중국 〉 미국 〉 일본 〉 독일 〉 이탈리아
풍력	• 분포: 바람이 강하면서 지속적으로 부는 산지의 능선부, 고원, 해안 지역 • 소비: 중국 〉 미국 〉 독일 〉 에스파냐 〉 인도

주요 에너지 자원의 특징

석탄	• 고기 조산대 주변에 분포 • 국제 이동량이 적음.
석유	• 신생대 제3기 배사 구조에 　매장 • 국제 이동량이 가장 많음.
천연가스	• 신생대 제3기 배사 구조에 　매장 • 냉동 액화 기술의 발달로 소 　비량 급증

⑤ **자원의 특성**

편재성	지역적으로 고르게 분포하지 않고 특정 지역에 치우쳐 분포함.
유한성	대부분의 자원은 매장량이 한정되 어 있어 언젠가는 고갈됨.
가변성	기술·경제·문화적 조건 등에 따 라 자원의 의미와 가치가 변화함.

⑥ **내연 기관**

기관 내부에서 연료를 연소시켜 열에너지를 기계적 운동 에너지로 변환시키는 기관이다. 연료로는 주로 석유, 가스 등 액체나 기체를 이용한다.

⑦ **배사 구조**

습곡 지층이 횡압력을 받아 볼록하게 솟아오른 부분을 배사 구조라고 한다. 석유나 천연가스는 배사 구조의 윗부분에 주로 분포한다.

⑧ **천연가스의 생산과 소비**

천연가스 생산량(156억 3,850만 TOE, 2012~2016년)

미국 21.2	러시아 16.9	이란 5.2		기타 37.5(%)

　　카타르 5.0 ┘　┘└ 사우디아라비아 3.0
　캐나다 4.2 　　└ 노르웨이 3.3
　　중국 3.7

천연가스 소비량(154억 8,870만 TOE, 2012~2016년)

미국 22.3	러시아 11.8	중국 5.3		기타 43.6(%)

　이란 5.2 ┘└└ 멕시코 2.5
　일본 3.3 ┘└ 캐나다 3.0
　사우디아라비아 3.0
　　　　　(BP 세계 에너지 통계, 2017)

⑨ **신·재생 에너지**

신 에너지	수소 에너지, 연료 전지 에너지, 석 탄 액화·가스화 에너지
재생 에너지	태양열·태양광·풍력·바이오·폐 기물·지열·수력·해양 에너지

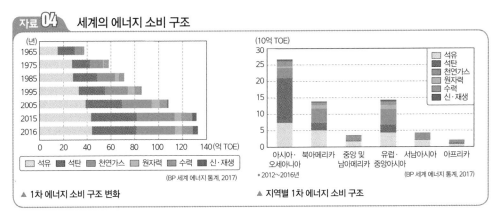

자료 04 세계의 에너지 소비 구조

▲ 1차 에너지 소비 구조 변화

▲ 지역별 1차 에너지 소비 구조

(BP 세계 에너지 통계, 2017)

자료 분석 | 세계의 1차 에너지 소비는 석유 〉 석탄 〉 천연가스 〉 수력 〉 원자력 〉 신·재생 에너지 순으로 많다. 이 중 1990년대 이후로 천연가스와 신·재생 에너지의 사용량이 빠르게 증가하고 있다. 지역별로는 아시아·오세아니아가 1차 에너지 총소비가 가장 많다. 특히 개발 도상국이 많은 아시아·오세아니아는 석탄의 소비 비중이 높으며, 선진국이 많은 북아메리카와 유럽은 석유와 천연가스의 소비 비중이 높다.

교과서 자료 더 보기

| 국가별 화석 에너지 소비 비중 변화 |

* 전 세계 화석 에너지 소비에서 차지하는 국가별 비중을 나타낸 것이며, 상위 5개국(2016년)을 대상으로 함. (BP, 2017)

선진국인 미국, 일본, 러시아의 화석 에너지 소비 비중은 감소하고 있으며, 개발 도상국인 인도와 중국의 소비 비중이 증가하고 있다. 특히 중국은 화석 에너지 최대 소비국이다.

자료 05 공통 자료 주요 에너지 자원의 이동, 생산, 소비

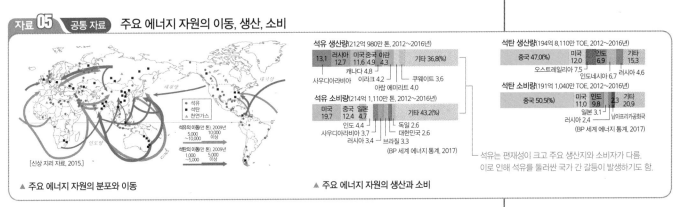

▲ 주요 에너지 자원의 분포와 이동

▲ 주요 에너지 자원의 생산과 소비

석유는 편재성이 크고 주요 생산지와 소비자가 다름. 이로 인해 석유를 둘러싼 국가 간 갈등이 발생하기도 함.

자료 분석 | 에너지 자원은 전 세계에 고르게 분포하지 않아 국가와 지역에 따라 에너지 자원의 생산량과 소비량이 다르게 나타난다. 이와 같은 차이로 인해 자원의 국제 이동이 발생하며, 주로 자원 생산량이 많은 개발 도상국에서 경제 발전 수준이 높거나 공업이 발달한 선진국으로의 자원 이동이 이루어진다.

자료 06 국가별 신·재생 에너지 공급

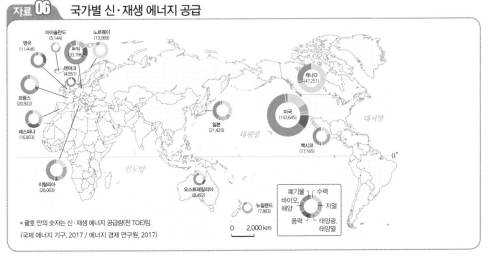

* 괄호 안의 숫자는 신·재생 에너지 공급량(천 TOE)임.
(국제 에너지 기구, 2017 / 에너지 경제 연구원, 2017)

자료 분석 | 신·재생 에너지 공급량을 살펴보면 미국, 독일, 캐나다 등 선진국이 많은 편이며, 공급 비율은 국가별로 차이가 있다. 노르웨이와 캐나다는 수력의 비중이 높으며, 아이슬란드, 멕시코, 뉴질랜드, 이탈리아 등은 지열의 비중이 상대적으로 높다. 영국, 에스파냐, 덴마크 등은 풍력의 비중이 상대적으로 높다.

교과서 자료 더 보기

| 세계 전력 생산에서 신·재생 에너지가 차지하는 비중 |

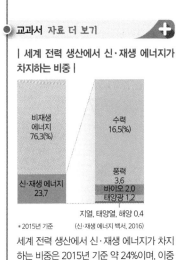

* 2015년 기준 (신·재생 에너지 백서, 2016)

세계 전력 생산에서 신·재생 에너지가 차지하는 비중은 2015년 기준 약 24%이며, 이중 수력 〉 풍력 〉 바이오 〉 태양광(열) 〉 지열 〉 해양 에너지 순으로 비중이 크다.

1 세계의 주요 식량 자원의 특징과 이동

곡물 자원	쌀	• 아시아의 열대 및 아열대 지역이 기원지로, 아시아 (❶　　) 기후 지역에서 잘 자람. • 인구 부양력이 높음. • 밀, 옥수수보다 국제 이동량이 적음.
	밀	• 서남아시아의 (❷　　) 기후 지역이 기원지로, 내건성·내한성이 높아 세계 여러 지역에서 재배됨. • 국제 이동량이 가장 많음.
	옥수수	• 아메리카가 기원지로, 기후 적응력이 뛰어나 다양한 기후 지역에서 재배됨. • 주식 작물, 가축 사료, (❸　　) 원료로 이용됨.
가축	소	• 고기, 우유, 유제품 등을 제공함. • 신대륙에서 기업적 목축 형태로 사육함.
	돼지	• 정착 생활하는 지역에서 사육함. • (❹　　) 신자의 비중이 높은 지역에서는 거의 사육하지 않음.
	양	• 고기, 젖, 가죽, 털 등을 제공함. • 유목(아시아)과 방목(오스트레일리아·아메리카)으로 사육함.

2 세계의 주요 에너지 자원의 특징과 이동

석탄	• 특징: 주로 고생대 지층에 매장되어 있음, 산업 혁명기부터 소비량 증가, 주로 (❺　　)으로 이용됨. • 이동: 편재성이 작아 국제 이동량이 적은 편임.
석유	• 특징: 내연 기관의 발명과 함께 소비량 급증, 주로 수송용으로 이용됨, 1차 에너지 소비 구조에서 차지하는 비중이 가장 높음. • 이동: 주로 신생대 제3기층 (❻　　)에 편재되어 있어 국제 이동량이 많음.
천연가스	• 특징: (❼　　) 기술의 발달로 소비량 급증, 주로 가정용으로 이용됨, 연소 시 대기 오염 물질 배출량이 적은 편임. • 이동: 파이프라인이나 수송선을 통해 이동
원자력	• 특징: 적은 에너지원으로 많은 양의 전력을 생산할 수 있음, 방사능 누출의 위험성과 방사성 폐기물 처리의 어려움이 있음. • 입지: 지반이 안정된 (❽　　) 지역
신·재생 에너지	• 특징: 친환경적이지만, 에너지 효율이 낮고 지역적 편재가 큼. • 종류: 수소, 연료 전지, 석탄 액화·가스화 에너지 등의 신 에너지와 수력, 풍력, 바이오, 태양광·태양열, 폐기물, 지열, 해양 에너지 등의 (❾　　) 에너지

정답 ❶ 계절풍 ❷ 건조 ❸ 바이오 에탄올 ❹ 이슬람교 ❺ 산업용 ❻ 배사 구조 ❼ 냉동 액화 ❽ 해안 ❾ 재생

탄탄 내신 문제

01 (가)~(다)에 들어갈 곡물 자원으로 옳은 것은?

　(가)　은/는 열대성 작물로 아시아 계절풍 기후 지역의 충적 평야에서 주로 생산된다. 　(나)　은/는 기후 적응력이 뛰어나 다양한 지역에서 재배되며, 주로 가축의 사료로 이용된다. 최근 바이오 에탄올의 원료로 이용되면서 수요가 급증하고 있다. 　(다)　은/는 건조한 서남아시아가 기원지이며, 세계에서 국제 이동량이 가장 많다. 신대륙에서는 기계화된 영농 방식으로 　(다)　을/를 대량 생산한다.

	(가)	(나)	(다)
①	밀	쌀	옥수수
②	밀	옥수수	쌀
③	쌀	밀	옥수수
④	쌀	옥수수	밀
⑤	옥수수	밀	쌀

02 그래프는 대륙별 곡물 수출 및 수입을 나타낸 것이다. (가)~(라) 대륙에 대한 설명으로 옳지 않은 것은? (단, (가)~(라)는 각각 아메리카, 아시아, 아프리카, 오세아니아 중 하나임.)

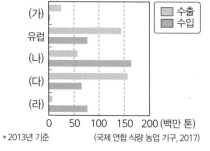

*2013년 기준　　(국제 연합 식량 농업 기구, 2017)

① (가)는 남반구에 위치한다.
② (나)는 (다)보다 쌀 생산량이 많다.
③ (다)는 (라)보다 옥수수 생산량이 많다.
④ (라)는 (가)보다 식량 작물 생산량이 많다.
⑤ 옥수수의 기원지는 (나)이며, 밀의 기원지는 (다)이다.

03 지도는 두 곡물 자원의 분포와 이동을 나타낸 것이다. (가), (나) 작물에 대한 옳은 설명만을 〈보기〉에서 있는 대로 고른 것은?

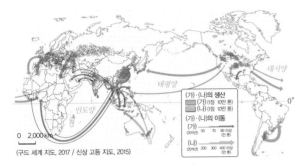

(구드 세계 지도, 2017 / 신상 고등 지도, 2015)

보기

ㄱ. (가)는 (나)보다 단위 면적당 생산량이 많다.
ㄴ. (가)는 (나)보다 내건성과 내한성이 강한 작물이다.
ㄷ. (나)는 (가)보다 재배 면적이 넓다.
ㄹ. (가)와 (나)의 최대 생산국은 동일한 국가이다.

① ㄱ, ㄹ ② ㄴ, ㄷ ③ ㄱ, ㄴ, ㄹ
④ ㄱ, ㄷ, ㄹ ⑤ ㄴ, ㄷ, ㄹ

04 표는 미국에서 어느 곡물 자원의 용도 변화를 나타낸 것이다. 이 작물에 대한 설명으로 옳은 것은?

(단위: %)

년 용도	1980	2000	2005	2015
사료용	56.0	56.4	55.0	38.1
에탄올용	0.0	6.0	14.7	38.1
식량 및 기타	10.7	18.8	12.9	10.1
수출용	33.3	18.8	17.4	13.7

(미국 농무부, 2017)

① 아시아가 아메리카보다 생산량이 많다.
② 최대 생산국과 최대 수출국은 미국이다.
③ 3대 식량 작물 중 국제 이동량이 가장 많다.
④ 서남아시아의 건조 기후 지역에서 기원하였다.
⑤ 계절풍의 영향을 받는 충적 평야에서 주로 생산된다.

05 사진은 국가별 전통 음식이다. (가)~(다) 곡물 자원에 대한 설명으로 옳은 것은?

▲ 프랑스의 바게트
음식의 주재료: (가)

▲ 베트남의 퍼
음식의 주재료: (나)

▲ 멕시코의 타말레스
음식의 주재료: (다)

① (가)는 (나)보다 성장기에 강수량이 많이 필요하다.
② (나)는 (가)보다 주 재배 지역의 인구 밀도가 높다.
③ (나)는 (다)보다 세계 총생산량이 많다.
④ (다)는 (가)보다 대체로 낱알의 평균 크기가 작다.
⑤ (다)는 (나)보다 주식으로 이용되는 비율이 높다.

06 그래프는 세 곡물 자원의 국가별 생산량을 나타낸 것이다. 이에 대한 설명으로 옳은 것은?

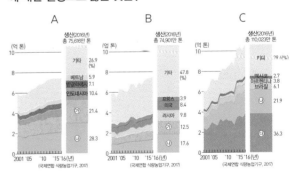

(국제연합 식량농업기구, 2017)

① A는 주로 아시아에서 아메리카로 이동한다.
② B는 A보다 단위 면적당 생산량이 많다.
③ ㉮는 C를, ㉯는 B를 주로 주식으로 소비한다.
④ ㉮~㉰ 중 A의 수출량은 ㉮가 가장 많다.
⑤ ㉰는 ㉯보다 곡물 총 소비량이 많다.

07 다음은 세계지리 수업 장면이다. 교사의 질문에 옳게 대답한 학생을 고른 것은?

지난 시간에 배운 세계의 주요 가축에 대해 이야기해 볼까요?

교사

• 주제: 주요 가축의 특징
  － 주요 사육지
  － 사육 방식 비교
  － 육류의 생산량

갑
소는 경제적 가치가 높아 세계 각지에서 사육되고 있어요.

을
양은 아시아에서 주로 기업적인 목축 형태로 사육되고 있어요.

병
돼지는 서남아시아와 북부 아프리카에서 주로 사육되고 있어요.

정
닭은 종교·문화적인 이유로 기피하는 지역이 없어 널리 사육되고 있어요.

① 갑, 을   ② 갑, 정   ③ 을, 병
④ 을, 정   ⑤ 병, 정

★08 지도는 두 가축의 분포와 이동을 나타낸 것이다. (가), (나) 가축에 대한 설명으로 옳은 것은? (단, (가), (나)는 각각 소, 돼지 중 하나임.)

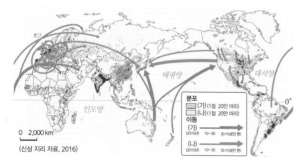

① (가)는 털을 모직물로 사용하면서 가치가 높아졌다.
② (나)는 농경 사회에서 인간의 노동력을 대체해 왔다.
③ (가)는 (나)보다 세계 사육 두수가 많다.
④ (가)는 (나)보다 세계 육류 생산량이 많다.
⑤ (나)는 (가)보다 유제품 생산량이 많다.

09 그래프는 두 가축의 대륙별 육류 생산 비중을 나타낸 것이다. (가)~(다)에 해당하는 대륙이 바르게 연결된 것은? (단, 두 그래프는 각각 소고기, 돼지고기 생산 비중 중 하나임.)

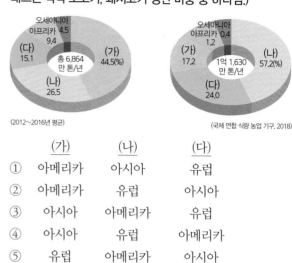

(2012~2016년 평균)   (국제 연합 식량 농업 기구, 2018)

	(가)	(나)	(다)
①	아메리카	아시아	유럽
②	아메리카	유럽	아시아
③	아시아	아메리카	유럽
④	아시아	유럽	아메리카
⑤	유럽	아메리카	아시아

★10 그래프는 주요 가축의 국가별 사육 두수 변화를 나타낸 것이다. (가)~(다) 가축에 대한 설명으로 옳은 것은? (단, (가)~(다)는 각각 소, 양, 돼지 중 하나임.)

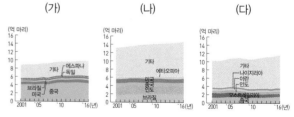

① (가)는 힌두교 신자들이 신성시하는 가축이다.
② (나)는 아메리카가 아시아보다 사육 두수가 많다.
③ (다)는 아시아에서 주로 기업적 방목 형태로 사육한다.
④ (나)는 (다)보다 건조한 기후 지역에서 사육하기에 적합하다.
⑤ (가)~(다) 중 세계 육류 생산량은 (나)가 가장 많다.

11 그래프는 세계의 1차 에너지 소비 구조 변화를 나타낸 것이다. A~E에 대한 설명으로 옳은 것은? (단, A~E는 각각 석유, 석탄, 수력, 원자력, 천연가스 중 하나임.)

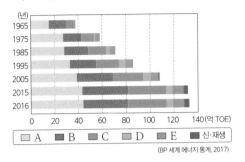

(BP 세계 에너지 통계, 2017)

① A는 고기 조산대 주변에 주로 매장되어 있다.

② B는 주로 수송용으로 이용된다.

③ C는 B보다 연소 시 대기 오염 물질 배출량이 적다.

④ D는 E보다 전력 생산 시 기후 조건의 영향을 많이 받는다.

⑤ E는 냉각수 공급에 유리하고 지반이 안정된 해안에 주로 입지한다.

13 그래프는 화석 에너지의 지역별 생산 및 소비 비중을 나타낸 것이다. (가)~(다)에 대한 설명으로 옳은 것은?

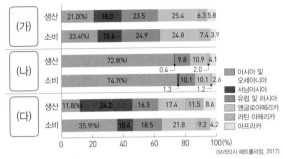

(브리티시 페트롤리엄, 2017)

① (가)는 19세기 내연 기관의 발명과 함께 수요가 급증하였다.

② (나)는 신생대 제3기층 배사 구조에 대량으로 매장되어 있다.

③ (다)는 냉동 액화 기술의 발달로 수요가 급증하였다.

④ (가)는 (나)보다 세계 1차 에너지 소비 구조에서 차지하는 비중이 크다.

⑤ (가)~(다) 중 국제 이동량은 (다)가 가장 많다.

12 그래프는 국가별 화석 에너지의 소비 비중 변화를 나타낸 것이다. (가)~(다) 국가로 옳은 것은?

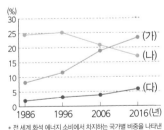

* 전 세계 화석 에너지 소비에서 차지하는 국가별 비중을 나타낸 것이며, 상위 5개국(2016년)을 대상으로 함. (BP, 2017)

	(가)	(나)	(다)
①	미국	인도	중국
②	미국	중국	인도
③	인도	미국	중국
④	중국	미국	인도
⑤	중국	인도	미국

14 그래프는 지역별 화석 에너지 생산 비중 변화를 나타낸 것이다. A~C 지역에 대한 설명으로 옳은 것은? (단, A~C는 각각 유럽, 서남아시아, 아시아·오세아니아 중 하나임.)

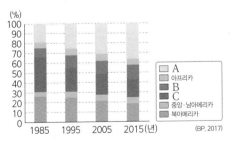

(BP, 2017)

① A는 B보다 지역 내 석유 소비 비중이 높다.

② A는 C보다 대체로 1인당 에너지 소비량이 많다.

③ B는 A보다 인구가 많다.

④ C는 A보다 석탄 생산량이 많다.

⑤ C는 B보다 산업화가 시작된 시기가 이르다.

[15~16] 지도는 두 화석 에너지의 분포와 이동을 나타낸 것이다. 이를 보고, 물음에 답하시오. (단, A, B 화석 에너지는 석유, 석탄, 천연가스 중 하나임.)

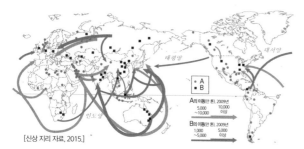

[신상 지리 자료, 2015.]

15 A, B 화석 에너지에 대한 설명으로 옳은 것은?

① A의 최대 생산국은 아메리카에 위치한다.

② B는 주로 신생대 지층에 매장되어 있다.

③ A는 B보다 세계 1차 에너지 소비 구조에서 차지하는 비중이 작다.

④ B는 A보다 자원의 편재성이 크다.

⑤ B는 A보다 상용화된 시기가 이르다.

16 A, B 화석 에너지의 용도별 소비 비중을 표의 (가)~(다)에서 골라 바르게 연결한 것은?

(단위: %)

구분	(가)	(나)	(다)
산업용	8.0	73.4	37.7
수송용	64.7	0.2	7.0
가정용	5.9	7.1	30.0
기타	21.4	19.3	25.3

(국가 에너지 기구, 2017)

	A	B
①	(가)	(나)
②	(가)	(다)
③	(나)	(가)
④	(나)	(다)
⑤	(다)	(나)

17 (가)~(라)에 대한 설명으로 옳은 것은? (단, (가)~(라)는 각각 수력, 지열, 풍력, 태양광(열) 중 하나임.)

> 신·재생 에너지는 최근 생산량과 소비량이 빠르게 증가하고 있다. (가) 발전은 주로 일조량과 일조 시수가 많은 지역에서, (나) 발전은 바람이 강한 해안이나 산지에서 유리하다. 또한 하천 유량이 풍부하며 큰 낙차를 확보할 수 있는 지역은 (다) 발전에 유리하며, 지각판의 경계에서는 (라) 발전을 하기도 한다.

① (가)는 강수량이 많은 지역일수록 개발에 유리하다.

② (나)는 화석 연료에 비해 에너지 효율이 높다.

③ (라)는 (다)보다 발전 시 기후 조건의 영향을 많이 받는다.

④ 노르웨이는 (나)보다 (다)의 생산량이 많다.

⑤ 영국, 덴마크는 (라)의 대표적인 생산국이다.

18 지도는 국가별 신·재생 에너지 공급을 나타낸 것이다. A~C 에너지에 대한 설명으로 옳은 것은? (단, A~C는 각각 수력, 지열, 풍력 중 하나임.)

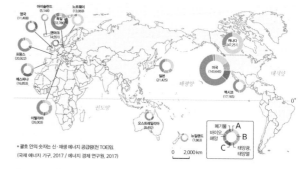

* 괄호 안의 숫자는 신·재생 에너지 공급량(천 TOE)임.
(국제 에너지 기구, 2017 / 에너지 경제 연구원, 2017)

① A는 판의 경계 부근에서 주로 생산된다.

② B는 바람이 강한 산지에서 생산하기에 유리하다.

③ C는 큰 낙차를 확보할 수 있는 빙하 지형이 발달한 지역에서 생산에 유리하다.

④ A는 B보다 세계 에너지 소비 구조에서 차지하는 비중이 크다.

⑤ B는 C보다 발전 시 기후 조건의 영향을 많이 받는다.

서술형 문제

19 그래프는 세계 3대 식량 작물의 단위 면적당 생산량 및 생산량 대비 수출량 비중을 나타낸 것이다. 이를 보고 물음에 답하시오.

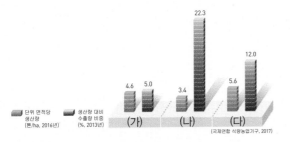

(1) (가)~(다) 작물의 명칭을 쓰시오.

(2) 생산량 대비 수출량 비중을 토대로 (가)와 (나)의 국제 이동 특징을 비교 서술하시오.

20 지도는 두 가축의 주요 사육지를 나타낸 것이다. 이를 보고 물음에 답하시오.

(1) (가), (나) 가축의 명칭을 쓰시오.

(2) (가), (나) 고기를 소비하지 않는 대표적인 지역을 예로 들고 그 이유를 서술하시오.

21 표는 대륙별 인구 비중 및 곡물 생산 현황을 나타낸 것이다. 이를 토대로 대륙별 곡물의 수출과 수입 특징을 추론하여 서술하시오.

	인구(%)	곡물 생산(%)
아시아	60.0	47.5
아메리카	13.4	25.6
유럽	10.1	18.8
아프리카	16.0	6.7
오세아니아	0.5	1.4

(유엔 식량 농업 기구, 2017/유엔 인구 기금, 2017)

22 지도는 어떤 에너지 자원의 분포와 이동을 나타낸 것이다. 이를 보고 물음에 답하시오.

(1) A 자원이 무엇인지 쓰시오.

(2) A 자원의 분포와 이동 특징을 서술하시오.

23 그래프는 세계 지열 발전량과 국가별 발전량 비중을 나타낸 것이다. 발전량이 많은 국가들의 공통점을 서술하시오.

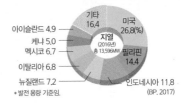

| 신유형 |
01 지도는 어떤 식량 작물의 분포와 이동을 나타낸 것이다. A 작물에 대한 옳은 설명을 〈보기〉에서 고른 것은? (단, A 작물은 밀, 쌀, 옥수수 중 하나임.)

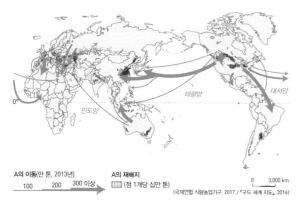

A의 이동(만 톤, 2013년)
100 200 300 이상

A의 재배지
▦ (점 1개당 십만 톤)

0   3,000 km

(국제연합 식량농업기구, 2017 / 「구드 세계 지도」, 2016)

┤ 보기 ├
ㄱ. 주로 논에서 재배된다.
ㄴ. 최대 생산국은 미국이다.
ㄷ. 기원지는 서남아시아이다.
ㄹ. 신대륙에서 대규모 상업적 영농 방식으로 재배된다.

① ㄱ, ㄴ   ② ㄱ, ㄷ   ③ ㄴ, ㄷ
④ ㄴ, ㄹ   ⑤ ㄷ, ㄹ

| 교육청 기출 |
03 그래프는 식량 작물의 대륙별 생산량을 나타낸 것이다. (가)~(다)에 대한 설명으로 옳은 것은? (단, (가)~(다)는 각각 밀, 쌀, 옥수수 중 하나임.)

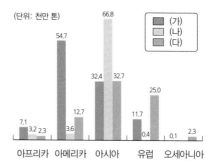

(단위: 천만 톤)

| (가)
| (나)
| (다)

아프리카 7.1 3.2 2.3 아메리카 54.7 3.6 12.7 아시아 32.4 66.8 32.7 유럽 11.7 0.4 25.0 오세아니아 0.1 2.3

(국제연합 식량연합기구, 2016)

① (가)의 기원지는 아시아 계절풍 기후 지역이다.
② (나)는 가축용 사료로 이용되면서 수요가 급증하고 있다.
③ (다)는 생육기에 높은 기온과 많은 강수량이 필요하다.
④ (가)는 (다)보다 단위 면적당 생산량이 적다.
⑤ (다)는 (나)보다 국제적 이동량이 많다.

| 교육청 응용 |
02 그래프는 주요 식량 작물의 국가별 생산 비중을 나타낸 것이다. (가), (나) 식량 작물에 대한 설명으로 옳은 것은? (단, (가), (나)는 각각 밀, 쌀, 옥수수 중 하나임.)

(가) 미국 34.3(%)   중국 21.9   7.6   기타 30.4
브라질 ┘ └ 우크라이나 2.6
아르헨티나 3.2

(나) 중국 27.9(%)   인도 21.3   9.8 7.0 6.0   기타 28.0
인도네시아 ┘ 방글라데시 ┘ └ 베트남

① (가)는 주로 가축 사료나 바이오 에너지의 원료로 이용된다.
② (나)의 기원지는 아메리카이다.
③ (나)는 아시아에서 대규모 기계화 방식으로 대부분 생산된다.
④ (가)는 (나)보다 국제 이동량이 적다.
⑤ (나)는 (가)보다 기후 적응력이 크다.

| 교육청 응용 |
04 표는 (가)~(다) 식량 작물의 수출량 비중 상위 5개국을 나타낸 것이다. 이에 대한 설명으로 옳은 것은? (단, (가)~(다)는 각각 밀, 쌀, 옥수수 중 하나임.)

순위	(가)	(나)	(다)
1	미국	타이	미국
2	프랑스	베트남	아르헨티나
3	캐나다	인도	브라질
4	오스트레일리아	파키스탄	우크라이나
5	러시아	미국	프랑스

① 유럽은 아시아보다 (가)의 생산량이 많다.
② 아프리카는 북아메리카보다 (나)의 상업적 재배가 활발하다.
③ (가)는 (나)보다 국제 이동량이 많다.
④ (나)는 (다)보다 기후 적응력이 커서 재배 범위가 넓다.
⑤ (다)는 (가)보다 단위 면적당 생산량이 적다.

| 교육청 기출 |

05 (가)~(다) 작물에 대한 설명으로 옳은 것은? (단, (가)~(다)는 각각 밀, 쌀, 옥수수 중 하나임.)

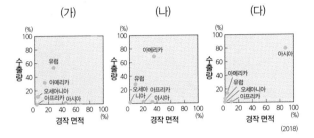

(2018)

① (가)의 기원지는 아메리카이다.
② (나)는 대부분 아시아 계절풍 기후 지역에서 재배된다.
③ (가)는 (다)보다 국제 이동량이 적다.
④ (나)는 (다)보다 가축 사료로 이용되는 비중이 높다.
⑤ (다)는 (가)보다 내한성과 내건성이 우수하다.

| 신유형 |

06 지도는 곡물 자원의 수출입 현황을 나타낸 것이다. 이에 대한 옳은 설명 및 추론을 〈보기〉에서 고른 것은?

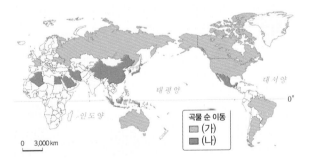

▶ 보기 ◀

ㄱ. (가)는 주로 국토 면적이 좁은 국가들이 해당한다.
ㄴ. (나)는 주로 인구 대비 경지 면적이 좁은 국가를 포함한다.
ㄷ. (가)는 (나)보다 세계에서 차지하는 곡물 생산량 비중이 높다.
ㄹ. 곡물의 국제 가격이 상승할 경우에는 (나)보다 (가)가 어려움이 발생할 가능성이 높다.

① ㄱ, ㄴ　　　② ㄱ, ㄷ　　　③ ㄴ, ㄷ
④ ㄴ, ㄹ　　　⑤ ㄷ, ㄹ

| 신유형 |

07 지도는 두 육류의 이동을 나타낸 것이다. 이에 대한 옳은 설명을 〈보기〉에서 고른 것은? (단, (가), (나)는 각각 소, 돼지 중 하나임.)

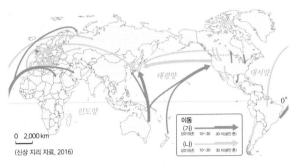

(신상 지리 자료, 2016)

▶ 보기 ◀

ㄱ. (가)의 사육 두수가 가장 많은 국가는 중국이다.
ㄴ. (나)는 주로 유목 형태로 사육한다.
ㄷ. 전 세계 사육 두수는 (가)가 (나)보다 많다.
ㄹ. 전 세계 육류 생산량은 (나)가 (가)보다 많다.

① ㄱ, ㄴ　　　② ㄱ, ㄷ　　　③ ㄴ, ㄷ
④ ㄴ, ㄹ　　　⑤ ㄷ, ㄹ

| 평가원 기출 |

08 그래프는 주요 가축의 지역별 사육 두수 비율을 나타낸 것이다. (가)~(다)에 대한 설명으로 옳은 것은? (단, (가)~(다)는 각각 소, 양, 돼지 중 하나임.)

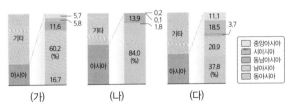

* 지역 구분은 국제 연합 식량 농업 기구(FAO) 기준에 따름.

(2018)

① (가)는 이슬람 문화권에서 식용을 금기시한다.
② (나)는 모직 공업의 발달로 인해 기업적 사육이 활발해졌다.
③ (다)의 사육 두수가 가장 많은 국가는 중국이다.
④ (나)는 (가)보다 벼농사 지역에서 노동력 대체 효과가 크다.
⑤ (나)는 (다)보다 유목에 적합하다.

09 | 평가원 기출 |
그래프는 A~C 가축의 지역(대륙)별 사육 두수 비율을 나타낸 것이다. 이에 대한 옳은 설명만을 〈보기〉에서 있는 대로 고른 것은? (단, A~C는 각각 소, 양, 돼지 중 하나임.)

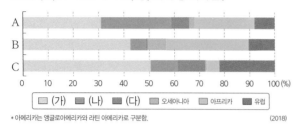

* 아메리카는 앵글로아메리카와 라틴 아메리카로 구분함. (2018)

┤ 보기 ├
ㄱ. A는 앵글로아메리카보다 라틴 아메리카에서 많이 사육된다.
ㄴ. 신대륙에서는 B를 기업적 목축 형태로 사육한다.
ㄷ. (가)의 건조 기후 환경에서는 C를 유목 형태로 기른다.
ㄹ. 전 세계 총 사육 두수는 A가 C보다 많다.

① ㄱ, ㄴ 　② ㄱ, ㄷ 　③ ㄴ, ㄹ
④ ㄱ, ㄴ, ㄹ 　⑤ ㄴ, ㄷ, ㄹ

10 | 신유형 |
지도는 어떤 에너지 자원의 분포와 이동을 나타낸 것이다. 이 에너지 자원에 대한 설명으로 옳은 것은?

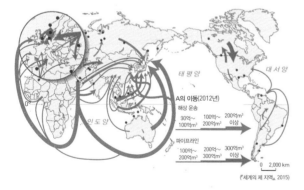

① 주로 제철 공업용으로 이용된다.
② 주로 고기 조산대 주변에 매장되어 있다.
③ 냉동 액화 기술의 발달로 소비량이 급증하였다.
④ 방사능 누출과 방사성 폐기물 처리의 문제가 있다.
⑤ 현재 세계 1차 에너지 자원 소비 구조에서 가장 큰 비중을 차지한다.

11 | 교육청 응용 |
그래프는 두 화석 에너지의 지역별 생산량을 나타낸 것이다. A, B에 대한 설명으로 옳은 것은? (단, A와 B는 각각 석유, 석탄 중 하나임.)

* 구소련 국가들은 유럽에 포함되며, 오세아니아는 아시아·태평양에 포함됨. [비피(BP), 2014.]

① A는 주로 가정용으로 이용된다.
② B는 산업 혁명 초기의 주요 에너지 자원이었다.
③ B는 주로 신생대 제3기층의 배사 구조에 매장되어 있다.
④ A는 B보다 상용화된 시기가 이르다.
⑤ B는 A보다 국제 이용량이 많다.

12 | 평가원 응용 |
그래프는 세 화석 에너지의 국가별 수출량을 나타낸 것이다. (가)~(다)에 대한 설명으로 옳은 것은? (단, (가)~(다)는 각각 석유, 석탄, 천연가스 중 하나임.)

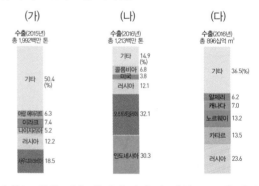

① (가)는 액화 기술 발달과 수송관 건설로 국제 이동량이 증가했다.
② (나)는 주요 생산국들은 공동으로 국제 기구를 결성해 생산량을 결정하고 있다.
③ (다)는 운송용 연료로 가장 많이 사용된다.
④ (가)는 (나)보다 오래된 지층에 주로 매장되어 있다.
⑤ (나)는 (다)보다 연소 시 대기 오염 물질 배출량이 많다.

| 수능 응용 |

13 그래프는 (가)~(다) 세 지역의 주요 화석 에너지 A~C 소비량을 나타낸 것이다. 이에 대한 설명으로 옳은 것은? (단, (가)~(다)는 서남아시아, 앵글로아메리카, 아시아·오세아니아 중 하나임.)

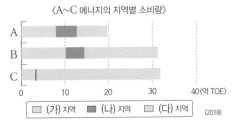

〈A~C 에너지의 지역별 소비량〉

☐ (가) 지역 ■ (나) 지역 ☐ (다) 지역   (2018)

① A는 B보다 상업적으로 이용된 시기가 이르다.

② C는 B보다 수송용으로 이용되는 비율이 높다.

③ A의 최대 소비 국가는 (다)에 위치한다.

④ B의 수출량은 (나)가 (가)보다 많다.

⑤ 세계 1차 에너지 소비량에서 차지하는 비율은 C > B > A 순으로 높다.

| 교육청 기출 |

14 그래프의 A~C 화석 에너지에 대한 설명으로 옳은 것은? (단, A~C는 각각 석유, 석탄, 천연가스 중 하나임.)

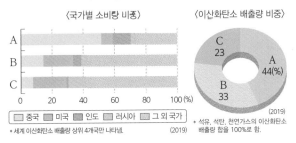

〈국가별 소비량 비중〉   〈이산화탄소 배출량 비중〉

☐ 중국 ☐ 미국 ☐ 인도 ☐ 러시아 ☐ 그 외 국가
* 세계 이산화탄소 배출량 상위 4개국만 나타냄.   (2019)

C 23 A 44(%) B 33   (2019)
* 석유, 석탄, 천연가스의 이산화탄소 배출량 합을 100%로 함.

① A는 신생대 제3기층의 배사 구조에 주로 매장되어 있다.

② B는 냉동 액화 기술의 개발 이후 소비가 급증하였다.

③ C는 산업 혁명 당시 주요 에너지원으로 이용되었다.

④ A는 B보다 국제 정세 변화에 따른 가격 변동폭이 크다.

⑤ B는 C보다 세계 에너지 소비량에서 차지하는 비중이 높다.

| 교육청 기출 |

15 지도는 어느 신·재생 에너지의 국가별 발전 설비 용량을 나타낸 것이다. 이 신·재생 에너지에 대한 설명으로 옳은 것은?

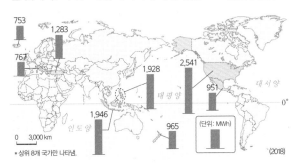

753 1,283 767 1,928 2,541 951 1,946 965
(단위: MWh)
* 상위 8개 국가만 나타냄.   (2018)

① 기후 조건에 따른 발전량의 변동 폭이 크다.

② 조수 간만의 차이가 큰 지역이 생산에 유리하다.

③ 판의 경계부에 위치한 지역에서 개발 잠재력이 높다.

④ 유량이 풍부하고 낙차가 큰 지역이 개발에 유리하다.

⑤ 바람이 많이 부는 산지나 해안 지역이 생산에 유리하다.

| 교육청 응용 |

16 그래프는 세 국가의 신·재생 에너지원별 전력 생산 비율을 나타낸 것이다. A~D에 대한 설명으로 옳은 것은? (단, A~D는 각각 수력, 지열, 태양광, 풍력 중 하나임.)

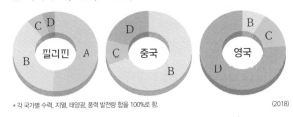

필리핀   중국   영국
* 각 국가별 수력, 지열, 태양광, 풍력 발전량 합을 100%로 함.   (2018)

① A는 일사량이 많은 지역이 개발에 유리하다.

② B는 지각 내에 축적된 열에너지를 이용한 발전 양식이다.

③ C는 바람의 방향과 속도가 발전소의 입지에 영향을 준다.

④ D는 유량이 풍부하고 낙차가 큰 곳이 발전에 유리하다.

⑤ A~D 중 전 세계에서 발전량이 가장 많은 것은 B이다.

IV

몬순 아시아와
오세아니아

이 단원의 핵심 포인트

중단원	핵심 포인트	학습일
01 자연환경에 적응한 생활 모습	• 몬순 아시아의 자연환경 • 몬순 아시아의 농업적 토지 이용과 특색 • 몬순 아시아의 전통 생활 모습	월　일 ～ 월　일
02 주요 자원의 분포와 산업 구조 및 민족(인종)·종교의 다양성과 지역 갈등	• 주요 자원의 분포 및 이동과 산업 구조 • 민족(인종) 및 종교의 다양성과 지역 갈등	월　일 ～ 월　일

셀파와 내 교과서 단원 비교

셀파	천재교과서	미래엔	비상교육	금성출판사
01 자연환경에 적응한 생활 모습	01 자연환경에 적응한 생활 모습	01 자연환경에 적응한 생활 모습	01 자연환경에 적응한 생활 모습	01 몬순 아시아의 전통 생활 모습
02 주요 자원의 분포와 산업 구조 및 민족(인종)·종교의 다양성과 지역 갈등	02 주요 자원의 분포 및 이동과 산업 구조	02 주요 자원의 분포 및 이동과 산업 구조	02 주요 자원의 분포 및 이동과 산업 구조	02 주요 자원의 분포 및 이동과 산업 구조
	03 최근의 지역 쟁점_민족(인종) 및 종교적 차이	03 민족(인종) 및 종교적 차이	03 최근의 지역 쟁점: 민족(인종) 및 종교적 차이	03 최근의 지역 쟁점_민족 및 종교의 다양성과 지역 갈등

01 자연환경에 적응한 생활 모습

1 몬순[1] 아시아의 자연환경

1. 몬순 아시아의 기후

⭐ **(1) 계절풍의 특징**

└─ 일 년에 두 번 방향이 바뀜

① 계절에 따라 풍향이 반대로 바뀌는 바람의 영향을 받음 → 대륙과 해양의 비열 차로 발생함

└─ 해양이 대륙보다 비열이 큼

② 몬순 아시아 지역의 강수의 계절적 차이를 가져옴

여름(7월)	겨울(1월)

- **방향**: 바다에서 대륙 내부를 향해 붐
- **특징**: 기온이 높고 강수량이 많은 우기, 계절풍이 산지와 만나는 바람받이 지역에서 많은 비가 내림[2]

- **방향**: 대륙 내부에서 바다를 향해 붐
- **특징**: 기온이 낮고 강수량이 적은 건기

(2) 몬순 아시아의 범위 동아시아(대한민국, 중국, 일본), 동남아시아(말레이시아, 베트남 등), 남부 아시아(인도, 방글라데시 등) 지역

2. 몬순 아시아의 지형 자료01

(1) 산맥과 고원

인도 북부 지역의 히말라야산맥	유라시아판(대륙판)과 인도판(대륙판)의 경계에 해당함, 신기 습곡 산지
인도 반도	서고츠산맥과 동고츠산맥 발달, 고기 습곡 산지
일본 열도	유라시아판과 태평양판, 필리핀판의 경계에 해당함, 신기 습곡 산지
티베트 고원	세계의 지붕이라 불림, 문물 교류에 장애물로 작용하여 문화권의 경계를 이룸

└─ 신기 습곡 산지보다 대체로 산지의 규모가 작고 연속성이 미약함 (인도 반도 행)

└─ 건조와 동양 문화권의 경계를 이룸 (티베트 고원 행)

(2) 화산 알프스-히말라야 및 환태평양 조산대[3] → 지각판의 경계 지역으로 화산과 지진이 빈번함, 화산 지형 발달함 **예** 인도네시아, 필리핀, 일본 등

(3) 대하천과 충적 평야 메콩강, 갠지스강, 창장강 등 세계적인 규모의 대하천 및 국제 하천[4]이 발달함 → 여름철 홍수로 대하천 주변의 범람원 지역에는 비옥한 충적 평야가 발달함

└─ 하천이 운반한 퇴적물이 쌓여 형성된 평야로, 주로 세계적인 농업 지역을 형성함

2 몬순 아시아의 농업적 토지 이용과 특색 자료02

1. 농업적 토지 이용

⭐ **(1) 쌀**

① 생육 기간 동안 많은 양의 물이 필요함, 하천 주변의 비옥한 충적지에서 잘 재배됨

② 몬순 아시아의 대부분 지역은 쌀을 주식으로 함, 다양한 조리법 발달

(2) 차

└─ 차 나무는 뿌리가 쉽게 썩어 물의 원활한 배수가 필요함

① 높은 기온, 많은 강수량, 원활한 배수 조건을 갖춘 곳에서 잘 재배됨

② 중국의 창장강 이남, 인도 북동부, 스리랑카 등지에서 주로 재배함

고득점을 위한 셀파 Tip

몬순 아시아의 계절풍

여름	바다에서 대륙으로 붐(고온 다습) → 우기
겨울	대륙에서 바다로 붐(한랭 건조) → 건기

❶ 몬순(monsoon)

계절이라는 뜻의 아랍어 '마우심'에서 유래한 말로, 계절풍을 의미한다. 여름과 겨울에 바람의 방향이 정반대로 부는 것이 일반적이다.

❷ 계절풍의 지형성 강수

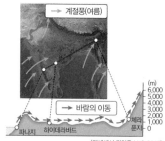

인도양에서 불어오는 여름 계절풍이 바람받이 사면에 해당하는 서고츠산맥과 히말라야산맥에 막히면 지형성 강우를 내린다. 바람받이 사면에 해당하는 체라푼지 일대는 여름철 강수량이 집중되는 특징을 보인다.

❸ 조산대

시기에 따라 고기 조산대와 신기 조산대로 구분한다. 신기 조산대는 주로 신생대 이후 조산 운동을 받아 험준한 산지를 이루며, 지각이 매우 불안정한 것이 특징이다. 고기 조산대는 상대적으로 산지의 규모가 작고, 지각이 안정되어 있으며, 주로 석탄이 산출되는 경향성이 높다.

❹ 국제 하천

두 나라 이상의 국경을 이루거나 그 이상의 여러 나라를 거쳐 흐르는 하천을 뜻한다.

셀파 자료 탐구

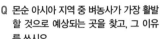

자료 01 몬순 아시아의 주요 지형

Q 몬순 아시아 지역 중 벼농사가 가장 활발할 것으로 예상되는 곳을 찾고, 그 이유를 쓰시오.

A 메콩강 하류는 상류로부터 운반된 토사가 쌓여 만들어진 대규모의 충적 평야가 발달해 있다. 메콩강 하류 지역은 비옥한 충적 평야에 농업용수도 매우 풍부하여 일찍부터 벼농사가 발달하였다.

자료 분석 | 몬순 아시아는 대체로 계절풍 기후 지역에 속하지만, 다양한 지형 요소의 간섭으로 지역에 따라 확연히 다른 기후 특징이 나타난다. 인도양에서 불어오는 여름 계절풍의 바람그늘에 해당하는 티베트고원에는 사막이 나타나며, 더 내륙으로 깊숙이 들어가면 수분 공급이 어려운 고비 사막이 나타난다. 중국에서 발원하여 인도차이나반도를 거쳐 흐르는 메콩강의 하류에는 상류로부터 운반된 토사가 쌓여 만들어진 충적 평야가 발달해 있으며, 연중 벼농사가 활발히 이루어진다. 필리핀은 환태평양 조산대에 속한 판의 경계 지역으로, 화산과 지진이 빈번하다. 이 지역은 화산 폭발의 위험에도 불구하고 화산재가 토양을 비옥하게 하여 많은 사람이 농업에 종사한다.

자료 02 몬순 아시아의 토지 이용

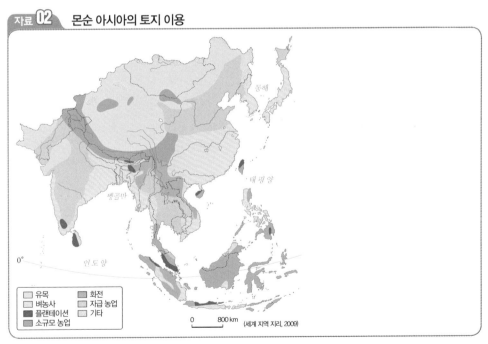

| 몬순 아시아의 인구 밀도 |

몬순 아시아 지역은 주로 벼농사를 기반으로 생활한다. 계절풍은 벼농사에 특화된 강수량을 제공하며, 벼는 단위 면적당 인구 부양력이 높은 작물이어서 대하천 유역의 비옥한 충적 평야에서 대체로 인구 밀도가 높게 나타난다.

자료 분석 | 티베트고원에 위치한 네팔의 고산 지대에 거주하는 세르파는 히말라야산맥 등반객의 안내자 역할을 한다. 몽골 고비 사막에서는 가축에게 먹일 풀을 찾아 이동하는 유목이 발달해 있다. 타이의 짜오프라야강 충적 평야에서는 벼의 2기작이 가능하다. 2기작은 일 년에 벼를 두 번 재배하는 행위로, 겨울이 온난한 동남아시아와 남부 아시아의 저위도 지역에서는 연중 벼 재배가 가능하다. 말레이시아에서는 천연고무 플랜테이션이 이루어진다. 천연고무는 본래 아마존 열대 우림 기후 지역이 원산지이나 세계적으로 수요가 증가하면서 이곳에 전파되었다. 필리핀에서는 비옥한 화산토를 이용하여 마닐라삼을 재배한다. 또한 필리핀의 루손섬 일대에서는 산골짜기를 따라 계단식 논을 조성해 불리한 지형 조건을 극복한 벼농사가 이루어진다.

(3) 커피

선진국의 자본과 기술, 원주민의 노동력을 조합한 영농 형태

① 아열대 환경에서 주로 플랜테이션의 형태로 재배함

② 베트남, 인도네시아 등지는 커피 생산지로 유명함

(4) 목화

① 주로 연 강수량이 1,000㎜ 이상인 온대 및 아열대 기후 지역에서 재배함

② 인도의 데칸고원, 중국 화중 지방에서 주로 재배함

2. 지역별 농업 특색

동아시아	• 중국 남동부 지역에서는 벼의 2기작⑤이 가능함(화남 지방), 중국 북동부 지역에서는 밭농사 발달함(화북 지방) ┌ 지하수를 농업용수로 활용해 주로 건조한 지역에서 행하는 농업 • 동아시아 내륙 지역에서는 유목⑥, 관개 농업, 오아시스 농업 등이 발달함
동남아시아	• 하천 주변의 충적 평야에서 벼의 2기작 또는 3기작이 이루어짐 • 열대 과일 및 천연고무 등의 플랜테이션 작물 재배가 활발함 • 산지 지역에서는 계단식 논⑦을 조성해 벼농사를 짓기도 함(인도네시아, 필리핀)
남부 아시아	• 갠지스강 하류는 세계적인 벼농사 재배 지역임 • 인도의 데칸고원에서는 목화 재배가 활발함 ┌ 인도의 화산 분출 시기에 만들어진 거대한 용암대지

★ **3** 몬순 아시아의 전통 생활 모습

1. 전통 의복

┌ 얇고 통기성이 좋은 긴 소매의 옷을 만들어 입음

(1) 몬순 아시아의 전통 의복은 여름철 더위와 높은 습도를 극복하기에 유리한 조건으로 만들어짐

(2) 주변에서 구하기 쉬운 재료로 의복을 제작하였고, 사회·경제적 영향으로 지역마다 의복이 다양해짐

(3) 중국의 치파오, 인도의 사리와 도티, 베트남의 아오자이, 미얀마의 론지, 필리핀의 바롱 등

▲ 중국 치파오　　▲ 인도 사리와 도티　　▲ 미얀마 론지　　▲ 필리핀 바롱

2. 전통 음식 _{자료 03}

┌ 쌀은 크게 찰기가 있는 자포니카종과 찰기가 적은 인디카종으로 나뉨,
두 품종 모두 생육기의 기온과 강수 조건이 매우 중요함

동아시아	찰기가 있는 쌀⑧로 만든 음식 문화가 발달함 ⑩ 우리나라 떡, 일본 초밥 등
동남 및 남부 아시아	찰기가 적은 쌀⑧과 향신료를 이용해 음식을 만듦 ⑩ 베트남 퍼(쌀국수), 인도네시아 나시고렝, 인도 탈리 정식 등 ┌ 향신료는 주로 열대 기후 지역의 다양한 식물을 통해 채취하는 경우가 많음
산지 및 고원	전통적으로 유목을 통해 얻은 고기와 젖으로 음식을 만듦 ⑩ 시짱(티베트) 지역의 수유차⑨ 등

3. 전통 가옥 _{자료 04}

사합원	• 중국 화북 지방의 전통 가옥 • 'ㅁ' 형태의 폐쇄적인 가옥 구조 → 방어에 유리, 겨울철 추위에 대비
합장 가옥	• 일본의 주요 다설 지역의 전통 가옥 • 가옥의 규모가 크고, 폭설에 대비하기 위해 지붕의 경사가 급함
고상 가옥	• 동남아시아 열대 기후 지역의 전통 가옥 • 지면의 열기를 피하고 해충의 침입을 막기 위해 가옥을 높이 올려 지음 • 집중 호우에 대비하기 위해 지붕의 경사가 급하고, 통풍을 위해 창을 크게 만듦

---

⑤ 벼의 2기작

일 년에 벼를 두 번 재배하는 것을 말한다. 겨울이 온난한 동남아시아와 남부 아시아의 저위도 지역에서는 연중 벼를 재배하는 것이 가능하다.

⑥ 유목

동아시아 내륙에 위치한 몽골은 건조 기후가 나타나 농업 활동에 불리하여 유목 생활을 하는 주민들이 많다. 겨울에는 차가운 북풍을 막기 위해 산록의 남쪽 골짜기에서 생활하며 여름에는 하천과 가까운 곳으로 이동한다.

⑦ 계단식 논

신기 조산대에 속하는 인도네시아와 필리핀에는 산지의 비중이 평야보다 높다. 경사가 급한 산지의 경우 지형의 불리함을 극복하기 위해 전통적으로 계단식 논을 조성해 벼농사를 짓는 경우가 많다.

고득점을 위한 셀파 Tip

몬순 아시아의 주민 생활

전통 의복	여름철 더위와 습도를 극복하기 위한 얇은 옷, 겨울철 추위를 막기 위한 두꺼운 옷
전통 음식	쌀로 만든 음식 발달 ⑩ 떡, 초밥, 퍼 등
전통 가옥	겨울철 추위와 여름철 더위에 대비한 가옥, 폭설 피해에 대비한 가옥, 통풍이 잘되는 개방적인 가옥 구조

---

⑧ 쌀의 품종

쌀의 품종은 모양이 둥글고 점성이 높은 자포니카종과 모양이 길쭉하고 점성이 낮은 인디카종으로 구분된다. 자포니카종은 밥을 지으면 잘 뭉쳐져 젓가락이나 숟가락을 사용하고 죽이나 떡을 만들어 먹는다. 인디카종은 점성이 낮아 손으로 먹는 경우가 많고 기름에 볶거나 면으로 만들어 먹는다.

⑨ 수유차

수유는 야크, 양, 소의 젖을 끓인 후 식혔을 때 생긴 지방 덩어리를 뜻한다. 수유에 찻잎을 섞어 끓여 낸 차가 수유차이다.

자료 **03** 공통 자료 　몬순 아시아 지역의 전통 음식

▲ 퍼(베트남)

▲ 나시고렝(인도네시아)

▲ 스시(일본)

▲ 탈리 정식(인도)

자료 분석 | 퍼는 육수에 쌀로 만든 국수, 고기를 넣고 기호에 따라 다양한 소스를 곁들여 먹는 베트남의 전통 음식이다. 넓고 깊은 그릇에 쌀국수와 편육, 고수, 파 등을 얹고 따뜻한 육수를 부어서 먹는 것이 특징이다. 나시고렝은 인도네시아식 볶음밥으로 '나시'는 밥, '고렝'은 볶는 행위를 뜻한다. 전통적으로 가정에서 전날에 남은 식재료를 활용해 아침을 만들어 먹는 습관에서 비롯한 음식으로 전해진다. 스시(초밥)는 소금과 식초, 설탕으로 간을 한 밥 위에 얇게 저민 생선이나 김, 달걀, 채소 등을 얹거나 말아서 먹는 일본의 대표 음식이다. 탈리 정식은 인도의 대표적인 음식이다. '탈리'는 큰 접시라는 뜻으로, 주로 찰기가 없는 쌀밥과 콩으로 만든 수프, 카레, 요구르트 등으로 구성된다. 인도에서는 이처럼 큰 접시에 여러 음식을 한꺼번에 즐기는 것을 만찬으로 여긴다.

자료 **04** 　몬순 아시아 지역의 전통 가옥

▲ 사합원(중국 화북 지방)

▲ 합장 가옥(일본)

▲ 고상 가옥

▲ 수상 가옥(미얀마)

자료 분석 | 사합원은 중국 화북 지방의 전통 가옥으로 구조가 폐쇄적이다. 겨울철 추위를 막기 위해 남쪽에 문을 만든다. 합장 가옥은 폭설이 내리는 기후를 극복하기 위해 삼각형 모양으로 급경사의 지붕을 만드는 것이 특징적이다. 일본의 눈이 많이 내리는 지역에서는 이러한 가옥 구조가 나타나는 경우가 많다. 고상 가옥은 바닥을 지면에서 띄운 것으로, 바람이 잘 통하고 땅에서 전달되는 열기와 습기를 피할 수 있는 구조이다. 수상 가옥은 주로 호수나 하천 주변에 짓는다. 계절풍에 따른 우기시 불어난 하천 물을 예상하여 높게 올려 지은 것이 특징이다.

● 교과서 탐구 풀이

Q 사합원, 합장 가옥, 고상 가옥, 수상 가옥의 특징을 기후와 연관지어 설명해 보자.

A 사합원은 가장 고위도에 위치한 전통 가옥으로 겨울철 차가운 북서 계절풍에 대비하기 위해 가옥의 구조가 폐쇄적이다. 합장 가옥은 겨울철 많은 강설량에 대비하기 위해 지붕의 경사를 급하게 만들었다. 고상 가옥은 저위도 지역의 덥고 습한 기후 조건을 피하기 위해 개방적인 구조가 나타난다. 수상 가옥은 여름철 불어나는 하천 수위에 대비해 집을 높게 올려 지었다. 사합원과 고상 가옥은 기온, 합장 가옥과 수상 가옥은 강수적 요인으로 가옥 구조의 특징이 차별적으로 나타난다.

1 몬순 아시아의 자연환경

기후	• 여름: 해양에서 대륙으로 부는 바람 → 고온 다습, 우기 • 겨울: 대륙에서 해양으로 부는 바람 → 한랭 건조, 건기
지형	• 산맥과 고원: 인도 북부의 히말라야산맥, 일본 열도의 신기 습곡 산지 • 화산: 알프스-히말라야 및 환태평양 조산대의 영향으로 화산과 지진이 빈번함, 인도네시아·필리핀·일본 등 • 대하천과 충적 평야: 세계적인 규모의 대하천 발달

2 몬순 아시아의 농업적 토지 이용과 특색

(❶)	하천 주변의 비옥한 충적지에서 잘 재배됨
(❷)	중국의 창장강 이남, 인도 북동부, 스리랑카 재배 지역
커피	아열대 환경에서 주로 (❸)의 형태로 재배함
목화	인도의 데칸고원, 중국 화중 지방에서 주로 재배함
지역별 농업 특색	• 중국: 화남 지방 벼농사, 화북 지방 밭농사 • 동아시아 내륙: 유목, 관개 농업, 오아시스 농업 발달 • 동남아시아: 충적 평야에서 벼의 (❹) 이상 가능 • 인도네시아, 필리핀의 산지 지역: (❺) 논 조성

3 몬순 아시아의 전통 생활 모습

전통 의복	• 여름철 더위와 높은 습도를 극복하는 의복 제작 • 주변에서 구하기 쉬운 재료로 의복 제작 • 중국의 (❻), 베트남의 (❼), 미얀마의 론지 등
전통 음식	• 동아시아: 찰기가 있는 쌀로 만든 음식 문화 발달 ⑩ 우리나라의 떡, 일본의 (❽) 등 • 동남 및 남부 아시아: 찰기가 적은 쌀과 향신료 사용 ⑩ 베트남의 쌀국수, 인도네시아의 (❾), 인도의 탈리 정식 등 • 산지 및 고원 지역: 유목을 통해 얻은 고기와 젖 사용 ⑩ 시짱(티베트) 지역의 수유차 등
전통 가옥	• (❿): 중국 화북 지방의 전통 가옥, 방어 및 겨울철 추위 대비에 유리한 폐쇄적인 가옥 구조 • 합장 가옥: 일본의 주요 다설 지역의 전통 가옥, 폭설에 대비하기 위해 지붕의 경사가 (⓫) • 고상 가옥: 지면의 열기 및 해충 대비를 위해 가옥을 높이 올려 지음, 집중 호우에 대비하기 위해 지붕의 경사가 급함 • 수상 가옥: 호수나 하천 주변에 나무 기둥을 높게 세워 지음

정답 ❶쌀 ❷차 ❸플랜테이션 ❹2기작 ❺계단식 ❻치파오 ❼아오자이 ❽초밥 ❾나시고렝 ❿사합원 ⓫급함

탄탄 내신 문제

★ **01** 지도는 몬순 아시아 지역의 풍향과 강수량을 나타낸 것이다. 이에 대한 옳은 설명만을 〈보기〉에서 고른 것은?

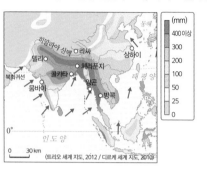

(트리오 세계 지도, 2012 / 디르케 세계 지도, 2010)

| 보기 |

ㄱ. 기온이 낮고 강수량이 적다.
ㄴ. 벼농사가 활발하게 이루어진다.
ㄷ. 바람은 대륙에서 해양을 향해 불어간다.
ㄹ. 바람은 대륙과 해양의 비열 차이로 발생한다.

① ㄱ, ㄴ   ② ㄱ, ㄷ   ③ ㄴ, ㄷ
④ ㄴ, ㄹ   ⑤ ㄷ, ㄹ

02 지도는 몬순 아시아의 주요 지형을 나타낸 것이다. A~D에 대한 옳은 설명만을 〈보기〉에서 고른 것은?

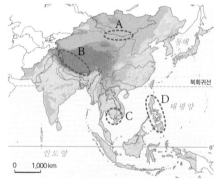

| 보기 |

ㄱ. A에서는 커피 플랜테이션이 활발하다.
ㄴ. B는 신기 습곡 산지이다.
ㄷ. C 하천 유역에서는 벼농사가 활발하다.
ㄹ. D는 고기 습곡 산지이다.

① ㄱ, ㄴ   ② ㄱ, ㄷ   ③ ㄴ, ㄷ
④ ㄴ, ㄹ   ⑤ ㄷ, ㄹ

| 딱풀 p.30

03 지도는 몬순 아시아의 토지 이용을 나타낸 것이다. A~D에 대한 옳은 설명만을 〈보기〉에서 고른 것은?

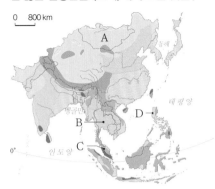

0   800 km

> **보기**
> ㄱ. A에서는 벼의 2기작이 가능하다.
> ㄴ. B에는 유목이 발달해 있다.
> ㄷ. C에는 대규모의 천연고무 농장이 발달해 있다.
> ㄹ. D에는 대규모의 계단식 논이 조성되어 있다.

① ㄱ, ㄴ   ② ㄱ, ㄷ   ③ ㄴ, ㄷ
④ ㄴ, ㄹ   ⑤ ㄷ, ㄹ

04 자료에 해당하는 지표로 가장 적절한 것은?

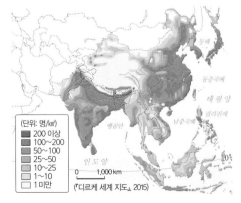

(단위: 명/㎢)
■ 200 이상
■ 100~200
■ 50~100
■ 25~50
■ 10~25
□ 1~10
□ 1 미만

(『디르케 세계 지도』, 2015)
0   1,000 km

① 연 강수량   ② 인구 밀도   ③ 쌀 생산량
④ 해발 고도   ⑤ 1인당 국내 총생산

05 몬순 아시아의 지형 특징에 대한 옳은 설명만을 찾아 'O'를 표시한 학생을 고른 것은?

특징 \ 학생	갑	을	병	정	무
인도 북부 지역의 히말라야산맥은 대륙판과 대륙판의 경계에 해당한다.	○			○	○
일본 열도는 비교적 지반이 안정된 고기 습곡 산지에 해당한다.		○	○	○	
티베트고원은 문물 교류에 장애물로 작용하여 문화권의 경계를 이룬다.	○		○		○
대하천 주변의 범람원 지역에는 여름철 몬순의 영향으로 충적 평야가 발달한다.		○		○	○

① 갑   ② 을   ③ 병   ④ 정   ⑤ 무

06 (가)~(다)에서 설명하는 작물로 옳은 것은?

(가)	주로 하천 주변의 비옥한 충적 평야에서 재배된다. 몬순 아시아의 대부분 지역은 이 작물을 주식으로 삼는다.
(나)	높은 기온, 많은 강수량, 원활한 배수 조건을 갖춘 곳에서 잘 자란다. 중국의 창장강 이남, 스리랑카 등지가 대표적인 재배 지역이다.
(다)	주로 아열대 환경에서 플랜테이션의 형태로 재배한다. 베트남, 인도네시아 등지에서 이 작물의 재배가 활발하다.

	(가)	(나)	(다)
①	쌀	차	커피
②	쌀	커피	차
③	차	쌀	커피
④	차	커피	쌀
⑤	커피	차	쌀

07 다음 글의 ⊙~ⓔ에 대한 옳은 설명만을 〈보기〉에서 있는 대로 고른 것은?

> ⊙ 몬순 아시아는 계절풍의 영향을 받는 ⓛ 유라시아 대륙 동안의 남부 아시아, 동남아시아, ⓒ 동아시아에 해당하는 지역이다. 몬순 아시아에서 나타나는 계절풍은 다른 대륙보다 영향을 끼치는 범위가 넓고, ⓔ 계절에 따라 풍향 차이가 뚜렷하게 나타난다.

┤ 보기 ├
ㄱ. ⊙ – '바람'이라는 뜻의 아랍어에서 유래하였다.
ㄴ. ⓛ – 유라시아 대륙 서안보다 기온의 연교차가 크다.
ㄷ. ⓒ – 대표적인 국가로 인도, 네팔, 스리랑카 등이 있다.
ㄹ. ⓔ – 여름에는 남풍, 겨울에는 북풍 계열의 바람이 분다.

① ㄱ, ㄷ   ② ㄱ, ㄹ   ③ ㄴ, ㄹ
④ ㄱ, ㄴ, ㄹ   ⑤ ㄴ, ㄷ, ㄹ

08 (가)~(다) 전통 음식에 대한 옳은 설명만을 〈보기〉에서 있는 대로 고른 것은?

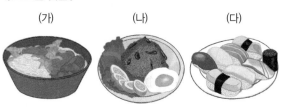

(가)   (나)   (다)

┤ 보기 ├
ㄱ. (가)는 육수에 쌀로 만든 국수를 넣어 먹는 음식이다.
ㄴ. (나)는 베트남식 국수로 면을 볶아서 밥과 비벼 먹는다.
ㄷ. (다)는 인도의 대표 음식이다.
ㄹ. (가) 음식을 먹는 국가는 (다) 음식을 먹는 국가보다 저위도에 위치한다.

① ㄱ, ㄷ   ② ㄱ, ㄹ   ③ ㄴ, ㄹ
④ ㄱ, ㄴ, ㄹ   ⑤ ㄴ, ㄷ, ㄹ

09 지도의 A~D 지형에 대한 옳은 설명만을 〈보기〉에서 고른 것은?

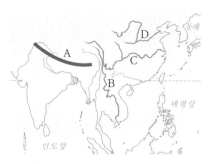

┤ 보기 ├
ㄱ. A는 지각이 두꺼워 지진보다 화산이 활발한 편이다.
ㄴ. B는 국제 하천이다.
ㄷ. C 유역에는 고대 문명의 발상지가 있다.
ㄹ. C 유역은 D 유역보다 단위 면적당 벼 생산량이 많다.

① ㄱ, ㄴ   ② ㄱ, ㄷ   ③ ㄴ, ㄷ
④ ㄴ, ㄹ   ⑤ ㄷ, ㄹ

10 지도의 A~E 국가에 대한 옳은 설명만을 〈보기〉에서 있는 대로 고른 것은?

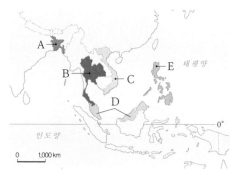

┤ 보기 ├
ㄱ. A는 여름 계절풍의 영향으로 홍수 피해가 잦다.
ㄴ. B, C에서는 벼의 2기작이 가능하다.
ㄷ. E에는 대규모의 계단식 논이 조성되어 있다.
ㄹ. C, D, E에서는 전통 의복인 치파오를 입는다.

① ㄱ, ㄷ   ② ㄱ, ㄹ   ③ ㄴ, ㄹ
④ ㄱ, ㄴ, ㄷ   ⑤ ㄴ, ㄷ, ㄹ

11 지도의 A~F에 대한 옳은 설명만을 〈보기〉에서 고른 것은?

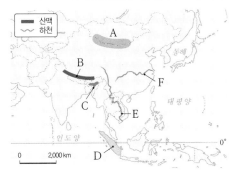

┌ 보기 ├
ㄱ. A는 세계적인 벼농사 지대이다.
ㄴ. B는 신기 습곡 산지에 해당한다.
ㄷ. C, D는 지형 조건상 소우지에 해당한다.
ㄹ. E, F는 충적 평야가 발달한 대하천이다.

① ㄱ, ㄴ   ② ㄱ, ㄷ   ③ ㄴ, ㄷ
④ ㄴ, ㄹ   ⑤ ㄷ, ㄹ

13 지도의 A~C 작물에 대한 옳은 설명만을 〈보기〉에서 고른 것은? (단, A~C는 쌀, 차, 커피 중 하나임.)

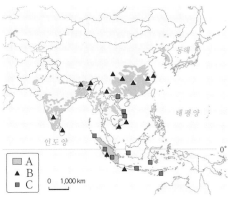

┌ 보기 ├
ㄱ. A는 주로 강수량이 적고 기온이 낮은 지역에서 재배한다.
ㄴ. B는 주로 잎을 가공하여 음료로 마신다.
ㄷ. C는 세계에서 중국의 생산량이 가장 많다.
ㄹ. A는 B, C보다 대체로 생산지와 소비지가 일치한다.

① ㄱ, ㄴ   ② ㄱ, ㄷ   ③ ㄴ, ㄷ
④ ㄴ, ㄹ   ⑤ ㄷ, ㄹ

12 (가), (나)는 몬순 아시아 지역의 축제를 설명한 글이다. 축제가 열리는 국가를 지도의 A~D에서 고른 것은?

(가)	(나)
새해 첫날을 축하하며 국가 전역에서 송끄란 축제가 열린다. 죄와 불운을 씻고 축복을 기원하는 뜻으로 서로에게 물을 뿌린다.	여름 계절풍이 끝나가는 11월 즈음에는 본옴뚝 축제가 열린다. 이 국가의 3대 명절 중 하나로, 보트 경기 등을 통해 주민들의 단결심을 높인다.

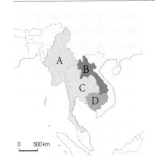

	(가)	(나)
①	A	C
②	A	D
③	B	A
④	B	C
⑤	C	D

14 자료는 몬순 아시아에 속하는 두 국가의 전통 의상에 관한 것이다. (가), (나) 국가에 대한 옳은 설명만을 〈보기〉에서 고른 것은?

(가)	(나)
'사리'는 여성복, '도티'는 남성복이다.	'아오'는 '옷', '자이'는 '길다'라는 뜻이다.

┌ 보기 ├
ㄱ. (가)는 동남아시아에 속한다.
ㄴ. (가)의 국토 전역은 건조 기후에 속한다.
ㄷ. (나)는 세계적인 커피 생산국 중 하나다.
ㄹ. (가)의 수도는 (나)의 수도보다 고위도에 위치한다.

① ㄱ, ㄴ   ② ㄱ, ㄷ   ③ ㄴ, ㄷ
④ ㄴ, ㄹ   ⑤ ㄷ, ㄹ

15 (가), (나)는 몬순 아시아에 위치한 두 지역의 전통 가옥이다. (가) 지역에 대한 (나) 지역의 상대적 특징을 그림의 A~E에서 고른 것은?

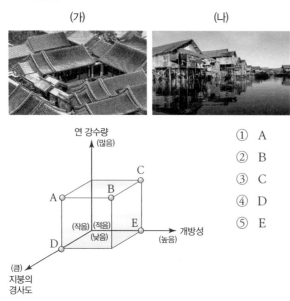

(가)　　　　(나)

① A
② B
③ C
④ D
⑤ E

16 다음 글은 '몬순 아시아의 전통 의복'에 대한 수업 내용을 정리한 것이다. (가), (나) 국가에서 나타나는 공통적인 지리적 특색으로 옳은 것은?

〈몬순 아시아의 전통 의복〉
　　몬순 아시아의 전통 의복은 여름철 더위와 높은 습도를 극복하기에 유리한 조건으로 만들어진다. 대체로 많은 국가에서 주변에서 구하기 쉬운 재료로 의복을 제작하며, 사회 및 경제적 영향으로 지역마다 의복이 다양하게 나타난다. 중국의 치파오, 　(가)　의 아오자이, 미얀마의 론지, 　(나)　의 바롱 등은 이들 의복의 다양성을 나타낸다.

① 화산과 지진이 빈번하다.
② 겨울철 눈이 많이 내린다.
③ 대다수 국민은 불교를 신봉한다.
④ 세계적인 규모의 대하천이 국토를 통과한다.
⑤ 여름철 계절풍의 영향으로 벼농사가 가능하다.

17 자료는 세계지리 수업에서 학생이 작성한 평가지이다. 질문에 대한 답을 옳게 표시한 것만을 고른 것은?

주제명: 몬순 아시아 지역의 대하천
△학년 □반 이름: ○○○

※자료를 참고하여 옳은 진술이면 '예', 틀린 진술이면 '아니오'에 ✔표를 하시오.

질문 1: A는 국제 하천이다.
예 ✔ 아니요 □ ·············· ㉠
질문 2: B 유역에서는 벼의 2기작이 가능하다.
예 □ 아니요 ✔ ·············· ㉡
질문 3: C의 하구에는 대규모의 삼각주가 발달해 있다.
예 ✔ 아니요 □ ·············· ㉢
질문 4: D 유역의 평야에서는 주로 커피를 재배한다.
예 ✔ 아니요 □ ·············· ㉣

① ㉠, ㉡　　② ㉠, ㉢　　③ ㉡, ㉢
④ ㉡, ㉣　　⑤ ㉢, ㉣

18 (가) 국가에 대한 설명으로 옳지 않은 것은?

(가) 국가의 전통 음식
　탈리 정식은 (가) 국가의 대표적인 음식이다. '탈리'는 큰 접시라는 뜻으로, 주로 찰기가 없는 쌀밥과 콩으로 만든 수프, 카레, 요구르트 등으로 구성된다.

① (가)는 세계에서 두 번째로 인구가 많은 국가이다.
② 대하천 갠지스강 하류에는 벼농사 지역이 발달해 있다.
③ 겨울철에는 계절풍의 영향으로 전국적으로 강수량이 많다.
④ 대부분 국민은 종교적인 이유로 소고기 섭취를 금기시한다.
⑤ 지형성 강수를 이용한 세계적 규모의 차 재배 지역이 나타난다.

서술형 문제

19 자료는 인도반도 일대의 지형과 강수량을 나타낸 것이다. 이를 보고 물음에 답하시오.

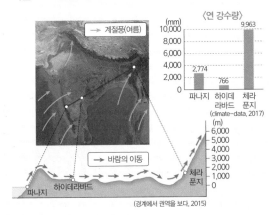

(1) 체라푼지 지역에서 나타나는 강수 유형을 쓰시오.

(2) 체라푼지의 강수량이 월등히 많은 까닭을 서술하시오.

20 사진은 필리핀에서 볼 수 있는 농경지 모습이다. 이를 보고 물음에 답하시오.

(1) 사진과 같이 산골짜기를 따라 나타나는 농경지를 무엇이라 하는지 쓰시오.

(2) 필리핀이나 인도네시아 등지에 사진과 같은 농경지가 발달한 까닭을 서술하시오.

21 (가), (나) 국가의 전통 음식에 관한 글을 보고 물음에 답하시오. (단, (가), (나)는 베트남의 고이 꾸온, 인도의 카레 중 하나임.)

(가)	(나)
이 음식은 쌀로 만든 얇은 피에 돼지고기, 새우, 채소 등을 싸 먹는 음식으로 쌀 요리의 부족한 영양소를 채우기에 좋은 음식이다.	이 음식은 향신료가 많이 들어간다. 향신료는 육류와 생선의 누린내와 비린내를 잡아 주며 소화를 돕고 살균과 천연 방부제 역할을 한다.

(1) (가), (나) 국가의 전통 음식을 쓰시오.

(2) (가), (나) 음식이 발달한 까닭을 자연환경과 관련지어 서술하시오.

22 사진은 중국 화북 지방과 일본 다설 지역의 전통 가옥이다. 이를 보고 물음에 답하시오.

(가)　　　　　　　(나)

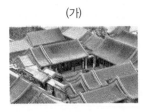

(1) (가), (나) 전통 가옥의 이름을 쓰시오.

(2) (가), (나) 전통 가옥의 특징을 각각 한 가지 서술하시오.

| 평가원 응용 |

01 자료의 ㈀~㈃에 대한 옳은 설명만을 〈보기〉에서 있는 대로 고른 것은?

몬순 아시아에는 해발 고도가 높은 산맥과 고원이 곳곳에 분포하고 있다. 인도와 중국의 접경 지대에는 ㈀ 히말라야산맥과 티베트고원이 분포하고 있는데, 이들 지형은 문물 교류에 장애물로 작용하여 ㈁ 문화권의 경계를 이루고 있다. ㈂ 인도네시아, 필리핀, 일본 등이 속한 지각판 경계에서는 다양한 화산 지형이 나타난다. 이 지역은 화산 폭발 위험에도 불구하고 ㈃ 많은 사람이 농업에 종사하고 있다.

┤ 보기 ├

ㄱ. ㈀ – 대륙판과 대륙판의 경계부에 해당한다.

ㄴ. ㈁ – ㈀은 주로 동남아시아와 동아시아 문화권의 경계를 이룬다.

ㄷ. ㈂ – 대부분 지역이 환태평양 조산대에 속한다.

ㄹ. ㈃ – 화산재로 인해 토양의 비옥도가 높기 때문이다.

① ㄱ, ㄴ   ② ㄱ, ㄹ   ③ ㄴ, ㄷ

④ ㄱ, ㄷ, ㄹ   ⑤ ㄴ, ㄷ, ㄹ

| 평가원 기출 |

02 (가), (나)에 해당하는 하천을 지도의 A~D에서 고른 것은?

(가) 이 하천은 벵골만으로 흘러드는 하천으로, 힌두교도의 성지로 추앙받는다. 히말라야산맥에서 발원해 흐르며 바다와 만나는 구간에는 대규모의 충적 평야가 발달해 있다.

(나) 이 하천은 황해로 흘러드는 하천으로, 하천의 하류 지역에는 대규모의 충적 평야가 펼쳐져 있다. 충적 평야에서는 벼의 2기작을 하거나, 인구가 밀집된 대도시가 입지해 있다.

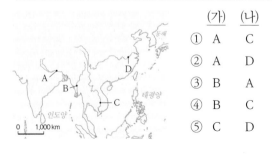

	(가)	(나)
①	A	C
②	A	D
③	B	A
④	B	C
⑤	C	D

| 교육청 기출 |

03 자료의 ㈀~㈃에 대한 설명으로 옳지 않은 것은?

- 자연환경: 인도 북쪽에는 ㈀ 히말라야산맥이 있고, 인도양으로 흘러가는 ㈁ 갠지스강 드넓은 충적 평야가 있다.
- 인문환경: ㈂ 세계에서 인구가 두 번째로 많은 국가이며 다양한 언어를 사용한다. ㈃ 정보 기술 산업 관련 다국적 기업의 진출이 활발하다.
- 지역화 전략: 인도의 다양한 문화와 역동적인 삶을 반영한 '인크레더블 인디아'라는 지역 브랜드로 국가를 홍보하고 있다. 다르질링 차, 이카트·칸치푸람 실크 등이 ㉢ 에 등록되어 있다.

① ㈀ – 신생대 조산 운동으로 형성되었다.

② ㈁ – 벼농사가 활발하게 이루어진다.

③ ㈂ – 출산 장려 정책을 적극적으로 시행하고 있다.

④ ㈃ – 영어에 능통한 전문 인력이 풍부한 것이 한 요인이다.

⑤ ㉢ – '지리적 표시제'가 들어갈 수 있다.

| 평가원 기출 |

04 (가), (나) 축제가 열리는 국가를 지도의 A~D에서 고른 것은?

(가)	(나)
우기 직전에 풍년을 기원하는 축제이다. 종교적 상징물을 물로 씻고, 서로에게 물을 뿌리는 행위가 축제로 발전한 것이다.	여러 신들 중 크리슈나와 라다가 색을 칠하고 놀았던 것에서 유래한 축제이다. 봄이 오는 것을 기념하는 '색채의 축제'이기도 하다.

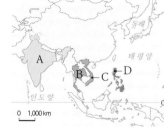

	(가)	(나)
①	A	C
②	A	D
③	B	A
④	B	C
⑤	C	D

| 교육청 기출 |

05 (가)~(다)에 해당하는 국가를 지도의 A~E에서 고른 것은?

국가	특징
(가)	인도차이나 반도에 위치한 국가로, 커피의 주요 생산국이자 수출국이다. 주민들은 쌀로 만든 국수를 육수에 넣어 만든 '퍼'를 즐겨 먹고, 전통 의상으로 '아오자이'가 있다.
(나)	태평양에 위치한 섬나라로, 대표적인 음식으로는 쌀밥 위에 해산물 등을 얹어 만든 '스시'가 있다. 이 국가의 서북부 지역은 북서 계절풍에 의한 폭설에 대비하기 위해 경사가 가파른 지붕의 전통 가옥이 나타난다.
(다)	인도양에 위치한 섬나라로, 고온 다습한 계절풍의 영향을 받아 차(茶) 재배가 활발하며 세계적인 차 수출국이다. 이 국가에서 생산된 홍차는 섬의 이름을 따 '실론 차'라고도 부른다.

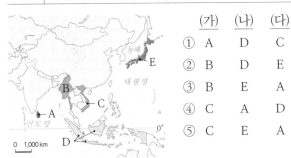

	(가)	(나)	(다)
①	A	D	C
②	B	D	E
③	B	E	A
④	C	A	D
⑤	C	E	A

| 평가원 기출 |

06 그래프는 어느 작물의 세계 총 생산량에 대한 국가별 생산 비율을 나타낸 것이다. 해당 작물에 대한 옳은 설명만을 〈보기〉에서 고른 것은?

(2017)

┌─ 보기 ─
ㄱ. 기원지는 아프리카이다.
ㄴ. 대부분 생산국에서 최종 제품으로 가공된다.
ㄷ. 열매의 씨앗을 볶아 음료를 만드는 데 이용된다.
ㄹ. 지형성 강수가 탁월한 경사 지역이 재배에 유리하다.

① ㄱ, ㄴ   ② ㄱ, ㄷ   ③ ㄴ, ㄷ
④ ㄴ, ㄹ   ⑤ ㄷ, ㄹ

| 교육청 기출 |

07 자료의 ㉠~㉣에 대한 설명으로 옳지 않은 것은?

베트남의 대표적인 음식은 '퍼'이다. 퍼는 사골 육수에 ㉠ 쌀로 만든 면과 고기를 넣고 기호에 따라 칠리소스, 라임즙, 고수, 느억맘 등을 곁들여 먹는 국수 요리이다. '퍼 보'는 ㉡ 소고기, '퍼 가'는 닭고기, '퍼 헤어'는 ㉢ 돼지고기가 들어가는 쌀국수이다. 프랑스 문화의 영향을 받은 음식도 있는데, ㉣ 밀가루가 주재료인 바게트로 만든 샌드위치인 '바인 미'가 대표적이다.

① ㉠은 계절풍 기후 지역의 충적 평야에서 주로 재배된다.
② ㉡의 기업적 목축은 아시아보다 아메리카에서 활발하다.
③ ㉢의 육류를 가장 많이 소비하는 국가는 중국이다.
④ ㉡은 ㉢보다 가죽 제품의 원료로 많이 사용된다.
⑤ ㉣은 ㉠보다 단위 면적당 생산량이 많다.

| 교육청 기출 |

08 자료는 세 지역의 전통 음식 문화에 대한 것이다. (가)~(다) 지역을 지도의 A~C에서 고른 것은?

(가)	(나)	(다)
바다와 인접하여 생선 요리가 많음. 소금, 식초, 설탕 등으로 간을 한 밥 위에 얇게 저민 생선을 얹은 초밥이 유명함.	고온 다습한 기후 환경의 영향으로 향신료를 사용한 요리가 많음. 매콤하고 새콤하고 짭짤한 볶음밥인 나시고렝이 유명함.	한랭한 이 지역에서는 강한 불로 조리하는 요리가 많음. 달콤한 양념을 발라 장작불로 구운 오리구이가 유명함.

	(가)	(나)	(다)
①	A	B	C
②	A	C	B
③	B	A	C
④	B	C	A
⑤	C	A	B

| 평가원 기출 |

09 자료는 세계의 요리에 대한 인터넷 게시글의 일부이다. (가)~(다)에 대한 옳은 설명만을 〈보기〉에서 고른 것은?

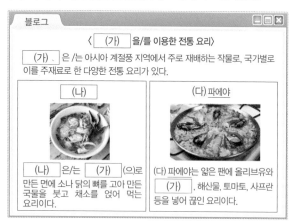

블로그

〈 (가) 을/를 이용한 전통 요리〉

(가) 은/는 아시아 계절풍 지역에서 주로 재배하는 작물로, 국가별로 이를 주재료로 한 다양한 전통 요리가 있다.

(나)

(다) 파에야

(나) 은/는 (가) (으)로 만든 면에 소나 닭의 뼈를 고아 만든 국물을 붓고 채소를 얹어 먹는 요리이다.

(다) 파에야는 얇은 팬에 올리브유와 (가) , 해산물, 토마토, 사프란 등을 넣어 끓인 요리이다.

┤ 보기 ├

ㄱ. (가)는 3대 식량 작물 중 국제 이동량이 가장 적다.

ㄴ. (나)는 베트남을 대표하는 요리 중 하나이다.

ㄷ. (다)가 유래된 국가에서는 전통적으로 포크보다 젓가락을 많이 사용한다.

ㄹ. (다)는 (가)의 재배에 적합한 고온 다습한 기후 지역에서 기원한 요리이다.

① ㄱ, ㄴ ② ㄱ, ㄷ ③ ㄴ, ㄷ

④ ㄴ, ㄹ ⑤ ㄷ, ㄹ

| 평가원 기출 |

11 자료는 두 지역의 음식을 설명한 것이다. (가) 지역에 대한 (나) 지역의 상대적 특징을 그림의 A~E에서 고른 것은?

(가) 나르시막은 코코넛 밀크를 넣고 지은 쌀밥이다. 삼발 소스(고추, 양파, 소금, 설탕 등으로 만든 매운 양념)나 고기 등을 넣어 뭉쳐 먹는데 바나나 잎으로 싸서 팔기도 한다.

(나) 참파는 보리, 완두, 귀리 등의 곡물가루를 야크 버터와 차(茶)에 섞어 먹는 음식이다. 땔감을 구하기 어려운 지역에서 쉽게 조리할 수 있고 휴대가 간편하여 많은 사람이 즐겨 먹는다.

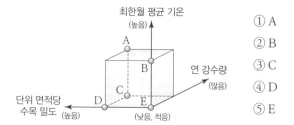

① A
② B
③ C
④ D
⑤ E

| 평가원 변형 |

10 자료는 몬순 아시아 음식 문화 체험에 대한 대화이다. (가), (나)에 대한 옳은 설명만을 〈보기〉에서 고른 것은?

가족들과 타이 식당에 가서 시큼하고 매운 국물에 새우가 들어간 (가) 음식을 먹었는데, 맛이 특이해서 입맛이 확 살아났어.

부모님과 함께 일본에 가서 먹었던 (나) 음식은 찰기가 많고 쌀알이 짧은 쌀을 이용한 음식이었어. 한입에 쏙 들어갈 정도의 알맞은 크기가 매우 마음에 들었어.

┤ 보기 ├

ㄱ. (가)는 이동식 화전 농업을 하는 지역에서 유래되었다.

ㄴ. (가)가 유래한 지역에서는 종교적으로 돼지고기를 금기시한다.

ㄷ. (나)가 유래한 지역에서는 화산과 지진이 빈번하다.

ㄹ. (가)는 (나)보다 저위도에 위치한다.

① ㄱ, ㄴ ② ㄱ, ㄷ ③ ㄴ, ㄷ

④ ㄴ, ㄹ ⑤ ㄷ, ㄹ

| 교육청 기출 |

12 사진은 몬순 아시아에 위치한 세 지역의 전통 가옥이다. (가)~(다)에 대한 옳은 설명만을 〈보기〉에서 고른 것은?

(가)   (나)   (다)

 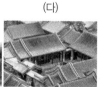

▲ 인도네시아 루마 아닷   ▲ 일본 갓쇼 가옥   ▲ 중국 사합원

┤ 보기 ├

ㄱ. (가)는 고상 가옥으로 지면의 열과 습기 차단에 유리하다.

ㄴ. (나)의 급경사 지붕은 주로 겨울철 다설에 대비한 시설이다.

ㄷ. (가) 분포 지역은 (나) 분포 지역보다 기온의 연교차가 크다.

ㄹ. (가)는 (다)보다 가옥의 구조가 폐쇄적이다.

① ㄱ, ㄴ ② ㄱ, ㄷ ③ ㄴ, ㄷ

④ ㄴ, ㄹ ⑤ ㄷ, ㄹ

| 교육청 기출 |

13 다음은 세계지리 비대면 수업 장면이다. 교사의 질문에 옳게 답한 학생만을 고른 것은?

교사: 사진은 몬순 아시아의 전통 가옥입니다. (가), (나)의 특징은 무엇일까요?

(가) 말레이시아의 고상 가옥

갑: (가)는 지면에서 올라오는 열과 습기를 차단하기에 유리합니다.

을: (나)는 눈이 쉽게 흘러내리도록 지붕의 경사가 급합니다.

(나) 일본의 합장 가옥

병: (가) 분포 지역은 (나) 분포 지역보다 기온의 연교차가 큽니다.

정: (가)는 폐쇄적, (나)는 개방적인 구조가 나타납니다.

① 갑, 을 ② 갑, 병 ③ 을, 병
④ 을, 정 ⑤ 병, 정

| 평가원 기출 |

14 자료의 (가)~(다) 전통 가옥에 대한 옳은 설명만을 〈보기〉에서 고른 것은?

(가)   (나)   (다)

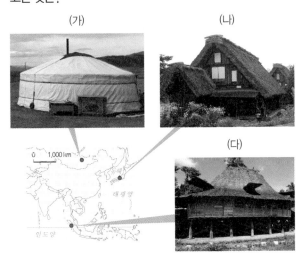

0 1,000 km

태평양

인도양

▌보기 ▌
ㄱ. (나)의 지붕 형태는 대설을 대비하기 위한 것이다.
ㄴ. (다)는 지면의 열과 습기를 피하기 위한 고상 가옥이다.
ㄷ. (가)는 (다)보다 통풍에 유리한 가옥 구조이다.
ㄹ. (나)는 (가)보다 유목 생활에 용이하다.

① ㄱ, ㄴ ② ㄱ, ㄷ ③ ㄴ, ㄷ
④ ㄴ, ㄹ ⑤ ㄷ, ㄹ

| 교육청 기출 |

15 자료는 낱말 맞추기의 일부이다. (가)에 들어갈 내용으로 가장 적절한 것은?

〈몬순 아시아의 자연환경과 주민 생활〉

〈세로 열쇠〉
㉠ 식초로 간을 한 밥에 어패류 등을 얹은 일본 전통 요리인 초밥
㉡ _____ (가)
㉢ '긴 강(長江)'이라는 뜻의 중국 중부 지방의 강 이름, '양쯔강'이라고도 함

〈가로 열쇠〉
❶ 다양한 재료와 향신료를 사용하여 만든 인도네시아의 전통 볶음밥 요리
❷ 폭설에 대비하기 위한 급경사 지붕이 있는 일본 기후현의 전통 가옥

① '긴 옷'이라는 뜻을 가진 베트남 전통 여성복
② 물 위에 지어 이동과 물고기 잡이에 유리한 전통 가옥
③ 바느질하지 않은 긴 천으로 몸을 감싸는 인도 전통 여성복
④ 습기와 해충을 막기 위해 바닥을 지면에서 띄운 전통 가옥
⑤ '□' 형태의 폐쇄적 구조를 가진 중국 화북 지방의 전통 가옥

02 주요 자원의 분포와 산업 구조 및 민족(인종) · 종교의 다양성과 지역 갈등

1 주요 자원의 분포 및 이동과 산업 구조

1. 주요 자원의 분포 자료 01

(1) 중국

① 에너지 자원(석탄, 석유, 천연가스 등)과 광물 자원(철광석, 구리, 희토류❶ 등)의 매장량이 많음

└ 제철 공업의 핵심 원료는 철광석과 석탄(역청탄)으로, 두 자원을 손쉽게 조달할 수 있는 곳은 세계적인 제철 공업 단지를 이룸

② 급격한 산업화로 에너지 소비량이 급증하자 해외 에너지 자원 개척에 적극적임

★(2) 동남 및 남부 아시아

① 석유, 천연가스(인도네시아, 브루나이 등), 주석(미얀마, 말레이시아, 인도네시아 등)

② 플랜테이션 작물 소비 수요가 많은 작물(바나나, 커피 등) 및 원료 작물(천연고무, 팜유❷ 등)의 생산량이 많음

└ 주로 열대 사바나 기후에서 잘 자라며, 세계에서 가장 국제 이동이 많은 기호 작물임

(3) 오스트레일리아

① 지역에 따라 자원의 매장 분포가 다름

② 철광석(서부), 석탄(동부), 보크사이트(북부), 구리(국토 전역에 고르게 분포) 등의 매장량이 풍부함

└ 가공을 통해 알루미늄을 만들 수 있는 핵심 자원으로, 주로 열대 기후 지역에 매장되어 있음

2. 주요 자원의 이동

석탄	• 대표적인 산업용 연료로 산업화가 진행 중인 국가의 수요가 많음 • 주로 오스트레일리아, 인도네시아에서 동아시아, 인도 지역으로 이동함
철광석	• 산업의 쌀이라 불리며, 국제 이동량이 많음 ┌ 중공업과 화학 공업을 합쳐 부르는 말로, 초기 시설 조성을 위해 많은 자본이 필요한 공업 유형에 속함 • 주로 오스트레일리아에서 중화학 공업이 발달한 동아시아 지역으로 이동함
기타 자원	• 천연가스: 최근 사용량 증가 추세, 인도네시아에서 생산된 천연가스는 주로 동아시아로 수출됨 ┌ 가스 형태를 급격히 냉각시켜 액체 상태로 처리 후 배나 가스관으로 수출하는 것이 일반적임 • 주석: 통조림 용기 표면 도금용으로 사용, 주로 동남아시아에서 동아시아 지역으로 이동함 • 천연고무: 타이, 인도네시아에서 주로 동아시아 지역으로 이동함 • 밀: 주로 오스트레일리아에서 동남 및 동아시아로 이동함 • 팜유: 인도네시아, 말레이시아의 수출 비중이 세계의 약 2/3 이상을 차지함

3. 주요 국가의 산업 구조 자료 02

중국	• 넓은 영토, 풍부한 지하자원 및 노동력 → 세계적인 공업국으로 성장 • 개혁 및 개방 정책을 통한 경제특구❸, 개방 도시, 경제 개방구 등을 조성 → 외국 자본 유치 • 산업 구조 체질 개선: 경공업(식품, 섬유 등) → 중화학 공업(기계, 제철, 화학 등) • 첨단 산업 발달: 베이징의 중관춘, 상하이의 푸둥 등 ┌ 1991년 경제특구로 지정되면서 무역과 금융, 하이테크 산업에서 중국의 첨단 기지 역할을 수행하고 있음
일본	가공 무역(원자재 수입 후 가공한 뒤 수출하는 방식) 발달
인도네시아	• 플랜테이션 농업을 중심으로 제1차 산업 발달 • 최근 노동 집약적 제조업 성장, 산업 구조 다각화❹ 모색
인도	• 제2의 인구 대국으로 노동 집약형 공업이 발달해 있음 • 산업별 종사자 비중은 1차 산업이 다른 국가보다 높은 편임
오스트레일리아	• 풍부한 지하자원을 바탕으로 광업 발달, 노동력 부족 및 국내 시장 협소로 제조업의 경쟁력이 낮음 • 지하자원(석탄, 철광석 등) 및 농축산물(밀, 소고기, 양모 등)의 수출량이 많음
뉴질랜드	• 농축산물(양모, 버터 등) 수출을 중심으로 성장 • 목재 산업 및 어업과 관광으로 경제 활동 영위함

고득점을 위한 셀파 Tip

주요 자원의 분포와 이동

석유	중국, 인도, 오스트레일리아 등지
철광석	오스트레일리아, 중국, 인도 등지

↓

오스트레일리아 → 산업이 발달한 동아시아로 주로 이동

❶ 희토류

매장량이 적고 추출이 어려운 광물 자원으로, 첨단 제품에 필수로 사용되어 상품성이 높다. '첨단 산업의 쌀'이라는 별칭이 있다.

❷ 팜유

열대 기후에서 잘 자라는 팜 나무(기름야자) 열매의 기름으로 가공식품에 많이 사용된다.

❸ 경제특구

중국이 1979년부터 외국 자본과 기술의 도입을 목적으로 설치한 특별 구역으로, 주로 남동부 해안 지역에 위치한다.

❹ 산업 구조 다각화

부가 가치가 낮은 1차 산업에서 부가 가치가 높은 2차 또는 3차 산업으로의 산업 구조 변화를 꾀하는 전략이다.

자료 01 주요 자원의 분포와 이동 및 주요 자원의 국가별 수출 비중

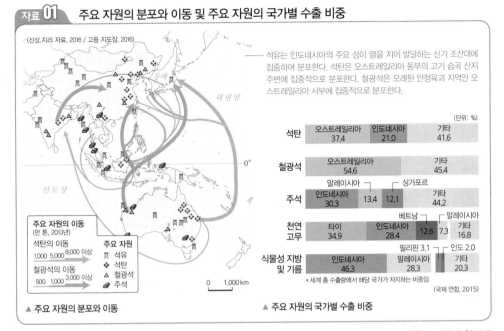

(신상,지리 자료, 2016 / 고등 지도장, 2016)

석유는 인도네시아의 주요 섬이 열을 지어 발달하는 신기 조산대에 집중하여 분포한다. 석탄은 오스트레일리아 동부의 고기 습곡 산지 주변에 집중적으로 분포한다. 철광석은 오래된 안정육괴 지역인 오스트레일리아 서부에 집중적으로 분포한다.

(단위: %)

석탄	오스트레일리아 37.4	인도네시아 21.0	기타 41.6
철광석	오스트레일리아 54.6		기타 45.4
주석	인도네시아 30.3	말레이시아 13.4 / 싱가포르 12.1	기타 44.2
천연 고무	타이 34.9	인도네시아 28.4 / 베트남 12.6 / 말레이시아 7.3	기타 16.8
식물성 지방 및 기름	인도네시아 46.3	말레이시아 28.3 / 필리핀 3.1 / 인도 2.0	기타 20.3

* 세계 총 수출량에서 해당 국가가 차지하는 비중임

(국제 연합, 2015)

▲ 주요 자원의 분포와 이동　　▲ 주요 자원의 국가별 수출 비중

자료 분석 | 몬순 아시아와 오세아니아는 지리적으로 가깝고 상호 보완적인 자원 수요가 나타나 자원의 이동이 활발하다. 이들 지역에서 일반적으로 나타나는 자원의 이동 방향은 경제 발전 수준이 높은 국가의 수요와 맞물려 있다. 동남 및 남부 아시아와 오스트레일리아는 천연자원이 풍부하나 산업 발달의 속도가 느리다. 반면 동아시아에 해당하는 대한민국, 중국, 일본은 제조업이 발달해 경제 발전 수준이 높다. 따라서 자원은 주로 천연자원이 많은 국가에서 제조업이 발달한 국가로 이동하는 경향이 나타난다.

| 오스트레일리아의 철광석 수출 상대국 변화 |

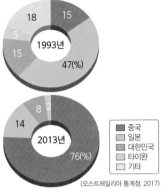

범례
■ 중국
□ 일본
▨ 대한민국
▧ 타이완
▦ 기타

(오스트레일리아 통계청, 2017)

오스트레일리아의 철광석 수출 상대국은 아시아의 비중이 과거보다 상당히 높아졌다. 아시아 중에서는 중국의 비중이 크게 늘고, 일본의 비중이 크게 낮아진 것이 특징적이다. 이러한 변화는 동아시아 및 동남아시아의 공업 성장으로 지하자원 수요가 증가한 결과이다.

자료 02 국내 총생산(GDP)과 산업 구조 및 몬순 아시아와 오세아니아의 경제 협력

(미국 중앙 정보국/세계은행, 2017)

산업 구조
3차 산업 / 1차 산업 / 2차 산업

(오스트레일리아 외교 통상부, 2017)

주요 수출 상대국 (억 달러, 2016년)
1,000 500 100 50

(오스트레일리아 외교 통상부, 2017)

주요 수입 상대국 (억 달러, 2016년)
1,000 500 100 50

자료 분석 | 1차 산업 비중이 다른 국가보다 상대적으로 큰 국가는 인도, 베트남, 타이, 인도네시아 등이다. 2차 산업의 경우는 중국과 인도네시아가 특징적이며, 3차 산업은 일본과 오스트레일리아, 뉴질랜드의 비중이 상대적으로 크게 나타난다. 중국과 인도네시아는 상대적으로 2차 산업의 비중이 크고, 3차 산업의 비중이 낮게 나타나는 특징이 있다.

몬순 아시아와 오세아니아 지역은 지하자원의 수요 및 산업 구조의 차이에 따라 상호 보완성이 크다. 오세아니아와 지리적으로 인접한 몬순 아시아는 오세아니아의 지하자원을 수입하여 공업을 발달시키고, 각종 공산품을 오세아니아로 수출한다.

| 역내 포괄적 경제 동반자 협정 참여국 |

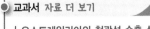

(내외경제정책연구원, 2017)

동남아시아 국가 연합(AWEAN) 10개국과 대한민국, 중국, 일본, 오스트레일리아, 뉴질랜드, 인도 등 총16개국이 참여하였으나 2019년 인도는 협정 타결에 동참하지 않았다.

2 민족(인종) 및 종교의 다양성과 지역 갈등 자료03 자료04

1. 몬순 아시아의 갈등과 해결 노력

(1) 중국의 민족 분포와 갈등

① 한족(전체 인구의 90% 이상)과 55개의 소수 민족으로 구성⑤

② 티베트족과 위구르족은 한때 독립국이었으나 중국이 자국 영토로 편입하여 자치구로 설정하면서 중국 정부와 갈등을 겪고 있음

(2) 남부 아시아의 민족(인종) 및 종교 갈등

① 힌두교와 불교의 발상지이며 이슬람 세력의 지배를 받아 종교와 문화가 다양함

② 1947년 영국으로부터 독립 후 다양한 종교로 분열됨

③ 인도는 힌두교, 파키스탄과 방글라데시는 이슬람교, 스리랑카는 불교로 분열됨

④ 카슈미르 분쟁 인도의 힌두교도와 파키스탄의 이슬람교도 간의 갈등

⑤ 스리랑카 분쟁 불교를 믿는 신할리즈족과 힌두교를 믿는 타밀족 산의 갈등

(3) 동남아시아의 민족(인종) 및 종교 갈등

① 수많은 민족(인종)이 뒤섞여 사는 다민족(인종) 사회 → 민족(인종) 갈등의 원인이 됨

② 기본적으로 소수의 화교⑥가 갖는 정치적 · 경제적 영향력이 커서 원주민과 갈등 발생

③ 필리핀 민다나오섬 다수의 크리스트교도와 소수의 이슬람교도 간의 분쟁

④ 미얀마 불교국인 미얀마에서 이슬람교를 믿는 소수의 로힝야족을 탄압하여 나타나는 갈등

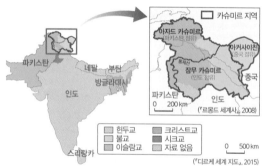

▲ 카슈미르 분쟁 카슈미르는 주민 대부분이 이슬람교를 믿는 지역이다. 하지만 영국의 식민 지배 이후 인도와 파키스탄이 분리되면서 힌두교도가 해당 지역으로 이주하였다. 이후 종교 갈등이 끊이지 않고 있다.

▲ 민다나오섬 분쟁 민다나오섬은 본래 이슬람교도가 살던 곳이었지만, 식민 지배 이후 크리스트교가 대거 이주하면서 종교 분쟁이 끊이지 않고 있다.

(2) 말레이시아의 갈등 해결 노력 사례

① 다양한 민족(인종)이 모여 사는 공간에 해당함

② 불교의 부처님 오신 날, 이슬람교의 라마단이 끝나는 날, 힌두교의 불의 축제 등을 공휴일로 지정함⑦
└─ 이슬람교에서 행하는 약 한 달가량의 금식 기간으로, 해가 떠 있는 낮에는 음식과 물을 먹지 않으며 해가 지면 금식을 중단함

2. 오세아니아의 갈등과 해결 노력

(1) 오스트레일리아의 민족(인종) 갈등

① 원인 유럽인들의 진출로 원주민(애버리지니⑧)과 갈등 발생

② 경과 유럽인은 합의나 계약 없이 무단으로 오스트레일리아 점령 → 건조하거나 기온이 높은 오지로 원주민 강제 이주

③ 현황 퀸즐랜드 북부, 오스트레일리아 서부 일대에 대규모 원주민 보호 구역이 지정됨

(2) 뉴질랜드의 민족(인종) 갈등

① 원인 1840년대 이후 유럽인들이 정착하면서 갈등 발생 ┌─ 뉴질랜드섬의 원주민으로 폴리네시아에서 이주해 온 것으로 추정됨

② 경과 1870년대까지 마오리족과 유럽인 간의 전쟁으로 마오리족은 거주지 대부분을 상실함

③ 현황 마오리족 언어를 국가 공용어로 채택 후 국민 통합을 위해 정책적으로 노력함

---

⑤ 중국의 주요 소수 민족 분포

중국은 헌법에서 모든 민족은 평등함을 강조한다. 이를 위해 소수 민족의 자치구를 설정하여 언어와 종교의 자유를 보장한다. 그러나 한편으로는 한족을 중심으로 소수 민족을 통제하려는 경향도 있다. 신장웨이우얼자치구의 위구르족과 시짱 자치구의 티베트족이 대표적이다.

⑥ 화교의 인구 비중

혈통은 중국인이지만 해외 각지로 이주하여 현지에 정착한 사람을 뜻한다. 이들은 해외에 거주하면서도 중국과 타이완에 문화적 · 경제적 뿌리를 두고 있는 경우가 많다.

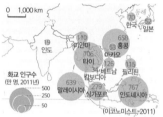

⑦ 말레이시아의 주요 공휴일

⑧ 애버리지니

애버리지니는 수만 년 전에 아시아에서 건너와 오스트레일리아에 정착한 원주민이다. 18세기 후반 유럽인이 오스트레일리아로 유입되면서 애버리지니는 생활의 터전을 잃고 오지로 쫓겨났다.

▲ 원주민의 분포 지역

자료 03 [공통 자료] 몬순 아시아와 오세아니아 주요 국가의 종교 분포

중국, 대한민국, 일본은 전통적으로 불교와 유교의 영향을 받음

파키스탄 96.4 3.6

네팔 81.3 3.9 1.4 .9 4.4

중국 74.9 18.2 5.1 1.8

일본 79.2 불교+신도 18.9 1.9

타이, 미얀마 등은 불교를 주로 신봉함

인도 79.8 14.2 3.7 2.3

미얀마 87.9 0.5 4.3 1.1 6.2

타이 93.9 4.9 1.2

필리핀 82.9 5 12.1

필리핀은 에스파냐의 식민 지배 영향으로 크리스트교를 주로 신봉함

인도는 힌두교를, 스리랑카는 불교를 주로 신봉함

스리랑카 70.3 9.7 12.6 7.4

말레이시아 61.3 6.3 19.8 3.4 9.2

인도네시아 87.2 1.7 1.2 9.9

인도네시아와 말레이시아에는 아랍 상인과의 교류를 통해 이슬람교가 전파됨

종교별 인구 비율(%)
기타 — 크리스트교
힌두교 — 불교
— 이슬람교

0 1,000km

오스트레일리아 58.3 35.7 1.3 2.2 2.5

뉴질랜드 51.1 44.3 2.1 1.4 1.1

유럽인이 이주하면서 오스트레일리아와 뉴질랜드는 크리스트교 신자의 비중이 높음

(미국 중앙 정보국, 2017)

Q 다양한 민족(인종)과 종교가 조화롭게 공존할 수 있는 방안을 알아보자.

A 민족과 종교의 다양성은 여러 가지 갈등과 분쟁의 원인이 되기도 하지만, 문화 발전의 토양이 되기도 한다. 각 국가는 다양한 민족과 종교의 평화로운 공존을 추구하며 새로운 문화 창출을 위해 노력하고 있으며, 서로의 문화를 존중하며 살아가고 있다.

자료 분석 | 인도에서는 대부분 힌두교를 믿고 일부 지역에서 이슬람교를 믿는다. 파키스탄, 방글라데시에서는 이슬람교가 주요 종교로 자리 잡았다. 동남아시아의 타이, 캄보디아, 라오스, 베트남에서는 불교가, 말레이시아, 인도네시아, 브루나이에서는 이슬람교가 주요 종교로 자리 잡았다. 필리핀, 동티모르에서는 크리스트교를 주로 믿는다. 동부 아시아에서는 불교 문화가 나타나지만 중국은 유교와 도교의 비중이 높고 일본은 신도의 비중이 높다. 오스트레일리아와 뉴질랜드에서는 과거 유럽 국가의 식민 지배 영향으로 크리스트교를 주로 믿는다.

자료 04 몬순 아시아의 주요 갈등 지역

카슈미르 (힌두교/이슬람교)
미얀마 (불교/이슬람교)
필리핀 민다나오섬 (크리스트교/이슬람교)
타이 (불교/이슬람교)
말루쿠 (크리스트교/이슬람교)
스리랑카 (불교/힌두교)
발리 (힌두교/이슬람교)
동티모르 (크리스트교/이슬람교)

0 1,000 km

(알렉산더 세계 지도, 2014 / 한국 국방 연구원, 2016)

자료 분석 |
몬순 아시아 곳곳에서는 서로 다른 민족과 종교가 충돌하며 분쟁이 발생하고 있다. 인도와 파키스탄의 국경 지대인 카슈미르에는 이슬람교, 힌두교 간의 종교적 갈등이 발생하고 있다. 스리랑카 북부 지역에서는 힌두교와 불교도 간의 분쟁이 지속되었으며, 동티모르는 인도네시아와의 종교적 차이로 오랜 갈등을 겪은 끝에 독립하였다. 다민족 국가인 미얀마에서도 민족 및 종교를 둘러싼 갈등이 발생하고 있다.

Q 몬순 아시아에서는 어떤 민족(인종) 및 종교 분쟁이 발생하고 있는지 서술해 보자.

A 민족과 종교가 다양한 몬순 아시아에서는 갈등과 분쟁이 빈번하다. 주요 갈등 지역 대부분 종교가 갈등의 원인이 된 경우가 많다. 카슈미르, 스리랑카, 필리핀 민다나오섬 등 종교 갈등이 나타나는 지역은 대체로 서로 다른 두 종교가 접촉하는 점이 지대에 해당하며, 심각한 분쟁으로 이어질 가능성이 있다.

1 주요 자원의 분포 및 이동

석탄	• 중국, 인도, 오스트레일리아 등지에서 생산 • 산업이 발달한 동아시아 지역으로 수출
(❶　　)	• 중국, 오스트레일리아, 인도 등지에서 생산 • 제철, 조선 등 중화학 공업이 발달한 동아시아 국가로 수출
천연가스	• 최근 사용량이 증가 추세임 • (❷　　　　)에서 생산된 천연가스는 주로 동아시아로 수출
주석	• 통조림 용기 표면 도금용으로 활용 • 주로 동남아시아에서 동아시아로 이동

2 주요 국가의 산업 구조

중국	풍부한 노동력과 자원을 가진 세계적인 공업국
일본	(❸　　　　) 무역 발달 →제철, 기계 등 중화학 공업 발달
인도네시아	1차 산업의 비중이 높음 → 최근 2차 산업 성장 중
인도	노동 집약형 공업 발달, 최근 첨단 산업 육성
오스트레일리아	광업 발달, 공업 제품은 수출에 의존, 목축업 발달, 관광 산업 발달

3 몬순 아시아와 오세아니아의 민족과 종교

민족	• 중국: 한족과 55개의 (❹　　　　)으로 구성 • 동남 및 남부 아시아: 활발한 교류의 영향으로 민족 구성이 다양함 • 오스트레일리아: 유럽계 백인과 원주민인 (❺　　　　) • 뉴질랜드: 유럽계 백인과 원주민인 마오리족
종교	• 불교: 타이, 미얀마, 라오스, 캄보디아, 베트남 • 이슬람교: 말레이시아, 인도네시아, 파키스탄, 방글라데시 • (❻　　　　): 인도, 네팔 • 크리스트교: (❼　　　　)

4 몬순 아시아와 오세아니아의 지역 갈등과 해결 과제

지역 갈등	• 중국: 소수 민족 분리 독립 운동(티베트족, 위구르족) • 인도-파키스탄: 카슈미르 지역에서 이슬람교와 힌두교 간의 갈등 • 필리핀: 민다나오 섬에서 이슬람교와 (❽　　　　) 간의 갈등 • 스리랑카: 힌두교와 (❾　　　　) 간의 갈등 • 미얀마: 이슬람교를 믿는 (❿　　　　)족 탄압 • 오스트레일리아: 원주민 차별
해결 노력	대화와 타협, 평화 협정, 문화와 종교의 다양성 존중 등

정답 ❶ 철광석 ❷ 인도네시아 ❸ 가공 ❹ 소수 민족 ❺ 애버리지니 ❻ 힌두교 ❼ 필리핀 ❽ 크리스트교 ❾ 불교 ❿ 로힝야

탄탄 내신 문제

01 지도의 A~C 자원에 대한 옳은 설명만을 〈보기〉에서 고른 것은?

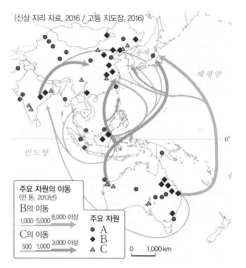

(신상 지리 자료, 2016 / 고등 지도장, 2016)

주요 자원의 이동 (만 톤, 2013년)
B의 이동 1,000 5,000 8,000 이상
C의 이동 500 1,000 3,000 이상
주요 자원 ● A ◆ B ▲ C
0 1,000 km

┤ 보기 ├
ㄱ. A는 통조림 용기 표면 도금용으로 활용된다.
ㄴ. B는 주로 고기 습곡 산지에 매장되어 있다.
ㄷ. C는 제철 공업의 주된 원료 중 하나이다.
ㄹ. B는 A보다 국제 이동량이 많다.

① ㄱ, ㄴ ② ㄱ, ㄷ ③ ㄴ, ㄷ
④ ㄴ, ㄹ ⑤ ㄷ, ㄹ

02 그래프는 주요 자원의 국가별 수출 비중을 나타낸 것이다. (가)~(라) 자원에 대한 설명으로 옳은 것은? (단, (가)~(라)는 석탄, 주석, 철광석, 천연고무 중 하나임.)

		(단위: %)
(가)	오스트레일리아 37.4 │ 인도네시아 21.0	기타 41.6
(나)	오스트레일리아 54.6	기타 45.4
(다)	인도네시아 30.3 │ 말레이시아 13.4 │ 싱가포르 12.1	기타 44.2
(라)	타이 34.9 │ 인도네시아 28.4 │ 베트남 12.6 │ 말레이시아 7.3	기타 16.8

(국제 연합, 2015)

① (가)는 '산업의 쌀'이라 불린다.
② (나)는 현대 화학 공업의 핵심 원료이다.
③ (다)는 주로 동남아시아에서 동아시아 지역으로 수출한다.
④ (라)는 첨단 제품에 필수적인 요소로 사용된다.
⑤ (나)와 (다)는 제철 공업의 핵심 원료이다.

03 다음 글에서 설명하는 국가를 지도의 A~E에서 고른 것은?

전통 농업, 전통 수공업에서 첨단 산업에 이르기까지 산업의 범위가 넓다. 전체 노동력에서 농업에 종사하는 비중이 가장 크지만, 국내 총생산에서 차지하는 비중은 서비스업이 가장 크다. 최근 정보 기술 서비스, 비즈니스 아웃소싱 서비스 및 소프트웨어 노동력의 주요 수출국으로 발돋움하고 있다.

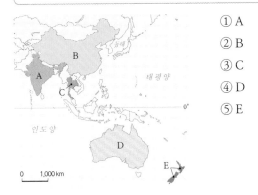

① A
② B
③ C
④ D
⑤ E

04 그래프는 세 국가의 산업 구조를 나타낸 것이다. (가)~(다) 국가를 지도의 A~C에서 고른 것은?

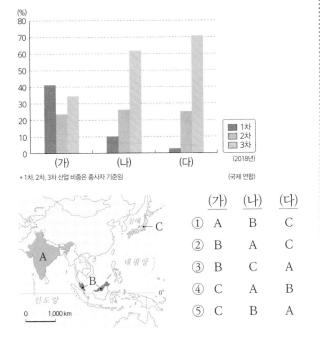

* 1차, 2차, 3차 산업 비중은 종사자 기준임
(국제 연합)

	(가)	(나)	(다)
①	A	B	C
②	B	A	C
③	B	C	A
④	C	A	B
⑤	C	B	A

05 그래프는 몬순 아시아와 오세아니아 국가의 주요 자원 수출 비중을 나타낸 것이다. (가)~(다) 자원으로 옳은 것은?

(가) | 인도네시아 30.6(%) | 오스트레일리아 30.0 | 기타 39.4

(나) | 오스트레일리아 50.8(%) | 기타 49.2

(다) | 타이 33.8(%) | 인도네시아 32.2 | 말레이시아 7.2 | 베트남 5.9 | 기타 20.9

(2017년) (국제 연합, IEA)

	(가)	(나)	(다)
①	철광석	석탄	천연고무
②	철광석	천연고무	석탄
③	석탄	철광석	천연고무
④	석탄	천연고무	철광석
⑤	천연고무	석탄	철광석

06 그래프는 세 국가의 주요 상품 수출 품목 비중을 나타낸 것이다. (가)~(다) 국가에 대한 설명으로 옳은 것은? (단, (가)~(다)는 일본, 인도네시아, 오스트레일리아 중 하나임.)

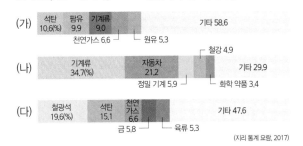

(지리 통계 요람, 2017)

① (가)는 주로 힌두교를 신봉한다.
② (나)는 대찬정 분지를 이용한 방목이 활발하다.
③ (다)는 세계에서 이슬람교 신자 수가 가장 많다.
④ (가)에서 생산된 천연가스 일부는 (나)로 수출된다.
⑤ (가)~(다)의 인구는 모두 1억 명 이상이다.

07 자료의 A, B 국가에 대한 설명으로 옳지 <u>않은</u> 것은?

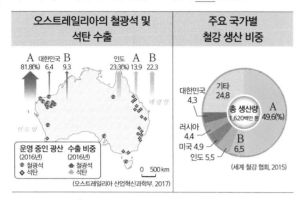

오스트레일리아의 철광석 및 석탄 수출	주요 국가별 철강 생산 비중

(오스트레일리아 산업혁신과학부, 2017)
(세계 철강 협회, 2015)

① A는 세계적인 희토류 생산국이다.

② B는 주로 원자재 수입 후 가공한 뒤 수출하는 무역을 한다.

③ A는 B보다 인구가 많다.

④ B는 A보다 화산과 지진이 빈번하다.

⑤ A, B의 국교는 돼지고기를 금기시한다.

08 자료는 두 국가의 주요 상품 이동을 나타낸 것이다. (가), (나)에 대한 옳은 설명만을 〈보기〉에서 고른 것은?

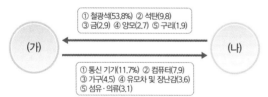

① 철광석(53.8%) ② 석탄(9.8)
③ 금(2.9) ④ 양모(2.7) ⑤ 구리(1.9)

① 통신 기기(11.7%) ② 컴퓨터(7.9)
③ 가구(4.5) ④ 유모차 및 장난감(3.6)
⑤ 섬유·의류(3.1)

• 무역액 비중 상위 5개 품목만 나타냄. ((나)국 외교통상부, 2017)

┤ 보기 ├

ㄱ. (가)는 주로 소비재를 수입한다.

ㄴ. (나)는 주로 원자재를 수입한다.

ㄷ. (가)는 (나)보다 총인구가 많다.

ㄹ. (나)는 (가)보다 국내 총생산에서 3차 산업이 차지하는 비중이 크다.

① ㄱ, ㄴ   ② ㄱ, ㄷ   ③ ㄴ, ㄷ
④ ㄴ, ㄹ   ⑤ ㄷ, ㄹ

09 그래프는 지도에 표시된 세 국가의 산업 구조를 나타낸 것이다. (가)~(다) 국가에 대한 설명으로 옳지 <u>않은</u> 것은?

(가)
1차 산업 8.6(%)
3차 국내 총생산 11,199십억 달러 (2016년) 산업 51.6
2차 산업 39.8
(국제부흥개발은행, 2017)

(나)
1차 산업 17.4(%)
3차 국내 총생산 2,264십억 달러 (2016년) 산업 53.8
2차 산업 28.8
(국제부흥개발은행, 2017)

(다)
1차 산업 2.6(%)
2차 산업 24.3
3차 국내 총생산 1,205십억 달러 (2016년) 산업 73.1
(국제부흥개발은행, 2017)

① (가)는 (나)보다 인구수가 많다.

② (가)는 (나)보다 국토 면적이 넓다.

③ (나)는 (가)보다 이슬람교 인구 비중이 크다.

④ (나)는 (다)보다 연간 쌀 생산량이 많다.

⑤ (가), (다)는 (나)와 계절이 반대이다.

★10 그래프는 오스트레일리아의 무역 상대국 변화를 나타낸 것이다. 이에 대한 옳은 설명만을 〈보기〉에서 고른 것은?

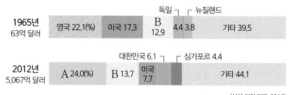

1965년 63억 달러	영국 22.1(%)	미국 17.3	B 12.9	독일 4.4	뉴질랜드 3.8	기타 39.5

2012년 5,067억 달러	A 24.0(%)	B 13.7	미국 7.7	대한민국 6.1	싱가포르 4.4	기타 44.1

(신상 지리 자료, 2016)

┤ 보기 ├

ㄱ. 2012년은 1965년보다 최대 무역 상대국의 지리적 거리가 가까워졌다.

ㄴ. A는 오스트레일리아에 주로 석유를 수출한다.

ㄷ. B는 오스트레일리아로부터 주로 원자재를 수입한다.

ㄹ. A는 일본, B는 중국이다.

① ㄱ, ㄴ   ② ㄱ, ㄷ   ③ ㄴ, ㄷ
④ ㄴ, ㄹ   ⑤ ㄷ, ㄹ

11 (가), (나) 지역에서 나타난 갈등에 대한 설명으로 옳지 **않은** 것은? (단, 갈등 지역은 음영으로 표시된 곳임.)

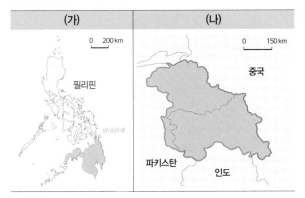

① (가)는 이슬람교와 크리스트교 간의 갈등 지역이다.
② (가)의 갈등 지역은 신기 조산대에 속한다.
③ (나)는 힌두교와 이슬람교 간의 갈등 지역이다.
④ (나)의 갈등 지역은 세계적인 차 재배지이다.
⑤ (가), (나)는 모두 판의 경계와 가까운 거리에 위치한다.

12 다음 글에서 설명하는 (가) 지역을 지도의 A~E에서 고른 것은?

> (가) 은/는 포르투갈의 식민지였다. 해방 이후 독립 운동 과정에서 이슬람교 신자 수가 많은 인도네시아와의 강한 마찰로, 당시 가톨릭교를 고수하려던 (가) 와/과 유혈 사태가 일어났다. (가) 이/가 인권 유린과 학살의 온상이 되자 대한민국 정부도 유엔 평화 유지군의 일원으로 상록수 부대를 파견하였다.

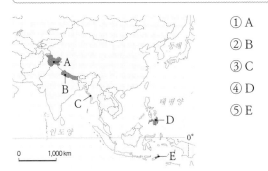

① A
② B
③ C
④ D
⑤ E

13 지도의 A~D 분쟁 지역에 대한 옳은 설명만을 〈보기〉에서 있는 대로 고른 것은?

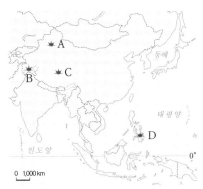

┤ 보기 ├
ㄱ. A는 소수 민족의 독립과 관련 있다.
ㄴ. B는 힌두교와 불교가 첨예하게 대립하고 있다.
ㄷ. C는 타밀족과 신할리즈족 간의 갈등이 지속되고 있다.
ㄹ. D는 크리스트교와 이슬람교 간의 갈등이 발생하고 있다.

① ㄱ, ㄷ
② ㄱ, ㄹ
③ ㄴ, ㄹ
④ ㄱ, ㄴ, ㄹ
⑤ ㄴ, ㄷ, ㄹ

14 지도의 A~E 국가에 대한 옳은 설명만을 〈보기〉에서 고른 것은?

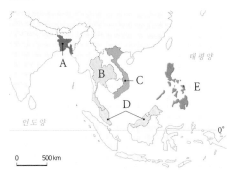

┤ 보기 ├
ㄱ. A는 주로 이슬람교를 신봉한다.
ㄴ. B, C에서 신자 수가 가장 많은 종교는 불교이다.
ㄷ. D, E의 국민 대다수는 이슬람교를 신봉한다.
ㄹ. A, C, E는 힌두교를 둘러싼 민족(인종) 갈등이 빈번하다.

① ㄱ, ㄴ
② ㄱ, ㄷ
③ ㄴ, ㄷ
④ ㄴ, ㄹ
⑤ ㄷ, ㄹ

15 지도는 인도네시아의 주별 대표 종교를 나타낸 것이다. A, B 종교에 대한 설명으로 옳은 것은?

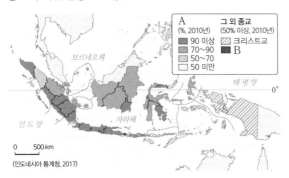

(인도네시아 통계청, 2017)

① A 신자는 소고기 섭취를 금기시한다.
② A 신자는 다양한 신 조각상이 있는 사원을 방문한다.
③ B 종교는 보편 종교에 해당한다.
④ B 종교는 세계에서 신자 수가 가장 많다.
⑤ 일부 지역에서는 A와 B 종교 간의 갈등이 나타난다.

16 (가), (나) 국가에 대한 옳은 설명만을 〈보기〉에서 고른 것은?

(가)	(나)
힌두교의 비슈누신을 태우는 신화 속의 새 모습을 한 국장을 사용한다. 세계에서 이슬람교 신자 수가 가장 많다.	유럽계 백인과 원주민의 조화로운 삶을 추구한다. 영어와 함께 원주민의 언어를 국가 공용어로 채택해 문화 격차를 줄이고자 노력한다.

┤ 보기 ├
ㄱ. (가)는 힌두교의 발상지이다.
ㄴ. (나)에 거주하는 전통 부족은 마오리족이다.
ㄷ. (가)는 (나)보다 플랜테이션 농업이 활발하다.
ㄹ. (나)는 (가)보다 인구가 많다.

① ㄱ, ㄴ   ② ㄱ, ㄷ   ③ ㄴ, ㄷ
④ ㄴ, ㄹ   ⑤ ㄷ, ㄹ

17 자료는 어느 국가의 종교 구성과 종교 경관을 나타낸 것이다. 이 국가를 지도의 A~E에서 고른 것은?

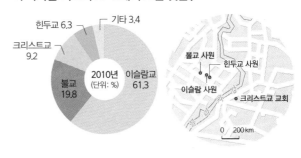

▲ 불교 사원   ▲ 이슬람 사원   ▲ 힌두교 사원   ▲ 크리스트교 교회

① A
② B
③ C
④ D
⑤ E

18 지도의 A, B 지역에 대한 옳은 설명만을 〈보기〉에서 고른 것은?

(브리태니커, 2012)

┤ 보기 ├
ㄱ. A는 과거 독립국이었다.
ㄴ. B는 한족과 언어, 종교, 역사적 배경이 다르다.
ㄷ. A는 티베트어, B는 위구르어를 주로 사용한다.
ㄹ. A는 B보다 평균 해발 고도가 높다.

① ㄱ, ㄴ   ② ㄱ, ㄷ   ③ ㄴ, ㄷ
④ ㄴ, ㄹ   ⑤ ㄷ, ㄹ

서술형 문제

19 그래프는 국가별 자원 수출 비중을 나타낸 것이다. 이를 보고 물음에 답하시오. (단, 자원은 석탄, 철광석 중 하나임.)

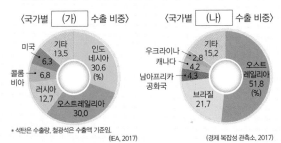

* 석탄은 수출량, 철광석은 수출액 기준임.
(IEA, 2017)
(경제 복잡성 관측소, 2017)

(1) (가), (나) 자원을 쓰시오.

(2) 몬순 아시아 및 오세아니아 지역에서의 (가), (나) 자원의 이동 특징을 서술하시오.

20 그래프는 세 국가의 산업 구조 변화를 나타낸 것이다. 이를 보고 물음에 답하시오. (단, (가)~(다)는 인도, 중국, 일본 중 하나임.)

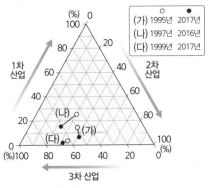

* 각 산업의 국내 총생산(GDP) 기준임

(1) (가)~(다) 국가명을 쓰시오.

(2) (가)~(다) 국가의 산업 구조 변화 특징을 서술하시오.

21 지도는 오스트레일리아 원주민 및 유럽인 분포를 나타낸 것이다. 이를 보고 물음에 답하시오.

(「디르케 세계 지도」, 2015)

(1) 이 지역의 원주민 명칭을 쓰시오.

(2) 지도와 같은 분포가 나타난 까닭을 서술하시오.

22 지도는 스리랑카의 종교 구성을 나타낸 것이다. 이를 보고 물음에 답하시오.

(한국 국방 연구원, 2017)

(1) A, B 종교를 쓰시오.

(2) 스리랑카에서 나타나는 종교 분쟁의 원인을 서술하시오.

| 수능 기출 |

01 그래프의 (가)~(다) 국가에 대한 설명으로 옳은 것은? (단, (가)~(다)는 각각 인도, 일본, 중국 중 하나임.)

〈국내 총생산과 산업별 생산액 비율〉

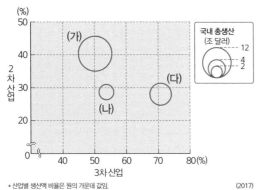

* 산업별 생산액 비율은 원의 가운데 값임. (2017)

① (다)는 세계에서 인구가 두 번째로 많은 국가이다.

② (가)는 (나)보다 1인당 국내 총생산이 많다.

③ (나)는 (다)보다 수출액에서 자동차가 차지하는 비율이 높다.

④ (다)는 (가)보다 1차 산업 생산액이 많다.

⑤ (나)와 (다)는 국경을 접하고 있다.

| 교육청 기출 |

02 그래프는 세 국가의 수출 상위 5개 품목 비중을 나타낸 것이다. (가)~(다) 국가에 대한 설명으로 옳은 것은? (단, (가)~(다)는 각각 오스트레일리아, 인도, 일본 중 하나임.)

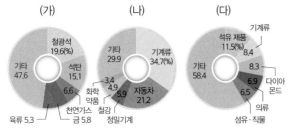

① (가)는 벵갈루루, 뭄바이 등에 첨단 산업 단지를 조성하였다.

② (나)는 풍부한 지하자원을 토대로 제조업이 크게 발달하였다.

③ (다)는 내륙에서 찬정을 이용한 기업적 농목업이 발달하였다.

④ (가)는 북반구, (나)는 남반구에 위치해 있다.

⑤ (나)는 (다)보다 생산자 서비스업 종사자 비중이 높다.

| 수능 기출 |

03 그래프는 지도에 표시된 다섯 국가의 산업 구조 및 국내 총생산을 나타낸 것이다. (가)~(마) 국가에 대한 설명으로 옳은 것은?

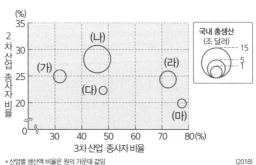

* 산업별 생산액 비율은 원의 가운데 값임 (2018)

① (가)는 동남아시아 국가 연합 회원국이다.

② (나)는 몬순 아시아에서 2차 산업 생산액이 가장 많다.

③ (다)는 대찬정 분지에서 기업적 농목업이 행해진다.

④ (라)는 벵갈루루, 하이데라바드 등에 첨단 산업이 발달하였다.

⑤ (마)에는 최상위 세계 도시가 위치한다.

| 교육청 기출 |

04 그래프는 지도에 표시된 세 국가의 산업별 생산액 비율을 나타낸 것이다. (가)~(다) 국가에 대한 설명으로 옳은 것은?

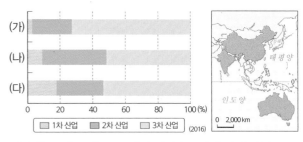

① (가)는 세 국가 중 국내 총생산(GDP)이 가장 많다.

② (나)는 벵갈루루를 중심으로 첨단 산업이 발달하고 있다.

③ (다)는 세 국가 중 2차 산업 종사자 수가 가장 많다.

④ (가)는 (나)보다 수출액에서 광물 자원이 차지하는 비율이 높다.

⑤ (가), (다)는 인접국으로 양국 간 영토 분쟁이 있다.

| 평가원 기출 |

05 (가)~(다)에 해당하는 국가를 지도의 A~C에서 고른 것은?

〈산업별 종사자 수 비율〉

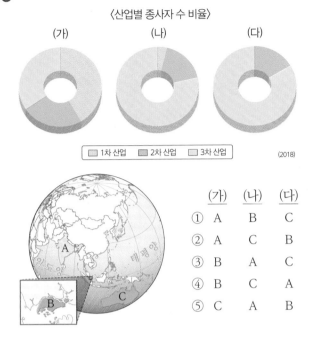

(가)   (나)   (다)

☐ 1차 산업   ■ 2차 산업   ■ 3차 산업   (2018)

	(가)	(나)	(다)
①	A	B	C
②	A	C	B
③	B	A	C
④	B	C	A
⑤	C	A	B

| 수능 변형 |

06 그래프는 (가)~(다) 국가의 보편 종교 A~C 신자 수 비율을 나타낸 것이다. 이에 대한 설명으로 옳은 것은? (단, (가)~(다)는 말레이시아, 스리랑카, 파키스탄 중 하나임.)

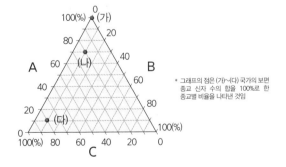

* 그래프의 점은 (가)~(다) 국가의 보편 종교 신자 수의 합을 100%로 한 종교별 비율을 나타낸 것임

① (나)는 카슈미르 분쟁 당사국이다.

② B의 발상지 국가는 (가)와 국경선이 맞닿아 있다.

③ C의 신자 수가 가장 많은 대륙은 아시아이다.

④ B와 C는 스리랑카 분쟁의 핵심 원인이다.

⑤ 전 세계 신자 수는 C가 A보다 많다.

| 평가원 변형 |

07 자료는 여행 중인 두 학생이 주고받은 전자 메일의 내용이다. 밑줄 친 ㉠~㉢에 대한 설명으로 옳지 않은 것은?

안녕? ○○야! 나는 불교의 발상지로 알려진 나라를 여행 중이야. 이 나라 영화에서는 단체로 춤을 추는 군무(群舞)를 자주 볼 수 있어. 그 이유는 ㉠ 이 나라 사람들 대다수가 믿는 종교에 춤, 음악과 관련된 신들이 많기 때문이야. 또 10개 이상의 공용어를 사용하는 이 나라에서 군무는 소통의 의미를 갖고 있어.

그래! □□야. 나는 오늘 차를 타고 싱가포르와 국경을 접한 이 나라로 넘어왔어. 이 나라는 여러 민족과 종교가 공존해서 다양한 축제가 열려. 그중에는 ㉡ 소를 신성하게 여기는 종교의 신자들이 모여 신들을 차양하는 타이푸삼 축제가 있어. 또 ㉢ 이 나라 사람들이 가장 많이 믿는 종교와 관련된 하리 라야 푸아사 축제도 있어.

① ㉠은 스리랑카 분쟁과 관련이 있다.

② ㉠에는 성지로 여기는 강가에서 목욕과 기도를 하는 의식이 있다.

③ ㉡의 대표적인 종교 경관은 첨탑과 둥근 지붕이 있는 모스크이다.

④ ㉢은 카슈미르, 민다나오섬 분쟁과 관련이 있다.

⑤ ㉠과 ㉡은 동일한 종교이다.

| 교육청 기출 |

08 자료의 (가), (나) 지역을 지도의 A~C에서 고른 것은?

- (가) 은/는 산양의 털로 짠 직물인 캐시미어로 유명하다. 영국으로부터 독립할 때 힌두교 신자가 다수인 국가로 귀속되자 이 지역의 이슬람교 주민들이 반발하였다.

- (나) 의 로힝야족은 영국의 식민 지배 당시 노동력을 보충하기 위해 인도에서 많이 이주하였다. 이들은 불교 국가에서 이슬람교를 믿는다는 이유로 차별을 받고 있다.

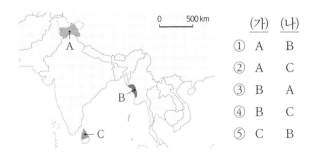

	(가)	(나)
①	A	B
②	A	C
③	B	A
④	B	C
⑤	C	B

| 수능 변형 |

09 자료의 (가), (나) 종교에 대한 설명으로 옳은 것은?

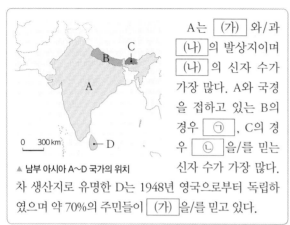

A는 (가) 와/과 (나) 의 발상지이며 (나) 의 신자 수가 가장 많다. A와 국경을 접하고 있는 B의 경우 ㉠, C의 경우 ㉡ 을/를 믿는 신자 수가 가장 많다.

▲ 남부 아시아 A~D 국가의 위치

차 생산지로 유명한 D는 1948년 영국으로부터 독립하였으며 약 70%의 주민들이 (가) 을/를 믿고 있다.

① (가)는 ㉠, (나)는 ㉡에 해당한다.
② (가)의 성지로는 부다가야가 있다.
③ (나)는 하나의 신만을 인정하는 유일신교이다.
④ (나)는 신장웨이우얼 자치구 분쟁과 관련이 깊다.
⑤ (가)는 민족 종교, (나)는 보편 종교에 해당한다.

| 수능 변형 |

10 자료의 A~D 종교에 대한 설명으로 옳지 <u>않은</u> 것은?

*A~D는 해당 국가의 신자 수 1위 종교이며, 기타는 그 외 종교와 무종교를 포함함(2010)

① A의 신자 수가 세계에서 가장 많은 국가는 인도이다.
② B의 대표적 종교 경관은 첨탑과 둥근 지붕이 있는 모스크이다.
③ A와 B는 스리랑카 분쟁과 관련이 깊다.
④ B와 C는 로힝야족 분쟁과 관련이 깊다.
⑤ C와 D는 민다나오섬 분쟁과 관련이 깊다.

| 수능 기출 |

11 다음 글은 지도에 표시된 세 국가에 대한 것이다. (가)~(다) 국가에 대한 설명으로 옳은 것은?

(가) 은/는 국가 내에서 이슬람교 신자 수가 가장 많으며, 수도는 쿠알라룸푸르이다. 문화와 종교의 다양성을 존중하여 여러 종교 관련 공휴일이 있다.

(나) 은/는 국가 내에서 불교 신자 수가 가장 많으며, 수도는 네피도이다. 라카인주에 거주하는 소수 민족인 로힝야족은 주로 이슬람교를 믿는다.

(다) 은/는 국가 내에서 크리스트교 신자 수가 가장 많으며, 수도는 마닐라이다 남부 민다나오섬 등에 거주하는 모로족은 이슬람교를 믿는다.

① (가)는 동남아시아에서 이슬람교 신자 수가 가장 많다.
② (나)의 여성 전통 의복으로는 아오자이가 있다.
③ (다)의 전통 음식으로는 볶음밥을 의미하는 나시고렝이 있다.
④ (가)와 (나)는 모두 타이와 국경을 접하고 있다.
⑤ (가)~(다)의 수도 중 적도와의 최단 거리는 (나)의 수도가 가장 짧다.

| 수능 변형 |

12 자료는 (가)~(다) 국가의 신자 수 상위 3개 종교를 나타낸 것이다. A~C 종교에 대한 설명으로 옳은 것은? (단, A~C는 각각 불교, 이슬람교, 힌두교 중 하나임.)

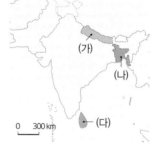

국가 순위	(가)	(나)	(다)
1위	A	B	C
2위	C	A	A
3위	B	C	B

① A는 카슈미르 분쟁과 관련이 깊다.
② B는 쇠고기 먹는 것을 금기시한다.
③ C의 최대 성지에는 모스크와 카바 신전이 있다.
④ A와 C의 발상지는 서남아시아에 위치한다.
⑤ B는 C보다 발생 시기가 이르다.

| 수능 기출 |

13 지도의 A~D 지역에서 나타나는 분쟁에 대한 설명으로 옳은 것은?

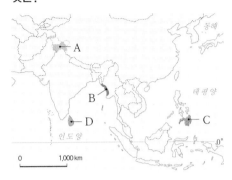

① A 지역 분쟁은 주변국 간의 지하자원을 둘러싼 갈등이 주요 원인이다.

② B 지역 분쟁은 불교와 크리스트교 간의 갈등이 주요 원인이다.

③ C 지역 분쟁은 필리핀과 베트남 간의 영유권을 둘러싼 갈등이 주요 원인이다.

④ D 지역 분쟁은 종교가 다른 민족 간의 갈등이 주요 원인이다.

⑤ B, D 지역 분쟁의 당사국에는 모두 중국이 포함되어 있다.

| 교육청 기출 |

14 지도는 몬순 아시아의 지역 갈등 및 분쟁 지역을 나타낸 것이다. A~E 지역에 대한 설명으로 옳지 않은 것은?

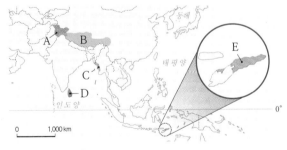

① A - 이슬람교도와 힌두교도 간의 갈등이 나타난다.

② B - 위구르족이 중국으로부터 분리 독립을 요구하고 있다.

③ C - 로힝야족에 대한 탄압으로 대규모 난민이 발생되었다.

④ D - 북부 지역에서 불교도와 힌두교도 간의 갈등이 지속되고 있다.

⑤ E - 인도네시아와 종교적 문제로 수년 간 갈등을 겪은 끝에 분리 독립하였다.

| 교육청 기출 |

15 다음 글의 밑줄 친 '이 국가'를 지도의 A~E에서 고른 것은?

이 국가는 19세기에 유럽계 백인들이 본격적으로 이주해 오면서 원주민과 이주민 간 토지를 둘러싼 갈등이 발생하였으나, 20세기 이후 공존을 위한 노력이 이루어지고 있다. 원주민의 언어인 마오리어를 영어와 함께 국가 공용어로 지정하고 화폐, 공공 표지판 등에 마오리어를 공동으로 표기하고 있다. 또한 국가대표 선수들은 국제 경기 전 원주민의 전통춤인 '하카(haka)'를 추며 결속력을 다지기도 한다.

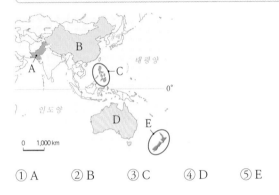

① A   ② B   ③ C   ④ D   ⑤ E

| 교육청 기출 |

16 자료는 말레이시아 어느 도시에서 촬영한 네 종교의 경관이다. A~D 종교에 대한 설명으로 옳은 것은? (단, A~D는 각각 불교, 이슬람교, 크리스트교, 힌두교 중 하나임.)

A: 큰 십자가가 달린 뾰족한 종탑

B: 관음보살상이 있는 건물과 큰 향로

C: 초승달 모양의 장식이 있는 돔형 지붕

D: 다양한 신들의 조각상으로 장식된 외벽

① A는 남부 아시아에서 기원하였다.

② B는 메카로의 성지 순례를 종교적 의무로 한다.

③ C는 윤회 사상을 중시하며 개인의 해탈을 강조한다.

④ D는 소를 신성시하여 소고기 섭취를 금기시한다.

⑤ D는 C보다 말레이시아에서 신자 수가 많다.

V.

건조 아시아와
북부 아프리카

이 단원의 핵심 포인트

중단원	핵심 포인트	학습일
01 자연환경에 적응한 생활 모습	• 건조 아시아와 북부 아프리카의 자연환경 • 건조 아시아와 북부 아프리카의 전통 생활 모습 • 건조 아시아와 북부 아프리카의 토지 이용과 주민 생활의 변화	월 일 ~ 월 일
02 주요 자원의 분포와 산업 구조 및 사막화의 진행	• 주요 자원의 분포 및 이동 • 건조 아시아와 북부 아프리카의 산업 구조 • 사막화의 진행	월 일 ~ 월 일

셀파와 내 교과서 단원 비교

셀파	천재교과서	미래엔	비상교육	금성출판사
01 자연환경에 적응한 생활 모습	01 자연환경에 적응한 생활 모습	01 자연환경에 적응한 생활 모습	01 자연환경에 적응한 생활 모습	01 자연환경에 적응한 생활 모습
02 주요 자원의 분포와 산업 구조 및 사막화의 진행	02 주요 자원의 분포 및 이동과 산업 구조	02 주요 자원의 분포 및 이동과 산업 구조	02 주요 자원의 분포 및 이동과 산업 구조	02 주요 자원의 분포와 산업 구조
	03 최근의 지역 쟁점_사막화의 진행	03 사막화의 진행	03 최근의 지역 쟁점: 사막화의 진행	03 최근의 지역 쟁점_사막화에 따른 지역 문제

01 자연환경에 적응한 생활 모습

1 건조 아시아와 북부 아프리카의 자연환경

1. 건조 아시아와 북부 아프리카①의 기후 〔자료 01〕
— 연 강수량보다 연 증발량이 많고 기온의 일교차가 큰 편임

(1) **기후 특징** 건조 기후 지역이 넓게 분포함 → 인간 거주에 불리한 지역이 많으며 상대적으로 물을 얻기 쉬운 곳에서 인구 밀도가 높게 나타남 예 이집트의 나일강 유역

(2) **기후 지역별 특징**

① 사막 기후 지역

* 연 강수량 250mm 미만으로 연중 건조함
* 북부 아프리카 일대, 아라비아반도, 중앙아시아 등에 주로 분포함

② 스텝 기후 지역

* 연 강수량 250~500mm로 짧은 풀이 자람
* 사막 주변에 주로 분포함 → 예 튀르키예와 이란의 고원 지대, 중앙아시아 북부 지역 등

③ 지중해성 기후 지역
└ 사막 기후 지역이나 스텝 기후 지역에 비해 인구 밀도가 높은 편임

* 여름에 고온 건조하고 겨울에 온난 습윤함
* 지중해 및 흑해 연안에 주로 분포함

2. 건조 아시아와 북부 아프리카의 지형 〔자료 02〕

(1) **사막** 대규모 사막 분포 예 사하라 사막, 리비아 사막, 네푸드 사막, 룹알할리 사막, 카라쿰 사막 등
└ 사막 기후 지역이나 스텝 기후 지역에서 상대적으로 물을 구하기 쉬우며, 물 자원 이용을 놓고 상류 지역의 국가와 하류 지역의 국가 간 분쟁도 자주 발생함

(2) **산지** 높고 험준한 산지가 많음 예 아틀라스산맥②, 아나톨리아고원, 이란고원, 파미르고원 등

(3) **외래 하천③과 충적 평야④** 하천 유역에 농경지가 발달해 있으며, 인구가 밀집함 〔자료 03〕

나일강	• 동아프리카 고원 지대에서 발원하여 지중해로 유입됨 • 하구에 비옥한 삼각주가 형성되어 있어 농업이 활발함 • 이집트 문명의 발상지 ── 쌀 재배도 이루어지고 있음
티그리스 · 유프라테스강	• 튀르키예 동부 산지에서 발원하여 페르시아만으로 유입됨 • 메소포타미아 평원에서 밀 재배가 활발함 • 메소포타미아 문명의 발상지

(4) **해안 평야** 지중해와 흑해 연안에 부분적으로 좁게 발달해 있음

2 건조 아시아와 북부 아프리카의 전통적인 생활 모습

1. 음식 문화
── 빵을 만들 때 물이 적게 듦

빵	밀을 주원료로 만들며 건조 기후 지역에서 저장과 운반에 편리함 예 난, 아에쉬⑤ 등
고기와 유제품	스텝 기후 지역에서는 양, 염소, 낙타 등에서 얻은 고기와 유제품을 많이 소비함
대추야자⑥	과육이 달고 영양이 풍부한 작물로, 건조 기후 지역에서 잘 자라므로 건조 아시아와 북부 아프리카 주민들의 대표적인 농작물임 └ 건조 아시아와 북부 아프리카에서는 유목의 형태로 많이 사육함
케밥⑦	• 중앙아시아의 초원 지대와 아라비아 사막 기후 지역에 거주하는 유목민들의 대표적인 전통 요리 • 양고기를 사용하며, 땔감이 적게 들고 조리가 간편함

└ 수목 밀도가 매우 낮은 건조 기후 지역에서는 땔감을 구하기가 어려우므로 조리할 때 물 사용이 적게 드는 음식이 발달해 있음

고득점을 위한 셀파 Tip

건조 아시아와 북부 아프리카의 기후 지역별 특징

사막 기후 지역	• 연중 건조 • 북부 아프리카, 아라비아반도, 중앙아시아 등에 분포
스텝 기후 지역	• 짧은 풀이 자람 • 사막 주변에 분포
지중해성 기후 지역	• 여름에 고온 건조하고 겨울에 온난 습윤함 • 지중해 및 흑해 연안에 주로 분포

❶ 북부 아프리카
아프리카의 사하라 사막을 기준으로 위쪽에 위치한 지역이다. 사막 기후와 스텝 기후가 넓게 나타나며, 지중해를 접하고 있는 지역에서는 좁은 지역에 걸쳐 지중해성 기후가 나타난다. 모로코, 알제리, 리비아, 이집트 등의 국가가 위치해 있다.

❷ 아틀라스산맥
북부 아프리카의 모로코, 알제리 일대를 동서로 가로지르는 산맥이다. 신기 습곡 산지에 해당하여 높고 험준하며, 알프스-히말라야 조산대에 속한다.

❸ 외래 하천
습윤 기후 지역에서 발원하여 사막을 관통하여 흐르는 하천으로 나일강, 인더스강, 티그리스 · 유프라테스강 등이 외래 하천에 해당한다.

❹ 충적 평야
하천에 의해 운반된 토사가 퇴적되어 형성된 평야를 말한다. 하천 상류에 발달하는 선상지, 하류에 발달하는 범람원, 하구에 발달하는 삼각주가 충적 평야의 사례에 해당한다.

❺ 난과 아에쉬
난은 밀가루 반죽을 둥글고 평평하게 빚어 화덕에 구운 빵을 말하며, 아에쉬는 이집트 밀로 만든 빵을 말한다.

❻ 대추야자
건조 기후 지역에서 주로 재배되는 작물로, 원산지는 이집트이다. 건조 기후 지역의 오아시스 주변이나 외래 하천 주변에서는 자연적으로 자라기도 한다.

❼ 케밥
'불에 구운 고기'라는 의미를 갖고 있으며 형태와 재료에 따라 다양한 종류의 케밥이 있다. 케밥이 전통 요리로 유명한 국가로는 건조 아시아의 튀르키예를 들 수 있다.

자료 01 건조 아시아와 북부 아프리카의 기후 특성

▲ 사막 기후 지역의 기후 그래프   ▲ 건조 아시아와 북부 아프리카의 연 강수량 분포

자료 분석 | 연 강수량 250mm 미만은 사막 기후 지역, 연 강수량 250~500mm는 스텝 기후 지역으로 구분한다. 사우디아라비아의 수도 리야드는 연 강수량이 250mm 미만이므로 사막 기후 지역에 해당한다. 이 지역은 물이 부족하여 인간 거주에 불리한 것이 사실이나 최근 석유 개발을 통해 얻은 이익을 기반 시설 건설에 투자하여 대도시로 성장할 수 있었다. 최근에는 자연환경의 불리함을 극복하고 도시를 건설한 사례가 많으며, 이와 같은 사례는 건조 아시아의 대표적인 산유국인 카타르, 아랍 에미리트 등에서도 쉽게 볼 수 있다.

건조 아시아와 북부 아프리카의 연 강수량 분포를 나타낸 지도를 보면 북부 아프리카와 아라비아반도를 중심으로 강수량 250mm 미만의 사막 기후 지역이 넓게 나타나고, 사막 기후 지역 주변과 중앙아시아 일대에 연 강수량 250~500mm의 스텝 기후 지역이 넓게 나타난다. 지중해와 흑해 연안에는 여름에 아열대 고압대의 영향을 받아 고온 건조한 지중해성 기후 지역이 나타난다.

자료 02 건조 아시아와 북부 아프리카의 다양한 지형

자료 분석 |
건조 아시아와 북부 아프리카의 지형을 나타낸 지도를 보면 신기 습곡 산지인 아틀라스산맥과 아나톨리아고원, 이란고원, 파미르고원 일대에서 해발 고도가 높게 나타나고, 일부 해안 지역과 외래 하천의 하류 지역의 해발 고도가 상대적으로 낮게 나타난다.

자료 03 건조 아시아와 북부 아프리카의 인구 분포

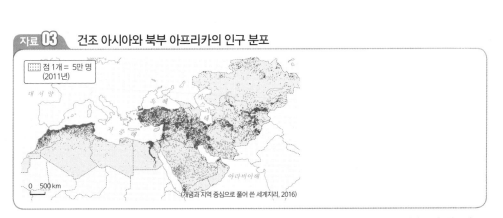

(개념과 지역 중심으로 풀어 쓴 세계지리, 2016)

자료 분석 | 지도는 건조 아시아와 북부 아프리카의 인구 분포를 나타낸 것이다. 지중해 연안과 나일강 유역, 티그리스·유프라테스강 유역에서는 인구 밀도가 높게 나타나는 반면 사하라 사막, 룹알할리 사막과 같이 물을 구하기 어려운 지역에서는 인구 밀도가 낮게 나타난다. 사막 일부 지역에도 인구가 밀집한 지역이 좁은 형태로 나타나는데, 이 지역은 오아시스가 발달하여 사막에서도 물을 구하기 쉬운 지역에 해당한다.

● 교과서 탐구 풀이

Q 건조 기후가 인간 거주에 미친 영향을 조사해 보자.

A 건조 기후는 강수량보다 증발량이 많으며 일교차가 커서 인간이 거주하기에 불리하지만, 물을 얻을 수 있는 곳을 중심으로 사람들이 모여 살았다.

● 교과서 자료 더 보기

| 사막과 초원 |

사하라 사막

카자흐 초원

● 교과서 자료 더 보기

| 해수 담수화 설비 |

최근에는 바닷물에서 염분 등의 용해 물질을 제거하여 생활용수 및 공업용수를 얻는 해수 담수화 시설을 많이 건설하고 있으며, 해수 담수화 설비의 보급으로 건조 아시아와 북부 아프리카 내에서 거주 지역의 범위가 점차 확대되고 있는 추세이다.

2. 전통 의복 자료 04

(1) **재료 및 형태** 헐렁하게 늘어지는 천으로 온몸을 감싸는 형태가 많음

(2) **특징**
　　　　　　　　┌ 수목 밀도가 매우 낮은 사막에서는 바람에 모래가 많이 날림

① 한낮의 뜨거운 햇볕과 모래바람을 막아 줌

② 땀이 증발하며 식은 공기가 옷 속에 오랜 기간 머물게 해 줌 → 체온을 낮추는 기능

③ 기온이 떨어지는 밤에 체온을 유지시켜 줌
　　└ 사막 기후 지역은 일교차가 커서 밤에 약간 추움

3. 주거 문화

(1) **사막 기후 지역의 주거 문화**
　　　　　　　　　　　　　┌ 물을 구하기 쉬운 지역

① 외래 하천 주변이나 오아시스 주변에 마을이 발달함
　　　　　　　　　　　　　　　　　　　　　┌ 비가 거의 내리지 않기 때문임

② 수목 밀도가 낮아 나무를 구하기 어려우므로 흙벽돌집이 발달함 → 가옥의 지붕이 평평하고

　창문이 작으며 벽이 두꺼움 → 바람에 모래가 들어오는 것을 막고 큰 일교차를 극복하기 위함

③ 윈드타워(바드기르)⑧가 설치된 가옥도 볼 수 있음

(2) **스텝 기후 지역의 주거 문화** 초원에 거주하는 유목민의 경우 이동식 가옥을 지음 예 게르, 유
　르트 등
　└ 카나트 등을 활용하여 공기를 정화하고　　└ 나무 뼈대와 천을 이용하여 지은 천막집
　　　온도를 조절하는 기능을 함　　　　　　　　으로 설치와 해체가 용이함

▲ 사막 지역의 전통 가옥(이집트)

▲ 초원 지역의 전통 가옥(카자흐스탄)

▲ 이동식 가옥의 설치

3 건조 아시아와 북부 아프리카의 토지 이용 방식과 주민 생활의 변화

1. 토지 이용 방식 자료 05

(1) **농목업**

① 오아시스 농업 농업용수를 얻을 수 있는 오아시스를 중심으로 대추야자, 밀, 보리 등의 재배
　가 이루어짐

② 관개 농업 외래 하천, 지하수 등을 이용하여 작물 재배가 활발함 자료 06
　　　　　　　　　　　　　　　└ 지하 관개 수로인 카나트를 이용한 작물 재배가 대표적임

③ 유목 목초지를 찾아 이동하면서 가축을 사육함

(2) **대상 무역** 대상(隊商)은 무리를 지어 이동하며 물건을 팔거나 교환하는 상인으로, 대상 무역
　을 통해 상품은 물론 여러 지역의 소식이 교환됨
　　　　　　　　└ 다양한 문화가 교류되는 데 큰 역할을 함

2. 주민 생활의 변화

(1) **유목과 대상 무역의 쇠퇴**

① 각국의 국경 설정 → 이동의 제약 증가

② 도시화와 산업화, 자원 개발 → 정착 생활의 확대

③ 사막화에 따른 목초지 감소 → 유목의 쇠퇴

(2) **관개 농업의 확대**
　　　　　　　　　　┌ 농업이 가능한 지역이 해안 지역에서
　　　　　　　　　　　내륙 사막 지역까지 확대됨

① 관개 기술의 발달과 농업 자본의 투입 증가
　　　　　　　　　　　　　└ 경작지의 형태가 원형으로 나타남

② 최근에는 스프링클러⑨를 활용한 경작지가 확대되고 있음

(3) **관광 산업의 발달** 샌드보딩⑩(사막 보드 타기), 사막에서 낙타 타기 체험, 초원에서 말타기 체
　험 등의 관광 산업이 발달함 → 관광 수입의 증가

(4) **신·재생 에너지 개발** 일사량이 풍부한 건조 기후 지역에서 태양광(열) 발전이 활발함

고득점을 위한 셀파 Tip

건조 기후 지역의 가옥 특징

사막 기후 지역	• 흙벽돌집 • 가옥의 지붕이 평평하고 창문이 　작으며 벽이 두꺼움
스텝 기후 지역	• 이동식 가옥 예 게르, 유르트 등 • 천막집으로 설치와 해체가 용이 　함

⑧ 윈드타워(바드기르)

바드기르는 서남아시아 전통 가옥에서 쉽게 볼 수 있는 윈드타워의 일종이다. 바드기르를 통해 공기를 아래로 내려보내면 더운 열을 식혀 실내를 냉각할 수 있으며, 내부의 더운 열기는 밖으로 배출할 수 있다. 따라서 바드기르는 공기 정화와 냉방을 위해 사용된 천연 에어컨이라고 할 수 있다.

⑨ 스프링클러

물에 압력을 가해 노즐에서 물보라처럼 물을 분사하는 장치이다. 작물에 물을 주거나 소방용으로 화재 진압에 많이 이용된다.

▲ 스프링클러를 이용한 원형 경작지

⑩ 샌드보딩

사막의 사구 위에서 보드를 타고 내려오는 체험 활동이다.

자료 04 공통 자료 건조 아시아와 북부 아프리카의 전통 의복

▲ 우즈베키스탄의 전통 의복　　▲ 사우디아라비아의 전통 의복　　▲ 베르베르족의 전통 의복

자료 분석 | 우즈베키스탄의 전통 의복은 초원에서 말을 타기 편하도록 옆과 앞이 트여 있으며, 겨울에는 춥기 때문에 두꺼운 천으로 옷을 만든다. 사우디아라비아의 남성은 흰색 토브를 입고 머리에 두건인 셰마그를 착용하고, 여성은 검은색 옷인 아바야를 입고 검은색 스카프인 샤일라를 두른다. 베르베르족은 사하라 사막에서 유목을 하므로 남성들은 눈을 제외한 얼굴 대부분을 긴 천으로 휘감아 모래바람이 들어오는 것을 막는다.

자료 05 공통 자료 건조 아시아와 북부 아프리카의 토지 이용

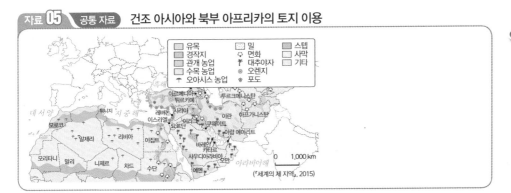

(『세계의 제 지역』, 2015)

자료 분석 | 건조 기후 지역의 주민은 오래전부터 유목이나 오아시스 농업을 하며 생활하였다. 나일강과 같은 큰 하천의 주변에는 비옥한 충적 토양을 이용한 농업이 이루어지며, 지중해와 접한 지역에서는 수목 농업이 활발한 편이다.

자료 06 공통 자료 건조 아시아와 북부 아프리카의 관개 농업

▲ 지하 관개 수로를 이용한 관개 농업　　▲ 외래 하천 주변의 관개 농업

자료 분석 | 이란에서 '카나트'라 불리는 지하 관개 수로는 산지에 내린 강수가 모여 형성된 지하수층에 수직으로 굴을 판 후 지하 수로를 활용하여 물을 끌어온 것이다. 지하수를 이용해 관개 농업을 하는 곳에서는 스프링클러로 물을 분사하므로 경작지의 형태가 원형으로 나타난다.

나일강, 티그리스·유프라테스강과 같은 외래 하천 주변에서는 하천의 물을 관개하여 다양한 작물을 재배하고 있다. 일부 지역에서는 외래 하천에서 끌어온 물을 스프링클러로 분사하여 밀과 같은 작물을 대규모로 재배하고 있다.

● 교과서 탐구 풀이

Q 사우디아라비아의 전통 의상이 헐렁하게 늘어지는 천으로 온몸을 감싸는 형태로 만들어진 이유를 서술해 보자.

A 국토의 대부분에서 사막 기후가 나타나는 사우디아라비아에서는 헐렁하게 늘어지는 천으로 온몸을 감싸는 형태의 전통 의복이 발달하였다. 이러한 형태의 의복은 사막 기후 지역의 한낮의 뜨거운 햇볕과 모래바람으로부터 피부를 보호하고, 땀이 증발하면서 식은 공기를 옷 속에 오래 머물게 해 체온을 낮춰 주는 역할을 한다.

● 교과서 자료 더 보기

| 오아시스 농업과 대추야자 |

사막의 오아시스에서 가장 많이 재배하는 작물은 대추야자이다. 대추야자는 염분에 잘 견디는 내염성 작물이기 때문에 건조 기후 지역 주민의 중요한 식량 자원이 되었다.

● 교과서 탐구 풀이

Q 관개 수로를 지하에 설치한 이유를 기후 특성과 관련지어 설명해 보자.

A 지표수가 대부분 증발하는 건조 아시아 및 북부 아프리카 지역에서는 수분 증발을 막기 위해 지하에 관개 수로를 설치하여 생활용수로 사용하거나 대추야자, 올리브 등을 재배하는 데 활용한다.

1 건조 아시아와 북부 아프리카의 기후

(❶　　　) 기후	북부 아프리카 일대, 아라비아반도, 중앙아시아 등에 분포
(❷　　　) 기후	튀르키예와 이란고원 일대, 중앙아시아 북부 지역 등에 분포
지중해성 기후	지중해 및 흑해 연안에 주로 분포

2 건조 아시아와 북부 아프리카의 지형

사막	대규모 사막 분포
산지	아틀라스산맥, 아나톨리아고원, 이란고원, 파미르고원 등
외래 하천과 충적 평야	이집트 문명이 발달했던 (❸　　　)강과 메소포타미아 문명이 발달했던 티그리스·유프라테스강 유역
해안 평야	지중해와 흑해 연안에 부분적으로 발달

3 건조 아시아와 북부 아프리카의 전통적인 생활 모습

음식 문화	빵, 고기와 유제품, 대추야자, 케밥 등
전통 의복	헐렁하게 늘어지는 천으로 온몸을 감싸는 형태
주거 문화	• 사막 기후 지역: 가옥의 지붕이 평평하고 창문이 작으며 벽이 두꺼운 (❹　　　) 발달 • 스텝 기후 지역: 설치와 해체가 용이한 이동식 가옥 발달 ⑩ 게르, 유르트 등

4 건조 아시아와 북부 아프리카의 토지 이용 방식

농목업	오아시스 농업, 지하 관개 수로인 (❺　　　)를 이용한 관개 농업, 유목 발달
대상 무역	무리를 지어 이동하며 물건을 팔거나 교환하는 방식으로 무역이 이루어짐

5 건조 아시아와 북부 아프리카의 주민 생활 변화

유목과 대상 무역 쇠퇴	국경 설정, 도시화, 산업화, 사막화에 따른 목초지 감소 등이 원인
관개 농업 확대	관개 기술의 발달, 최근 (❻　　　)를 이용한 원형 경작지 등장
관광 산업 발달	샌드보딩, 낙타 타기, 말타기 체험 등
신·재생 에너지 개발	풍부한 일사량을 활용한 태양광(열) 발전 활발

정답 ❶ 사막 ❷ 스텝 ❸ 나일 ❹ 흙벽돌집 ❺ 카나트 ❻ 스프링클러

[01~02] 지도는 건조 아시아와 북부 아프리카의 기후 분포를 나타낸 것이다. 이를 보고 물음에 답하시오.

01 (가)~(다) 기후 지역으로 옳은 것은?

	(가)	(나)	(다)
①	사막	지중해성	스텝
②	스텝	사막	지중해성
③	스텝	지중해성	사막
④	지중해성	사막	스텝
⑤	지중해성	스텝	사막

02 (가)~(다) 기후 지역에 대한 옳은 설명만을 〈보기〉에서 고른 것은?

보기
ㄱ. (가)는 여름에 강수가 집중되며 벼농사가 활발하다.
ㄴ. (나)에서는 올리브, 오렌지 등의 재배가 활발하다.
ㄷ. (다)는 연 강수량보다 연 증발량이 많다.
ㄹ. (가)~(다) 중에서 인구 밀도는 (나)가 가장 낮다.

① ㄱ, ㄴ　　　② ㄱ, ㄷ　　　③ ㄴ, ㄷ
④ ㄴ, ㄹ　　　⑤ ㄷ, ㄹ

딱풀 p.38

★03 지도는 건조 아시아와 북부 아프리카의 해발 고도 분포를 나타낸 것이다. A~E에 대한 설명으로 옳은 것은?

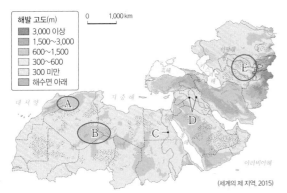

(세계의 제 지역, 2015)

① A는 고기 습곡 산지에 해당한다.
② C 유역에서는 메소포타미아 문명이 발달하였다.
③ E에서는 벼의 2기작이 활발하게 이루어진다.
④ D 유역은 B 일대보다 인구 밀도가 낮다.
⑤ C, D는 모두 외래 하천에 해당한다.

★04 지도는 건조 아시아와 북부 아프리카의 인구 분포를 나타낸 것이다. A~D 지역에 대한 옳은 설명만을 〈보기〉에서 고른 것은?

(개념과 지역 중심으로 풀어 쓴 세계지리, 2016)

┤ 보기 ├
ㄱ. A는 연 강수량이 250mm 미만이다.
ㄴ. B는 오아시스를 중심으로 마을이 형성되어 있다.
ㄷ. C는 나일강의 물을 관개하여 농업이 활발하다.
ㄹ. D는 돼지고기를 주재료로 한 전통 요리가 발달해 있다.

① ㄱ, ㄴ   ② ㄱ, ㄷ   ③ ㄴ, ㄷ
④ ㄴ, ㄹ   ⑤ ㄷ, ㄹ

05 자료는 두 국가의 전통 의복을 나타낸 것이다. (가), (나) 국가를 지도의 A~C에서 고른 것은?

(가)

초원에서 말을 타기 편하도록 옆과 앞이 트여 있으며, 겨울에는 춥기 때문에 두꺼운 천으로 옷을 만든다.

(나)

남성은 흰색 토브를 입고 머리에 두건인 셰마그를 착용한다. 여성은 검은색 옷인 아바야를 입고 검은색 스카프인 샤일라를 두른다.

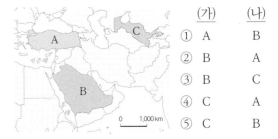

	(가)	(나)
①	A	B
②	B	A
③	B	C
④	C	A
⑤	C	B

06 다음 글의 (가) 지역에 대한 설명으로 옳은 것은?

바드기르는 ___(가)___ 의 전통 가옥에서 쉽게 볼 수 있는 윈드타워의 일종이다. 바드기르를 통해 공기를 아래로 내려보내면 더운 열을 식혀 실내를 냉각할 수 있으며, 내부의 더운 열기는 밖으로 배출할 수 있다. 따라서 바드기르는 공기 정화와 냉방을 위해 사용된 천연 에어컨이라고 할 수 있다.

① 연중 적도 저압대의 영향을 받는다.
② 주민의 대부분이 크리스트교를 믿는다.
③ 연 강수량보다 연 증발량이 많아 건조하다.
④ 연중 극동풍의 영향을 받고 순록 유목이 활발하다.
⑤ 세계에서 돼지 사육 두수가 가장 많은 국가가 위치한다.

07 자료는 두 지역의 전통 가옥을 나타낸 것이다. A, B 지역에 대한 옳은 설명만을 〈보기〉에서 고른 것은?

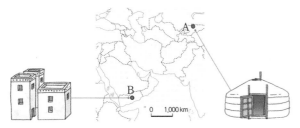

┤ 보기 ├
ㄱ. A에서는 양, 염소 등의 유목이 활발하다.
ㄴ. B의 전통 가옥은 게르, 유르트 등으로 불린다.
ㄷ. A는 B보다 연 강수량이 많다.
ㄹ. A, B는 모두 수목 기후 지역에 해당한다.

① ㄱ, ㄴ   ② ㄱ, ㄷ   ③ ㄴ, ㄷ
④ ㄴ, ㄹ   ⑤ ㄷ, ㄹ

08 자료는 '건조 아시아와 북부 아프리카의 주민 생활' 촬영을 위한 장면 설정이다. 촬영 장면에 해당하는 지역을 지도의 A~C에서 순서대로 고른 것은?

#No.1	#No.2	#No.3
'동서양의 문명이 만나는 도시'라는 자막을 넣고 케밥을 먹는 주민들의 모습을 촬영한다.	아 에 쉬 라는 빵을 먹는 주민의 모습을 보여 주고 거대한 피라미드의 모습을 드론으로 촬영한다.	이베리아반도의 모습이 육안으로 보인다는 내레이션을 넣고 대추야자로 식사를 하는 무슬림들의 모습을 촬영한다.

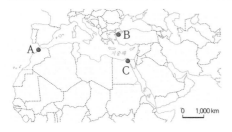

① A → B → C   ② A → C → B   ③ B → A → C
④ B → C → A   ⑤ C → B → A

09 자료의 (가), (나)에 대한 옳은 설명만을 〈보기〉에서 고른 것은?

지하 관개 수로 ▢(가)▢ 을/를 통해 물을 끌어옴   ▢(나)▢ 을/를 통해 지하수를 끌어올려 분사함

┤ 보기 ├
ㄱ. (가)는 이란에서 '카나트'라고 불린다.
ㄴ. (나)로 인해 경작지의 형태가 원형으로 나타난다.
ㄷ. (가)는 (나)보다 농업에 이용되기 시작한 시기가 늦다.
ㄹ. (가), (나)는 모두 열대 기후 지역에서 관개 농업에 이용된다.

① ㄱ, ㄴ   ② ㄱ, ㄷ   ③ ㄴ, ㄷ
④ ㄴ, ㄹ   ⑤ ㄷ, ㄹ

10 다음 글의 ㉠~㉤에 대한 설명으로 옳지 않은 것은?

건조 아시아와 북부 아프리카에서는 농업용수를 얻을 수 있는 ㉠ 오아시스를 중심으로 농업이 발달해 있다. 또한 외래 하천, 지하수 등을 이용하여 작물 재배가 활발하며 ㉡ 목초지를 찾아 이동하며 가축을 사육하는 유목이 발달해 있다. 무리를 지어 이동하며 물건을 팔거나 교환하는 상인을 대상(隊商)이라고 하는데, ㉢ 최근에는 대상 무역이 쇠퇴하고 있다. 이 외에 건조 아시아와 북부 아프리카에서는 ㉣ 사막과 스텝 기후를 활용한 관광 산업이 발달하고 있으며, ㉤ 건조 기후 지역을 중심으로 신·재생 에너지 개발도 활발하게 이루어지고 있다.

① ㉠ – 대추야자, 밀, 보리 등의 재배가 이루어진다.
② ㉡ – 양, 염소 등을 주로 사육한다.
③ ㉢ – 국경 설정, 도시화와 산업화 등이 원인이다.
④ ㉣ – 샌드보딩, 낙타 타기, 말타기 체험 등이 있다.
⑤ ㉤ – 대규모 댐 건설을 통한 수력 발전이 활발하다.

11 지도는 건조 아시아와 북부 아프리카의 인구 분포를 나타낸 것이다. 이를 보고 물음에 답하시오.

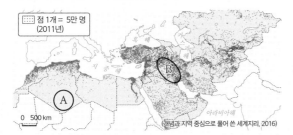

(1) A에서 인구 밀도가 낮게 나타나는 원인을 한 가지만 서술하시오.

(2) B에서 인구 밀도가 높게 나타나는 원인을 한 가지만 서술하시오.

12 자료를 보고 물음에 답하시오.

　그림은 　(가)　에서 볼 수 있는 전통 가옥의 모습을 나타낸 것이다. 이 지역의 전통 가옥은 나무 뼈대와 천을 이용한 천막집이 많은데, 이러한 형태의 ⊙ 이동식 가옥은 설치와 해체가 용이하다는 장점이 있다.

(1) (가)의 기후적 특징을 연 강수량과 관련하여 서술하시오.

(2) (가)에서 ⊙을 부르는 명칭을 두 가지만 쓰시오.

(3) (가)의 전통 가옥이 ⊙의 형태로 나타나는 이유를 한 가지만 서술하시오.

13 다음 글을 읽고 물음에 답하시오.

　⊙ 티그리스·유프라테스강은 튀르키예 동부 산지에서 발원하여 페르시아만으로 유입되는 하천으로, 이와 같이 습윤 기후 지역에서 발원하여 건조 기후 지역을 흐르는 하천을 　(가)　 하천이라고 한다.

(1) ⊙ 유역에서 시작된 고대 문명의 명칭을 쓰시오.

(2) (가)에 들어갈 내용을 쓰시오.

14 다음 글을 읽고 물음에 답하시오.

　유목은 목초지를 찾아 이동하면서 가축을 사육하는 형태로 이루어진다. ⊙ 대상(隊商)은 무리를 지어 이동하며 물건을 팔거나 교환하는 상인을 말한다. 과거 건조 아시아와 북부 아프리카에서는 유목과 대상 무역이 활발했으나 ⓒ 최근에는 유목과 대상 무역이 쇠퇴하고 있다.

(1) 과거 ⊙의 역할을 한 가지만 서술하시오.

(2) ⓒ의 원인을 두 가지 이상 서술하시오.

15 그림을 보고 물음에 답하시오.

(1) 이와 같은 관개 시설을 이란에서 부르는 명칭을 쓰시오.

(2) 위의 관개 시설이 발달한 지역의 기후 특징을 한 가지만 서술하시오.

01 | 교육청 기출 |
지도는 북부 아프리카 일대의 (가)~(다) 기후 지역을 나타낸 것이다. 이에 대한 설명으로 옳지 <u>않은</u> 것은? (단, (가)~(다)는 각각 사막, 스텝, 지중해성 기후 지역 중 하나임.)

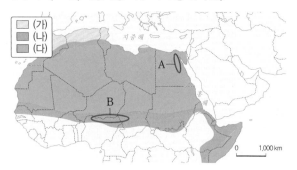

① (가)에서는 수목 농업이 이루어진다.

② (나)는 (다)보다 단위 면적당 가축 사육 두수가 적다.

③ (다)는 (가)보다 인구 밀도가 낮다.

④ A 지역에서는 외래 하천을 이용하여 대추야자, 밀 등을 재배한다.

⑤ B 지역에서는 오랜 가뭄과 과도한 방목 등으로 사막화가 진행 중이다.

02 | 평가원 기출 |
지도의 A~D 국가에 대한 옳은 설명만을 〈보기〉에서 고른 것은?

| 보기 |
ㄱ. A는 해안 지역보다 내륙 지역의 인구 밀도가 높다.

ㄴ. B는 유럽 연합 회원국이다.

ㄷ. C는 수니파 교도보다 시아파 교도가 많다.

ㄹ. D는 외국인 노동자의 유입으로 청장년층에서 여자보다 남자가 많다.

① ㄱ, ㄴ   ② ㄱ, ㄷ   ③ ㄴ, ㄷ

④ ㄴ, ㄹ   ⑤ ㄷ, ㄹ

03 | 교육청 기출 |
자료의 (가) 기후 지역을 여행하면서 체험할 수 있는 활동으로 가장 적절한 것은?

(가) 기후 지역 여행 안내문

〈준비물〉

• 바람에 날리는 모래를 막기 위해 얼굴과 머리를 감쌀 수 있는 두건이나 스카프가 필요합니다.

• 기온의 일교차가 매우 큽니다. 야간과 새벽에 사용할 침낭을 준비하세요.

• 현지의 전통 이동식 가옥은 대부분 전기가 들어오지 않습니다. 휴대용 랜턴이 필요합니다.

• 햇빛이 아주 강합니다. 야외 활동 시 필요한 선크림을 꼭 준비하세요.

〈참고 및 주의 사항〉

• 일 년 내내 우산은 사용할 일이 거의 없습니다.

• 사진을 찍으려고 버섯바위 위에 올라가지 마세요. 올라가면 바위가 무너져 부상의 위험이 있습니다.

---

① 바르한에서 체험하는 모래 위 썰매타기

② 현지 농장을 방문하여 유기농 열대 과일 맛보기

③ 통나무로 만들어진 전통 가옥 관람과 연어 잡기

④ 숲속에 떨어진 단풍잎을 이용한 예쁜 엽서 만들기

⑤ 야외의 대형 얼음 조각상을 배경으로 기념사진 찍기

04 | 교육청 기출 |
자료의 ㉠~㉤ 중 서남아시아 건조 기후 지역의 전통적인 생활 모습으로 적절하지 <u>않은</u> 것은?

① ㉠   ② ㉡   ③ ㉢   ④ ㉣   ⑤ ㉤

| 딱풀 p. 40

05 자료의 (가)~(다)에 해당하는 국가를 지도의 A~C에서 고른 것은?

(가)	(나)	(다)
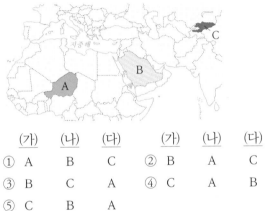		
이슬람교 최대 성지가 있는 나라의 국기로, 쿠란 구절을 포함한 문구가 아랍어로 쓰여 있다.	사하라 사막 남쪽 위치한 나라의 국기로, 국기 위쪽의 주황색이 사막을 의미한다.	전통적으로 유목이 발달한 나라의 국기로, 이동식 가옥인 '유르트'를 형상화 한 문양이 그려져 있다.

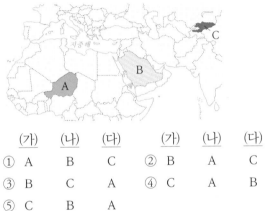

	(가)	(나)	(다)		(가)	(나)	(다)
①	A	B	C	②	B	A	C
③	B	C	A	④	C	A	B
⑤	C	B	A				

06 다음 영화의 배경이 되는 지역에서 신자 수 비중이 가장 높은 종교에 대한 설명으로 옳은 것은?

이 영화는 와즈다라는 10살 소녀의 이야기를 다룬 것이다. 와즈다는 이웃집 압둘라가 타고 다니는 자전거가 항상 부러웠는데 마침 단골 가게에 마음에 쏙 드는 자전거가 들어온다. 엄마에게 자전거를 사달라고 조르지만, 엄마는 "여자는 자전거를 타면 안 된다."며 사주지 않는다. 그래서 와즈다는 학교에서 열리는 쿠란 퀴즈 대회에 참가하여 우승 상금으로 자전거를 사려고 하는데 …(중략)… 이 영화가 계기가 되어 와즈다가 살고 있는 지역의 여성들은 자전거를 탈 수 있게 되었다고 한다.

① 윤회 사상이 있으며 해탈을 중요시한다.

② 사원에 다양한 모습의 신들이 조각되어 있다.

③ 유럽 국가의 식민지 확대 과정에서 주로 전파되었다.

④ 불상과 사리가 봉안된 탑이 대표적인 종교 경관이다.

⑤ 신자들은 하루에 다섯 번씩 성지를 향해 예배를 드린다.

07 자료는 두 지역의 전통적인 주민 생활을 설명한 것이다. (가) 지역에 대한 (나) 지역의 상대적 특징을 그림의 A~E에서 고른 것은?

- 베트남의 수도 [(가)]에서는 기후와 풍토에 맞게 얇은 비단이나 나일론과 같은 천으로 만들어 통풍이 잘 되는 옷을 입는다. 전통 음식으로는 쌀로 만든 국수인 '퍼'가 있다.

- 사우디아라비아의 수도 [(나)]에서는 뜨거운 햇볕으로부터 피부를 보호하기 위해 남성들은 흰색 옷에 머리 두건을 착용하며, 여성들은 검은색 옷에 검은색 스카프를 머리에 두른다. 즐겨 먹는 음식으로는 말린 대추야자가 있다.

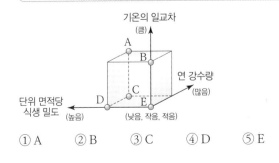

① A ② B ③ C ④ D ⑤ E

| 평가원 기출 |

08 다음은 세계 음식 문화 탐방과 관련된 방송 프로그램의 내용 중 일부이다. A, B에 대한 옳은 설명만을 〈보기〉에서 고른 것은?

오늘은 서남아시아에서 주로 사용하는 음식 재료에 대해 말씀해 주신다고 했는데요?

네. 그중 대표적인 작물인 　A　 은/는 서남아시아의 '비옥한 초승달 지대'에서 기원하였다고 전해졌는데요. 다양한 면 요리와 넌(난) 등의 음식 재료로 활용됩니다.

그럼 서남아시아의 이슬람 문화권에서는 어떤 고기를 주로 먹나요?

이곳에서는 과거 유목민들이 그랬던 것처럼 지금도 양고기를 즐겨 먹습니다. 다만 종교적 관습에 따라 　B　 고기를 먹는 것은 금기시되고 있습니다.

┤ 보기 ├
ㄱ. A는 프랑스 사람들이 많이 먹는 바게트의 주재료이다.
ㄴ. B는 유럽의 농경 사회에서 노동력을 대신하는 가축이다.
ㄷ. A의 생산량과 B의 사육 두수가 가장 많은 국가는 중국이다.
ㄹ. 서남아시아의 전통 농업 방식은 A와 B를 결합한 혼합 농업이다.

① ㄱ, ㄴ　　② ㄱ, ㄷ　　③ ㄴ, ㄷ
④ ㄴ, ㄹ　　⑤ ㄷ, ㄹ

| 평가원 기출 |

09 자료는 세계 음식 문화 체험에 대한 대화이다. (가)~(다)에 대한 옳은 설명만을 〈보기〉에서 고른 것은?

부모님과 튀르키예 식당에 가서 (가) 양고기 케밥을 시켰는데, 숯불에 구운 고기와 채소 꼬치였어. 고기를 기둥처럼 쌓아 올려 구운 케밥도 먹어 보고 싶어.

부모님과 함께 이탈리아에서 먹었던 (나) 피자는 밀가루로 반죽한 얇은 도우에 모짜렐라 치즈와 토마토를 얹은 거였어. 맛이 아주 담백했어.

가족들과 타이 식당에 가서 시큼하고 매운 국물에 새우가 들어간 (다) 똠양꿍이라는 음식을 먹었는데, 맛이 특이해서 입맛이 확 살아났어.

┤ 보기 ├
ㄱ. (가)는 이동식 화전 농업을 하는 지역에서 유래되었다.
ㄴ. (나)가 유래한 지역에서는 경엽수의 열매를 음식 재료로 많이 사용한다.
ㄷ. (다)는 덥고 습한 기후 지역에서 사용되는 향신료가 많이 들어간다.
ㄹ. (가)와 (다)는 돼지고기가 금기시되는 지역에서 발달해 주변 지역으로 전파되었다.

① ㄱ, ㄴ　　② ㄱ, ㄷ　　③ ㄴ, ㄷ
④ ㄴ, ㄹ　　⑤ ㄷ, ㄹ

| 교육청 기출 |

10 자료의 ㉠~㉢에 대한 옳은 설명만을 〈보기〉에서 고른 것은?

〈㉠ 요르단의 전통 복장〉

〈㉡ 모로코의 전통 건축물〉

〈㉢ 말리의 낙타〉

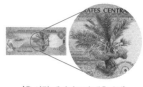
〈㉣ 아랍 에미리트의 대추야자〉

┤ 보기 ├
ㄱ. ㉠은 잦은 강수와 강한 일사에 대비한 것이다.
ㄴ. ㉡은 지면의 습기와 해충을 차단하기 위한 고상 가옥이다.
ㄷ. ㉢은 과거 대상(隊商) 무역에 이용되었다.
ㄹ. ㉣은 오아시스 농업이나 관개 농업으로 재배된다.

① ㄱ, ㄴ　　② ㄱ, ㄷ　　③ ㄴ, ㄷ
④ ㄴ, ㄹ　　⑤ ㄷ, ㄹ

11 자료의 (가)에 해당하는 국가로 옳은 것은?

(가) 여행의 세 가지 테마		
사막 마라톤 관람	**스키 체험**	**시티 투어**
폭염 속에서 최소한의 물과 식량만으로 약 250km를 달리는 사막 마라톤 관람	사계절이 모두 있는 나라, 아틀라스 산맥에 내리는 폭설을 이용한 자연설 스키 체험	흰색 가옥이 많아 도시 이름이 '하얀 집'을 뜻하는 카사블랑카 (Casablanca) 투어

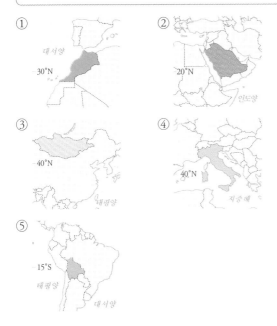

12 (가), (나)는 건조 기후 지역의 관개 시설이다. 이에 대한 설명으로 옳은 것은?

(가)　　　　　　(나)

① (가)는 오아시스 농업에서 주로 활용한다.

② (가)는 원형 경작지 중앙에 전통 방식의 우물이 있다.

③ (나)는 지하 수로를 통해 연결되어 있다.

④ (나)는 외래 하천의 물을 끌어오는 방식이다.

⑤ (가)는 (나)보다 개발 시기가 이르다.

13 다음 글은 건조 기후 지역 여행 계획이다. 여행할 국가를 지도의 A~C에서 여행 순서대로 고른 것은?

- 첫 번째 여행국: 두바이, 아부다비 등에 국제공항, 대규모 쇼핑몰과 휴양 시설 등을 건설하여 국제 금융 및 물류 중심지, 관광 중심지로 변모하고 있는 국가를 방문할 계획임
- 두 번째 여행국: 다르푸르 분쟁이 있었던 국가의 수도를 방문할 계획임, 이 나라는 사헬 지대의 사막화 분쟁 해결을 위해 그레이트 그린 월(Great Green Wall) 프로젝트에 참여하고 있음
- 세 번째 여행국: 나일강 하구 삼각주에 농업이 이루어지고 있고, 피라미드와 스핑크스 등 고대 문명 유적지를 활용한 관광 산업이 발달한 국가를 방문할 계획임

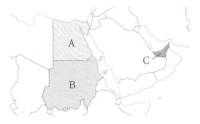

① A → B → C　　② B → A → C　　③ B → C → A

④ C → A → B　　⑤ C → B → A

14 자료의 ㉠~㉤에 대한 설명으로 옳은 것은?

> **이란 ○○○ 지역 여행기**
>
> 이 도시는 과거 실크로드 대상(隊商)들의 집결지였다. ㉠ 전통 가옥들이 즐비한 구시가지의 건물 지붕에는 굴뚝처럼 생긴 ㉡ 바드기르가 눈에 띄었다. ㉢ 이곳은 물이 부족하여 옛날부터 ㉣ 카나트라고 불리는 관개 시설이 발달해 있었다. 현지인의 집을 방문해 대추야자와 전통 요리인 ㉤ 압구시트를 맛볼 수 있었다.

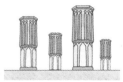

▲ 바드기르

① ㉠의 지붕은 대체로 급경사의 형태를 띠고 있다.

② ㉡은 실내 공기를 정화하고 온도를 조절하는 시설이다.

③ ㉢의 이유는 연 증발량보다 연 강수량이 많기 때문이다.

④ ㉣의 물은 염분이 높아 농업용수로 부적합하다.

⑤ ㉤의 주재료는 돼지고기이다.

02 주요 자원의 분포와 산업 구조 및 사막화의 진행

1 주요 자원의 분포 및 이동

1. 화석 에너지 자원의 분포 및 이동

(1) 분포 특징 자료01 ─ 신생대 제3기층의 배사 구조에 주로 매장되어 있음

① 석유와 천연가스의 세계적인 매장지이자 생산지 → 사우디아라비아❶, 이란❷, 이라크, 쿠웨이트 등은 세계적인 석유 수출국이며, 카타르, 이란은 세계적인 천연가스 수출국임

② 석유와 천연가스의 매장량이 많은 반면 석탄의 매장량은 적은 편임

③ 유전이 지표 부근에 위치하며 대규모 유전이 분포함 → 경제성이 뛰어나 개발에 유리함
─ 생산비가 저렴함

(2) 석유와 천연가스의 주요 분포 지역 자료02

① 페르시아만❸ 연안

• 전 세계 석유 매장량의 절반 정도가 집중되어 있음

• 세계 석유 생산량의 30% 이상을 차지함
─ 페르시아만 연안 국가 간 국제 정세에 따라 석유 가격 변동이 큼

② 북부 아프리카, 카스피해 연안

• 알제리, 리비아, 이집트 등에서 석유와 천연가스가 많이 생산됨

• 카스피해의 석유, 천연가스 개발을 놓고 연안국 간 갈등이 나타남

(3) 석유와 천연가스의 이동 석유와 천연가스는 주요 생산지와 소비지가 달라 국제적 이동량이 많음 → 주로 유럽, 북아메리카의 주요 선진국과 동부 아시아 등지로 파이프라인과 유조선을 통해 이동하고 수출됨
─ 러시아, 이란, 카자흐스탄, 투르크메니스탄, 아제르바이잔

〈석유와 천연가스의 매장량 및 국가별 비율〉

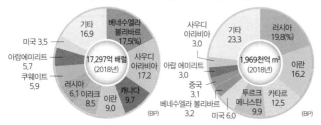

▲ 석유 매장량 및 국가별 비중　　　▲ 천연가스 매장량 및 국가별 비중

석유와 천연가스의 국가별 매장량 비율을 나타낸 그래프를 보면 사우디아라비아, 이란, 이라크, 쿠웨이트, 카타르, 아랍 에미리트, 투르크메니스탄 등과 같은 건조 아시아 국가의 비율이 높게 나타남

〈건조 아시아와 북부 아프리카 국가의 석유, 천연가스 생산량〉

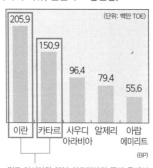

─ 건조 아시아와 북부 아프리카의 국가 중에서 석유의 생산량이 가장 많은 국가는 사우디아라비아임. 사우디아라비아는 천연가스에 비해 석유의 생산량이 많은 편임

건조 아시아와 북부 아프리카의 국가 중에서 천연가스의 생산량이 가장 많은 국가는 이란이고, 이란 다음으로는 카타르의 천연가스 생산량이 많음. 북부 아프리카의 국가 중에서는 알제리의 천연가스 생산량이 많은 편임

❶ 사우디아라비아

베네수엘라 볼리바르 다음으로 석유가 많이 매장되어 있는 국가이며, 현재 미국 다음으로 석유의 생산량이 많은 국가이다. 서남아시아의 대표적인 산유국이며, 이슬람교의 최대 성지인 메카가 있는 국가이기도 하다.

❷ 이란

러시아 다음으로 천연가스가 많이 매장되어 있는 국가이며, 건조 아시아와 북부 아프리카 국가 중에서 천연가스의 생산량이 가장 많다. 이슬람교 시아파의 비율이 높은 국가로 핵 개발로 인해 미국과 갈등을 겪으며 경제 봉쇄 조치가 지속되고 있는 상황이다.

❸ 페르시아만

아라비아반도와 이란 사이에 있는 만(灣)으로 동쪽의 호르무즈 해협을 통해 오만만과 연결된다. 페르시아만은 걸프만으로 불리기도 하며 페르시아만 연안에는 석유와 천연가스가 다량 매장되어 있는 것이 알려지면서 석유 및 천연가스 개발과 이동을 둘러싸고 갈등이 자주 발생하고 있다.

자료 01 공통 자료 건조 아시아와 북부 아프리카의 석유 및 천연가스 분포

(지오그래픽, 2012 / 미국 중앙 정보국, 2017)

자료 분석 | 지도는 건조 아시아와 북부 아프리카의 국가별 원유 생산량과 유전 및 가스전, 송유관, 가스관 분포를 나타 낸 것이다. 건조 아시아와 북부 아프리카는 석유와 천연가스의 매장량이 풍부하며 생산량도 많다. 석유와 천연가스 경우 페르시아만 연안에 위치한 국가들의 생산량이 많은 편인데, 특히 석유는 사우디아라비아의 생산량이 많고 천연가스는 이란, 카타르, 알제리 등의 생산량이 많다. 건조 아시아와 북부 아프리카에서 생 산된 석유와 천연가스는 자국 내에서 소비되기도 하지만 파이프라인과 유조선을 통해 유럽, 북아메리카, 동아시아 등지로 많이 수출된다. 우리나라의 경우에도 사우디아라비아, 이란, 카타르 등으로부터 많은 양의 석유와 천연가스를 수입하고 있으며, 수많은 유조선이 드나드는 페르시아만 연안은 경제적·군사적으로도 요충지에 해당한다.

● **교과서 자료 더 보기** +

| 카스피해 주변 국가들 |

건조 아시아와 북부 아프리카에서 페르시아 만 연안 외에 석유와 천연가스가 많이 매장 되어 있는 지역으로는 카스피해 연안을 들 수 있다. 카스피해 연안에는 다량의 석유와 천연가스가 매장되어 있는 것이 알려지면서 연안에 위치한 러시아, 이란, 카자흐스탄, 투 르크메니스탄, 아제르바이잔 간에 석유와 천 연가스 개발을 놓고 갈등이 나타나고 있다.

자료 02 석유 및 천연가스의 지역(대륙)별 매장량 비율과 석유 생산량 변화

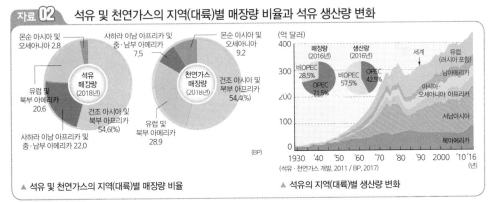

▲ 석유 및 천연가스의 지역(대륙)별 매장량 비율   ▲ 석유의 지역(대륙)별 생산량 변화

(석유·천연가스 개발, 2011 / BP, 2017)

자료 분석 | 석유 및 천연가스의 지역(대륙)별 매장량 비율을 나타낸 그래프를 보면 두 에너지 자원 모두 건조 아시아 및 북부 아프리카의 매장량 비율이 세계 매장량의 절반 이상을 차지하고 있는 것을 알 수 있다. 이처럼 석유 와 천연가스는 특정 지역에 편중되어 자원이 매장되어 있는 경향, 즉 자원의 편재성이 심하므로 이를 둘러 싼 국가 간 또는 지역 간 갈등의 원인이 되기도 한다. 특히 건조 아시아와 북부 아프리카의 석유 생산국들이 많이 가입해 있는 석유 수출국 기구(OPEC)는 산유국들의 석유 생산량의 증가와 감소를 결정하므로 국제 석유 가격을 결정 짓는 데에도 막강한 영향력을 행사하고 있다.
석유의 지역(대륙)별 생산량 변화를 나타낸 그래프를 보면 서남아시아에서 본격적으로 석유 개발이 본격화 된 1950년대 이후로 서남아시아의 석유 생산량이 급격히 증가하였으며, 현재는 모든 지역(대륙) 중에서 서 남아시아의 석유 생산량이 가장 많은데 서남아시아에 속한 대표적인 산유국으로는 사우디아라비아를 들 수 있다.

● **교과서 탐구 풀이** ✎

Q1 석유와 천연가스의 세계 매장량에서 가 장 높은 비율을 차지하고 있는 지역(대 륙)은 어디인지 말해 보자.

A1 건조 아시아와 북부 아프리카이다.

Q2 현재 석유의 생산량이 가장 많은 지역 (대륙)은 어디이며, 그 대륙에 속한 대표 적인 산유국을 한 곳만 말해 보자.

A2 서남아시아이고, 서남아시아에 속한 대 표적인 산유국으로는 사우디아라비아 를 들 수 있다.

2. 화석 에너지 자원의 개발과 지역 변화

(1) 개발 과정 자료 03

영국, 미국, 네덜란드 등

① 초기 자본과 기술 부족으로 선진국의 다국적 석유 메이저 기업❹을 중심으로 개발이 시작됨

② 1970년대 이후   자원 민족주의❺를 내세우며 석유 산업을 국유화함 → 석유 수출국 기구 (OPEC)❻ 및 산유국 정부 중심으로 개발이 이루어짐

(2) 자원 개발로 인한 지역의 변화

경제 성장 자료 04	석유 및 천연가스의 수출을 통해 벌어들인 외화❼를 바탕으로 생활 수준 및 복지 수준을 향상시킴
도시화	경제 성장과 함께 급속한 도시화가 진행됨 → 도시와 농촌 간 지역 격차 심화, 전통적 농목업의 쇠퇴 등이 발생함 ▶ **두바이(아랍 에미리트)의 도시 경관 변화** 2005년만 하더라도 두바이의 대부분 지역은 사막에 불과했으나, 현재는 시가지가 크게 확장되었고 대형 인공 섬이 조성된 것으로 보아 도시화가 빠르게 진행되었음을 알 수 있다.
빈부 격차	• 산유국과 비산유국 간 빈부 격차가 심화됨 • 비산유국에서 산유국으로 많은 노동자가 유입됨
경제의 해외 의존도 심화	거대한 부의 축적으로 소비재, 사치품 등의 수입 증가 → 자국 내 제조업 발달이 미약하여 경제의 해외 의존도가 심화됨

오일 달러라고 부름

예. 유목

산유국의 석유 개발과 기반 시설 건설에 많은 노동력이 필요해졌기 때문

2 건조 아시아와 북부 아프리카의 산업 구조

1. 산업 구조 특징과 주요 국가의 산업 구조

(1) 산유국의 산업 구조

① 석유와 천연가스 채굴업이 속한 2차 산업의 비율이 높게 나타남

② 건조 아시아와 북부 아프리카의 산유국 대부분은 사막 기후가 나타나는 지역이 많아 1차 산업의 비율은 낮은 편임

예. 사우디아라비아, 아랍 에미리트, 카타르, 쿠웨이트 등

③ 총 수출액에서 석유와 천연가스의 수출액이 차지하는 비율이 높게 나타남

(2) 비산유국의 산업 구조 → 예. 튀르키예, 이스라엘 등

① 2차 산업의 비율이 낮은 반면 1차 산업과 3차 산업의 비율이 상대적으로 높음

② 최근 경제 성장을 위해 제조업을 육성하고 있으며, 관광 산업이 발달해 있음

(3) 주요 국가의 산업 구조 자료 05

사우디 아라비아	• 석유, 천연가스 등 에너지 자원 관련 산업 발달 • 산업 구조에서 석유 의존도가 높음 → 수출 품목의 80% 이상이 원유 및 석유 제품
카자흐스탄	석유 및 천연가스 관련 산업과 광물 채굴 및 가공 산업 위주의 산업 구조
이집트	• 고대 문명의 유적을 바탕으로 관광 산업 발달 • 최근 석유와 천연가스가 생산되면서 경제 성장
튀르키예	• 농업 발달, 최근 제조업의 성장이 두드러짐 • 풍부한 역사 문화 유적과 자연 경관을 바탕으로 관광 산업 발달

❹ 석유 메이저 기업

석유의 탐사부터 개발, 수송, 정제, 판매에 이르기까지 전 분야에 걸쳐 폭넓게 사업을 진행하고 있는 국제 석유 회사를 말한다. 엑손모빌, 로열더치, BP, 셸 등이 대표적인 석유 메이저 기업에 해당한다.

❺ 자원 민족주의

자원을 많이 보유하고 있는 개발 도상국들이 자원을 국유화하거나 국제 정치에서 영향력을 행사하기 위한 수단으로 삼는 것을 말한다.

❻ 석유 수출국 기구(OPEC)

산유국들이 모여 결성한 협의체로 대표적인 자원 생산 카르텔의 사례로 제시되고 있다. 2021년 6월 기준으로 석유 수출국에 가입되어 있는 회원국은 총 13개국(알제리, 앙골라, 콩고, 적도 기니, 가봉, 이란, 이라크, 쿠웨이트, 리비아, 나이지리아, 사우디아라비아, 아랍 에미리트, 베네수엘라 볼리바르)이다.

❼ 오일 달러

산유국이 석유나 천연가스를 수출하여 얻게 된 외화(달러)를 말하며 오일 머니(oil money), 셰이크 달러(sheik dollar)라고도 한다.

고득점을 위한 셀파 Tip

산유국과 비산유국의 산업 구조

산유국	• 2차 산업 비율이 높음 • 총 수출액에서 석유와 천연가스가 차지하는 비율이 높음 • 사우디아라비아, 아랍 에미리트, 카타르, 쿠웨이트 등이 해당함
비산유국	• 1차와 3차 산업의 비율이 높음 • 최근 경제 성장과 관광 산업 육성 • 튀르키예, 이스라엘 등이 해당함

자료 03 건조 아시아와 북부 아프리카의 자원 개발

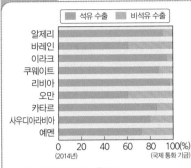

▲ 주요 산유국의 석유 수출 비중

자료 분석 |
주요 산유국의 석유 수출 비율을 나타낸 그래프를 보면 모든 산유국에서 석유 수출이 차지하는 비율이 매우 높게 나타난다는 것을 알 수 있다. 산유국들은 석유 수출을 통해 빠른 경제 성장을 이룰 수 있었지만 석유 수출에 대한 의존도가 높아지면서 국제 석유 가격의 변동이 자국 내 경제 성장률에 미치는 영향이 커져 그만큼 경제 불안 요소도 많아졌다. 이에 산유국들은 석유 수출국 기구(OPEC)를 결성하여 석유 공급량 조절을 통한 국제 석유 시세에 미치는 영향력 증대 및 이익 최대화를 위해 노력하고 있다.

자료 04 [공통 자료] 건조 아시아와 북부 아프리카의 경제 성장

▲ 페르시아만 주변국의 인구 및 1인당 국내 총생산(GDP)

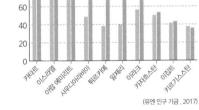

▲ 국가별 도시화율 변화

(유엔 인구 기금, 2017)

자료 분석 | 페르시아만 주변국의 인구 및 1인당 국내 총생산을 나타낸 지도를 보면 대표적인 산유국인 사우디아라비아, 아랍 에미리트, 카타르가 주변의 다른 국가들에 비해 1인당 국내 총생산이 많은 것을 알 수 있다. 이는 산유국들이 석유 및 천연가스 개발과 수출을 통해 많은 부를 축적하였고 이를 기반으로 경제 성장을 이루었기 때문이다. 건조 아시아와 북부 아프리카의 국가 중 석유와 천연가스의 매장량이 많은 산유국들은 빠른 경제 성장을 이룰 수 있었던 반면, 비산유국들은 상대적으로 경제적 어려움이 지속되어 국가 간 빈부 격차가 심화되었고 이는 산유국과 비산유국 간 갈등을 심화시키는 요인이 되었다.
석유 수출로 경제적 부를 축적한 사우디아라비아, 아랍 에미리트, 산업이 발달한 이스라엘 등은 도시화율이 높게 나타난다. 도시를 중심으로 개발이 진행되면서 도시로 인구가 집중하여 도시와 농촌 간의 격차가 커지고 개발로 인한 이익이 일부 계층에 집중되어 빈부 격차가 심해졌다.

자료 05 [공통 자료] 건조 아시아와 북부 아프리카의 국가별 산업 구조

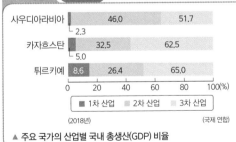

▲ 주요 국가의 산업별 국내 총생산(GDP) 비율

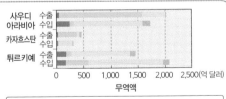

▲ 주요 국가의 상품 무역 구조

자료 분석 | 사우디아라비아는 석유의 생산과 수출이 많아 국내 총생산에서 석유 채굴업이 속한 2차 산업이 차지하는 비율이 높고, 총 수출액에서 광물 및 에너지 자원의 수출액이 차지하는 비율이 높게 나타난다. 카자흐스탄은 사우디아라비아와 튀르키예에 비해 경제 규모가 작아 총 수출액이 적은 편이다. 튀르키예는 석유 생산 및 수출이 상대적으로 적은 반면 제조업을 육성하여 총 수출액에서 공업 제품이 차지하는 비율이 높게 나타난다.

● **교과서 자료 더 보기**

| 건조 아시아 산유국의 성비 |

카타르	302.4
아랍 에미리트	223.8
쿠웨이트	157.9
사우디아라비아	137.1
서남아시아 평균	110.0

(2020년) (국제 연합)

사우디아라비아, 카타르, 아랍 에미리트와 같은 건조 아시아의 대표적인 산유국들은 석유 개발과 기반 시설 건설이 활발해지면서 많은 남성 노동력이 필요하게 되었다. 주변 비산유국과 남부 아시아 국가에서 많은 남성 노동력이 유입되어 산유국에서는 남초 현상이 나타나 성비가 매우 높게 나타나고 있다.

● **교과서 탐구 풀이**

Q 화석 에너지 생산이 많은 국가와 적은 국가의 경제 수준과 도시화 수준을 정리해 보자.

A 석유 수출로 경제적 부를 축적한 사우디아라비아, 아랍 에미리트 등은 소득 수준이 높게 나타나며, 도시화 또한 높게 나타난다. 석유 수출을 통해 축적한 막대한 부를 이용해 비약적인 경제 발전을 이루었다.

● **교과서 탐구 풀이**

Q1 사우디아라비아의 산업 구조에서 2차 산업의 비율이 높게 나타나는 이유를 말해 보자.

A1 사우디아라비아는 석유의 개발이 활발하므로 석유 채굴업이 속한 2차 산업의 비율이 높게 나타난다.

Q2 튀르키예의 총 수출액에서 공업 제품이 차지하는 비율이 높은 이유를 말해 보자.

A2 튀르키예는 석유의 생산 및 수출이 상대적으로 적은 반면 제조업을 육성하였으므로 공업 제품의 수출액 비율이 높은 편이다.

2. 지역 발전을 위한 노력

에너지 시장의 변화	• 석유 가격의 불안정, 비전통 석유[8]의 생산 증가 • 장기적으로 석유 수요의 감소가 예상됨 → 미래 경제 구조의 불확실성 증가 └ 전기차 상용화, 신·재생 에너지의 개발 확대 등이 주요 원인
경제 구조의 다변화	• 관광 및 서비스 산업 육성 • 제조업 육성, 사회 간접 자본 및 기간산업 투자 확대를 통한 지속 가능한 발전 • 지역 내 경제 협력 추진 예 걸프 협력 회의(GCC)[9] 결정 └ 국제 금융 허브로 발돋움하기 위해 투자를 확대하고 있음

3 사막화의 진행

1. 사막화의 의미와 발생 원인

(1) **의미** 건조 지역에서 식생이 감소하고 토양이 황폐화되는 현상

(2) **발생 원인**

① 자연적 원인 기후 변화로 인한 기상 이변과 장기간 가뭄의 지속 등

② 인위적 원인 무분별한 벌목, 경작지와 방목지의 확대, 지나친 관개로 인한 토양 염류화 등

2. 건조 아시아와 북부 아프리카 내 주요 발생 지역

(1) **사헬 지대** 자료06

① 사하라 사막 남쪽 가장자리의 스텝 기후 지역

② 급격한 인구 증가, 과도한 목축, 땔감 획득을 위한 벌목 등으로 사막화가 빠르게 진행되고 있음 → 기근과 기아 문제 발생
└ 피해 국가로는 말리, 니제르, 차드, 수단 등을 들 수 있음

(2) **아랄해 연안** 자료07

① 중앙아시아의 아랄해 주변 지역

② 아무다리야·시르다리야강의 물을 이용한 과도한 관개 농업으로 아랄해로 유입되는 수량이 감소함 → 아랄해의 면적이 축소됨 → 호수 주변의 토양이 황폐화됨(사막화 발생)
└ 피해 국가로는 카자흐스탄, 우즈베키스탄, 투르크메니스탄 등을 들 수 있음

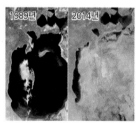

▲ 아랄해의 면적 변화

▲ 사막으로 변한 옛 항구

3. 사막화로 인한 지역 문제

(1) **지역 문제**

① 생물종 감소 삼림 파괴로 생태계가 파괴되면서 생물 종이 감소함
└ 많은 동식물들이 멸종되었음

② 토양 황폐화 토양이 황폐화되면서 토양 침식이 가속화됨 → 모래 먼지가 자주 발생함 → 호흡기 질환 등의 질병 증가 → 기후(환경) 난민이 발생함

③ 물 부족과 기근 및 기아 문제 물이 부족하고 토양이 황폐화되면서 식량 생산이 감소함 → 식량 확보를 둘러싼 갈등과 기아 문제 발생, 오염된 물을 사용하여 수인성 질병[10]의 발병률 증가 → 기후(환경) 난민 발생

4. 사막화 해결을 위한 노력 자료08

(1) **국제 연합의 노력** 사막화 방지 협약(UNCCD)[11]의 체결 → 사막화를 방지하고 사막화 피해가 심각한 개발 도상국을 지원함

(2) **각국 정부의 노력** 사막화 피해 지역 주민 지원 및 조림 사업 실시
└ 사막화 피해 지역이 확대되는 것을 막을 수 있음

---

⑧ 비전통 석유

기존의 생산 방식으로 생산된 석유를 전통 석유라고 본다면 비전통 석유는 다른 방법 및 기술을 사용하여 생산한 석유를 말한다. 대표적인 비전통 석유에는 오일 샌드와 셰일 오일이 있으며 최근 채굴 기술의 발달로 비전통 석유의 생산이 활발해지고 있다

⑨ 걸프 협력 회의(GCC)

페르시아만 연안에 위치한 6개의 산유국(사우디아라비아, 쿠웨이트, 아랍 에미리트, 카타르, 오만, 바레인)이 협력을 위해 결성한 지역 협력 기구이다. 회원국 간 경제 및 안전 보장의 협력과 치안, 국방 결속을 목적으로 하고 있다.

고득점을 위한 셀파 Tip

사막화의 진행

원인	기후 변화, 장기간의 가뭄, 무분별한 벌목, 경작지와 방목지의 확대, 지나친 관개 농업 등
주요 발생 지역	• 사하라 사막 남쪽의 사헬 지대 • 아랄해 면적 축소로 인한 주변 지역
해결 방안	• 사막화 방지 협약 체결 • 조림 사업 실시 등

⑩ 수인성 질병

세균, 바이러스 등에 오염된 물에 의해 전달되어 감염되는 질병을 말한다. 오염된 물을 섭취하거나 접촉하였을 때 병이 발생하며 피부와 눈 등에 염증을 일으키거나 위와 장에 심각한 질환을 일으키기도 한다.

⑪ 사막화 방지 협약(UNCCD)

아프리카 사헬 지대 주변의 국가들과 같이 심각한 가뭄이나 사막화로 피해를 받고 있는 국가들의 사막화 방지 및 개선을 목적으로 체결된 국제 환경 협약이다.

자료 06 공통 자료 건조 아시아와 북부 아프리카의 사막화

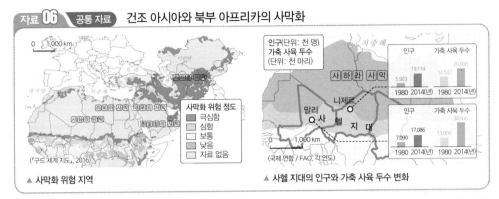

▲ 사막화 위험 지역

▲ 사헬 지대의 인구와 가축 사육 두수 변화

자료 분석 | 건조 아시아와 북부 아프리카의 사막화 위험 지역을 나타낸 지도를 보면 사하라 사막, 룹알할리 사막 등과 같은 사막의 주변 지역에서 사막화 위험 정도가 높게 나타난다는 것을 알 수 있다. 사막화 위험 정도는 사막 주변의 스텝 기후 지역에서 높게 나타난다. 스텝 기후 지역은 강수량이 250~500mm로 적은 편이어서 지속되는 가뭄과 과도한 토지 이용에 의해 토양이 황폐화되기 쉬운 환경을 갖추고 있으므로 사막화 위험 정도가 높을 수 밖에 없는 상황이다. 대표적인 사막화 위험 지역으로는 아프리카의 사헬 지대를 들 수 있다. 사헬 지대는 사하라 사막 이남 가장자리의 스텝 기후 지역을 말하는데, 사헬 지대의 인구와 가축 사육 두수 변화를 나타낸 지도를 보면 사헬 지대에서 인구와 가축 사육 두수가 크게 증가했다는 것을 알 수 있다. 또한 사헬 지대는 최근 기후 변화로 가뭄이 지속되면서 사막화의 진행이 가속화되고 있으며, 이로 인해 기아 문제도 심각해지고 있어 국제 사회의 도움이 절실한 상황이다.

자료 07 아랄해의 면적 축소와 사막화의 발생

자료 분석 | 중앙아시아의 아랄해는 한때 풍부한 수량을 자랑하던 호수였으나 현재는 그 면적이 크게 축소되었다. 아랄해로 유입되는 시르다리야강과 아무다리야강의 물을 끌어와 목화, 밀 재배 등에 이용하면서 하천의 유량이 크게 감소하였으며 이는 아랄해 면적의 축소로 이어졌다. 아랄해 면적이 축소되면서 육지로 드러나게 된 지역은 사막화가 빠르게 진행되면서 토양이 황폐화되었고, 이곳에 모래 먼지와 토양 속 집적되었던 중금속 물질들은 바람을 타고 주변 지역으로 퍼져나가 주민들을 고통스럽게 하였다.

자료 08 사막화 해결을 위한 노력

자료 분석 |
최근에는 사막화로 인한 피해를 줄이기 위해 사막화 방지 협약을 체결하는 등 국가 간 협력이 늘어나고 있으며, 개발 도상국의 사막화 피해 지역에 대한 국제적 지원이 활발해지고 있다. 사헬 지대의 녹색 장벽 사업(Great Green Wall)은 사헬 지대의 사막화를 막기 위해 아프리카를 가로질러 폭 16km, 길이 8,000km에 달하는 거대한 숲을 만들려는 계획이다.

교과서 자료 더 보기

| 사막화 발생 전후 비교 |

사막화 이전

사막화 진행

사막화 발생 전에는 푸른 초원이었던 스텝 기후 지역이 기후 변화로 인해 가뭄이 지속되고 인구 및 가축 사육 두수의 급증으로 과도한 방목과 경작이 이루어지면서 토양이 황폐화되었으며 사막화가 빠르게 진행되고 있다. 사막화된 지역의 모래와 먼지가 바람에 날리면서 모래 폭풍이 발생하는 빈도도 증가하고 있다.

교과서 탐구 풀이

Q1 아랄해의 면적이 크게 축소된 이유를 말해 보자.

A1 아랄해로 유입된 시르다리야강과 아무다리야강의 물을 끌어와 목화와 밀 재배 등에 이용하면서 하천의 유량이 크게 감소했기 때문이다.

Q2 아랄해의 면적이 축소되면서 나타나게 된 환경 문제가 무엇인지 말해 보자.

A2 육지로 드러나게 된 지역에 사막화가 빠르게 진행되면서 토양이 황폐화되었고 육지화된 지역의 모래 먼지와 중금속 물질이 주변 지역으로 퍼져나갔다.

교과서 탐구 풀이

Q 사막화에 따른 지역 문제를 해결하기 위한 대책을 제시해 보자.

A 지나친 방목과 경작을 규제하고 방풍림 조성, 재래종 풀 보존 사업, 녹색 댐 사업, 관개 방식 개선 사업, 연료용 목재 채취 감소를 위한 태양광 시설 보급 등이 있다.

1 주요 자원의 분포 및 이동

분포 특징	• 석유와 천연가스의 매장량이 많음 • 경제성이 뛰어나 개발에 유리함
주요 분포 지역	• (❶　　　　) 연안: 전 세계 석유 매장량의 절반 정도가 집중 • 북부 아프리카와 카스피해 연안: 카스피해의 석유, 천연가스 개발을 놓고 연안국 간 갈등이 나타남

2 화석 에너지의 개발과 지역 변화

개발 과정	• 초기: 선진국의 다국적 석유 메이저 기업을 중심으로 개발이 시작됨 • 1970년대 이후: 대규모 사막 분포 (❷　　　　) 기구 및 산유국을 중심으로 개발이 이루어짐
지역 변화	• 경제 성장: 석유 및 천연가스 수출을 통해 경제 성장을 이룸 • 도시화: 급속한 도시화로 도시와 농촌 간 지역 격차 심화, 전통적 농목업이 쇠퇴함 • 빈부 격차: 산유국과 비산유국 간의 빈부 격차가 심화됨 → 비산유국에서 산유국으로 많은 노동자가 유입됨 • 경제의 해외 의존도 심화: 소비재, 사치품의 수입 증가가 원인임

3 건조 아시아와 북부 아프리카의 산업 구조

산유국	• 석유와 천연가스 채굴업이 속한 (❸　　　　) 산업의 비율이 높음 • 총 수출액에서 석유와 천연가스의 수출액이 차지하는 비율이 높음
비산유국	• 산유국에 비해 (❹　　　　) 산업과 3차 산업의 비율이 상대적으로 높음 • 최근 제조업과 관광 산업을 육성하고 있음

4 사막화의 진행

원인	기후 변화로 인한 기상 이변과 장기간의 가뭄, 무분별한 벌목, 경작지와 방목지 확대 등
주요 발생 지역	• (❺　　　　) 지대: 사하라 사막 남쪽 가장자리, 사막화로 기근과 기아 문제 발생 • (❻　　　　) 연안: 과도한 관개 농업으로 호수 면적이 축소되면서 호수 주변 토양이 사막화됨

정답 ❶ 페르시아만 ❷ 석유 수출국 ❸ 2차 ❹ 1차 ❺ 사헬 ❻ 아랄해

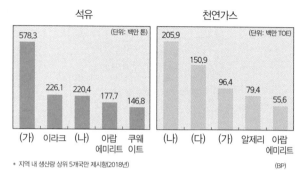

탄탄 내신 문제

[01~02] 그래프는 건조 아시아와 북부 아프리카의 석유 및 천연가스 생산량을 나타낸 것이다. 이를 보고 물음에 답하시오.

* 지역 내 생산량 상위 5개국만 제시함(2018년)　(BP)

01 (가)~(다) 국가를 지도의 A~C에서 고른 것은?

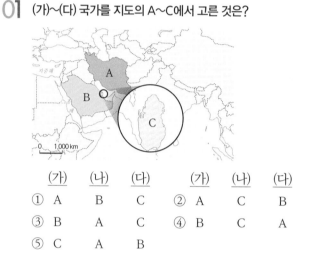

	(가)	(나)	(다)		(가)	(나)	(다)
①	A	B	C	②	A	C	B
③	B	A	C	④	B	C	A
⑤	C	A	B				

02 (가)~(다) 국가에 대한 옳은 설명만을 〈보기〉에서 고른 것은?

┤ 보기 ├
ㄱ. (가)는 청장년층 남성 인구보다 여성 인구가 많다.
ㄴ. (나)에는 이슬람교의 성지인 메카가 있다.
ㄷ. (가)는 (나)보다 이슬람교 수니파 신자의 비율이 높다.
ㄹ. (나)는 (다)보다 국토 면적이 넓다.

① ㄱ, ㄴ　　② ㄱ, ㄷ　　③ ㄴ, ㄷ
④ ㄴ, ㄹ　　⑤ ㄷ, ㄹ

딱풀 p. 42

03 그래프는 (가), (나) 에너지 자원의 지역(대륙)별 매장량 비율을 나타낸 것이다. 이에 대한 설명으로 옳은 것은? (단, (가), (나) 는 각각 석유, 천연가스 중 하나임.)

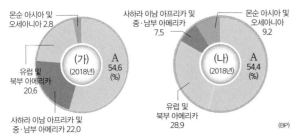

① (가)는 냉동 액화 기술의 발달로 소비량이 급증하였다.
② (나)는 세계 1차 에너지 소비 구조에서 차지하는 비율이 가장 높다.
③ (가)는 (나)보다 연소 시 대기 오염 물질 배출량이 적다.
④ (나)는 (가)보다 수송용으로 이용되는 비율이 높다.
⑤ A는 크리스트교 신자보다 이슬람교 신자가 많다.

04 지도는 어느 에너지 자원의 건조 아시아와 북부 아프리카 국가별 생산량을 나타낸 것이다. 이 에너지 자원에 대한 설명으로 옳은 것은?

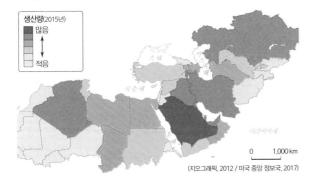

① 산업 혁명기의 주요 에너지원이었다.
② 주로 고기 습곡 산지 주변에 매장되어 있다.
③ 세계 발전량에서 차지하는 비율이 가장 높다.
④ 세계 매장량의 절반 이상이 아메리카에 매장되어 있다.
⑤ 19세기 내연 기관의 발명과 자동차 보급으로 소비량이 급증하였다.

05 다음 글의 ㉠~㉣에 대한 옳은 설명만을 〈보기〉에서 있는 대로 고른 것은?

　건조 아시아와 북부 아프리카에서의 석유 개발 초기에는 선진국의 다국적 석유 메이저 기업을 중심으로 개발이 시작되었으나, 1970년대 이후에는 ㉠ 및 산유국 정부를 중심으로 개발이 이루어졌다. 산유국들은 석유 및 천연가스 개발을 통해 벌어들인 외화를 바탕으로 빠른 경제 성장과 ㉡ 도시화를 이루었으며, 비산유국과의 빈부 격차가 심화되었다. 이로 인해 ㉢ 비산유국에서 산유국으로 많은 노동자가 유입되었으며, ㉣ 산유국들은 소비재와 사치품 등의 수입이 크게 증가하였다.

┤ 보기 ├
ㄱ. ㉠에는 '석유 수출국 기구(OPEC)'가 들어갈 수 있다.
ㄴ. ㉡으로 인해 전통적 농목업이 쇠퇴하였다.
ㄷ. ㉢으로 인해 산유국의 청장년층 인구 성비가 낮아졌다.
ㄹ. ㉣은 산유국 경제의 해외 의존도를 심화시켰다.

① ㄱ, ㄴ　　② ㄱ, ㄷ　　③ ㄴ, ㄷ
④ ㄱ, ㄴ, ㄹ　　⑤ ㄴ, ㄷ, ㄹ

06 자료는 지도에 표시된 지역의 경관 변화를 나타낸 것이다. 2005년과 비교한 현재의 상대적 특징으로 옳은 것은?

① 유목민의 수가 많다.
② 건물의 평균 층수가 낮다.
③ 1인당 지역 내 총생산이 적다.
④ 총인구 중 외국인의 비율이 높다.
⑤ 도시 기반 시설의 보급률이 낮다.

[07~08] 그래프는 (가)~(다) 국가의 상품 무역 구조를 나타낸 것이다. 이를 보고 물음에 답하시오.

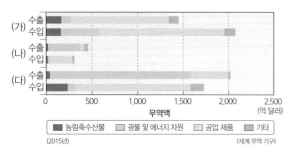

07 (가)~(다) 국가를 지도의 A~C에서 고른 것은?

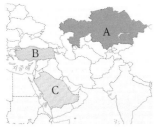

	(가)	(나)	(다)		(가)	(나)	(다)
①	A	B	C	②	A	C	B
③	B	A	C	④	B	C	A
⑤	C	A	B				

08 (가)~(다) 국가에 대한 옳은 설명만을 〈보기〉에서 고른 것은?

┌─ 보기 ─────────────────────────
ㄱ. (나)는 카스피해 연안에 위치한다.
ㄴ. (다)는 석유 수출국 기구의 회원국이다.
ㄷ. (가)는 (나)보다 인구 밀도가 낮다.
ㄹ. (다)는 (가)보다 총면적 중 사막 기후 지역의 비율이 낮다.
└────────────────────────────

① ㄱ, ㄴ ② ㄱ, ㄷ ③ ㄴ, ㄷ
④ ㄴ, ㄹ ⑤ ㄷ, ㄹ

09 지도는 (가) 환경 문제의 위험 정도를 나타낸 것이다. (가) 환경 문제에 대한 설명으로 옳은 것은?

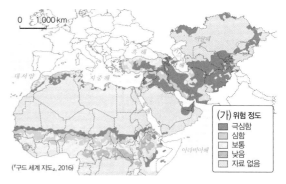

「구드 세계 지도」, 2016

① 해결을 위해 바젤 협약을 체결하였다.
② 산성비로 인해 토양 산성화가 심각하다.
③ 주로 저위도의 열대 기후 지역에서 발생한다.
④ 장기간의 가뭄, 무분별한 벌목 등이 주된 원인이다.
⑤ 해결 방안으로 경작지 확대를 통한 식량 증산을 들 수 있다.

10 다음은 세계지리 수업의 한 장면이다. 발표 내용이 옳지 않은 학생을 고른 것은?

┌────────────────────────────
교사: 지도는 아랄해의 면적 변화를 나타낸 것입니다. 이에 대해 발표해 볼까요?

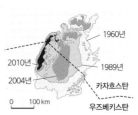

갑: 아랄해의 면적이 축소되었습니다.
을: 호수 주변의 모래 먼지 발생량이 증가하였습니다.
병: 육지로 드러나게 된 지역의 대부분은 새롭게 농경지로 개간되었습니다.
정: 아랄해 주변에서 발생한 환경 문제는 사헬 지대에서 심각하게 나타납니다.
무: 호수 면적 변화의 원인으로 아랄해로 유입되는 하천의 유량 감소를 들 수 있습니다.
└────────────────────────────

① 갑 ② 을 ③ 병 ④ 정 ⑤ 무

딱풀 p. 42

11 그래프는 두 화석 에너지의 국가별 매장량 비율을 나타낸 것이다. 이를 보고 물음에 답하시오. (단, (가), (나)는 석유와 천연가스 중 하나임.)

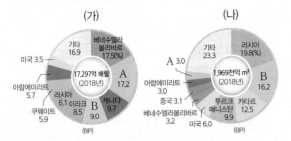

(1) (가), (나) 화석 에너지의 명칭을 쓰시오.

(2) (가)와 비교한 (나)의 상대적 특징을 다음 용어를 사용하여 서술하시오.

> • 세계 소비량
> • 상용화된 시기
> • 연소 시 대기 오염 물질 배출량

(3) (가), (나) 그래프의 A, B 국가의 명칭을 쓰시오.

12 지도는 페르시아만 연안 주변 국가의 1인당 국내 총생산을 나타낸 것이다. 이를 보고 물음에 답하시오.

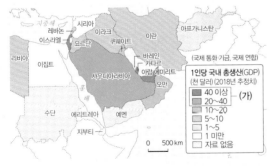

(1) (가) 국가들의 1인당 국내 총생산이 많은 이유를 한 가지만 서술하시오.

(2) (가) 국가들의 빠른 경제 성장으로 인해 나타나고 있는 변화를 두 가지만 서술하시오.

13 그래프는 두 국가의 산업별 종사자 수 비율을 나타낸 것이다. 이를 보고 물음에 답하시오.

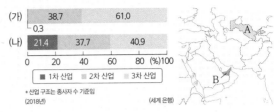

(1) (가), (나) 국가를 지도의 A, B에서 골라 국가명을 쓰시오.

(2) (나) 국가와 비교한 (가) 국가의 상대적 특징을 다음 용어를 사용하여 서술하시오.

> • 국토 면적   • 총인구 성비   • 석유 수출량

14 자료는 사헬 지대의 인구와 가축 사육 두수 변화를 나타낸 것이다. 이를 보고 물음에 답하시오.

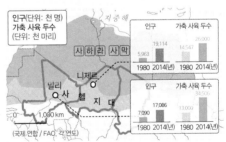

(1) 인구와 가축 사육 두수 변화로 인해 사헬 지대에서 발생한 대표적인 환경 문제를 쓰시오.

(2) (1)에서 답한 환경 문제의 해결 방안을 한 가지만 서술하시오.

| 교육청 기출 |

01 표는 세 화석 에너지의 세계 생산량 상위 5개국을 나타낸 것이다. (가)~(다)에 대한 설명으로 옳은 것은?

순위	(가)	(나)	(다)
1	미국	미국	중국
2	사우디아라비아	러시아	미국
3	러시아	이란	오스트레일리아
4	캐나다	캐나다	인도
5	이란	카타르	인도네시아

(2017년)

① (가)는 세계 1차 에너지 중 소비량이 가장 많다.
② (다)는 주로 신생대 지층에 매장되어 있다.
③ (나)는 (가)보다 상용화된 시기가 이르다.
④ (다)는 (가)보다 수송용으로 이용되는 비율이 높다.
⑤ (다)는 (나)보다 연소 시 대기 오염 물질 배출량이 적다.

| 교육청 기출 |

02 다음은 건조 아시아와 북부 아프리카에 대한 사이버 학습 화면의 일부이다. 답글 ㉠~㉣ 중 옳은 내용만을 고른 것은?

※ (가), (나) 화석 에너지의 특징에 대해 답글을 달아 보세요.

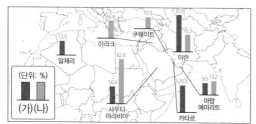

* 각 에너지 자원의 해당 지역 내 생산량 상위 5개국만을 나타냄
** 수치는 각 에너지 자원 생산량 상위 5개국의 총 생산량에서 해당 국가의 생산량이 차지하는 비율임
(BP)

답글(4)
└ (가)는 주로 제철 공업과 발전용 연료로 많이 이용됩니다. ······ ㉠
└ (가)는 (나)보다 연소 시 대기 오염 물질 배출량이 적습니다. ······ ㉡
└ (나)는 (가)보다 상용화된 시기가 이릅니다. ······ ㉢
└ (가)는 고기 조산대, (나)는 신기 조산대 주변에 매장되어 있습니다. ······ ㉣

① ㉠, ㉡ ② ㉠, ㉢ ③ ㉡, ㉢
④ ㉡, ㉣ ⑤ ㉢, ㉣

| 평가원 기출 |

03 그래프는 주요 화석 에너지 자원 (가), (나)의 지역별 생산량과 소비량 비중을 나타낸 것이다. 이에 대한 설명으로 옳은 것은? (단, 그래프의 A, B는 서남아시아, 아시아·태평양 중 하나임.)

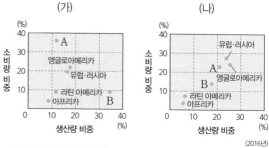

(2016년)

* 오세아니아는 아시아·태평양에 포함됨
** 구소련 중 중앙아시아 국가는 아시아·태평양에 포함되며, 그 밖의 국가는 유럽, 러시아에 포함됨

① (가)는 냉동 액화 기술이 개발된 이후 소비가 급증하였다.
② (나)는 세계 1차 에너지 소비 구조에서 차지하는 비중이 가장 높다.
③ (가)는 (나)보다 공업에 본격적으로 이용된 시기가 늦다.
④ A에 해당하는 지역은 아시아·태평양이다.
⑤ B는 (가)의 소비량 대비 생산량 비율이 가장 낮다.

| 평가원 기출 |

04 자료의 (가)에 들어갈 내용으로 가장 적절한 것은?

〈서남아시아 국가의 (가) 정책〉

아랍 에미리트는 금융과 관광 산업에 대한 투자를 늘리고 있다. 특히 두바이, 아부다비 등에 국제 공항, 쇼핑몰과 휴양 시설 등을 건설하여 국제 금융, 물류, 관광 중심지로 변모하고 있다.

사우디아라비아는 네옴 신도시, 킹 압둘라 경제 도시와 같은 다양한 특화 도시를 조성하고 있다. 또한 관광, 금융, 물류 산업 등을 육성하기 위한 '비전 2030' 계획을 발표하였다.

① 경제적 자립을 위한 석유 산업 국유화
② 쇠락한 공업 지역을 재생하기 위한 개발
③ 주거 환경 개선을 위한 불량 주택 지구 재개발
④ 비석유 분야 산업 육성을 통한 산업 구조 다변화
⑤ 소비 시장과 노동력을 바탕으로 한 공업 지역 조성

| 평가원 기출 |

05 그래프는 지도에 표시된 두 국가의 산업 구조와 인구 구조를 나타낸 것이다. (가), (나) 국가에 대한 옳은 설명만을 〈보기〉에서 고른 것은?

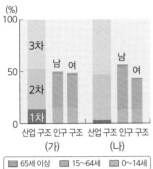

* 산업 구조는 생산액 기준임
** 산업은 2017년, 인구는 2018년 기준임

┌ 보기 ┐
ㄱ. (가)는 (나)보다 석유 생산량이 많다.
ㄴ. (가)는 (나)보다 1인당 국내 총생산(GDP)이 많다.
ㄷ. (나)는 (가)보다 청장년층 인구의 유입이 많다.
ㄹ. (가)는 아프리카, (나)는 아시아 국가이다.

① ㄱ, ㄴ ② ㄱ, ㄷ ③ ㄴ, ㄷ
④ ㄴ, ㄹ ⑤ ㄷ, ㄹ

| 교육청 기출 |

06 자료의 (가)~(다) 국가를 지도의 A~C에서 고른 것은?

〈산업별 종사자 비율〉

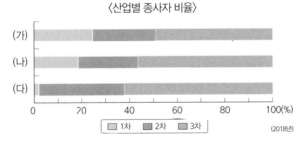

〈주요 수출 품목〉

구분	품목
(가)	석유, 진주·귀금속, 전자, 과일·채소 등
(나)	운송 장비, 기계류, 철강, 의류 등
(다)	석유, 진주·귀금속, 전자, 기계류 등

	(가)	(나)	(다)
①	A	B	C
②	A	C	B
③	B	A	C
④	B	C	A
⑤	C	A	B

| 평가원 기출 |

07 (가) 국가에 대한 (나) 국가의 상대적 특징을 그림의 A~E에서 고른 것은?

(가) 지중해 연안에 위치한 국가로 수도는 앙카라이다. 고대 유적이 많고 파묵칼레처럼 경관이 아름다운 곳이 많아 관광 산업이 발달하였다. 최근에는 자동차와 가전제품 등의 제조업 육성에 힘을 쏟고 있다.

(나) 아라비아반도에서 가장 넓은 면적을 차지하는 국가로 수도는 리야드이다. 걸프 협력 회의(GCC)의 회원국으로 최근 제조업 육성 및 비석유 부문 집중 투자를 통해 산업 구조 다각화를 추구하고 있다.

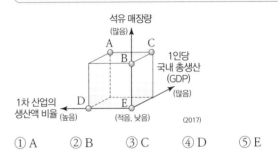

① A ② B ③ C ④ D ⑤ E

| 교육청 기출 |

08 그래프의 (가)~(다) 국가로 옳은 것은?

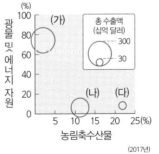
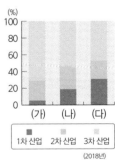

* 농림축수산물과 광물 및 에너지 자원 비율은 원의 중심값임

	(가)	(나)	(다)
①	튀르키예	모로코	사우디아라비아
②	튀르키예	사우디아라비아	모로코
③	모로코	튀르키예	사우디아라비아
④	사우디아라비아	튀르키예	모로코
⑤	사우디아라비아	모로코	튀르키예

09 | 교육청 기출 |
표의 (가)~(다) 국가에 대한 옳은 설명만을 〈보기〉에서 있는 대로 고른 것은? (단, (가)~(다)는 독일, 나이지리아, 사우디아라비아 중 하나임.)

〈연령층별·성별 인구 비중〉

구분	(가)		(나)		(다)	
	남성	여성	남성	여성	남성	여성
0~14세	22.5	21.5	14.6	14.0	6.6	6.3
15~64세	27.1	26.2	40.6	27.9	33.3	32.6
65세 이상	1.3	1.4	1.4	1.5	9.2	12.0

(단위: %) (2015년)

┤ 보기 ├
ㄱ. (가)는 (나)보다 청장년층 인구의 성비가 높다.
ㄴ. (나)는 (다)보다 중위 연령이 낮다.
ㄷ. (다)는 (가)보다 1인당 국내 총생산이 많다.
ㄹ. (가)~(다) 중에서 총 부양비는 (나)가 가장 높다.

① ㄱ, ㄴ　　② ㄴ, ㄷ　　③ ㄷ, ㄹ
④ ㄱ, ㄴ, ㄹ　　⑤ ㄱ, ㄷ, ㄹ

10 | 평가원 기출 |
그래프는 (가), (나) 국가에 각각 거주하는 이민자의 출신 국가별 비율을 나타낸 것이다. (가), (나)에 해당하는 국가를 지도의 A~D에서 고른 것은?

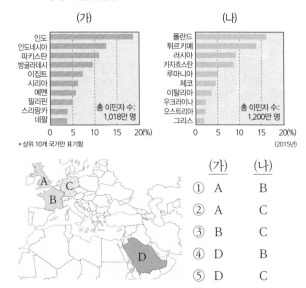

* 상위 10개 국가만 표기함 (2015년)

　　(가)　(나)
① A　　B
② A　　C
③ B　　C
④ D　　B
⑤ D　　C

11 | 평가원 기출 |
지도에 표시된 A, B 환경 문제에 대한 설명으로 옳지 않은 것은? (단, A, B는 각각 사막화와 열대림 파괴 중 하나임.)

■ A 지역　■ B 지역

① A를 해결하기 위해 런던 협약이 체결되었다.
② A의 인위적 요인으로 과도한 방목을 들 수 있다.
③ B는 생물 종 다양성 감소를 초래한다.
④ B의 대표적인 사례 지역으로 아마존강 유역이 있다.
⑤ A, B로 인해 토양 침식이 심화된다.

12 | 교육청 기출 |
(가) 환경 문제에 대한 옳은 설명만을 〈보기〉에서 고른 것은?

△△신문　　2017년 ○월 △일

녹색 장벽(Great Green Wall) 조성 현장에 가다!
사헬 지대 국가들은 　(가)　에 공동 대응하고 있다. 사헬의 서쪽 끝 세네갈부터 동쪽 끝 지부티까지 폭 약 15km, 길이 약 7,700km의 숲을 조성하여 　(가)　을/를 막기 위한 사업이 진행 중이다.

┤ 보기 ├
ㄱ. 사막 주변 지역에서 주로 발생한다.
ㄴ. 장기간 가뭄과 과도한 경작이 주요 원인이다.
ㄷ. 호수의 산성화와 건물 부식 피해를 일으킨다.
ㄹ. 국제 사회가 몬트리올 의정서를 채택하는 계기가 되었다.

① ㄱ, ㄴ　　② ㄱ, ㄷ　　③ ㄴ, ㄷ
④ ㄴ, ㄹ　　⑤ ㄷ, ㄹ

| 평가원 기출 |

13 (가), (나)에 대한 설명으로 옳지 <u>않은</u> 것은?

(가)

해빙(sea ice)의 축소

북극권
2008년
1982년

(나)

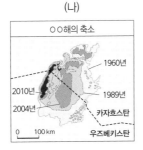

○○해의 축소

1960년
2010년
2004년
1989년
카자흐스탄
0 100 km
우즈베키스탄

① (가) – 주요 원인 중 하나로 온실가스의 증가를 들 수 있다.

② (가) – 문제 해결을 위해 국제 사회는 바젤 협약을 체결하였다.

③ (나) – ○○해는 평균 수심이 얕아졌다.

④ (나) – 지나친 관개 농업이 주요 원인이다.

⑤ (나) – ○○해 주변 지역에서는 토양 염류화가 진행되었다.

| 평가원 기출 |

14 자료의 (가), (나) 지역과 A, B 환경 문제에 대한 설명으로 옳지 <u>않은</u> 것은?

(가)

14°05′E
1963년의 호수 범위
13°04′N
2007년의 호수 범위

(나)

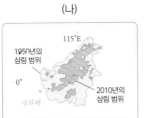

115°E
1950년의 삼림 범위
0°
2010년의 삼림 범위
자와해

○○호 주변 지역에서는 장기간 가뭄과 과도한 경작으로 초목이 사라지고 토양이 황폐해지는 A 이/가 진행되고 있다.

△△섬에서는 농경지 확대와 과도한 벌목으로 울창했던 삼림 면적이 급격히 감소하는 B 이/가 진행되고 있다.

① (가)는 아프리카 사헬 지대에 위치한다.

② (나)에서는 열대림이 축소되었다.

③ A 문제 해결을 위해 바젤 협약이 체결되었다.

④ B는 아마존강 유역에서도 발생하고 있다.

⑤ B가 일어난 (나) 지역에서는 토양 침식이 가속화되고 있다.

| 교육청 기출 |

15 자료는 사진 전시회 안내문이다. (가)에 대한 옳은 설명만을 〈보기〉에서 고른 것은? (단, (가)는 사막화 또는 열대림 파괴만을 고려함.)

〈'미래의 고고학' 사진전〉

지난 30년 동안 몽골에서는 850여 개 호수와 2,000여 개 강이 말랐습니다. 초원이 점점 불모지로 변해 가고, 유목민들은 살 곳을 잃었습니다.

이번 사진전은 몽골의 [(가)]을/를 다루고 있습니다. 드넓게 펼쳐진 초원이 미래에는 박물관에서나 볼 수 있는 고고학의 대상이 될지도 모르기 때문입니다. 사진 속에서 황폐해진 미래로 걸어가고 있는 유목민의 행렬 앞에 서 있는 어린이는 이 환경 문제의 직접적인 피해자인 미래 세대를 암시합니다.

| 보기 |

ㄱ. 식량 생산량 감소와 난민 증가를 초래한다.

ㄴ. 바젤 협약을 통해 문제 해결을 모색하고 있다.

ㄷ. 사헬 지대와 아랄해 주변에서도 나타나고 있다.

ㄹ. 열대림에서의 경작지와 방목지 조성이 주요 원인이다.

① ㄱ, ㄴ ② ㄱ, ㄷ ③ ㄴ, ㄷ

④ ㄴ, ㄹ ⑤ ㄷ, ㄹ

VI

유럽과
북부 아메리카

이 단원의 핵심 포인트

중단원	핵심 포인트	학습일
01 주요 공업 지역의 형성과 최근 변화	• 유럽의 공업 지역 형성과 변화 • 북부 아메리카의 공업 지역 형성과 변화	월 일 ~ 월 일
02 현대 도시의 내부 구조와 특징 및 지역의 통합과 분리 운동	• 유럽과 북부 아메리카의 도시 특징과 대도시권 형성 • 유럽의 지역 통합과 분리 운동 • 북부 아메리카의 지역 통합과 분리 운동	월 일 ~ 월 일

셀파와 내 교과서 단원 비교

셀파	천재교과서	미래엔	비상교육	금성출판사
01 주요 공업 지역의 형성과 최근 변화	01 주요 공업 지역	01 주요 공업 지역의 형성과 최근 변화	01 주요 공업 지역의 형성과 최근의 변화	01 주요 공업 지역의 형성과 변화
02 현대 도시의 내부 구조와 특징 및 지역의 통합과 분리 운동	02 현대 도시의 내부 구조와 특징	02 현대 도시의 내부 구조와 특징	02 현대 도시의 내부 구조와 특징	02 현대 도시의 내부 구조와 특징
	03 최근의 지역 쟁점_지역의 통합과 분리 운동	03 지역의 통합과 분리 운동	03 최근의 지역 쟁점: 지역의 통합과 분리 운동	03 최근의 지역 쟁점_지역의 통합과 분리 운동

01 주요 공업 지역의 형성과 최근 변화

1 유럽의 공업 지역 형성과 변화

1. 유럽의 전통 공업 지역

(1) **산업 혁명❶** 18세기 후반 영국을 시작으로 산업 혁명이 가장 먼저 시작되었으며 빠르게 공업이 발달하기 시작함

(2) **전통 공업 지역의 형성** 석탄과 철광석 산지를 중심으로 공업 지역이 형성되기 시작함
  └ 제철 공업의 연료로 사용됨

① 석탄 산지 영국의 랭커셔·요크셔 지방, 독일의 루르·자르 지방

② 철광석 산지 프랑스의 로렌 지방

▲ **영국의 산업 혁명** 산업 혁명 초기에는 제철 공업의 원료(연료)가 되는 철광석과 석탄 산지를 중심으로 공업 지역이 형성되었다.

▲ **산업 혁명의 확산과 제철 공업의 발달** 서부 유럽에서 최초로 시작된 산업 혁명은 그 주변 지역으로 확산되었으며, 석탄과 철광석이 풍부한 지역을 중심으로 공업 지역이 형성되었다.

2. 유럽 공업 지역의 중심지 변화 [자료 01]

(1) **전통 공업 지역의 쇠퇴 원인**

① 석탄, 철광석 등의 자원 고갈

② 석유, 천연가스와 같은 새로운 에너지 자원의 소비량 증가

③ 탄광, 공장 등 산업 시설의 노후화

(2) **전통 공업 지역의 변화** 과거의 산업 시설을 재활용하여 관광 및 문화 산업 지역으로 변모함
  └ 2차 산업의 비율이 낮아지고 3차 산업의 비율이 높아짐

(3) **공업 중심지의 변화**

① 내륙의 원료 산지에서 원료의 수입과 제품의 수출에 유리한 지역으로 공업 중심지가 이동함

② 임해 공업 지역의 발달 ── 해운·하운 교통 발달 지역
  └ 예 카디프·미들즈브러(영국), 됭케르크(프랑스), 로테르담(네덜란드) 등

3. 유럽의 첨단 산업 지역 성장 [자료 02]

(1) **산업 구조의 변화** 제철 공업과 같은 중화학 공업 중심에서 고부가 가치 산업❷ 중심으로 산업 구조가 개편됨
  └ 정보 통신, 생명 공학, 항공 우주 산업, 패션 및 디자인 산업 등

(2) **첨단 산업의 발달**

① 첨단 산업은 기술 집약적 산업이므로 고급 전문 인력의 확보가 유리하고 연구 환경이 잘 갖추어진 지역에 주로 입지함

② 산업 클러스터❸를 중심으로 첨단 산업 발달 케임브리지 사이언스 파크(영국), 소피아 앙티폴리스(프랑스), 시스타 사이언스 파크(스웨덴), 오울루 테크노폴리스(핀란드), 제3 이탈리아(이탈리아) 등

고득점을 위한 셀파 Tip

유럽의 공업 지역

전통 공업 지역	산업 혁명 초기부터 석탄, 철광석 산지를 중심으로 제철 공업이 발달함 예 랭커셔·요크셔(영국), 루르·자르(독일), 로렌(프랑스) 등
해운 및 하운 교통 발달 지역	원료의 수입과 제품의 수출에 유리한 지역을 중심으로 공업의 중심지가 이동함 예 카디프·미들즈브러(영국), 됭케르크(프랑스), 로테르담(네덜란드) 등
첨단 산업 지역	최근 첨단 산업 중심으로 산업 구조가 변화하면서 산업 클러스터를 중심으로 첨단 산업이 발달함 예 케임브리지 사이언스 파크(영국), 소피아 앙티폴리스(프랑스), 시스타 사이언스 파크(스웨덴), 오울루 테크노폴리스(핀란드), 제3 이탈리아(이탈리아) 등

❶ **산업 혁명**
18세기 중엽 영국에서 시작된 기술 혁신과 이에 수반하여 일어난 사회·경제 구조의 혁신적인 변화를 의미한다.

❷ **고부가 가치 산업**
부가 가치는 생산 과정에서 새롭게 창출된 가치를 의미하며, 부가 가치를 많이 창출할 수 있는 첨단 산업이 대표적인 고부가 가치 산업의 사례로 제시되고 있다.

❸ **산업 클러스터**
공장과 기업, 대학, 연구 기관 등이 함께 입지하며 상호 연계 및 협력을 통해 경쟁력을 확보하는 산업 단지를 의미한다. 첨단 산업 단지의 경우 산업 클러스터의 형태로 많이 나타난다.

셀파 자료 탐구

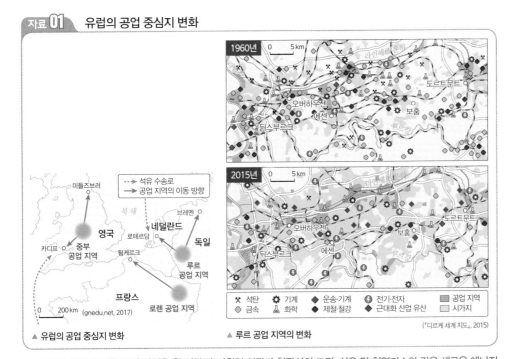

▲ 유럽의 공업 중심지 변화　　▲ 루르 공업 지역의 변화

(「디르케 세계 지도」, 2015)

자료 분석 | 유럽의 전통 공업 지역은 원료(연료) 자원인 석탄과 철광석의 고갈, 석유 및 천연가스와 같은 새로운 에너지 자원의 이용 증가, 기존의 탄광과 공업 시설의 노후화 등으로 인해 공업이 쇠퇴하기 시작하였다. 유럽의 공업 중심지는 내륙의 원료 산지에서 원료의 수입과 제품의 수출에 유리한 지역으로 이동하기 시작하였는데 임해 지역에 발달한 카디프·미들즈브러(영국), 됭케르크(프랑스), 로테르담(네덜란드) 등이 이에 해당한다. 유럽의 전통 공업 지역인 루르 공업 지역은 1970년대 이후 중화학 공업이 쇠퇴하면서 지역 경제가 침체되었으나 최근에는 부가 가치가 높은 첨단 산업과 전기·전자 공업 중심으로 산업 구조를 재편하고 기존의 산업 유산들을 관광 자원으로 활용하면서 지역 경제가 재활성화되고 있다.

교과서 탐구 풀이

Q1 유럽의 공업 중심지가 석탄과 철광석 산지에서 해운·하운 교통 발달 지역으로 변화하게 된 원인을 서술해 보자.

A1 석탄과 철광석의 고갈, 석유 및 천연가스와 같은 새로운 에너지 자원의 이용 증가, 기존의 탄광과 공업 시설의 노후화 등이 원인이다.

Q2 루르 공업 지역이 지역 경제 재활성화를 위해 어떠한 노력을 했는지 정리해 보자.

A2 부가 가치가 높은 첨단 산업과 전기·전자 공업 중심으로 산업 구조를 재편하고 기존의 산업 유산들을 관광 자원으로 활용하였다.

자료 분석 | 쇠퇴하는 공업 지역은 석탄과 철광석 산지를 중심으로 중화학 공업이 발달했던 전통 공업 지역을 의미한다. 랭커셔·요크셔 지방(영국), 루르·자르 지방(독일), 로렌 지방(프랑스)이 이에 해당한다. 유럽의 전통 공업 지역은 원료의 수입과 제품의 수출에 유리한 지역으로 공업 중심지가 이동하면서 해운·하운 교통 발달 지역이 새로운 공업 중심지로 성장하였다. 미들즈브러(영국), 됭케르크(프랑스), 로테르담(네덜란드) 등이 이에 해당한다. 첨단 기술 산업 지역은 고부가 가치 산업을 중심으로 산업 클러스터가 형성되었다. 케임브리지 사이언스 파크(영국), 소피아 앙티폴리스(프랑스), 시스타 사이언스 파크(스웨덴), 오울루 테크노폴리스(핀란드), 제3이탈리아(이탈리아) 등이 있다.

교과서 자료 더 보기

| 소피아 앙티폴리스 |

(세계 도시 정보, 2017)

프랑스 남부의 지중해 연안에 위치한 소피아 앙티폴리스는 유럽의 대표적인 첨단 산업 클러스터 중 하나이다. 소피아 앙티폴리스는 국제공항과 인접해 있고 칸, 니스와 같은 휴양 도시와도 가깝다. 또한 소피아 앙티폴리스에는 국공립 연구소를 비롯해 유수의 대학 연구소가 입지해 있어 고급 전문 연구 인력의 확보 및 연구 협력이 용이하다는 장점을 갖추고 있다.

2 북부 아메리카의 전통 공업 지역

1. 북부 아메리카의 전통 공업 지역 [자료 03]

뉴잉글랜드 공업 지역	• 북부 아메리카의 산업화 초기부터 보스턴을 중심으로 공업 발달 • 유럽과의 지리적 인접성, 이민자의 저렴한 노동력 등을 바탕으로 공업 발달
중부 대서양 연안 공업 지역	중부 대서양 연안의 대도시를 중심으로 공업 발달 └ 뉴욕, 필라델피아 등
오대호[4] 연안 공업 지역	• 시카고, 디트로이트 등을 중심으로 제철, 자동차 공업과 같은 중화학 공업이 발달함 • 풍부한 지하자원, 편리한 수운 교통, 넓은 소비 시장과 풍부한 노동력을 바탕으로 공업 발달 └ 오대호 연안의 철광석, └ 오대호~세인트로렌스강~대서양을 잇는 운하 애팔래치아산맥의 석탄
캐나다 공업 지역	오대호 연안의 토론토와 세인트로렌스강 연안의 몬트리올을 중심으로 공업이 발달함

2. 북부 아메리카 공업 지역의 변화

(1) 전통 공업 지역의 쇠퇴 원인

① 철광석 고갈로 인한 해외 자원의 수입량 증가

② 신흥 공업 국가의 성장에 따른 산업 구조의 변화

③ 환경 오염, 산업 시설 노후화 등 └ 일본, 대한민국, 중국과 같은 아시아 국가의 빠른 공업 성장

(2) 공업 구조의 변화 중화학 공업 중심에서 첨단 산업 중심으로 공업 구조가 변화함

(3) 공업 중심지의 변화 [자료 04] └ 예 철강, 화학   └ 예 컴퓨터, 항공·우주 등

① **변화 양상** 북동부 및 중서부의 러스트 벨트[5] 중심에서 남부 및 서부의 선벨트[6] 중심으로 공업 중심지가 이동함

② **변화 요인** 러스트 벨트의 산업 시설 노후화 및 자원 고갈, 선벨트의 온화한 기후, 풍부한 석유와 천연가스, 풍부한 노동력, 지방 정부의 지원 등
     └ 세금 혜택, 공장 부지의 저렴한 제공 등

(4) 전통 공업 지역의 변화 러스트 벨트 지역의 신산업 육성을 통한 지역 경제 활성화 예 보스턴, 피츠버그 등

▶ **북부 아메리카의 주요 공업 지역과 인구 10대 도시** 뉴잉글랜드 공업 지역, 중부 대서양 공업 지역, 오대호 연안 공업 지역이 속한 러스트 벨트 중심에서 태평양 연안 공업 지역, 멕시코만 연안 공업 지역이 속한 선벨트 중심으로 북부 아메리카 공업의 중심이 이동하게 되었다.

3. 북부 아메리카의 첨단 산업 지역 [자료 05]

태평양 연안 공업 지역	• 샌프란시스코 인근의 실리콘 밸리[7]: 세계 최대의 첨단 산업 클러스터로 전자, 컴퓨터 관련 산업이 발달함 • 로스앤젤레스: 영화 산업이 발달함 • 시애틀: 항공 산업이 발달함 └ 할리우드는 세계 최대의 영화 산업 중심지
멕시코만 연안 공업 지역	• 텍사스주 일대: 풍부한 석유를 바탕으로 석유 화학 공업이 발달함 • 휴스턴: 항공·우주 산업이 발달해 있음 └ 멕시코만에 석유가 많이 매장되어 있어 생산이 활발함

고득점을 위한 셀파 Tip

북부 아메리카의 공업 지역

뉴잉글랜드	유럽과의 인접성, 이민자의 저렴한 노동력 등을 바탕으로 산업화 초기부터 공업 발달
중부 대서양 연안	뉴욕, 필라델피아 등의 대서양 연안 대도시를 중심으로 공업 발달
오대호 연안	풍부한 철광석과 석탄, 편리한 수운 교통, 넓은 소비 시장과 노동력을 바탕으로 중화학 공업 발달
태평양 연안	실리콘 밸리(첨단 산업), 로스앤젤레스(영화 산업), 시애틀(항공 산업)
멕시코만 연안	텍사스(석유 화학 공업), 휴스턴(항공·우주 산업)
캐나다	토론토, 몬트리올

❹ 오대호
북부 아메리카의 동부에 있는 거대한 5개 호수로 슈피리어호, 미시간호, 휴런호, 이리호, 온타리오호로 이루어져 있다.

❺ 러스트 벨트(Rust Belt)
'녹슬다.'라는 의미를 가진 러스트를 붙여 산업이 쇠퇴한 미국 중서부 지역과 북동부 지역을 지칭한다.

❻ 선벨트(Sun Belt)
북위 37° 이남의 온화한 기후 지역을 말한다. 최근 공업이 빠르게 성장하고 있는 캘리포니아주, 애리조나주, 텍사스주 등이 선벨트에 속한다.

❼ 실리콘 밸리
미국의 캘리포니아주 샌프란시스코 인근의 샌타클래라 일대에 위치하며 세계 최대의 첨단 산업 클러스터이다. 이곳은 연 강수량이 적어 전자 산업 발달에 유리한 습기 없는 환경을 갖추었고, 인근에 스탠퍼드대학·버클리대학·샌타클래라대학 등의 명문대가 많아 우수 인력의 확보가 용이하다. 또한 캘리포니아 주정부가 초기에 세제상의 혜택을 주면서 첨단 산업이 빠르게 성장할 수 있었다.

셀파 자료 탐구

자료 03 공통 자료 미국의 공업 지역

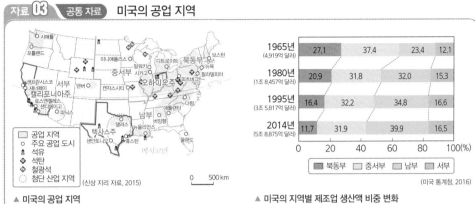

▲ 미국의 공업 지역

▲ 미국의 지역별 제조업 생산액 비중 변화

자료 분석 | 북부 아메리카를 대표하는 국가인 미국은 공업이 발달해 있다. 뉴잉글랜드 공업 지역은 유럽과의 지리적 인접성, 이민자의 저렴한 노동력을 바탕으로 산업화 초기부터 경공업이 발달하였고, 중부 대서양 연안 공업 지역은 뉴욕, 필라델피아와 같은 대도시를 중심으로 공업이 발달하였다. 오대호 연안에는 풍부한 철광석과 석탄, 편리한 수운 교통, 넓은 소비 시장과 풍부한 노동력을 바탕으로 제철 및 자동차 공업이 발달하였다. 이 공업 지역이 속한 미국 중서부 지역과 북동부 지역을 러스트 벨트라고 하는데, 미국 남부와 서부의 선벨트에서 공업이 빠르게 성장하면서 미국 공업의 중심지가 러스트 벨트에서 선벨트로 이동하였다.
미국의 제조업 총 생산액에서 각 지역의 제조업 생산액이 차지하는 비율을 나타낸 자료를 보면 1965년에는 러스트 벨트에 속한 미국 중서부와 북동부의 제조업 생산액 비율이 50% 이상을 차지하였으나 2016년에는 선벨트에 속한 미국 남부와 서부의 생산액 비율이 크게 높아져 러스트 벨트에 속한 지역보다 제조업 출하액 비율이 높게 나타난다는 것을 알 수 있다. 이는 미국 제조업의 중심이 미국 북동부와 중서부의 러스트 벨트에서 미국 남부와 서부의 선벨트로 변화하였음을 보여 준다.

자료 04 선벨트 지역의 성장

자료 분석 |
북위 37° 이남의 남부 및 서부 지역을 가리킨다. 북동부의 추운 겨울에 대비되어 기후가 따뜻하고 온화하여 붙은 이름이다. 선벨트 지역은 기후가 온화하여 생활 환경이 쾌적할 뿐만 아니라 풍부한 석유, 유능한 노동력, 넓은 토지, 각종 세금 혜택 등 기업 활동에 유리한 조건을 갖추고 있다.

자료 05 미국 캘리포니아주와 텍사스주의 공업 구조

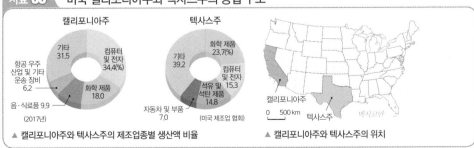

▲ 캘리포니아주와 텍사스주의 제조업종별 생산액 비율

▲ 캘리포니아주와 텍사스주의 위치

자료 분석 | 실리콘 밸리가 속한 캘리포니아주는 컴퓨터 및 전자 제조업의 생산액이 가장 많다. 텍사스주는 멕시코만에서 석유 생산이 활발하며, 풍부한 석유를 바탕으로 석유 화학 공업이 발달해 있으므로 화학 제품 제조업과 석유 및 석탄 제품 제조업의 생산액 비율이 높게 나타난다.

교과서 탐구 풀이

Q 미국 공업 지역의 분포 특징과 변화 과정을 설명해 보자.

A 미국의 공업은 철광석, 석탄 등이 풍부하고 수운에 유리한 오대호 연안 공업 지역을 중심으로 발달하였으나, 산업 구조의 변화 등으로 인해 태평양 연안 및 멕시코만 연안 공업 지역의 선벨트 지역으로 송업의 중심이 이동하게 되었다.

교과서 탐구 풀이

Q 첨단 산업이 발달한 북부 아메리카의 공업 지역을 조사해 보자.

A 선벨트에 속한 대표적인 공업 지역으로는 태평양 연안 공업 지역과 멕시코만 연안 공업 지역을 들 수 있다. 태평양 연안 공업 지역은 세계 최대의 첨단 산업 클러스터인 실리콘 밸리, 영화 산업이 발달한 로스앤젤레스, 항공 산업이 발달한 시애틀이 있다. 멕시코만 연안 공업 지역은 멕시코만의 풍부한 석유를 바탕으로 석유 화학 공업이 발달해 있으며, 휴스턴을 중심으로 항공·우주 산업이 발달해 있다.

교과서 탐구 풀이

Q1 캘리포니아주에서 컴퓨터 및 전자 제조업의 생산액이 많은 이유를 적어 보자.

A1 캘리포니아주에 첨단 산업 클러스터인 실리콘 밸리가 위치해 있기 때문이다.

Q2 텍사스주에서 화학 제품 제조업과 석유 및 석탄 제품 제조업의 생산액이 많은 이유를 적어 보자.

A2 멕시코만에서 석유 생산이 활발하기 때문이다.

1 유럽의 주요 공업 지역

전통 공업 지역	• 산업 혁명 초기부터 (❶), 철광석 산지를 중심으로 제철 공업이 발달함 • 랭커셔·요크셔(영국), 루르·자르(독일), 로렌(프랑스) 등
해운·하운 교통 발달 지역	• 원료의 수입과 제품의 수출에 유리한 지역을 중심으로 공업의 중심지가 이동 • 카디프·미들즈브러(영국), 됭케르크(프랑스), 로테르담(네덜란드) 등
첨단 산업 지역	• 최근 첨단 산업 중심으로 산업 구조가 변화하면서 (❷)를 중심으로 첨단 산업이 발달함 • 케임브리지 사이언스 파크(영국), (❸)(프랑스), 시스타 사이언스 파크(스웨덴), 오울루 테크노폴리스(핀란드), 제3 이탈리아(이탈리아) 등

2 유럽 공업 지역의 변화

전통 공업 지역의 쇠퇴	• 석탄 및 철광석 고갈, 산업 시설의 노후화, 새로운 에너지 자원의 이용량 증가 등 • 내륙의 원료 산지에서 원료의 수입과 제품의 수출에 유리한 지역으로 공업 중심지 이동
첨단 산업 지역의 성장	• 고부가 가치 산업 중심으로 산업 구조 개편 • 산업 클러스터 형성

3 북부 아메리카의 주요 공업 지역

뉴잉글랜드	유럽과의 인접성, 이민자의 저렴한 노동력 등을 바탕으로 산업화 초기부터 공업 발달
중부 대서양 연안	뉴욕, 필라델피아 등의 대서양 연안 대도시를 중심으로 공업 발달
(❹) 연안	풍부한 철광석과 석탄, 편리한 수운 교통, 넓은 소비 시장과 노동력을 바탕으로 중화학 공업 발달
태평양 연안	첨단 산업(❺), 영화 산업(로스앤젤레스), 항공 산업(시애틀)
멕시코만 연안	텍사스(석유 화학 공업), 휴스턴(항공·우주 산업)
캐나다	토론토, 몬트리올

4 북부 아메리카 공업 지역의 변화

전통 공업 지역의 쇠퇴	철광석 고갈로 해외 자원 수입 증가, 신흥 공업 국가의 성장에 따른 산업 구조의 변화, 환경 오염, 산업 시설 노후화 등
공업 구조의 변화	중화학 공업에서 첨단 산업 중심으로 변함
공업 중심지 이동	북동부 및 중서부의 (❻) 벨트 중심에서 남부 및 서부의 (❼)벨트 중심으로 공업 중심지가 이동함

[01~02] 지도는 유럽의 공업 지역을 나타낸 것이다. 이를 보고 물음에 답하시오.

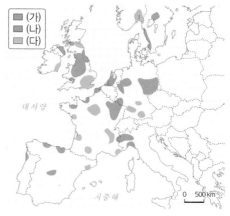

★01 (가)~(다) 공업 지역으로 옳은 것은?

	(가)	(나)	(다)
①	전통 공업 지역	해운·하운 교통 발달 지역	첨단 산업 지역
②	전통 공업 지역	첨단 산업 지역	해운·하운 교통 발달 지역
③	해운·하운 교통 발달 지역	전통 공업 지역	첨단 산업 지역
④	첨단 산업 지역	전통 공업 지역	해운·하운 교통 발달 지역
⑤	첨단 산업 지역	해운·하운 교통 발달 지역	전통 공업 지역

★02 (가)~(다) 공업 지역에 대한 옳은 설명만을 〈보기〉에서 고른 것은?

│ 보기 │
ㄱ. (가)는 석탄, 철광석 산지를 중심으로 공업이 발달하였다.
ㄴ. (나)는 (다)보다 원료의 수입과 제품의 수출에 유리하다.
ㄷ. (다)는 (가)보다 첨단 산업의 특화도가 낮다.
ㄹ. (가)~(다) 중에서 공업 지역의 형성 시기는 (가)가 가장 늦다.

① ㄱ, ㄴ   ② ㄱ, ㄷ   ③ ㄴ, ㄷ
④ ㄴ, ㄹ   ⑤ ㄷ, ㄹ

03 지도는 루르 공업 지역의 변화를 나타낸 것이다. 1960년과 비교한 2015년의 상대적 특징을 그림의 A~E에서 고른 것은?

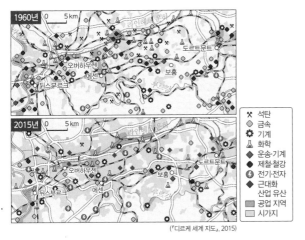

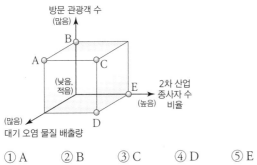

① A ② B ③ C ④ D ⑤ E

04 다음 글의 (가) 지역을 지도의 A~E에서 고른 것은?

> (가) 은/는 유럽의 대표적인 첨단 산업 클러스터 중 하나로, 국제공항과 인접해 있고 칸, 니스와 같은 휴양 도시와도 가깝다. 또한 (가) 에는 국공립 연구소를 비롯해 유수의 대학 연구소가 입지해 있어 고급 전문 연구 인력의 확보 및 연구 협력이 용이하다는 장점을 갖추고 있다.

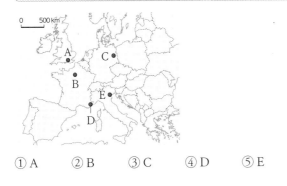

① A ② B ③ C ④ D ⑤ E

★05 지도에 나타난 공업 중심지 변화의 원인만을 〈보기〉에서 고른 것은?

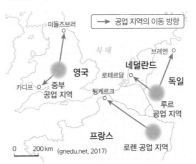

┌─ 보기 ┐
ㄱ. 항공 교통의 발달
ㄴ. 석유 및 천연가스 소비량 감소
ㄷ. 기존의 탄광과 공업 시설의 노후화
ㄹ. 전통 공업 지역의 석탄과 철광석 고갈
└─────┘

① ㄱ, ㄴ ② ㄱ, ㄷ ③ ㄴ, ㄷ
④ ㄴ, ㄹ ⑤ ㄷ, ㄹ

06 다음 글의 (가) 지역을 지도의 A~E에서 고른 것은?

> (가) 은/는 볼로냐가 중심 도시이며 섬유, 의류, 신발, 가죽, 가구 등의 부문에서 장인 정신에 입각하여 다품종 소량 생산 방식으로 제품 생산이 이루어지고 있다. 특히 지리적으로 인접한 중소기업들 간에 네트워크가 촘촘히 형성되어 있는 것이 특징이다.

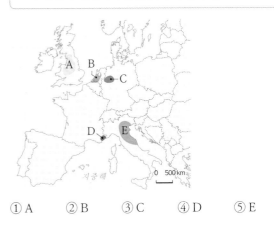

① A ② B ③ C ④ D ⑤ E

07 (가)~(다) 공업 지역으로 옳은 것은?

지역	특징
(가)	• 북부 아메리카의 산업화 초기부터 보스턴을 중심으로 공업 발달 • 유럽과의 지리적 인접성, 이민자의 저렴한 노동력 등을 바탕으로 공업 발달
(나)	• 시카고, 디트로이트 등을 중심으로 제철, 자동차 공업과 같은 중화학 공업이 발달함 • 풍부한 지하자원, 편리한 수운 교통, 넓은 소비 시장과 풍부한 노동력을 바탕으로 공업 발달
(다)	• 풍부한 석유를 바탕으로 석유 화학 공업이 발달 • 휴스턴을 중심으로 항공·우주 산업이 발달

	(가)	(나)	(다)
①	뉴잉글랜드	오대호 연안	멕시코만 연안
②	뉴잉글랜드	멕시코만 연안	오대호 연안
③	오대호 연안	뉴잉글랜드	멕시코만 연안
④	오대호 연안	멕시코만 연안	뉴잉글랜드
⑤	멕시코만 연안	오대호 연안	뉴잉글랜드

08 지도의 A~C 공업 지역에 대한 옳은 설명만을 〈보기〉에서 고른 것은?

┤ 보기 ├
ㄱ. A에는 첨단 산업 클러스터인 실리콘 밸리가 있다.
ㄴ. C에는 영화 산업의 중심지인 할리우드가 있다.
ㄷ. A는 B보다 공업 발달의 역사가 깊다.
ㄹ. C는 B보다 석유 화학 공업의 출하액이 많다.

① ㄱ, ㄴ ② ㄱ, ㄷ ③ ㄴ, ㄷ
④ ㄴ, ㄹ ⑤ ㄷ, ㄹ

[09~10] 그래프는 미국 내 세 주(州)의 제조업종별 생산액 비율을 나타낸 것이다. 이를 보고 물음에 답하시오.

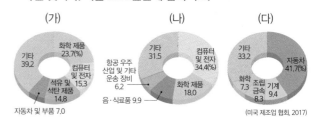

09 (가)~(다) 주(州)를 지도의 A~C에서 고른 것은?

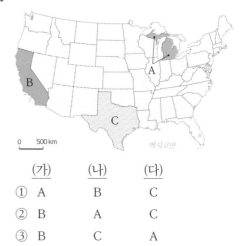

	(가)	(나)	(다)
①	A	B	C
②	B	A	C
③	B	C	A
④	C	A	B
⑤	C	B	A

10 (가)~(다) 주(州)에 대한 옳은 설명만을 〈보기〉에서 고른 것은?

┤ 보기 ├
ㄱ. (가)는 (나)보다 석유 생산량이 많다.
ㄴ. (나)는 (다)보다 전체 제조업 생산액이 많다.
ㄷ. (다)는 (가)보다 최근 10년간 제조업 생산액 증가율이 높다.
ㄹ. (가)와 (다)는 선벨트에 속하고, (나)는 러스트 벨트에 속한다.

① ㄱ, ㄴ ② ㄱ, ㄷ ③ ㄴ, ㄷ
④ ㄴ, ㄹ ⑤ ㄷ, ㄹ

서술형 문제

11 지도는 유럽의 공업 중심지 변화를 나타낸 것이다. 이를 보고 물음에 답하시오.

(1) 지도를 보고 유럽의 공업 중심지 변화 경향에 대해 서술하시오.

_____

_____

(2) (1)과 같이 유럽의 공업 중심지가 변화하게 된 원인을 두 가지만 서술하시오.

_____

_____

12 지도는 유럽의 공업 지역을 나타낸 것이다. 이를 보고 물음에 답하시오.

(1) (가), (나) 공업 지역은 각각 전통 공업 지역과 첨단 산업 지역 중 어디에 해당하는지 쓰시오.

_____

(2) (가) 공업 지역과 비교한 (나) 공업 지역의 상대적 특징을 다음 용어를 사용하여 서술하시오.

> • 대기 오염 물질 배출량 • 공업 발달의 역사
> • 첨단 산업의 생산액 비율

_____

_____

13 지도는 미국의 공업 중심지 변화를 나타낸 것이다. 이를 보고 물음에 답하시오.

(1) (가) 지역의 명칭을 쓰시오.

_____

(2) 미국의 공업 중심지가 (가) 지역으로 변화하게 된 원인을 두 가지만 서술하시오.

_____

_____

14 그래프는 미국의 지역별 제조업 생산액 비율 변화를 나타낸 것이다. 이를 보고 물음에 답하시오.

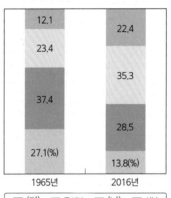

(1) (가), (나)는 각각 남부 지역과 북동부 지역 중 어디에 해당하는지 쓰시오.

_____

(2) (가) 지역과 비교한 (나) 지역의 상대적 특징을 다음 용어를 사용하여 서술하시오.

> • 공업 발달의 역사
> • 1965~2016년의 제조업 생산액 증가율
> • 2016년의 제조업 생산액

_____

_____

| 평가원 기출 |

01 다음 글은 유럽의 산업 지역에 대한 설명이다. (가), (나) 지역을 지도의 A~D에서 고른 것은?

• ___(가)___ 지역은 철광석이 풍부하게 매장된 지역으로 산업 혁명 이후 인접 지역에 매장되어 있는 석탄을 이용하여 철강 산업이 발달하였다. 그러나 점차 자원 고갈, 시설의 노후화 등으로 인해 이 지역의 산업 기반은 쇠퇴하였다.

• ___(나)___ 지역은 볼로냐를 중심으로 섬유, 의류, 신발, 가죽, 가구 등 경공업 부문에 특화된 다품종 소량 생산 방식의 장인적 중소기업이 집적된 산업 지구들이 발달한 곳이다. 이 지역에는 지리적으로 인접한 기업들 간의 네트워크가 발달해 있다.

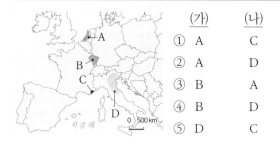

	(가)	(나)
①	A	C
②	A	D
③	B	A
④	B	D
⑤	D	C

| 평가원 기출 |

02 다음 글의 (가), (나)에 해당하는 공업 지역을 지도의 A~C에서 고른 것은?

(가) 소규모 관광 도시였던 지역이 정보 통신 및 생명 과학 분야의 연구소, 대학, 산업체 등이 집중된 첨단 산업 단지로 변모하였다. 이 지역은 연중 맑은 날이 많아 연구 환경이 쾌적하다.

(나) 교통이 발달하고 석탄을 대신하여 석유가 주요 에너지원으로 사용되면서 등장한 공업 지역이다. 해운과 수운을 이용한 무역의 중심지이며 석유 정제 및 석유 화학 공업이 크게 발달하였다.

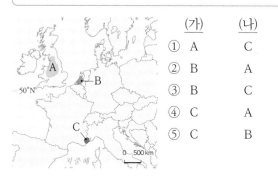

	(가)	(나)
①	A	C
②	B	A
③	B	C
④	C	A
⑤	C	B

| 평가원 기출 |

03 다음 글의 (가), (나)에 해당하는 산업 지역을 지도의 A~D에서 고른 것은?

• 런던 북동쪽에 위치한 ___(가)___ 은/는 케임브리지 대학교의 연구와 기업 활동에 대한 정부의 각종 지원이 함께 이루어지면서 첨단 산업 단지로 성장하였다. 현재 이곳에는 생명 공학과 정보 통신 분야의 소규모 벤처 기업부터 유명 다국적 기업의 연구소까지 다양한 기업이 입주해 있다.

• 지중해 연안의 ___(나)___ 은/는 니스와 칸 사이에 위치하고 있다. 이곳은 창의적 아이디어가 대도시에서 만들어지기 어렵다는 생각에서 조성된 '숲 속의 과학 도시'이다. 국공립 연구소와 대학교, 다국적 기업이 입지하여 산학연의 혁신 클러스터를 구성하고 있다.

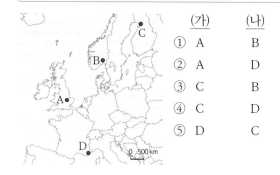

	(가)	(나)
①	A	B
②	A	D
③	C	B
④	C	D
⑤	D	C

| 교육청 기출 |

04 지도의 A~D 공업 지역에 대한 옳은 설명만을 〈보기〉에서 고른 것은?

|ㅣ 보기 ㅣ|

ㄱ. A는 원료 수입과 제품 수출에 유리하다.
ㄴ. B에는 가죽, 보석, 가구 등 장인에 의한 전통 산업이 집중되어 있다.
ㄷ. C에는 기업, 대학, 연구소가 유기적으로 결합된 산업 클러스터가 있다.
ㄹ. D는 풍부한 석탄과 철광석을 바탕으로 산업 혁명 초기에 성장하였다.

① ㄱ, ㄴ   ② ㄱ, ㄷ   ③ ㄴ, ㄷ
④ ㄴ, ㄹ   ⑤ ㄷ, ㄹ

| 평가원 기출 |

05 다음 글의 (가), (나)에 해당하는 산업 지역을 지도의 A~D에서 고른 것은?

> (가) 이 지역은 고위도에 위치하며 과거에는 연어의 수출항으로 유명했다. 현재는 정보 통신 기술 중심의 첨단 산업 클러스터로 발전했다. 이 지역에서는 세계적 기업의 연구 개발 부서와 지역 내 대학 및 기술 연구 센터와의 산학연 협력이 원활하며, '테크노폴리스' 설립과 같은 정책적 지원도 활발하게 이루어지고 있다.
>
> (나) 이 지역은 라인강 하구에 위치한 유럽의 주요 무역항 중 하나로 석유 화학 클러스터가 형성되어 있다. 항구를 통하여 대규모로 석유가 수입되고, 인접 국가 대도시권까지 연결된 파이프라인을 비롯하여 석유 화학 업체, 바이오 연료 플랜트, 저장 탱크 등이 유기적으로 연결되어 있다.

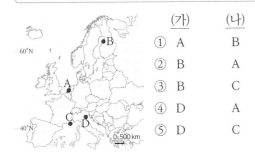

	(가)	(나)
①	A	B
②	B	A
③	B	C
④	D	A
⑤	D	C

| 평가원 기출 |

06 지도는 미국과 멕시코의 주요 공업 지역을 나타낸 것이다. A~E에 대한 설명으로 옳지 <u>않은</u> 것은?

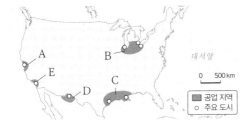

① A에서는 첨단 산업 클러스터가 성장하였다.

② B는 오대호의 수운을 바탕으로 발달하였다.

③ C에서는 유전을 기반으로 한 석유 화학 공업이 발달하였다.

④ E는 선벨트 지역에 속한다.

⑤ D는 B보다 역사가 오래된 자동차 공업 지역이다.

| 평가원 기출 |

07 지도의 A~C 지역에 대한 옳은 설명만을 〈보기〉에서 있는 대로 고른 것은?

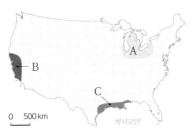

> ┌ 보기 ┐
> ㄱ. A에서는 최근 디트로이트를 중심으로 항공·우주 산업이 급속히 성장하고 있다.
> ㄴ. B는 온화한 기후 조건과 고급 기술 인력을 바탕으로 영화 제작, 컴퓨터 관련 산업 등이 발달하였다.
> ㄷ. C에는 석유 자원을 바탕으로 대규모 석유 화학 공업 단지가 조성되어 있다.
> ㄹ. 철강 산업의 중심은 최근 B에서 원료 산지 주변인 A로 이동하였다.

① ㄱ, ㄴ   ② ㄴ, ㄷ   ③ ㄷ, ㄹ

④ ㄱ, ㄴ, ㄹ   ⑤ ㄴ, ㄷ, ㄹ

| 교육청 기출 |

08 지도에 표시된 (가), (나) 공업 지역과 도시에 대한 옳은 설명만을 〈보기〉에서 있는 대로 고른 것은?

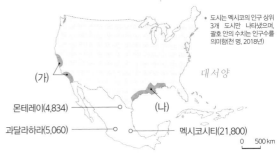

> ┌ 보기 ┐
> ㄱ. (가)는 제조업이 쇠퇴하여 러스트 벨트라고 불린다.
> ㄴ. (나)는 석유 화학, 항공·우주 산업이 발달하였다.
> ㄷ. 멕시코시티는 종주 도시이다.
> ㄹ. 몬테레이는 원자재를 수입하여 가공한 후 완제품을 수출하는 공업이 발달하였다.

① ㄱ, ㄴ   ② ㄱ, ㄷ   ③ ㄷ, ㄹ

④ ㄱ, ㄴ, ㄹ   ⑤ ㄴ, ㄷ, ㄹ

| 평가원 기출 |

09 자료의 (가), (나)를 지도의 A~C에서 고른 것은?

> **(가) 도시의 특징**
> • 편리한 수운과 주변의 지하자원을 바탕으로 중화학 공업 발달
> • 1900년대 초 ○○사 설립 이후 자동차 산업 성장
> • 제조업 침체 지역인 '러스트 벨트'에 위치
>
> **(나) 도시의 특징**
> • 면화 집산지와 선적 항구로 발달
> • 1900년대 초 주변에서 석유가 발견된 이후 석유 화학 산업의 중심지로 성장
> • 항공 우주국을 중심으로 첨단 항공·우주 산업 발달

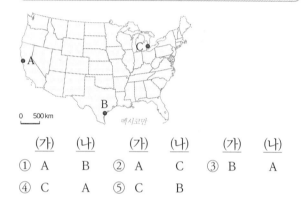

	(가)	(나)		(가)	(나)		(가)	(나)
①	A	B	②	A	C	③	B	A
④	C	A	⑤	C	B			

| 평가원 기출 |

10 다음 글은 태평양 연안에 위치한 두 도시의 특성을 설명한 것이다. (가), (나)에 해당하는 도시를 지도의 A~C에서 고른 것은?

> • ___(가)___ 에는 세계적인 항공기 제조업체인 ○○사를 중심으로 항공 산업이 발달해 있다. ○○사의 대규모 조립 공장에서는 국제적인 공간 분업 관계를 통해 부품을 공급받아 항공기를 조립·생산한다. 또한 이 도시에는 세계적인 커피 제조 및 판매 업체인 △△사의 본사가 있다. 이 회사는 전 세계적으로 3만 개가 넘는 매장을 보유하고 있다.
> • ___(나)___ 은/는 인구 규모, 국제 항공 승객 수, 다국적 기업 본사 수 등의 측면에서 미국 서부 지역을 대표하는 세계 도시이다. 이 도시는 영화 제작에 유리한 기후 조건을 가지고 있다. 그래서 20세기 초반부터 할리우드를 중심으로 영화 제작업체들이 몰려들어 미국 영화 산업의 중심지가 되었다.

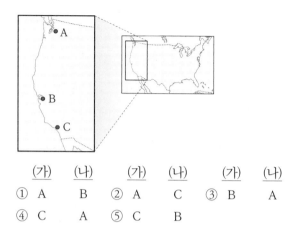

	(가)	(나)		(가)	(나)		(가)	(나)
①	A	B	②	A	C	③	B	A
④	C	A	⑤	C	B			

| 교육청 기출 |

11 자료의 (가)~(다) 도시를 지도의 A~D에서 고른 것은?

> • ___(가)___ 은/는 미국에서 가장 오래된 도시 중 하나로 19세기에는 제조업과 무역의 중심지로 명성을 떨쳤다. 하버드, MIT 등을 중심으로 20세기 중반 이후 생명 공학 산업이 크게 발전하여 세계적인 산업 클러스터가 형성되어 있다.
> • ___(나)___ 은/는 대표적인 석유 화학 공업 도시로 대형 석유 회사 본사들이 있어 '세계 에너지의 수도'라는 별명을 가지고 있다. 미국에서 4번째로 인구가 많은 도시이며, 석유 화학 공업 외에도 항공·우주 산업이 발달하였다.
> • ___(다)___ 은/는 러스트 벨트에 위치한 자동차 산업의 중심 도시로 '모터 시티(Motor City)', '모타운(Motown)'이라는 별명을 가지고 있다. 산업 구조가 변화함에 따라 자동차 제조업이 쇠퇴하였으나, 최근 자율 주행차와 전기차 등 자동차 관련 기술의 혁신을 이끌고 있다.

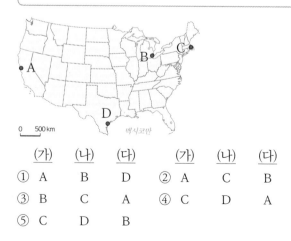

	(가)	(나)	(다)		(가)	(나)	(다)
①	A	B	D	②	A	C	B
③	B	C	A	④	C	D	A
⑤	C	D	B				

12 | 평가원 기출 |
지도의 A~C 지역에 대한 설명으로 옳은 것만을 〈보기〉에서 고른 것은?

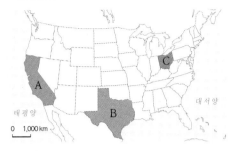

| 보기 |
ㄱ. A에는 첨단 산업 단지인 '실리콘 밸리'가 위치해 있다.
ㄴ. B는 C보다 지역 내 히스패닉 인구 비율이 낮다.
ㄷ. C는 A보다 제조업 발달의 시기가 이르다.
ㄹ. A는 선벨트, B와 C는 러스크 벨트 지역에 속한다.

① ㄱ, ㄴ ② ㄱ, ㄷ ③ ㄴ, ㄷ
④ ㄴ, ㄹ ⑤ ㄷ, ㄹ

13 | 교육청 기출 |
다음 글의 ㉠~㉤에 대한 설명으로 옳지 않은 것은?

• ㉠ 서부 유럽의 전통 공업 지역은 점차 쇠퇴하고 ㉡ 임해 지역이나 내륙 수로 연안에 새로운 공업 지역이 형성되었다. 최근에는 부가 가치가 높은 ㉢ 첨단 산업 중심으로 공업 구조가 개편되고 있다.
• 미국 북동부와 ㉣ 오대호 연안을 중심으로 입지한 전통 공업 지역은 점차 쇠퇴하고 있다. 최근에는 온화한 기후, 각종 세제 혜택 등의 입지 조건을 갖춘 미국 남부 및 남서부의 ㉤ 선벨트로 공업의 중심지가 이동하고 있다.

① ㉠ – 석탄과 철광석 산지를 중심으로 발달하였다.
② ㉡ – 원료의 수입과 제품의 수출에 유리하기 때문이다.
③ ㉢ – 기술 집약적 산업으로 전문 인력 확보가 중요하다.
④ ㉣ – 풍부한 노동력을 바탕으로 경공업이 주로 발달하였다.
⑤ ㉤ – 컴퓨터 관련 산업, 항공·우주 산업 등이 발달하였다.

14 | 교육청 기출 |
다음 글의 (가) 도시를 지도의 A~E에서 고른 것은?

__(가)__ 은/는 연 강수량이 적어 건조하므로 습기가 적은 기후 환경이 필요한 전자 공업의 입지에 유리하고 인근에 명문 대학 및 연구소가 많아 전문 인력을 쉽게 확보할 수 있는 고용 환경을 갖추고 있다. 이를 바탕으로 __(가)__ 은/는 세계적인 첨단 기업들이 밀집한 '실리콘 밸리'가 형성되었다.

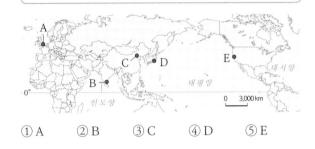

① A ② B ③ C ④ D ⑤ E

15 | 교육청 기출 |
다음 글은 유럽과 북부 아메리카의 주요 산업 지역에 관한 것이다. (가), (나) 지역을 지도의 A~D에서 고른 것은?

(가) 러스트 벨트에 위치한 도시로, 1970년대까지 세계 자동차 산업의 중심지였으나 외국산 자동차의 수입과 임금 상승 등의 요인으로 경쟁력이 약화되어 쇠퇴하였다. 최근에는 기존 산업과 연관된 신산업 및 지식 산업을 유치하는 등 경제 회복을 위한 노력을 하고 있다.
(나) 1960년대 후반 이후 국내외 기업, 대학, 연구소 등이 입지하여 혁신 클러스터를 형성하였다. 이곳은 니스와 칸 사이에 위치해 있으며 지중해성 기후가 나타나는 해안의 쾌적한 환경, 다양한 문화 시설 등 전문 인력이 거주하기 좋은 환경을 갖추었다.

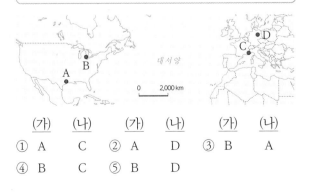

	(가)	(나)		(가)	(나)		(가)	(나)
①	A	C	②	A	D	③	B	A
④	B	C	⑤	B	D			

02 현대 도시의 내부 구조와 특징 및 지역의 통합과 분리 운동

1 유럽과 북부 아메리카의 도시 특징과 대도시권 형성

1. 유럽과 북부 아메리카의 도시 특징

(1) **도시화** 산업화가 일찍 시작되어 오랜 기간 도시화가 진행되었으며 <u>도시화율이 높음</u> → 도시화의 종착 단계에 해당함

(2) **교외화 현상❶** 도시 인구 증가, 교통 발달로 인해 대도시의 교외화 현상이 나타남

(3) **세계 도시 발달** 세계적인 영향력을 갖는 세계 도시가 발달함
　⑩ 런던, 뉴욕 등

(4) **도시 재생 사업❷** 낙후된 도시 내부 지역을 재개발하는 <u>도시 재생 사업이 활발함</u> ── 도심 주변 저소득층 주민이 외곽으로 이주하게 되면서 새로운 불량 주택 지구가 형성되기도 함

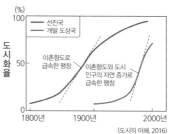

▲ 선진국과 개발 도상국의 도시화

2. 유럽과 북부 아메리카의 대도시권 형성

(1) **대도시권** 대도시의 영향력이 커지면서 주변 지역과 기능적으로 밀접한 대도시 간에 연결이 이루어짐 ── 통근·통학권, 상권 등을 통해 파악 가능함

(2) **메갈로폴리스의 형성** 거대 도시를 잇는 도시화 지역이 서로 연속된 대도시권 ⑩ 미국 북동부(보스턴~뉴욕~필라델피아~볼티모어~워싱턴), 영국(런던~리버풀), 네덜란드(란트슈타트 지역) 등 (자료 01)

⭐ 3. 유럽 및 북부 아메리카의 도시 내부 구조❸ 특징 (자료 02) (자료 03)

(1) 유럽의 도시 내부 구조 특징

도시의 역사	• 도시 역사가 오래되어 시대별 도시 모습이 다양하게 나타남 • 도심❹: 광장, 교회 등 역사적 도시 건축물이 남아 있음, 성벽이 도심과 주변 지역의 경계를 이루는 경우가 많음
건물과 도로망	• 도심과 주변 지역 간 건물의 높이 차이가 작은 편임 • 좁고 복잡한 도로망이 발달함
거주지 분리	• 경제력, 민족(인종) 등에 따른 거주지 분리 현상이 나타남 • 도심: 고소득층이 주로 거주함 • 주변 지역: 저소득층의 이민자가 주로 거주함
교외화	도시 외곽 지역에 새로운 중심지가 형성됨 ── 첨단 산업, 연구·개발 단지, 물류 창고, 쇼핑센터 등이 발달함

(2) 북부 아메리카의 도시 내부 구조 특징

도시의 역사	유럽의 도시에 비해 도시의 역사가 짧은 편임
건물과 도로망	• 도심에 고층 빌딩이 많음 → 지가가 높은 도심의 중심 업무 지구에 주로 분포함 • 도심에서 외곽으로 갈수록 건물의 높이가 점차 낮아짐 → 유럽의 도시에 비해 도심과 주변 지역 간 건물의 높이 차이가 큰 편임 • 계획도시의 경우 도로망이 직교형으로 나타남
거주지 분리	• 경제력, 민족(인종) 등에 따른 거주지 분리 현상이 나타남 • 도심: 저소득층 및 소수 민족(인종)의 주거 지역 형성 → 슬럼화가 진행되어 도시 문제가 심각함 • 주변 지역: 주거 환경이 쾌적하여 고소득층이 주로 거주함 → 고급 주택 지구가 조성됨
교외화	도시의 인구 성장과 교통 발달로 교외화 진행됨 ── 도심의 주거·업무 기능이 분산됨

---

❶ 교외화 현상

기존 도시에 인구와 기능이 과도하게 집중되면 도시 문제가 심각해지고 주거 환경이 악화된다. 교통이 발달하면서 기존 도시의 인구가 주변 지역으로 이동하는데, 주변 지역이 중심 도시와 연계되어 도시적 특성이 나타나게 되는 현상을 교외화 현상이라고 한다.

❷ 도시 재생 사업

도시 재생 산업은 도심 재활성화(젠트리피케이션)의 형태로 많이 진행된다. 도심 재활성화는 도심의 낙후된 지역을 고급 주택 단지나 상업 및 문화 시설 등으로 새롭게 개발하는 것을 말한다.

고득점을 위한 셀파 Tip

유럽과 북부 아메리카의 도시 내부 구조 특징 비교

유럽	• 도시 발달 역사가 깊 → 도시 내 역사 경관이 많음 • 도심과 주변 지역 간 건물의 높이 차이가 작음 • 좁고 복잡한 도로망이 발달해 있음
북부 아메리카	• 도시 발달 역사가 짧음 → 식민지 개척과 산업과 함께 도시화가 진행되어 계획도시가 많음 • 도심과 주변 지역 간 건물의 높이 차이가 큼 • 계획도시의 경우 직교형의 도로망이 나타남

❸ 현대 도시의 내부 구조

도심	높은 지가, 중심 업무 지구(CBD) 형성, 인구 공동화 현상 발생
주변 (외곽) 지역	낮은 지가, 교외화 현상에 따른 주거지 확대

❹ 도심

도시 내부 구조에서 도시의 중심 지역을 말한다. 도심은 지가가 높고 중심 업무 지구(CBD)가 발달해 있다. 또한 도심은 주거 기능의 발달이 미약하므로 상주인구가 감소하여 인구 공동화 현상이 나타나기도 한다.

자료 01 메갈로폴리스의 형성과 특징

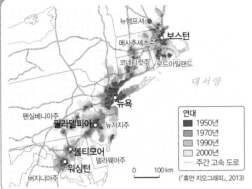

```
뉴햄프셔
메사추세츠주    보스턴
코네티컷주  로드아일랜드
대 서 양
펜실베니아주          뉴욕
뉴저지주
필라델피아
볼티모어
델라웨어주
워싱턴
버지니아주

연대
■ 1950년
■ 1970년
■ 1990년
□ 2000년
----- 주간 고속 도로
0      100 km
(「휴먼 지오그래피」, 2013)
```

자료 분석|
미국 북동부 지역에는 보스턴~뉴욕~필라델피아~볼티모어~워싱턴으로 이어지는 거대 도시권이 형성되어 있는데, 이와 같이 거대 도시를 잇는 도시화 지역이 서로 연속된 지역을 메갈로폴리스라고 한다. 미국 북동부 지역 외에 메갈로폴리스가 형성되어 있는 대표적인 지역으로는 영국의 런던~리버풀, 네덜란드의 란트슈타트 지역, 일본 태평양 연안의 오사카~나고야~도쿄 등을 들 수 있다.

● 교과서 탐구 풀이

Q 메갈로폴리스의 형성 배경에 대해 설명해 보자.

A 대도시 인구 증가, 교통 발달 등으로 인해 교외화 현상이 심화되면서 인구가 대도시 외곽 지역으로 이주하게 되어 시가지가 확대되었고, 시가지가 확대되는 과정에서 거대 도시를 잇는 도시화 지역이 서로 연속되면서 메갈로폴리스가 형성되었다.

자료 02 [공통 자료] 선진국의 도시 내부 구조 이론

1 2 3 4 5	▲ 동심원 모델
2 3 / 3 3 1 3 5 / 3 4 / 2 3	▲ 선형 모델
3 / 2 1 / 3 7 / 4 5 / 6 9 8	▲ 다핵심 모델
근교 도심 / 상업 중심지 신도심 근교 도심 / 중심 업무 지구 / 상업 중심지 상업 중심지 공항	▲ 도시 권역 모델

동심원 모델
① 중심 업무 지구
② 점이 지대
③ 노동자 주거 지대
④ 중산층 주거 지대
⑤ 교외 통근자 주거 지대

선형 모델
① 중심 업무 지구
② 도매·경공업 지구
③ 저소득층 주거 지구
④ 중산층 주거 지구
⑤ 고소득층 주거 지구

다핵심 모델
① 중심 업무 지구
② 도매·경공업 지구
③ 저소득층 주거 지구
④ 중산층 주거 지구
⑤ 고소득층 주거 지구
⑥ 중공업 지구
⑦ 외곽 업무 지구
⑧ 교외 주거 지구
⑨ 교외 공업 지구

도시 권역 모델
⊕ 공항
— 도시 경계
▬ 도시 권역 경계

자료 분석|
• 동심원 모델: 시카고의 도시 성장 과정을 사례로 하였으며 사회 계층별로 주거지가 동심원 형태로 분화한다.
• 선형 모델: 도심에서 주변 지역으로 뻗어 나가는 교통로를 따라 사회 계층별로 주거지가 분화한다.
• 다핵심 모델: 토지 이용이 여러 개의 핵심 지역을 중심으로 분화한다.
• 도시 권역 모델: 교통의 발달과 대도시권의 형성에 따라 변화하는 선진국의 도시 구조를 설명하고 있다.

● 교과서 자료 더 보기

| 시카고의 도시 확대 과정 |

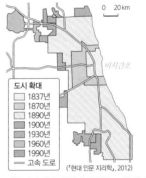

```
미시간호
도시 확대
□ 1837년
□ 1870년
□ 1890년
□ 1900년
■ 1930년
■ 1960년
■ 1990년
— 고속 도로
0   20 km
(「현대 인문 지리학」, 2012)
```

미국의 오대호 연안에 위치한 도시 시카고는 동심원 모델의 사례에 해당한다. 시카고의 도시 확대 과정을 보면 도심을 중심으로 도시의 영역이 확대되었음을 확인할 수 있다.

자료 03 유럽과 북부 아메리카의 도시 구조 비교

주거 지역 신흥 업무 지역 오래된 도심 근대 도시 구역 공업 지역 | 근교 지역 공업 지역 도심 주거 지역 근교 지역
▲ 유럽의 도시 구조 | ▲ 북부 아메리카의 도시 구조

자료 분석| 유럽은 도시 발달의 역사가 오래되어 전통 경관을 중시하고 보존한다. 도심의 구시가지를 유지해야 하고 주변부에 새로운 중심지가 만들어지는 경우가 많으므로 도심과 주변 지역 간 건물의 높이 차이가 작은 편이고 좁고 복잡한 도로망이 발달해 있다.
북부 아메리카는 도시 발달의 역사가 짧아 역사 유적이 많지 않은 데다 제2차 세계 대전 이후 빠른 경제 성장을 이루면서 이를 과시할 수 있는 고층 빌딩을 도심에 많이 건축하였다. 따라서 도심과 주변 지역 간 건물의 높이 차이가 큰 편이고 계획도시의 경우 직교형의 도로망이 발달해 있다.

● 교과서 탐구 풀이

Q 유럽의 도시와 비교한 북부 아메리카의 도시 특징을 도시 발달의 역사, 도심과 주변 지역 간 건물 높이 차이, 도로망 측면에서 설명해 보자.

A 북부 아메리카의 도시는 유럽의 도시에 비해 도시 발달의 역사가 짧고 도심과 주변 지역 간 건물 높이 차이가 크며, 직교형 도로망이 발달해 있는 경우가 많다.

2 유럽의 지역 통합과 분리 운동

1. 유럽 연합(EU)⑤

(1) 유럽 연합(EU)의 형성과 확대 `자료 04`

① 형성 배경
- 두 차례의 세계 대전 이후 유럽 국가들 간 평화와 통합의 공감대 형성
- 경제 발전을 위한 자원의 공동 이용 필요성 증가

② 형성 과정 유럽 석탄 철강 공동체(ECSC) → 유럽 경제 공동체(EEC), 유럽 원자력 공동체(EURATOM) → 유럽 공동체(EC) → 유럽 연합(EU)

③ 확대
- 1993년: 영국, 프랑스, 독일, 이탈리아 등의 12개국으로 유럽 연합이 출범함
- 2004년: 동부 유럽 국가 등 10개국이 회원국으로 가입함
- 2020년: 영국이 탈퇴하면서 회원국이 27개국이 됨
  └ 영국을 의미하는 Britain과 탈퇴를 의미하는 Exit를 합하여 브렉시트(Brexit)라고 함

★ (2) 유럽 연합(EU)의 특징과 과제 `자료 05`
└ 노동력, 자본, 상품 등을 의미함

특징	• 역내 생산 요소의 자유로운 이동이 가능한 단일 시장 • 유럽 중앙은행을 설립한 후 단일 화폐(유로화) 사용(단, 모든 유럽 연합의 회원국이 유로화를 사용하는 것은 아님)⑥ └ 유로화를 사용하는 국가를 유로존이라고 함 • 유럽의 정치적 통합을 위한 유럽 의회 구성, 독자적인 입법·사법·행정 체계를 갖춤
과제	• 동부 유럽과 서부 유럽 간 경제적 격차 • 남부 유럽의 재정 적자 • 대규모 난민 유입에 따른 문화적 갈등 등

└ 아프리카로부터의 난민 유입이 많음

2. 유럽의 분리 독립 운동 `자료 06`

(1) 발생 배경

① 지역에 따라 민족, 언어, 종교 등 문화와 역사적 배경이 다양하게 나타남
        └ 한 국가 내에서 지역별로 서로 다른 문화적 차이에 따른 갈등이 나타나기도 함
② 지역에 따라 경제적 차이가 크게 나타남
    └ 경제적으로 발달한 지역이 분리 독립을 요구하는 경우가 많음

★ (2) 발생 지역

① 지역 정체성이 강한 지역을 중심으로 분리주의 운동이 활발하게 나타남 예 영국⑦의 북아일랜드 및 스코틀랜드, 에스파냐의 카탈루냐 및 바스크 지역, 벨기에의 플랑드르 지역, 프랑스의 코르시카 지역 등에서 분리 독립 운동이 발생하고 있음
           └ 네덜란드어를 주로 사용하고 경제가 발달함
② 지역 간 경제적 격차로 인해 경제가 발달한 지역을 중심으로 분리주의 운동 나타남 예 이탈리아의 파다니아 지역 → 일찍부터 제조업이 발달하여 경제가 발달함

▲ 유럽의 분리주의 운동이 나타나는 지역

고득점을 위한 셀파 Tip

유럽 연합(EU)의 특징
- 2021년 현재 27개국
- 단일 시장 형성
- 단일 화폐(유로화) 사용
- 독자적인 입법·사법 행정 체계

⑤ **유럽 연합**
유럽에 속한 27개국(2021년 7월 현재)이 결성한 경제 블록이다. 현존하는 경제 블록 중 정치적·경제적 통합의 수준이 가장 높으며, 회원국 간 교역이 활발하여 총 무역액 중 역내 교역액이 차지하는 비율이 높은 편이다.

⑥ **유로존**
유럽 연합의 단일 화폐인 유로화를 국가 통화로 도입하여 쓰는 나라 또는 지역을 말한다. 유럽 연합의 모든 회원국이 유로화를 국가 통화로 사용하는 것은 아니다. 유럽 연합 회원국이지만 유로화를 국가 통화로 사용하지 않는 나라로는 덴마크, 스웨덴, 불가리아, 체코, 헝가리, 크로아티아, 폴란드, 루마니아 등이 있다.

⑦ **영국**
영국은 잉글랜드, 스코틀랜드, 웨일스, 북아일랜드로 구성되어 있다. 특히 북아일랜드와 스코틀랜드는 잉글랜드와 문화적·역사적으로 달라서 분리 독립 요구가 끊임없이 제시되고 있다.

고득점을 위한 셀파 Tip

유럽의 분리 독립 운동

발생 배경	지역에 따른 민족, 언어, 종교 등 문화적 역사적 배경의 차이, 경제적 차이 등
발생 지역	• 지역 정체성이 강한 지역을 중심으로 발생 → 북아일랜드 및 스코틀랜드(영국), 카탈루냐 및 바스크 지역(에스파냐), 플랑드르 지역(벨기에), 코르시카 지역(프랑스) 등 • 지역 간 경제적 격차로 인해 발생 → 파다니아 지역(이탈리아)

셀파 자료 탐구

자료 **04** | 공통 자료 | 유럽 연합(EU)의 가입국

자료 분석 |

유럽 연합을 결성한 이후 경제적 통합이 가속화되면서 유럽 연합에 가입하는 국가와 가입을 희망하는 국가가 점차 증가하였다. 독일, 프랑스, 이탈리아 등의 일부 유럽 국가만 가입해 있던 유럽 연합의 회원국은 점차 증가하여 2019년까지 유럽 연합의 회원국은 28개국으로 꾸준히 증가하였다. 그러나 2020년 1월에 영국이 유럽 연합을 탈퇴하면서 2021년 7월 현재 유럽 연합의 회원국은 27개국이 되었다.

교과서 탐구 풀이

Q 2020년 1월에 유럽 연합을 탈퇴한 국가는 무엇이며, 이러한 현상을 무엇이라고 하는지 적어 보자.

A 영국은 2020년 1월 유럽 연합을 탈퇴하였으며, 이를 브렉시트(Brexit)라고 한다.

자료 **05** 유럽 연합(EU)의 특징

▲ 유로화

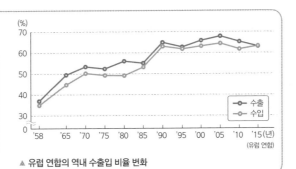

▲ 유럽 연합의 역내 수출입 비율 변화

교과서 탐구 풀이

Q 유럽 연합이 다른 경제 블록에 비해 역내 수출액 비율이 높게 나타나는 이유를 적어 보자.

A 유럽 연합이 다른 경제 블록에 비해 정치·경제적 통합의 수준이 높기 때문이다.

자료 분석 | 유럽 연합은 유럽 중앙은행을 설립하고 유로화를 단일 화폐로 사용하고 있는데, 유로화를 국가 화폐로 사용하고 있는 국가 또는 지역을 유로존이라고 한다. 다만 모든 유럽 연합의 회원국이 유로화를 국가 화폐로 사용하고 있는 것은 아니다.

유럽 연합은 회원국 간 정치적·경제적 통합의 수준이 높아 다른 경제 블록에 비해 총 수출액에서 역내 수출액과 역내 수입액이 차지하는 비율이 높은 편이다. 이러한 역내 수출입액 비율은 최근까지도 높은 수준을 유지하고 있다.

자료 **06** 벨기에의 분리 독립 운동

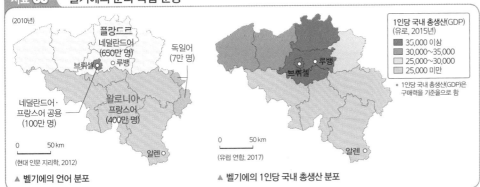

▲ 벨기에의 언어 분포 　　　　　　▲ 벨기에의 1인당 국내 총생산 분포

교과서 자료 더 보기

| 이탈리아의 분리 독립 운동 |

이탈리아 북부의 파다니아 지역은 밀라노, 베네치아 등을 중심으로 일찍부터 제조업이 발달하여 농업 중심의 남부 지역에 비해 소득 수준이 높고 1인당 국내 총생산(GDP)도 많다. 남북 간의 경제적 격차로 인해 북부의 파다니아 지역에서는 분리 독립 요구가 지속적으로 나타나고 있다.

자료 분석 | 벨기에는 크게 북부의 플랑드르 지역과 남부의 왈로니아 지역으로 구분된다. 벨기에 북부의 플랑드르 지역은 네덜란드와 인접해 있어 네덜란드어 사용자의 비율이 높은 반면, 남부의 왈로니아 지역은 프랑스와 인접해 있어 프랑스어 사용자의 비율이 높게 나타난다. 또한 벨기에의 1인당 국내 총생산 분포를 보면 벨기에 북부의 플랑드르 지역은 남부의 왈로니아 지역보다 1인당 국내 총생산이 많아 두 지역 간 경제적 격차가 크게 나타난다는 것을 알 수 있다. 이처럼 벨기에의 플랑드르 지역과 왈로니아 지역의 언어와 경제적 차이로 인해 북부의 플랑드르 지역은 분리을 주장하고 있다.

3 북부 아메리카의 지역 통합과 분리 운동

1. 북부 아메리카의 지역 통합

(1) 지역 통합의 배경 ┌─ 유럽을 견제해야 할 필요성이 증가함

① 유럽 연합의 형성으로 인한 유럽의 경제적 영향력 강화

② 신흥 공업국의 성장으로 인한 무역 환경의 변화 ── 예 대한민국, 중국 등의 동아시아 국가들

(2) 북아메리카 자유 무역 협정(NAFTA)[8] 체결

① 역내 관세와 무역 장벽 폐지 상품 및 서비스 교역, 투자 및 지식 재산권의 자유 무역 시행

② 미국의 자본과 기술, 멕시코의 노동력, 캐나다의 자원과 자본이 결합되어 국제 경쟁력 강화

(3) 북아메리카 자유 무역 협정(NAFTA)의 영향 자료 07

① 긍정적 영향 역내 교역 증가, 세계 시장에서의 경쟁력 확보, 해외 자본 유입의 확대, 회원국에 대한 투자 활성화, 미국과 멕시코 국경 지대에 마킬라도라[9] 공업 지역 형성 등

② 부정적 영향 미국 내 제조업의 국외 이전에 따른 일자리 감소, 멕시코 마킬라도라 생산 공장 주변의 환경 오염, 멕시코 경제의 미국에 대한 의존도 증가 등

◁ **미국, 멕시코, 캐나다 간의 무역액 변화** 1994년 북아메리카 자유 무역 협정 체결 이후 미국, 캐나다, 멕시코 간 무역액이 크게 증가하였다. 캐나다와 멕시코의 미국에 대한 무역 의존도가 매우 높은 편이며, 멕시코는 캐나다보다 1990~2017년의 대(對)미국 수출액 증가율이 높게 나타난다.

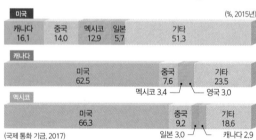

◁ **미국, 멕시코, 캐나다의 무역 상대국** 캐나다와 멕시코는 미국에 대한 무역 의존도가 매우 높게 나타난다.

2. 북부 아메리카의 분리 독립 운동과 이주민 갈등

(1) 이주민 생활

① 과거 영국인과 프랑스인을 중심으로 북부 아메리카로의 이주와 정착이 이루어짐

② 이후 유럽계, 아프리카계, 아시아계 등의 유입이 가속화되면서 다양한 민족(인종)이 함께 거주하게 됨
└─ 다문화 사회를 형성하게 됨

(2) 퀘벡주의 분리 독립 운동[10] 자료 08 ┌─ 프랑스어 사용자의 비율이 높고 프랑스 전통 문화가 여전히 많이 남아 있음

① 캐나다 퀘벡주는 과거 프랑스계의 정착이 활발했던 지역임

② 캐나다 퀘벡주는 영어를 주로 사용하는 캐나다 내 다른 주와는 달리 프랑스어만을 공용어로 인정하고 있음

③ 캐나다 퀘벡주는 캐나다로부터 분리 독립을 요구하고 있음

(3) 이주민 갈등 최근 미국으로의 히스패닉 유입이 활발해짐 → 민족(인종) 간 문화적·경제적 격차로 인한 사회적 갈등이 나타나고 있음
└─ 미국 내 라틴 아메리카 출신의 이민자를 의미함

고득점을 위한 셀파 Tip

북아메리카 자유 무역 협정(NAFTA)의 특징과 영향

특징	• 회원국 간 역내 관세와 무역 장벽 폐지 • 미국의 자본과 기술, 멕시코의 노동력, 캐나다의 자원과 자본 결합
영향	• 긍정적 영향: 역내 교역 증가, 세계 시장에서의 경쟁력 확보, 회원국에 대한 투자 활성화 등 • 부정적 영향: 미국 내 제조업의 국외 이전에 따른 일자리 감소, 멕시코 생산 공장(마킬라도라) 주변의 환경 오염, 멕시코 경제의 미국에 대한 의존도 증가 등

⑧ 북아메리카 자유 무역 협정(NAFTA)

북아메리카에 속한 미국, 멕시코, 캐나다 3개국이 자유 무역 협정을 맺으며 결성한 경제 블록으로 최근 협정의 명칭이 미국·멕시코·캐나다 협정(USMCA)으로 변경되었다.

⑨ 마킬라도라

멕시코 내 미국과의 국경 지대에 형성된 공업 지역을 말한다. 최근에는 멕시코 내륙으로도 확대되기는 했으나 여전히 미국과의 국경 지대에 집중되어 있다. 미국에서 원료 및 자재를 들여온 후 멕시코의 저임금 노동력을 이용하여 제품을 생산한 후 다시 미국으로 완제품을 수출하는 형태로 경제 활동이 이루어지고 있다.

⑩ 캐나다 퀘벡주의 분리 독립 운동

퀘벡주는 캐나다로부터 분리 독립을 요구하며 1980년과 1995년 두 차례 주민 찬반 투표를 시행하였으나 부결되었다.

자료 07 미국과 멕시코 인접 지역의 도시 및 공업 지역 분포

▲ 미국과 멕시코 간 국경 인접 지역의 도시 분포

▲ 마킬라도라의 분포와 경제 활동

자료 분석 | 미국과 멕시코 간 국경 인접 지역에는 미국의 도시와 멕시코의 도시가 서로 마주보고 발달해 있는 경우가 많다. 이는 미국과 멕시코 간 무역이 활발해지면서 성장하게 된 도시들이다. 멕시코는 1960년대 중반에 미국 인접 지역의 산업 발전 정책인 '마킬라도라' 프로그램을 추진하였고 외국인의 투자를 유치하였다. 특히 북아메리카 자유 무역 협정이 체결된 이후 멕시코에서 생산된 제품이 미국으로 수출될 때 관세를 면제받는 경우가 많아지면서 멕시코 내 미국과의 국경 인접 지역에는 '마킬라도라'라고 불리는 공업 지역이 크게 성장하였다. 마킬라도라에서는 미국으로부터 원료 및 자재를 수입해 와서 멕시코의 풍부한 저임금 노동력을 이용하여 제품을 생산한 후 다시 미국으로 완제품을 수출하는 형태로 경제 활동이 이루어지고 있다.

● 교과서 **자료 더 보기**

| 멕시코의 대미 무역 수지 변화 |

* 무역 수지: 수출입 거래로 발생한 수출 대금과 수입 대금의 차이
(국제 통화 기금)

미국과 국경을 맞대고 있는 멕시코는 미국으로 많은 제품을 수출하면서 대미 무역 수지에서 흑자를 기록하고 있다. 무역 수지 흑자는 북아메리카 자유 무역 협정(NAFTA) 체결 이후 꾸준히 증가하는 추세이다.

자료 08 공통 자료 캐나다 퀘벡주의 분리 독립 운동

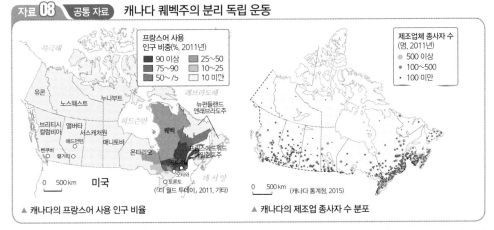

▲ 캐나다의 프랑스어 사용 인구 비율

▲ 캐나다의 제조업 종사자 수 분포

자료 분석 | 캐나다의 프랑스어 사용 인구 비율을 보면 퀘벡주가 다른 주에 비해 프랑스어 사용 인구 비율이 높게 나타난다는 것을 알 수 있다. 이는 캐나다 퀘벡주가 다른 주와 달리 프랑스의 식민 지배를 받았기 때문에 나타나는 현상이다. 이처럼 캐나다 퀘벡주는 다른 주와 언어, 문화적으로 달라 분리 독립 요구가 끊이지 않고 있다. 이는 단지 언어, 문화적 차이에만 국한되는 것은 아니다. 캐나다의 제조업 종사자 분포를 보면 퀘벡주가 다른 주에 비해 제조업 종사자 수가 많은 것을 알 수 있다. 이를 통해 퀘벡주가 다른 주에 비해 경제 발달 수준이 높다는 것을 알 수 있으며, 이러한 경제적 격차는 퀘벡주가 분리 독립을 요구하는 요인 중 하나로 작용하고 있다.

● 교과서 **탐구 풀이**

Q1 캐나다 퀘벡주에서 사용 인구 비율이 높게 나타나는 언어는 무엇이고, 그 이유를 적어 보자.

A1 캐나다 퀘벡주는 프랑스어 사용 인구 비율이 높다. 이는 과거 프랑스의 식민 지배를 받았기 때문이며, 그 영향으로 프랑스어 사용 인구 비율이 높게 나타난다.

Q2 캐나다 퀘벡주에서 분리 독립 운동이 나타나는 이유를 적어 보자.

A2 캐나다 퀘벡주는 다른 주와 언어, 문화적 차이가 나타나는 것은 물론 제조업이 발달하여 경제 수준이 높아 다른 주와 경제적 격차도 나타나기 때문이다.

1 유럽과 북부 아메리카의 도시화

높은 도시화율	일찍이 산업화 진행, 도시화의 종착 단계
세계 도시 발달	뉴욕, 런던, 파리 등 세계적인 영향력을 가진 세계 도시 발달
교외화 현상	대도시의 인구 증가와 교통 발달로 주거지와 상업지의 교외화 현상 나타남
대도시권 형성	대도시의 영향력이 확대되어 주변 지역과 기능적으로 연결되는 대도시권 형성

2 유럽과 북부 아메리카의 도시 내부 구조 특징

유럽	• 도시 발달 역사가 깊, 도시 내 역사 경관이 많음 • 도심과 주변 지역 간 건물의 높이 차이가 (❶　　　) • 좁고 복잡한 도로망이 발달해 있음 • 도심에 고소득층이 거주하고 주변 지역에 저소득층 이민자가 주로 거주함
북부 아메리카	• 도시 발달 역사가 짧음, 식민지 개척과 산업화와 함께 도시화가 진행되어 계획도시가 많음 • 도심과 주변 지역 간 건물의 높이 차이가 (❷　　　) • 계획도시의 경우 직교형의 도로망이 나타남 • 도심 주변에 저소득층 및 소수 민족(인종)의 주거지 형성, 주변 지역에 고소득층의 고급 주택지 형성

3 유럽의 지역 통합과 분리 독립 운동

유럽 연합 (EU)	• 역내 생산 요소의 자유로운 이동이 가능한 단일 시장 형성 • 유럽 중앙은행을 설립한 후 단일 화폐인 (❸　　　)를 사용함(모든 회원국이 유로화를 사용하는 것은 아님) • 유럽의 정치적 통합을 위한 유럽 의회 구성, 독자 입법·사법·행정 체계를 갖춤
분리 독립 운동	• 발생 지역: 지역 정체성이 강한 지역을 중심으로 발생 ⑩ 북아일랜드 및 스코틀랜드(영국), 카탈루냐 및 바스크 지역(에스파냐), (❹　　　) 지역(벨기에), (❺　　　) 지역(이탈리아), 코르시카 지역(프랑스) 등

4 북부 아메리카의 지역 통합과 분리 독립 운동

북아메리카 자유 무역 협정 (NAFTA)	• 회원국 간 역내 관세와 무역 장벽 폐지 • 미국의 자본과 기술, 멕시코의 노동력, 캐나다의 자원과 자본이 결합 • (❻　　　　　　)(USMCA)으로 명칭이 바뀜
분리 독립 운동	• 캐나다 (❼　　　)주: 과거 프랑스의 식민 지배를 받았던 지역으로 (❽　　　)만을 공용어로 인정하고 있으며 분리 독립을 요구하고 있음 • 이주민 갈등: (❾　　　) 유입이 활발해져 사회적 갈등 유발

정답 ❶ 작음 ❷ 큼 ❸ 유로화 ❹ 플랑드르 ❺ 파다니아 ❻ 미국, 멕시코, 캐나다 협정 ❼ 퀘백 ❽ 프랑스어 ❾ 히스패닉

탄탄 내신 문제

[01~02] 자료를 보고 물음에 답하시오.

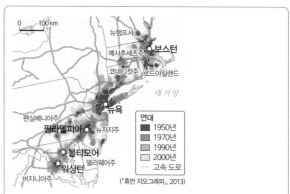

（「휴먼 지오그래피」, 2013）

지도는 미국 북동부 지역의 거대 도시권을 나타낸 것이다. 미국 북동부 지역에는 보스턴~뉴욕~필라델피아~볼티모어~워싱턴으로 이어지는 거대 도시권이 형성되어 있는데, 이와 같이 거대 도시를 잇는 도시화 지역이 서로 연속된 지역을 ⎯⎯(가)⎯⎯(이)라고 한다.

01 (가)에 들어갈 내용으로 옳은 것은?

① 도심
② 교외화
③ 주변 지역
④ 메갈로폴리스
⑤ 중심 업무 지구

02 (가)의 형성 원인에 대한 옳은 내용만을 〈보기〉에서 고른 것은?

ㅡ 보기 ㅡ
ㄱ. 교통과 통신의 발달
ㄴ. 해외 유출 인구의 증가
ㄷ. 대도시 인구 증가와 교외화
ㄹ. 도심 재활성화 사업의 활성화

① ㄱ, ㄴ　　② ㄱ, ㄷ　　③ ㄴ, ㄷ
④ ㄴ, ㄹ　　⑤ ㄷ, ㄹ

딱풀 p. 49

[03~04] 그림은 (가), (나) 지역의 도시 구조를 모식적으로 나타낸 것이다. 이를 보고 물음에 답하시오. (단, (가), (나)는 각각 북부 아메리카의 도시, 유럽의 도시 중 하나임.).

(가)

근교 지역   공업 지역   ㉠   ㉡   근교 지역

(나)

주거 지역   신흥 업무 지역   오래된 도심   근대 도시 구역   공업 지역

03 (가), (나) 지역에 대한 옳은 설명만을 〈보기〉에서 고른 것은?

┌ 보기 ┐
ㄱ. (나)는 대부분 계획도시여서 직교형 도로망이 발달해 있다.
ㄴ. (가)는 (나)보다 도심과 주변 지역 간 건물 높이 차이가 크다.
ㄷ. (나)는 (가)보다 도시 발달의 역사가 깊다.
ㄹ. (가)는 유럽의 도시, (나)는 북부 아메리카의 도시이다.

① ㄱ, ㄴ   ② ㄱ, ㄷ   ③ ㄴ, ㄷ
④ ㄴ, ㄹ   ⑤ ㄷ, ㄹ

[05~06] 다음 글을 읽고 물음에 답하시오.

┌─────────────────────────────┐
│ (가) 은/는 잉글랜드, 스코틀랜드, 웨일스, 북아일랜드로 구성되어 있다. 특히 북아일랜드와 스코틀랜드는 잉글랜드와 문화적·역사적으로 달라서 분리 독립 요구가 끊임없이 제시되고 있다. (가) 은/는 2020년 1월에 (나) (에)서 탈퇴하였는데 이를 '브렉시트(Brexit)'라고 한다.
└─────────────────────────────┘

05 (가) 국가를 지도의 A~E에서 고른 것은?

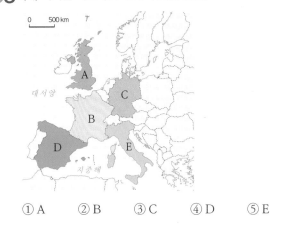

① A   ② B   ③ C   ④ D   ⑤ E

04 (가) 지역의 ㉡과 비교한 ㉠ 지역의 상대적 특징을 그림의 A~E에서 고른 것은?

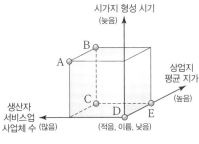

① A   ② B   ③ C   ④ D   ⑤ E

06 (나) 경제 블록에 대한 설명으로 옳은 것은?
① 역내 무역액보다 역외 무역액이 많다.
② 경제 부문에서만 협력이 이루어지고 있다.
③ 모든 회원국이 유로화를 단일 통화로 사용하고 있다.
④ 서부 유럽 국가보다 동부 유럽 국가가 먼저 가입하였다.
⑤ 역내 생산 요소의 자유로운 이동이 가능한 단일 시장이다.

07 지도의 A~E 지역에 대한 설명으로 옳은 것은?

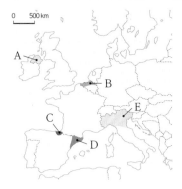

① A는 크리스트교 신자보다 이슬람교 신자가 많다.

② B의 주민들은 대부분 프랑스어를 사용한다.

③ C의 중심 도시는 바르셀로나이다.

④ D는 농업 중심의 산업 구조가 나타나 소득 수준이 낮은 편이다.

⑤ E는 이탈리아 남부 지방보다 공업 생산액이 많다.

08 지도의 (가) 경제 블록과 비교한 (나) 경제 블록의 상대적 특징을 그림의 A~E에서 고른 것은?

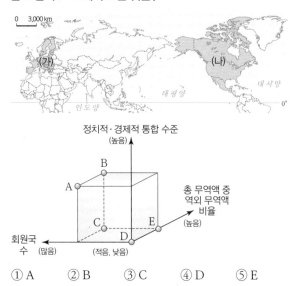

① A　　② B　　③ C　　④ D　　⑤ E

09 그래프는 세 국가 간 무역액 변화를 나타낸 것이다. (가)~(다) 국가에 대한 설명으로 옳은 것은? (단, (가)~(다)는 각각 미국, 멕시코, 캐나다 중 하나임.)

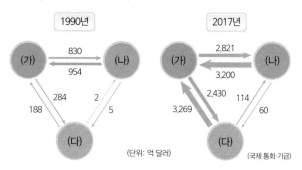

① (나)는 국경 지대에 마킬라도라가 형성되어 있다.

② (가)는 (나)보다 지역 내 총생산이 적다.

③ (나)는 (다)보다 인구 밀도가 낮다.

④ (다)는 (가)보다 항공·우주 산업의 발달 수준이 높다.

⑤ (가)~(다) 중에서 총 무역액은 (다)가 가장 많다.

10 지도의 (가) 주(州)에 대한 옳은 설명만을 〈보기〉에서 고른 것은?

┤ 보기 ├
ㄱ. 캐나다의 수도가 위치해 있다.

ㄴ. 프랑스어를 공용어로 사용한다.

ㄷ. 캐나다로부터의 분리 독립 요구가 나타난다.

ㄹ. 캐나다 내에서 제조업 종사자 수가 가장 적다.

① ㄱ, ㄴ　　② ㄱ, ㄷ　　③ ㄴ, ㄷ

④ ㄴ, ㄹ　　⑤ ㄷ, ㄹ

서술형 문제

11 그림은 (가), (나) 지역의 도시 구조를 모식적으로 나타낸 것이다. 이를 보고 물음에 답하시오.

(가)
주거 지역　신흥 업무 지역　오래된 도심　근대 도시 구역　공업 지역

(나)
근교 지역　공업 지역　　도심　　주거 지역　근교 지역

(1) (가), (나)는 북부 아메리카의 도시와 유럽의 도시 중 무엇에 해당하는지 쓰시오.

(2) (가)와 비교한 (나)의 상대적 특징을 다음 용어를 사용하여 서술하시오.

- 도시 발달의 역사
- 도심과 주변 지역 간 건물의 높이 차이
- 도심의 업무 기능 특화도

12 지도는 영국 런던의 구(區)별 상주인구 변화를 나타낸 것이다. 이를 보고 물음에 답하시오.

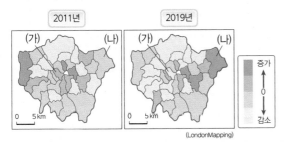

(LondonMapping)

(1) (가), (나)는 도심과 주변 지역 중 어디에 해당하는지 쓰시오.

(2) (나) 지역과 비교한 (가) 지역의 상대적 특징을 다음 용어를 사용하여 서술하시오.

- 상주인구　· 상업지의 평균 지가　· 접근성

13 지도는 벨기에의 언어 분포를 나타낸 것이다. 이를 보고 물음에 답하시오.

□ 네덜란드어
▨ 프랑스어
▨ 독일어
▨ 이중 언어 사용
(현대 인문 지리학, 2012)

(1) (가), (나) 지역의 명칭을 쓰시오.

(2) (나) 지역과 비교한 (가) 지역의 상대적 특징을 다음 용어를 사용하여 서술하시오.

- 프랑스어 사용자 수 비율　· 1인당 지역 내 총생산

14 지도에 표시된 지역의 공통적인 특징을 서술하시오.

01 | 교육청 기출 |
자료의 (가), (나) 지역을 지도의 A~D에서 고른 것은?

· 　(가)　 은/는 석유 자원이 풍부한 북해 연안에 위치해 있으며 민족의 차이로 인한 수난의 역사가 오래되어 지속적으로 분리 독립을 추진하였다. 2014년에 분리 독립을 위한 투표를 실시하였으나 찬성이 44%에 그쳐 부결되었다. 그러나 브렉시트(Brexit)를 계기로 독립을 위한 움직임이 최근에 다시 커지고 있다.

· 　(나)　 은/는 국내 총생산(GDP)의 약 20%를 차지하는 경제 중심지로서 고유 언어를 사용할 만큼 지역 정체성이 강하다. 2017년 분리 독립을 위한 투표에서 찬성률이 압도적으로 높았으나 중앙 정부가 이를 인정하지 않았다. 중심 도시인 바르셀로나에는 가우디의 아름다운 건축물들이 있어 관광객들이 많이 찾는다.

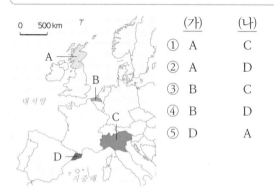

	(가)	(나)
①	A	C
②	A	D
③	B	C
④	B	D
⑤	D	A

02 | 교육청 기출 |
다음 글의 (가), (나)에 해당하는 국가를 지도의 A ~ D에서 고른 것은?

(가) 4개 지역으로 구성된 입헌 군주국이다. 앵글로색슨족이 주류를 이루며, 민족·종교 갈등으로 스코틀랜드, 북아일랜드에서는 분리 독립을 추진하기도 하였다.

(나) 네덜란드어를 주로 사용하는 플랑드르 지역과 프랑스어를 주로 사용하는 왈로니아 지역으로 나뉜다. 두 지역 간 경제 격차와 언어 갈등으로 플랑드르 주민들은 분리 독립을 주장하기도 하였다.

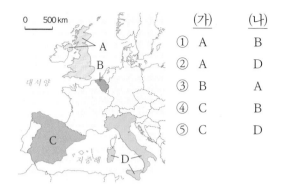

	(가)	(나)
①	A	B
②	A	D
③	B	A
④	C	B
⑤	C	D

03 | 교육청 기출 |
다음 글의 (가)~(다)에 해당하는 도시를 지도의 A~ C에서 고른 것은?

· 　(가)　 은/는 과거의 역사 경관과 현대적 도시 경관이 조화를 이룬다. 도심에는 오래전부터 상업 기능이 발달한 '샹젤리제', 도심 외곽에는 현대적 업무 지구인 '라데팡스'가 조성되어 있다.

· 　(나)　 은/는 전형적인 동심원 내부 구조가 나타난다. 오대호 수운과 철도 교통의 결절지에 중심 업무 지구, 도심 주변에는 주로 저급 주택지, 도시 외곽에는 쾌적한 주거 환경을 갖춘 고급 주택지가 형성되어 있다.

· 　(다)　 은/는 역전된 동심원 구조가 나타난다. 도심에는 소득이 높은 주민들이 거주하고, 도시 외곽으로 갈수록 급속한 도시화로 농촌에서 이주해 온 많은 주민들이 거주하는 불량 주택 지구 '파벨라'가 곳곳에 분포한다.

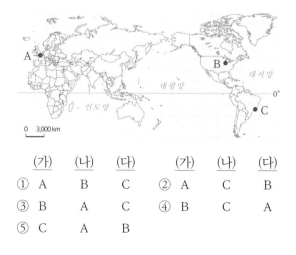

	(가)	(나)	(다)		(가)	(나)	(다)
①	A	B	C	②	A	C	B
③	B	A	C	④	B	C	A
⑤	C	A	B				

| 교육청 기출 |

04 다음은 세계지리 수업 장면의 일부이다. 교사의 질문에 옳은 대답을 한 학생만을 고른 것은?

① 갑, 을   ② 갑, 병   ③ 을, 병
④ 을, 정   ⑤ 병, 정

| 교육청 기출 |

06 그림은 도시 구조에 대한 원격 수업 장면이다. ㉠과 비교한 ㉡ 지역의 상대적 특징을 그림의 A~E에서 고른 것은?

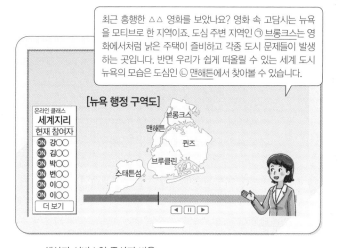

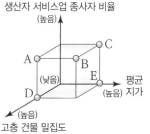

① A   ② B   ③ C   ④ D   ⑤ E

| 평가원 기출 |

05 자료의 (가), (나) 도시에 대한 설명으로 옳은 것만을 〈보기〉에서 고른 것은?

(가)	(나)
• 도시 중심부인 맨해튼의 격자형 도로망은 19세기 도시 계획에 나라 건설되었다. • '월스트리트'를 중심으로 세계 금융의 핵심 도시 중 하나가 되었다.	• 개선문을 중심으로 한 방사형 도로망은 19세기에 도시를 전면 재정비하며 건설되었다. • 구도심 외곽에 업무 및 상업 시설이 갖춰진 '라데팡스'가 조성되었다.

┤ 보기 ├

ㄱ. (가)에는 국제 연합(UN) 본부가 있다.

ㄴ. (나)에는 '파벨라'라는 불량 주택 지구가 있다.

ㄷ. (가)는 (나)보다 도시 발달의 역사가 짧다.

ㄹ. (가)는 유럽, (나)는 라틴 아메리카에 위치한다.

① ㄱ, ㄴ   ② ㄱ, ㄷ   ③ ㄴ, ㄷ
④ ㄴ, ㄹ   ⑤ ㄷ, ㄹ

| 교육청 기출 |

07 그림은 두 도시 지하철 노선망의 일부이다. (가), (나) 도시에 대한 옳은 설명만을 〈보기〉에서 고른 것은? (단, (가), (나)는 각각 뉴욕, 런던 중 하나임.)

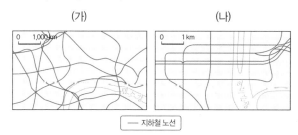

— 지하철 노선

┤ 보기 ├

ㄱ. (가)는 (나)보다 도시 발달의 역사가 길다.

ㄴ. (가)는 (나)보다 도심의 도로 폭이 넓고 직교 형태의 도로가 많다.

ㄷ. (나)는 (가)보다 도심과 주변 지역 간 건물의 평균 높이 차이가 크다.

ㄹ. (가), (나) 모두 도심에 공업 기능이 집중되어 있다.

① ㄱ, ㄴ   ② ㄱ, ㄷ   ③ ㄴ, ㄷ
④ ㄴ, ㄹ   ⑤ ㄷ, ㄹ

| 교육청 기출 |

08 다음 글의 (가), (나) 도시를 지도의 A~D에서 고른 것은?

- (가) 은/는 교통 및 통신 연계망이 잘 갖춰져 있고 500개 이상의 외국계 은행이 입지해 있어 미국의 뉴욕과 함께 세계 금융의 중심지로 불린다. 템스 강변에 위치한 카나리 워프는 (가) 의 새로운 금융 중심지로 성장하고 있다.
- 세계 문화·예술의 중심지로 불리는 (나) 에서는 무슬림 인구의 증가로 원거주민과 무슬림 간의 문화적 갈등이 빈번해지고 있다. 최근 (나) 에서는 테러가 발생하여 많은 관광객들이 찾는 에펠 탑을 비롯한 박물관, 미술관 등이 잠시 폐쇄되기도 하였다.

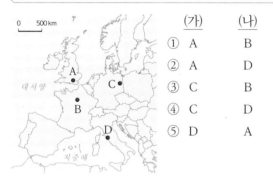

	(가)	(나)
①	A	B
②	A	D
③	C	B
④	C	D
⑤	D	A

| 교육청 기출 |

09 다음은 스무고개 놀이를 활용한 수업 장면이다. (가)에 해당하는 국가를 지도의 A~E에서 고른 것은?

단계	학생	교사
한 고개:	유로화를 자국의 통화로 사용합니까?	→ 예
두 고개:	종교 갈등으로 분리 독립 요구가 활발합니까?	→ 아니요
세 고개:	서로 다른 언어 사용자 간에 갈등이 있습니까?	→ 예
네 고개:	유럽 연합 본부가 위치합니까?	→ 예
다섯 고개:	이 국가는 (가) 입니까?	→ 예

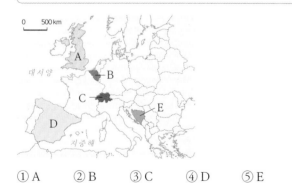

① A ② B ③ C ④ D ⑤ E

| 평가원 기출 |

10 그림의 (가)~(다)에 해당하는 국가를 지도의 A~C에서 고른 것은?

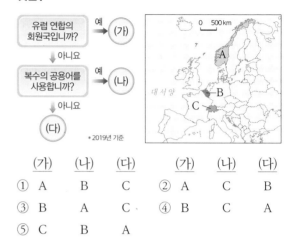

	(가)	(나)	(다)			(가)	(나)	(다)
①	A	B	C		②	A	C	B
③	B	A	C		④	B	C	A
⑤	C	B	A					

| 평가원 기출 |

11 다음 글은 (가), (나) 국가 내의 갈등을 나타낸 것이다. (가), (나)에 해당하는 국가를 지도의 A~C에서 고른 것은?

- (가) 북부 지역은 주로 네덜란드어를 사용하며 소득 수준이 높은 반면, 남부 지역은 주로 프랑스어를 사용하며 북부 지역에 비해 상대적으로 소득 수준이 낮다. 두 지역 간의 언어 차이와 경제적 격차로 갈등이 나타나고 있다.
- (나) 북동부에 있는 자치주는 국가 전체 면적의 10% 미만이지만, 국내 총생산의 약 20%를 차지한다. 또한 카탈루냐어라는 독자적인 언어를 사용하고 문화와 역사가 다른 지역과 차이가 많아 꾸준히 분리 독립을 요구해 왔다.

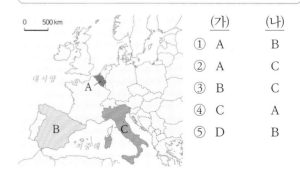

	(가)	(나)
①	A	B
②	A	C
③	B	C
④	C	A
⑤	D	B

| 교육청 기출 |

12 (가), (나)에 해당하는 지역을 지도의 A~D에서 고른 것은?

> (가) 이 지역은 국가 내 다른 지역과 달리 많은 주민이 영어보다 프랑스어를 사용하며 프랑스계 문화를 유지하고 있다. 이러한 이유로 1980년과 1995년 두 차례에 걸쳐 분리 독립에 대한 찬반을 묻는 주민 투표가 실시되기도 하였다.
>
> (나) 이 지역은 알프스산맥 남쪽의 포강 유역 일대로, 국가 내 남부 지역과 달리 제조업이 발달하여 경제 수준이 높고, 역사·문화적으로도 다른 전통을 갖고 있다. 이러한 차이로 인해 '파다니아'라는 이름의 국가로 분리 독립하고자 하는 운동이 일어나기도 하였다.

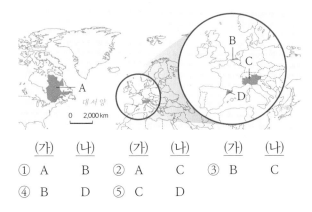

	(가)	(나)		(가)	(나)		(가)	(나)
①	A	B	②	A	C	③	B	C
④	B	D	⑤	C	D			

| 평가원 기출 |

13 다음 글의 (가) 국가를 지도의 A~E에서 고른 것은?

> ___(가)___ 은/는 주변국과의 자유 무역 협정 체결과 풍부한 노동력을 바탕으로 노동 집약적 공업이 성장하였다. 특히 북부 국경 지대에는 외국으로부터 원자재와 중간재를 수입해 조립, 가공하여 다시 수출하는 '마킬라도라'가 발달하였다.

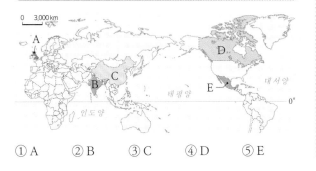

① A   ② B   ③ C   ④ D   ⑤ E

| 평가원 기출 |

14 그래프는 (가)~(다) 국가 간 수출액을 나타낸 것이다. 이에 대한 옳은 설명만을 〈보기〉에서 고른 것은? (단, (가)~(다)는 각각 멕시코, 미국, 캐나다 중 하나임.)

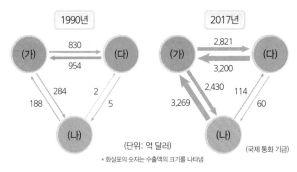

> **보기**
> ㄱ. (다)는 원자재와 중간재를 수입해 조립 가공하여 다시 수출하는 '마킬라도라'가 발달하였다.
> ㄴ. (가)와 (다)는 국경을 접하고 있다.
> ㄷ. (나)는 (가)에 비해 항공·우주 산업이 발달하였다.
> ㄹ. 2017년 캐나다의 대(對)미국 수출액이 미국의 대(對)캐나다 수출액보다 크다.

① ㄱ, ㄴ   ② ㄱ, ㄷ   ③ ㄴ, ㄷ
④ ㄴ, ㄹ   ⑤ ㄷ, ㄹ

| 교육청 기출 |

15 그래프에 대한 설명으로 옳은 것은? (단, (가)~(다)와 A~C는 각각 북아메리카 자유 무역 협정 회원국 중 하나임.)

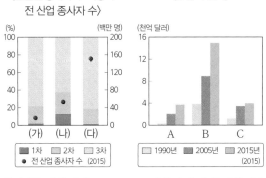

① (가)는 (나)보다 1990~2015년의 수출액 증가율이 높다.
② (나)는 (다)보다 2015년의 수출액이 많다.
③ A는 B보다 2015년에 1인당 국내 총생산이 많다.
④ C는 A보다 2015년에 3차 산업 종사자 비중이 높다.
⑤ B와 인접한 C의 국경 지대에는 마킬라도라가 형성되어 있다.

VII

사하라 이남 아프리카와
중·남부 아메리카

이 단원의 핵심 포인트

중단원	핵심 포인트	학습일
01 도시화 및 도시 구조의 특색	• 중·남부 아메리카의 도시화 과정 특색 • 중·남부 아메리카의 도시화 구조 특징	월 일 ~ 월 일
02 다양한 지역 분쟁과 저개발 및 자원 개발을 둘러싼 과제	• 사하라 이남 아프리카의 다양한 지역 분쟁 • 사하라 이남 아프리카의 저개발 원인 및 현황 • 자원 개발을 둘러싼 과제	월 일 ~ 월 일

셀파와 내 교과서 단원 비교

셀파	천재교과서	미래엔	비상교육	금성출판사
01 도시화 및 도시 구조의 특색	01 도시화 및 도시 구조의 특색	01 도시 구조에 나타난 도시화 과정의 특징	01 도시 구조의 특징과 도시 문제	01 도시 구조에 나타난 도시화 과정의 특징
02 다양한 지역 분쟁과 저개발 및 자원 개발을 둘러싼 과제	02 다양한 지역 분쟁과 저개발 03 최근의 지역 쟁점_자원 개발을 둘러싼 과제	02 다양한 지역 분쟁과 저개발 문제 03 자원 개발을 둘러싼 과제	02 지역 분쟁과 저개발 문제 03 최근의 지역 쟁점_자원 개발을 둘러싼 과제	02 사하라 이남 아프리카의 분쟁과 저개발 03 최근의 지역 쟁점_자원 개발을 둘러싼 과제

도시화 및 도시 구조의 특색

1 중·남부 아메리카의 도시화 과정 특색

1. 유럽의 식민 지배와 도시화 [자료 01]

(1) **고대 문명[1]의 중심 도시 발달** 잉카 및 아스테카 문명을 발달시킨 원주민들은 인간 거주에 유리한 지역에 고산 도시를 조성함

(2) **유럽의 식민 지배** 식민 통치와 자원 수탈에 유리한 곳에 식민 도시를 건설함
　　　└ 식민지의 자원을 유럽으로 이동하기 유리한 항구를 중심으로 해안 도시가 발달함

★2. 급격한 도시화를 경험한 중·남부 아메리카

(1) **급격한 도시화의 진행** ┌ 멕시코의 멕시코시티, 브라질의 상파울루, 아르헨티나의 부에노스아이레스가 있음

① 경제 발전 수준에 비해 도시화율이 매우 높음

② 대도시를 중심으로 도시화가 급격하게 진행 → 공간적 불균형 발생

③ 인구 천만 명 이상의 대도시 분포 비중이 다른 대륙에 비해 높게 나타남

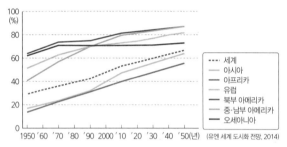

◀ **대륙별 도시화율의 변화** 유럽, 북부 아메리카 등의 선진국은 도시화가 오랜 기간에 걸쳐 진행되었으며, 현재는 도시화의 종착 단계에 해당한다. 아시아, 아프리카 등의 개발 도상국은 제2차 세계 대전 이후 산업화와 함께 급속한 도시화가 진행되었다. 특히 그중에서 중·남부 아메리카는 매우 급격한 도시화를 겪어 주택 및 교통 문제, 환경 오염 등의 다양한 도시 문제가 발생하고 있다.

(2) **소수의 대도시가 과도하게 성장하는 과도시화[2] 현상**

① 수도 및 식민 도시, 대도시를 중심으로 산업화와 경제 성장

② 급격한 도시화 과정에서 수위 도시[3]의 과대 성장

③ 한 국가의 수위 도시에 인구가 집중하면서 종주 도시화 현상[4]이 나타남

④ 지나치게 많은 인구의 도시 집중

```
┌─────────────────┐      ┌──────────┐  • 비공식 부문의 경제 활동 인구 증가
│ 도시 기반 시설에 비해   │  ➡  │  도시의  │
│ 많은 도시 인구         │      │ 일자리 부족 │  • 도시의 빈곤 인구 증가
└─────────────────┘      └──────────┘
```
　　　└ 공식 부문과 달리 국가의 공식적인 통계에 잡히지 않고 국민
　　　　총생산 통계에도 포함되지 않는 경제 활동 부문임

3. 중·남부 아메리카의 민족(인종) 및 문화 특색 [자료 02]

(1) **식민 지배에 따른 유럽 문화의 유입**

① 가톨릭교 전파 중·남부 아메리카 대부분의 지역에서 가톨릭교 신자 비율이 높음

② 에스파냐어와 포르투갈어(브라질) 사용 비율이 높음

③ 원주민, 유럽계, 아프리카계 간의 혼혈이 발생함

(2) **민족(인종)의 다양성과 분포**

원주민	안데스 산지와 아마존강 유역
유럽계	기후 환경이 쾌적한 아르헨티나, 브라질 남동부 해안
아프리카계	플랜테이션이 발달한 자메이카, 브라질 북동부 해안

고득점을 위한 셀파 Tip

중·남부 아메리카의 도시화

• 유럽계 백인의 유입
• 이촌향도에 의한 대규모 인구 유입
• 의학 기술 발달에 따른 사망률 감소

↓

급격한 도시화

↓

• 소수 대도시의 과도한 성장
• 도시의 기반 시설에 비해 과도하게 높은 도시화율

❶ **중·남부 아메리카의 고대 문명**

(『디르케 세계 지도』, 2015)

중·남부 아메리카에는 유럽인의 진출 이전부터 현재의 멕시코시티를 중심으로 아스테카 문명이, 안데스 산지를 중심으로 잉카 문명이 발달하였다.

❷ **과도시화**

도시의 기반 시설에 비해 지나치게 많은 인구가 도시에 집중하는 현상을 의미한다.

❸ **수위 도시**

한 국가에서 인구가 가장 많거나 정치, 경제 등에서 중심적인 역할을 하는 도시를 의미한다.

❹ **종주 도시화 현상**

(2015년)　　　　　　(유엔 인구 기금, 2015)

수위 도시의 인구 규모가 2위 도시 인구의 두 배 이상인 현상을 의미한다. 멕시코, 콜롬비아, 아르헨티나 등에서 종주 도시화 현상이 뚜렷하게 나타나고 있다.

자료 01 중·남부 아메리카의 도시 분포

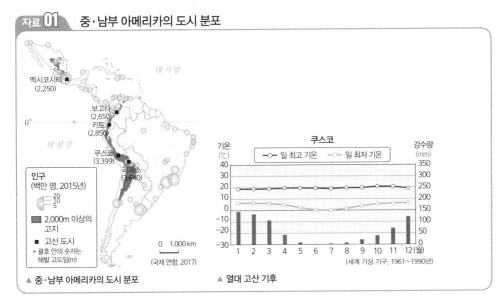

▲ 중·남부 아메리카의 도시 분포

▲ 열대 고산 기후

자료 분석 | 중·남부 아메리카의 주요 도시들은 해발 고도가 높은 산지 및 해안 지역에 집중적으로 분포한다. 보고타, 키토, 쿠스코, 라파스 등 해발 고도가 높은 곳에 위치한 고산 도시는 고대 문명의 중심지로 일찍부터 도시가 발달하였고, 기온의 연교차가 작고 저지대보다 기온이 온화해 인간이 거주하기에 유리하다. 한편 유럽과 연결이 편리한 해안 지역의 도시들은 유럽인이 건설한 경우가 많다.

● **교과서 탐구 풀이**

Q 쿠스코의 기후 특색을 토대로 고산 지역 원주민의 주민 생활에 미친 영향을 설명해 보자.

A 연중 온화한 날씨가 나타나는 고산 지역은 기온의 연교차가 작은 대신 기온의 일교차가 커서 '판초'라고 불리는 외투를 걸치고, 강한 햇볕을 가리기 위해 '솜브레로'라고 불리는 모자를 쓴다.

▲ 고산 지역의 원주민 전통 의복

자료 02 중·남부 아메리카의 민족(인종) 및 언어의 다양성

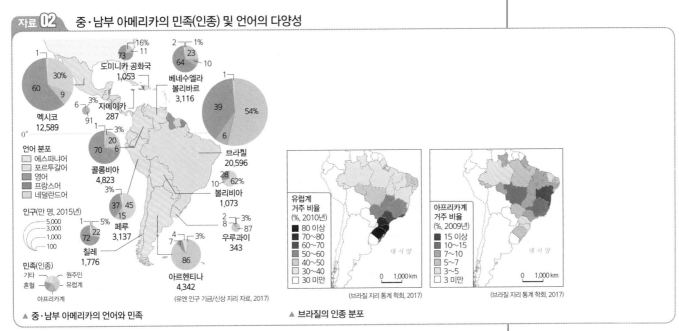

▲ 중·남부 아메리카의 언어와 민족

▲ 브라질의 인종 분포

자료 분석 | 중·남부 아메리카는 과거 에스파냐와 포르투갈의 식민 지배를 받아 대부분의 국가에서 에스파냐어를 사용하며 브라질은 포르투갈어를 사용한다. 혼혈인은 중·남부 아메리카 전역에 걸쳐 거주하며, 원주민은 주로 안데스 산지, 유럽계는 우루과이와 아르헨티나, 아프리카계는 카리브해 연안과 브라질 북동부 지역에서 높은 비중을 보이고 있다. 브라질의 경우 아프리카에서 노예로 이주한 아프리카계는 북동부 지역에 주로 거주하고, 상대적으로 경제력이 높은 유럽계는 남동부 해안에 거주하고 있다.

2 중·남부 아메리카의 도시 구조와 도시 문제

★ 1. 식민 지배와 도시 구조의 특징 [자료 03]

(1) **유럽의 식민지 경험** 식민지 운영의 중심지로서 도시를 계획적으로 건설함

① **도시 계획⑤** 격자형 도로망을 갖춘 도심에 중앙 광장 조성, 광장 주변에 정부의 주요 행정 기관과 종교 시설 배치

② **거주지 분리** 관광서와 상업 시설이 밀집된 도심 주변에 유럽계 거주, 외곽 지역에 원주민 거주

(2) **이중적 도시 경관** 역사가 오래된 도시의 경우에는 원주민의 전통문화 요소와 유럽계가 전파한 문화 요소가 혼합되어 나타남

★ (3) **도시 내부 구조의 특징** 도시 중심부에 고급 주택 지구가 형성되어 있으며, 외곽으로 갈수록 저급 주택 지구가 분포함 [자료 04]
└─ 일반적으로 도심 주변에 거주 환경이 열악한 불량 주거 지역이 발달하는 북부 아메리카의 도시 구조와는 다른 모습임

도심	• 도시 중앙에 광장이 위치해 있으며, 광장 주변으로 격자형의 도로가 발달해 있음 • 광장 주변으로 정부의 주요 기관과 성당을 배치 → 정치적·사회적 중심지 역할을 수행
도심 주변	• 주로 고소득층의 유럽계가 거주 → 상류층 거주지 형성 • 도심에서 외곽으로 뻗은 교통로를 따라서 상업 지구 형성
도시 외곽	• 저소득층의 원주민과 아프리카계가 주로 거주 → 저급 주거지 형성 • 대부분 불량 주택 지구⑥로 기반 시설이 부족함

불량 주택 지구 　 식민지 시대의 중심부 　 중심 업무 지구 　 상류층 주거지 　 불량 주택 지구

▲ 중·남부 아메리카의 도시 구조

2. 민족(인종)의 다양성과 거주지 분리
→ 오늘날에도 경제적·사회적 지위와 민족(인종)적 차이에 따라 거주지 분리 현상이 뚜렷하게 나타남

상류층 거주지	• 고소득층 거주 • 주거 환경이 쾌적한 곳에 입지하며 폐쇄적임
저급 거주지	• 주거 환경이 열악한 도시 주변부에 주로 위치 • 사회적 지위가 낮은 원주민이나 아프리카계 주민이 주로 거주 • 농촌에서 이주해 온 주민들이 집단으로 거주

3. 도시 문제

(1) **원인** 급격한 도시화, 대도시에 과도한 집중 → 지나치게 많은 인구에 비해 기반 시설이 부족하여 발생

(2) **문제점** [자료 05]

① 환경 오염, 교통 혼잡, 범죄 증가 등

② 주거 환경의 불평등 심화 → 불량 주택 지구 형성

③ 사회 기반 시설 부족, 일자리 부족 → 비공식 부문의 경제 활동 종사자 증가

④ 급속한 도시화로 기존의 주거 지역이 과밀화되어 도시 외곽 지역까지 도시가 무분별하게 확장되는 스프롤 현상⑦ 발생

★ (3) **해결 방안** 국토 균형 발전 정책, 사회 기반 시설 보완, 빈부 격차 해소를 위한 도시 정책, 도시 재생 사업 등의 노력이 필요함

고득점을 위한 셀파 Tip

중·남부 아메리카의 도시 내부 구조

도심	정부의 주요 기관 및 성당이 위치
도심 주변	상류층 거주지 분포, 교통로를 따라 상업 지역 발달
도시 외곽	저급 거주지 분포

⑤ 계획도시, 멕시코시티

멕시코시티는 고대 아스테카 문명의 도시를 에스파냐인이 파괴하고 건설한 계획도시이다. 도시 중앙에 소칼로 광장이 있고, 광장을 중심으로 격자망 도로가 나타난다.

⑥ 불량 주택 지구

빈민층이 주로 거주하는 지역으로 도시 외곽의 산등성이에 들어서 있다. 브라질의 파벨라, 베네수엘라 볼리바르의 바리오처럼 국가마다 다양한 이름으로 불리고 있다.

⑦ 스프롤 현상

도시의 급격한 팽창에 따라 도시의 교외 지역이 무질서하게 팽창하는 현상이다.

셀파 자료 탐구

자료 03 공통 자료 중·남부 아메리카의 도시 내부 구조 변화 모델

| 1단계 소규모 도시 | 2단계 선형(섹터형) 도시 | 3단계 양극화 도시 | 4단계 파편화 도시 |

중심 업무 지구 / 상류층 거주지 / 중산층 거주지 / 저소득층 거주지

상업 지구 / 중심부 슬럼

공항 / 주변부 슬럼 / 공공 주택 지구 / 점이 지대 / 쇼핑·여가·업무 지구 / 주요 도로 및 도시 고속화 도로

굳어진 기존 슬럼 / 교외의 폐쇄적 공동체 / 도심의 폐쇄적 공동체 / 통합 기반 시설을 갖춘 폐쇄적 공동체 / 신산업 지구

자료 분석 |
- 1단계: 식민지 시대에 격자형 도로망을 갖춘 광장 중심의 소규모 도시가 형성된다.
- 2단계: 독립 이후 교통로를 따라 상업(전통 공업) 지구가 형성되며, 상류층 주거지가 확산한다.
- 3단계: 이촌향도 현상으로 도시로 인구가 유입되면 도시가 확장되고, 주변에 슬럼이 형성되어 부자와 빈민의 거주지가 분리되고 파편화된다.
- 4단계: 파편화된 폐쇄적 공동체가 더욱 확산되어 도시 공간은 다원화되고 도시 외곽에 신산업 지구가 형성된다.

자료 04 공통 자료 중·남부 아메리카 주요 도시의 내부 구조

| 상업지 / 주거지 유럽계 / 원주민 / 혼혈

▲ 볼리비아 라파스의 도시 구조

| 공원 / 파벨라 / 상업 지구 / 공업 지구 / 고급 주택 지구 / 중급 주택 지구 / 일반 주택 지구 / 기타

▲ 브라질 리우데자네이루의 도시 구조

자료 분석 | 안데스 산지에 위치한 고산 도시 라파스는 거주 환경이 유리한 해발 고도가 낮은 계곡의 아래쪽에 도심과 상류층 거주지가 발달하였고, 계곡의 위쪽에 사회적·경제적 지위가 낮은 인종(민족)이 거주한다.
포르투갈의 식민 지배를 받은 브라질의 도시들은 해안을 중심으로 성장한 도시가 많으며, 도로망도 불규칙한 편이다. 리우데자네이루에서는 바다를 볼 수 있는 서쪽 해안의 도심 및 남부 지역에는 고급 주택 지구가 형성되었으며, 경사가 심한 산지 기슭 남쪽 지역에는 저급 주택 지구가 형성되었다. 불량 주택 지구인 파벨라는 도시 곳곳에 분포하고 있다.

자료 05 중·남부 아메리카의 도시 문제

▲ 멕시코시티의 대기 오염　　▲ 베네수엘라 볼리바르의 불량 주택 지구

자료 분석 | 중·남부 아메리카 대도시들은 주택 문제뿐만 아니라 취약층을 대상으로 발생하는 범죄, 자동차 수 증가에 따른 교통 혼잡, 위생 및 공공 서비스의 부족, 심각한 환경 오염 등의 다양한 도시 문제를 겪고 있다.

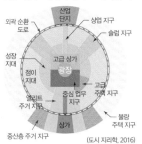
● 교과서 **탐구 풀이**

Q 중·남부 아메리카의 주요 도시에서 나타나는 거주지의 공간적 분리 현상에 관해 조사해 보자.

A 중·남부 아메리카의 도시에서는 고소득층을 이루는 유럽계 백인이 주로 도심부와 도시 발전 축을 따라 확장된 고급 주택 지구에 거주한다. 그리고 중심지에서 외곽으로 갈수록 저소득층을 이루는 원주민이나 아프리카계가 거주하는 저급 주택 지구가 분포하는 형태를 이룬다.

1 유럽의 식민 지배와 도시화

고대 문명의 도시	(①) 문명, 아스테카 문명 발달 → 고산 도시 건설
유럽의 식민 지배	식민 통치와 자원 수탈에 유리한 곳에 식민 도시 건설

2 급격한 도시화를 경험한 중·남부 아메리카

급격한 도시화의 진행	• 경제 발전 수준에 비해 도시화율 높음 • 인구 천만 명 이상의 대도시 분포 비중이 다른 대륙에 비해 높음 → 공간적 불균형
과도시화와 종주 도시화 현상	• 수도 및 식민 도시, 대도시를 중심으로 경제 성장 • 도시 기반 시설에 비해 많은 인구 → 비공식 부문의 경제 활동 인구 증가, 도시 빈곤 인구 증가

3 중·남부 아메리카의 민족(인종) 및 문화 특색

가톨릭교 전파	중·남부 아메리카 대부분의 지역에서 가톨릭교 신자 비율이 높음
언어	대부분의 지역에서 (②)를 사용하며 브라질에서는 포르투갈어를 사용함
민족 (인종) 분포	• 원주민: 안데스 산지와 아마존강 유역 • 유럽계: 아르헨티나, 브라질 남동부 해안 • 아프리카계: 자메이카, 브라질 북동부 해안

4 식민 지배와 도시 구조의 특징

식민지 경험	• 격자형 도로망과 도심에 중앙 광장을 조성 • 도심 주변에 유럽인, 외곽 지역에 원주민 거주
도시 내부 구조의 특징	• 도심: 도시 중앙에 (③)이 위치해 있으며, 주변에 정부의 주요 기관과 성당 배치 • 도심 주변: 고소득층의 유럽계 거주 • 도시 외곽: 저소득층의 원주민과 아프리카계가 거주

5 거주지 분리와 도시 문제

거주지 분리	• 상류층 거주지: 고소득층이 거주하며, 주거 환경이 쾌적하며 폐쇄적임 • 저급 거주지: 주거 환경이 열악하며, 도시 주변부에 위치, 농촌에서 이주해 온 주민들이 집단으로 거주하며 (④)를 형성
도시 문제	• 급격한 도시화 → 환경 오염, 교통 혼잡, 주거 환경의 불평등, 사회 기반 시설 부족 등 발생 • 국토 균형 발전 정책, 빈부 격차 해소 정책 필요

정답 ① 잉카 ② 에스파냐어 ③ 광장 ④ 불량 주택 지구

01 다음 글에서 설명하는 도시에 대한 설명으로 옳은 것은?

> 이 도시는 멕시코고원에 위치한 호수의 작은 섬에 만들어진 테노치티틀란이라는 도시였으며, 현재는 멕시코에서 인구가 가장 많은 수위 도시에 해당한다. 이 도시는 지형적으로 분지에 위치해 있다.

① 빈민층이 주로 도시 중심에 거주한다.
② 이 도시는 과달라하라로, 멕시코의 수도이다.
③ '파벨라'라고 하는 불량 주택 지구가 형성되어 있다.
④ 인구 규모 2위 도시보다 인구가 2배 이상 많은 종주 도시이다.
⑤ 인구 규모와 기반 시설이 균형적인 과도시화 현상이 나타난다.

★02 그래프는 주요 국가의 도시화율을 나타낸 것이다. 이에 대한 옳은 설명만을 〈보기〉에서 고른 것은?

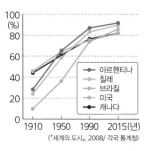
(「세계의 도시」, 2008/ 각국 통계청)

보기
ㄱ. 2015년 도시 인구는 아르헨티나가 가장 많다.
ㄴ. 경제 발달 수준이 높은 국가일수록 도시화율이 높다.
ㄷ. 1910~2015년 도시화율의 증가 속도는 칠레가 미국보다 빠르다.
ㄹ. 1950년 브라질은 도시 인구보다 촌락에 거주하는 인구가 많았다.

① ㄱ, ㄴ   ② ㄱ, ㄷ   ③ ㄴ, ㄷ
④ ㄴ, ㄹ   ⑤ ㄷ, ㄹ

| 딱풀 p. 53

03 그래프는 어느 도시의 기온과 강수량을 나타낸 것이다. 이 도시에 대한 설명으로 옳은 것은?

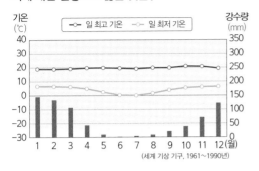

(세계 기상 기구, 1961~1990년)

① 기온의 연교차가 큰 편이다.
② 연중 봄과 같은 날씨가 나타난다.
③ 아마존 열대 우림 지역에 분포한다.
④ 연 강수량이 250 mm 미만으로 건조한 편이다.
⑤ 유사한 기후가 나타나는 도시로 상파울루, 부에노스아이레스가 있다.

⭐**04** 다음 글의 ⊙~⑩에 대한 설명으로 옳지 않은 것은?

> 중·남부 아메리카의 대부분 지역은 16세기부터 ⊙유럽 국가의 식민 지배를 받았다. 라틴계 유럽인들이 식민지를 건설하면서 이 지역에 ⓒ 라틴 문화를 전파하였으며, 중·남부 아메리카가 ⓒ (이)라고 불리는 계기가 되었다. 중·남부 아메리카에서는 전쟁, 질병, 강제 노역 등 식민 지배의 영향으로 원주민의 수가 급격히 감소하였으며, 부족한 노동력을 보충하기 위해 이후 ⓒ아프리카 지역으로부터 많은 인구가 유입되었다. 이러한 과정을 거치면서 원주민, 유럽인, 아프리카계 간의 ⑩ 혼혈 인구가 늘어나게 되었다.

① ⊙은 영국과 프랑스이다.
② ⓒ은 가톨릭교가 대표적이다.
③ ⓒ에는 '라틴 아메리카'가 들어갈 수 있다.
④ ⓒ은 강제적 인구 이동에 해당한다.
⑤ ⑩으로 인해 중·남부 아메리카의 민족(인종) 구성이 다양해졌다.

[05~06] 지도는 중·남부 아메리카의 언어와 민족(인종) 분포를 나타낸 것이다. 이를 보고 물음에 답하시오.

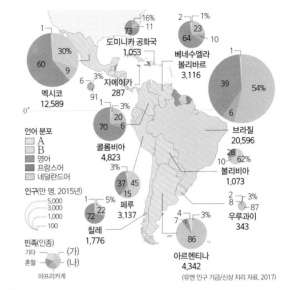

(유엔 인구 기금/신상 지리 자료, 2017)

05 A, B에 해당하는 언어로 옳은 것은?

	A	B
①	독일어	포르투갈어
②	에스파냐어	독일어
③	에스파냐어	포르투갈어
④	포르투갈어	독일어
⑤	포르투갈어	에스파냐어

06 중·남부 아메리카의 민족(인종) 분포에 대한 설명으로 옳은 것은?

① 아프리카계 인구가 가장 많은 비중을 차지한다.
② (가)는 이 지역에서 최상위 계층을 이룬다.
③ 아르헨티나와 브라질은 (가)의 거주 비율이 높다.
④ (나)는 주로 안데스 산지에 위치한 국가에서 분포 비율이 높다.
⑤ (가)는 (나)보다 거주의 역사가 길다.

07 다음 학생들의 대화 내용 중 (가)에 들어갈 말로 적절한 것은?

중·남부 아메리카의 도시 내부 구조의 특징에 대해 이야기 해 보자.

도시의 중심인 도심에 광장이 조성되어 있어.

(가)

① 광장 주변에 주요 정부 기관이 위치해 있어.

② 도시의 중심에 불량 주택 지구가 분포하고 있어.

③ 유럽 식민 지배의 흔적이 현재는 남아 있지 않아.

④ 도시 외곽 지역에 고소득층의 주거 지역이 형성되어 있어.

⑤ 주로 도심 주변에 원주민과 아프리카계 주민들이 거주하고 있어.

08 사진은 브라질의 어느 주거 지역을 나타낸 것이다. 이에 대한 설명으로 옳은 것은?

① 바리오라 불린다.

② 도시 중심부에 위치해 있다.

③ 유럽인의 거주 비율이 매우 높다.

④ 빈민층이 주로 거주하는 지역이다.

⑤ 사회 기반 시설이 잘 갖추어져 있다.

09 (가)~(라)에 들어갈 옳은 내용만을 〈보기〉에서 고른 것은?

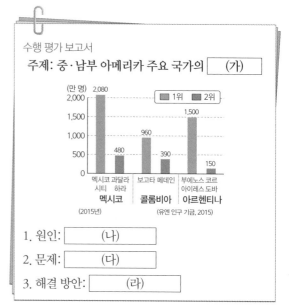

수행 평가 보고서

주제: 중·남부 아메리카 주요 국가의 (가)

1. 원인: (나)

2. 문제: (다)

3. 해결 방안: (라)

┤ 보기 ├

ㄱ. (가) – 이촌향도 현상

ㄴ. (나) – 급격한 도시화 때문이다.

ㄷ. (다) – 환경 오염, 교통 혼잡 등 도시 문제가 발생한다.

ㄹ. (라) – 경제 효과가 높은 지역을 집중 개발한다.

① ㄱ, ㄴ   ② ㄱ, ㄷ   ③ ㄴ, ㄷ

④ ㄴ, ㄹ   ⑤ ㄷ, ㄹ

10 자료는 중·남부 아메리카의 도시 내부 구조 변화 모델이다. 이에 대한 설명으로 옳지 <u>않은</u> 것은?

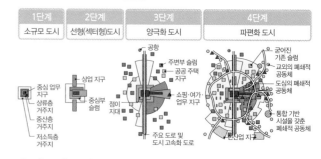

① 거주지 분리 현상이 나타난다.

② 광장을 중심으로 도시가 형성되었다.

③ 독립 이후 도시가 균형 있게 성장하였다.

④ 도시 구조에 식민 지배의 영향이 나타난다.

⑤ 이촌향도 현상으로 도시 규모가 급격히 확장되었다.

11 다음 글을 읽고 물음에 답하시오.

> (가) 문명을 발달시킨 원주민들은 텍스코코 호수의 작은 섬에 도시를 세웠다. 오늘날 호수는 거의 사라지고 과거의 호수 바닥에 대도시가 성장하였는데, 바로 멕시코시티이다. 분지 지형인 멕시코시티는 ㉠ 대기 순환이 잘되지 않아 스모그가 자주 발생한다.

(1) (가) 문명의 이름을 쓰시오.

(2) ㉠의 문제를 해결하기 위한 대책을 두 가지만 서술하시오.

12 지도는 브라질의 도시 인구 분포 변화를 나타낸 것이다. 이를 보고 물음에 답하시오.

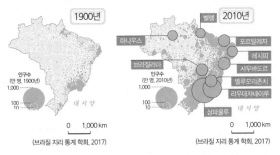

(1) 브라질의 도시 인구 분포 특징을 서술하시오.

(2) (1)을 바탕으로 브라질의 도시화 과정에서 발생했을 것으로 예상되는 문제점을 두 가지만 서술하시오.

13 다음 글의 밑줄 친 ㉠에 관한 특징을 서술하시오.

> 에스파냐와 포르투갈의 식민 지배는 중·남부 아메리카 주요 도시의 형성과 내부 구조에 많은 영향을 주었다. 특히 사진의 멕시코시티의 도시 중심부를 촬영한 사진을 보면 ㉠ 도시 구조의 특징이 잘 나타나고 있다.

14 그림은 브라질의 리우데자네이루의 도시 구조를 나타낸 것이다. 이를 보고 물음에 답하시오.

(1) 브라질에서 A를 부르는 말을 쓰시오.

(2) A와 고급 주택 지구의 분포 특징을 서술하시오.

| 교육청 기출 |

01 다음은 '고대부터 현대까지, 라틴 아메리카 도시 탐방' 방송 대본의 일부이다. 촬영지가 있는 국가를 지도의 A~C에서 순서대로 고른 것은?

> **포르투갈어로 '1월의 강'을 뜻하는 도시 ○○!**
> 첫 번째 촬영지
> 이곳은 세계 3대 미항 중 하나로 알려져 있으며 삼바 퍼레이드로 유명한 축제가 열립니다. 2016년 하계 올림픽을 개최했던 인구 약 1,200만 명의 대도시이며 1960년까지의 국가의 수도였습니다.

> **원주민어로 '중심'을 뜻하는 도시 △△!**
> 두 번째 촬영지
> 이곳은 마추픽추와 더불어 잉카 문명을 대표하는 고대 도시입니다. 과거 잉카 제국의 수도였으며, 곳곳에 고고학적 유적들이 산재해 있어 유네스코 세계 문화유산으로 지정된 도시입니다.

> **에스파냐어로 '좋은 바람'을 뜻하는 도시 ◇◇!**
> 세 번째 촬영지
> 이곳은 유럽계 비율이 전체 국민의 80%를 상회하는 나라의 수도입니다. 과거 유럽 각 지역으로 지하자원을 운반했던 항구 도시로 이 도시 곳곳에는 유럽의 식민 지배 흔적이 남아있습니다.

① A → B → C
② A → C → B
③ B → A → C
④ B → C → A
⑤ C → A → B

| 교육청 기출 |

02 자료의 (가), (나) 국가를 지도의 A~C에서 고른 것은?

> - (가) 은/는 세계 최대의 커피 생산 국가이며, 소 사육 두수도 세계에서 가장 많다. 그러나 소를 키우기 위한 목초지를 조성하면서 열대림이 파괴되고 있다.
> - (나) 은/는 옥수수로 만든 토르티야를 활용한 전통 음식이 발달하였다. 유럽 열강의 식민 지배 이전에는 아스테카, 마야 등 고대 문명이 발달하였다.

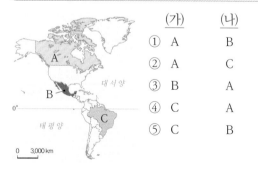

	(가)	(나)
①	A	B
②	A	C
③	B	A
④	C	A
⑤	C	B

| 교육청 기출 |

03 (가)~(다)에 대한 설명으로 옳지 않은 것은? (단, (가)~(다)는 각각 멕시코, 브라질, 칠레의 수도 중 하나임.)

지리 정보 (2018년)	수도 (가)	(나)	(다)
인구(만 명)	447	668	2,158
해발 고도(m)	1,092	638	2,215
7월 1일 낮 길이	11시간 12분	9시간 58분	13시간 16분
경도	47°53′W	70°40′W	99°09′W

① (가)는 수위 도시이다.
② (나)는 남반구에 위치한다.
③ (다)는 유럽인들이 아스테카 문명의 도시를 파괴하고 건설하였다.
④ (가)는 (다)보다 동쪽에 위치한다.
⑤ (나), (다)가 속한 각각의 국가는 종주 도시화 현상이 나타난다.

| 교육청 기출 |

04 표는 지도에 표시된 세 수위 도시의 특성을 나타낸 것이다. A~C의 공통점으로 옳은 것은?

구분	A	B	C
제2 도시 대비 인구 규모 (2018년)	3.0배	8.6배	9.8배
1월 평균 기온(℃)	13.1	22.1	24.8
7월 평균 기온(℃)	13.3	16.7	11.0

① 무역 및 교류에 유리한 해안에 위치한다.
② 종주 도시로서 도시 과밀화 현상이 나타난다.
③ 대규모 슬럼이 도심의 광장 주변에 분포한다.
④ 신기 조산대에 위치하여 지진이 자주 발생한다.
⑤ 기온의 연교차가 작은 열대 고산 기후가 나타난다.

| 교육청 응용 |

05 다음은 학생이 작성한 수행 평가 보고서의 일부이다. (가)에 대한 옳은 설명만을 〈보기〉에서 고른 것은?

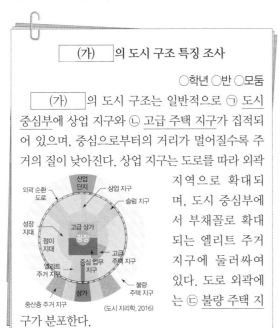

(가) 의 도시 구조 특징 조사

○학년 ○반 ○모둠

(가) 의 도시 구조는 일반적으로 ㉠ 도시 중심부에 상업 지구와 ㉡ 고급 주택 지구가 집적되어 있으며, 중심으로부터의 거리가 멀어질수록 주거의 질이 낮아진다. 상업 지구는 도로를 따라 외곽 지역으로 확대되며, 도시 중심부에서 부채꼴로 확대되는 엘리트 주거 지구에 둘러싸여 있다. 도로 외곽에는 ㉢ 불량 주택 지구가 분포한다.

(도시 지리학, 2016)

| 보기 |

ㄱ. (가)는 중·남부 아메리카이다.
ㄴ. ㉠은 접근성과 지대가 도시 내에서 높은 편이다.
ㄷ. ㉢은 브라질에서 바리오라 불린다.
ㄹ. ㉢은 ㉡에 비해 사회 기반 시설이 잘 갖추어져 있다.

① ㄱ, ㄴ ② ㄱ, ㄷ ③ ㄴ, ㄷ
④ ㄴ, ㄹ ⑤ ㄷ, ㄹ

| 신유형 |

06 자료에 대한 설명으로 옳지 않은 것은?

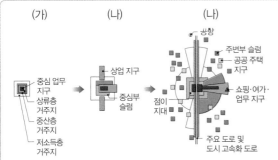

㉠ (가) 단계에는 ㉡ 도로망을 갖춘 광장 중심의 소규모 도시가 형성된다. ㉢ (나) 단계에서 교통로를 따라 상업(전통 공업) 지구와 상류층 거주지가 확산된다. ㉣ (다) 단계에서는 ㉤ 현상으로 도시로 인구가 유입되면 도시가 더욱 확장되고, 도시 주변 지역에 슬럼이 형성되어 부자와 빈민의 거주지가 분리되고 파편화된다.

① ㉠ – 도시 규모가 작은 식민지 시대의 도시 구조가 나타난다.
② ㉡ – '격자형'이 들어갈 수 있다.
③ ㉢ – 독립 이후 도시가 확장된 시기이다.
④ ㉣ – 상류층과 저소득층의 거주지 분리 현상이 해소된다.
⑤ ㉤ – '이촌향도'가 들어갈 수 있다.

| 교육청 기출 |

07 자료의 ㉠~㉢ 인종(민족)에 대한 옳은 설명만을 〈보기〉에서 고른 것은?

〈나의 조부모, 부모 그리고 나〉의 일부

멕시코의 어느 화가는 자신의 가계도를 통해 라틴 아메리카의 복잡한 인종(민족) 구성을 그림으로 표현하였다. 화가의 아버지는 ㉠ 유럽계이고, 어머니는 ㉡ 원주민과 유럽계 사이에서 태어난 ㉢ 메스티소이다. 화가는 부모를 그림의 중앙에 배치하고 외조부모는 대륙 쪽에, 친조부모는 바다 쪽에 그려 넣었다.

| 보기 |

ㄱ. ㉠의 조상들은 잉카 및 아스테카 문명을 발달시켰다.
ㄴ. ㉠은 아프리카계보다 라틴 아메리카로의 이주 시기가 빠르다.
ㄷ. ㉡은 라틴 아메리카 내에서 사회·경제적 지위가 가장 높다.
ㄹ. ㉢은 ㉡보다 라틴 아메리카 인종(민족) 구성에서 차지하는 비중이 높다.

① ㄱ, ㄴ ② ㄱ, ㄷ ③ ㄴ, ㄷ
④ ㄴ, ㄹ ⑤ ㄷ, ㄹ

| 교육청 기출 |

08 그래프는 (가)~(라) 국가의 인종(민족) 구성을 나타낸 것이다. A~D 인종(민족)에 대한 설명으로 옳은 것은? (단, A~D는 아프리카계, 유럽계, 원주민, 혼혈 중 하나임.)

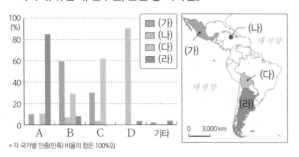

* 각 국가별 인종(민족) 비율의 합은 100%임

① A는 과거 플랜테이션 농업을 위해 강제 이주되었다.

② A는 C보다 라틴 아메리카에 정착한 시기가 이르다.

③ B는 A가 유입된 이후 생겨난 인종(민족)이다.

④ B는 D보다 라틴 아메리카 총인구에서 차지하는 비중이 낮다.

⑤ D는 C보다 고산 기후 지역에 거주하는 비중이 높다.

| 교육청 기출 |

09 자료와 관계 깊은 지역을 지도의 A~E에서 고른 것은?

챙이 있는 모자를 뜻하는 '솜브레로'는 그늘을 뜻하는 에스파냐어 '솜브라'에서 파생한 이름이다. 에스파냐에서 전래된 모자는 원래 챙이 짧았다. 하지만 햇살이 강하고 나무도 찾아보기 힘든 척박한 땅에 사는 이 지역 주민들이 얼굴에 그늘을 만들기 위해 챙이 넓은 모양으로 변형한 것이다.

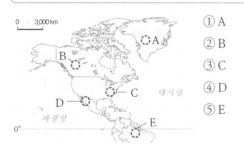

① A
② B
③ C
④ D
⑤ E

| 수능 응용 |

10 다음 글의 (나) 도시와 비교한 (가) 도시의 상대적 특징을 그림의 A~D에서 고른 것은?

- ⎡(가)⎤은/는 남반구에 위치한 대도시로 2016년 하계 올림픽을 개최하였다. '파벨라'라고 불리는 빈민가는 관광 상품으로 개발되어 명소가 되었고, 올림픽 개최 이후에도 많은 관광객이 방문하고 있다.

- ⎡(나)⎤은/는 세계적인 경제·문화의 중심지로 도심에는 초고층 빌딩이 밀집해 있다. 특히 맨해튼의 '월스트리트'에는 대형 금융 업체와 증권사가 집중되어 있다. 반면 도시 내부에서는 경제적 양극화로 인해 저소득층 주거지도 나타난다.

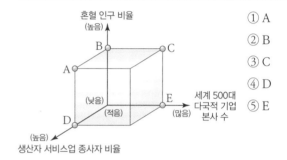

① A
② B
③ C
④ D
⑤ E

| 교육청 기출 |

11 자료의 (가), (나) 국가를 지도의 A~C에서 고른 것은?

(가)는 구리, 수산물, 포도, 와인을 많이 수출합니다. (나)는 세계적인 커피를 많이 생산합니다.

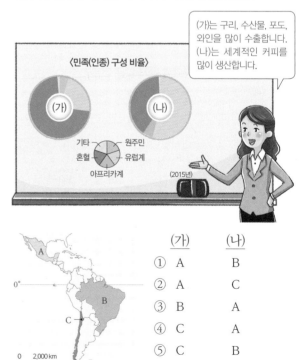

〈민족(인종) 구성 비율〉

기타 / 원주민 / 혼혈 / 유럽계 / 아프리카계 (2015년)

	(가)	(나)
①	A	B
②	A	C
③	B	A
④	C	A
⑤	C	B

| 수능 기출 |

12 다음 글은 라틴 아메리카의 인종(민족)과 언어에 대한 것이다. 이에 대한 옳은 설명만을 〈보기〉에서 고른 것은? (단, A~C는 원주민, 유럽계, 혼혈 중 하나임.)

> 브라질은 라틴 아메리카 국가 중 아프리카계 인구가 가장 많은 나라이지만, 국내 인종(민족)별 인구 구성에서는 ▢ A ▢ 이/가 차지하는 비중이 가장 높다. 멕시코는 국내 인종(민족)별 인구 구성에서 ▢ B ▢ 이/가 차지하는 비중이 가장 높고, 페루의 인구 비중 상위 두 인종(민족)은 ▢ B ▢ 와/과 ▢ C ▢ 이다.
>
> 유럽 국가의 식민 지배 영향으로 브라질에서는 ▢ ⊙ ▢ 을/를, 멕시코에서는 ▢ ⓒ ▢ 을/를 공용어로 사용하고 있다.

┤ 보기 ├

ㄱ. A는 C보다 라틴 아메리카에서 경제적 지위가 높다.
ㄴ. B는 C보다 라틴 아메리카 전체 인구에서 차지하는 비중이 높다.
ㄷ. C는 A보다 라틴 아메리카에서의 거주 역사가 짧다.
ㄹ. ⊙은 에스파냐어, ⓒ은 포르투갈어이다.

① ㄱ, ㄴ   ② ㄱ, ㄷ   ③ ㄴ, ㄷ
④ ㄴ, ㄹ   ⑤ ㄷ, ㄹ

| 교육청 응용 |

13 자료의 (가) 국가에 대한 설명으로 옳은 것은?

> 우리가 ▢ (가) ▢ 의 쿠스코에 도착한 날에는 태양제를 위한 준비가 한창이었다. 태양제는 잉카인들이 그 해의 풍작을 태양신에게 기원하는 제사이다.

① 세계 최대의 구리 생산국이다.
② 포르투갈어를 공용어로 사용한다.
③ '지구의 허파'라 불리는 열대림이 있다.
④ 북아메리카 자유 무역 협정(NAFTA) 회원국이다.
⑤ 유럽계보다 원주민이 차지하는 인구 비중이 높다.

| 평가원 기출 |

14 다음 글의 (가)~(다)에서 설명하는 국가를 지도의 A~D에서 고른 것은?

> (가) 원주민 전통이 많이 남아 있는 나라이지만, 유럽의 영향을 받아 도시의 중심에는 성당과 광장이 위치한다. 이 나라의 수도는 전 세계 국가의 수도 중에서 해발 고도가 가장 높고, 세계적으로 유명한 관광 명소로는 우유니 소금 사막이 있다.
>
> (나) 아스테카 문명이 발달했던 나라로, 원주민과 백인의 혼혈인 메스티소가 인구의 다수를 차지하나 아메리카 원주민의 수도 적지 않다. 원주민은 경제적 혜택에서 소외된 남부 지역에 많이 모여 산다.
>
> (다) 유럽인이 집중적으로 이주하여 백인 인구 비율이 매우 높다. 에스파냐 춤곡과 아프리카의 음악이 혼합되어 탱고라는 음악과 춤이 만들어졌다.

	(가)	(나)	(다)
①	A	B	C
②	B	A	D
③	B	D	C
④	C	A	D
⑤	C	B	D

| 교육청 응용 |

15 자료는 남아메리카 여행 계획을 기록한 것이다. ⊙~ⓜ의 내용 중 적절하지 않은 것은?

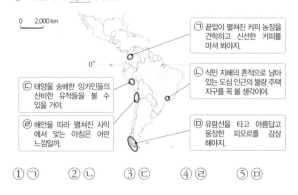

⊙ 끝없이 펼쳐진 커피 농장을 견학하고 신선한 커피를 마셔 봐야지.
ⓒ 식민 지배의 흔적으로 남아 있는 도심 인근의 불량 주택 지구를 꼭 볼 생각이야.
ⓒ 태양을 숭배한 잉카인들의 신비한 유적들을 볼 수 있을 거야.
ⓔ 해안을 따라 펼쳐진 사막에서 맞는 아침은 어떤 느낌일까.
ⓜ 유람선을 타고 아름답고 웅장한 피오르를 감상해야지.

① ⊙   ② ⓒ   ③ ⓒ   ④ ⓔ   ⑤ ⓜ

02 다양한 지역 분쟁과 저개발 및 자원 개발을 둘러싼 과제

1 사하라 이남 아프리카의 다양한 지역 분쟁

1. 유럽의 식민 지배

(1) **유럽인의 아프리카 유입** 유럽인의 식민 지배로 수많은 자원과 노동력을 착취 당함

(2) **유럽 열강의 식민지 분할** 지역의 민족과 문화를 고려하지 않고 열강[1]들의 이익에 따라 국경선 설정 → 독립 이후 부족 및 국가 간 갈등과 내전의 원인이 됨

(3) **유럽의 식민지 경험** 정치, 경제, 문화 등 다양한 분야에서 현재까지 영향을 미치고 있음

2. 다양한 민족과 언어 및 종교

(1) **다양한 민족과 언어**

① 인류의 역사가 시작된 곳으로 여러 문명이 발달함

② 기후 환경이 다양함 → 고유의 의식주 문화를 가진 다양한 부족 중심의 사회 발달

(2) **종교적 다양성** [자료 01] 북부 아프리카 지역 중심으로 분포 ─┐ ┌─ 유럽인의 식민지 개척 과정에서 전파된 지역이 많음

① 부족 중심의 토속 신앙(종교) 발달, 이슬람교와 크리스트교가 유입됨

② 이슬람교와 크리스트교의 점이 지대에서는 분쟁이 발생하기도 함(나이지리아, 수단 등)

3. 다양한 지역 분쟁

(1) **분쟁의 원인**

① 유럽 열강의 임의적인 국경선 설정 [자료 02]

> 부족 분포 및 부족 공동체의 영역과
> 관계없이 임의로 국경선 설정
> ↓
> 독립 후 한 국가 내에 이질적인 문화가
> 혼재하여 이후 갈등의 요인이 됨

② 유럽 열강의 차별적인 부족 정책 → 독립 후 부족 갈등의 중요한 요인이 됨 예 르완다 내전, 부룬디 내전 등

(2) **지속되는 분쟁과 갈등의 영향** 대규모 난민의 발생, 의료 및 교육 서비스를 제공하는 사회 기반 시설의 부족, 인종(부족) 간 빈부 격차

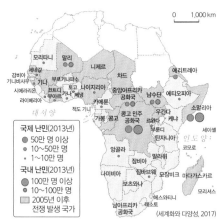

국제 난민(2013년)
● 50만 명 이상
● 10~50만 명
● 1~10만 명
국내 난민(2013년)
● 100만 명 이상
● 10~100만 명
▨ 2005년 이후 전쟁 발생 국가
(세계화와 다양성, 2017)

▲ 사하라 이남 아프리카의 분쟁 지역과 난민

(3) **주요 갈등 사례**

수단	• 이슬람교를 믿는 북부 지역과 크리스트교와 토착 종교를 믿는 남부 지역 간 종교 차이[2] • 2011년 국제 연합의 개입으로 남수단이 독립하였으나, 석유 자원을 둘러싼 이권 다툼과 국경선 획정을 두고 갈등이 지속
르완다	• 르완다를 지배한 벨기에가 소수인 투치족에게 특혜를 주며 식민 통치 • 독립 후 소수인 투치족과 다수인 후투족 간의 갈등
남아프리카 공화국	• 과거 인종 차별 정책인 아파르트헤이트[3] 시행 • 1994년 정책은 폐지되었으나 인종 차별과 인종 간 경제적 격차 문제 발생

사하라 이남 아프리카 분쟁의 배경과 원인

배경	• 다양한 민족과 언어 • 종교적 다양성 → 부족 중심의 토속 신앙이 발달, 이후 크리스트교와 이슬람교 유입
원인	• 유럽 열강의 임의적인 국경 설정 • 부족 간 갈등을 유발할 차별 정책

[1] 열강

18세기 이후 근대 국가 체계를 갖춘 국가 중 국제 관계에서 정치·군사·경제적으로 다른 국가에 영향을 미친 강대국을 의미한다.

[2] 수단과 남수단의 분쟁

포트수단
수단
하르툼
0 │ 300 km
헤글리그
아브예이
남수단
주바
◆ 유전
■ 정유 시설
▧ 채굴 지역
▢ 영유권 분쟁 지역
── 송유관
┈┈ 송유관(예정)
(www.bbc.co.uk)

수단과 남수단의 분쟁은 크리스트교와 토속 신앙을 믿는 남수단 주민들에게 아프리카계 수단 정부가 아랍화 정책을 시행하며 시작되었다. 2011년 남수단이 독립하였으나, 남수단의 석유를 둘러싼 분쟁이 지속되고 있다.

[3] 아파르트헤이트

소수의 백인이 다수의 유색 인종을 지배하기 위해 남아프리카 공화국에서 실시한 인종 분리 정책이다. 1990년대 공식적으로 폐지되었지만 아직도 인종별 거주지 분리 현상은 완화되지 않고 있다.

자료 01 아프리카의 언어 및 종교 분포

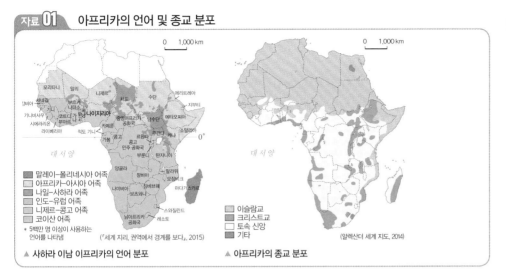

△ 사하라 이남 아프리카의 언어 분포

말레이-폴리네시아 어족
아프리카-아시아 어족
나일-사하라 어족
인도-유럽 어족
니제르-콩고 어족
코이산 어족
* 5백만 명 이상이 사용하는 언어를 나타냄
(「세계 지리, 권역에서 경계를 보다」, 2015)

△ 아프리카의 종교 분포

이슬람교
크리스트교
토속 신앙
기타
(알렉산더 세계 지도, 2014)

교과서 자료 더 보기

| 사하라 이남 아프리카의 종교 비중 변화 |

종교 비중의 변화를 살펴보면 20세기 이후 토속 신앙을 신봉하는 사람들의 비중은 점차 낮아지고 있으며, 크리스트교와 이슬람교를 신봉하는 사람들의 비중은 증가하고 있다.

자료 분석 | 사하라 이남 아프리카는 인류의 역사가 시작된 터전으로 일찍부터 여러 문명이 발달하였다. 이 지역의 주민은 척박한 자연환경에 적응하며 혈연 중심의 소집단으로 오랜 기간 고립된 생활을 해 왔다. 수천 개의 부족은 부족 중심의 독특한 원시 문화와 전통을 가지고 있으며 언어, 종교, 생활 양식 등이 다양하게 나타난다.

사하라 이남 아프리카 지역에는 다양한 종교가 나타난다. 서남아시아 지역과 인접한 소말리아, 수단 등은 이슬람교를 주로 신봉하며, 차드, 카메룬 등지에도 이슬람교도가 많다. 크리스트교는 유럽인의 식민지 개척 과정에서 아프리카 남부 지역으로 넓게 전파되었다. 이 지역에서 자연적으로 발생한 토속 신앙은 이슬람교, 크리스트교 등 외래 종교의 전파로 비중이 작아지기는 했지만, 부족의 일상생활에 여전히 많은 영향을 미치고 있다.

자료 02 [공통 자료] 아프리카의 식민 지배와 국경선 설정

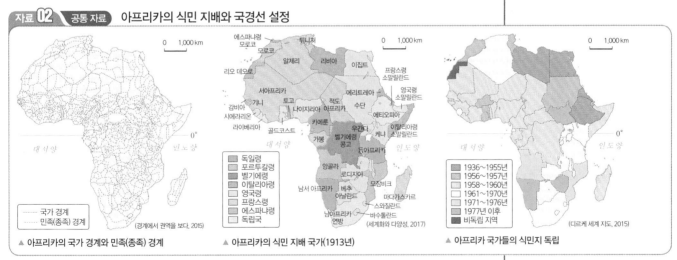

△ 아프리카의 국가 경계와 민족(종족) 경계

국가 경계
민족(종족) 경계
(경계에서 권역을 보다, 2015)

△ 아프리카의 식민 지배 국가(1913년)

독일령
포르투갈령
벨기에령
이탈리아령
영국령
프랑스령
에스파냐령
독립국
(세계화와 다양성, 2017)

△ 아프리카 국가들의 식민지 독립

1936~1955년
1956~1957년
1958~1960년
1961~1970년
1971~1976년
1977년 이후
비독립 지역
(디르케 세계 지도, 2015)

자료 분석 | 19세기 영국, 프랑스 등 유럽 열강들은 아프리카의 대다수 지역을 식민지화하였다. 19세기 후반 아프리카 식민지 경쟁이 격렬해지면서 유럽 열강들 간의 갈등이 고조되었고, 이를 해결하기 위해 아프리카 분할 협상을 진행하였으며 원주민의 의사와 상관없이 아프리카의 분할 문제를 논의하고 국경을 결정하였다. 이때 나뉜 국경은 언어, 종교 등 아프리카 원주민의 삶과 정치적 경계를 고려하지 않고 유럽 열강의 편의대로 구분하였다. 이런 인위적 경계선은 이웃 국가 간 혹은 국내 부족 간 분쟁을 유발하였으며, 독립 이후 오늘날까지도 사회 불안의 주요 원인이 되고 있다.

유럽 열강의 식민 지배를 받던 아프리카의 나라들은 1950년대 후반부터 1970년대까지 대부분 독립을 이루었다. 1910년 남아프리카 공화국이 아프리카 최초로 독립국의 지위를 얻었으며, 나미비아가 1990년 독립하며 아프리카 식민지는 사라졌다.

2 사하라 이남 아프리카의 저개발 원인 및 현황

1. 저개발의 원인

(1) **정치적 측면** 잦은 분쟁, 민주적인 정치 체계의 부족, 행정 시스템의 비효율성, 사회 내부의 신뢰 부재 등

(2) **산업적 측면** 자료 03

① 원유, 광산물, 농작물 등 1차 생산품을 수출하고 부가 가치가 큰 공업 제품을 수입하는 산업 구조 → 국가 경쟁력 취약

② 제조업이나 서비스업보다 상대적으로 부가 가치가 낮은 농업 종사자 비중이 높음

(3) **보건·의료적 측면**

① 절대 빈곤층이 많아 기아 문제 심각

② 인구 증가율은 높으나 농업 활동이 원활하지 않아 식량난 발생

③ 보건 의료 시설이 부족하여 각종 질병에 취약, 교육 기회 적음 → 기대 수명이 낮고 영아 사망률④은 높음

(4) **사회·경제적 측면**

① 선진국의 투자에 의존하는 경제 구조

② 플랜테이션⑤ 중심의 농업 구조 상품 작물을 주로 생산하여 식량을 수입하는 국가가 많음

③ 도로, 철도 등 사회 기반 시설 부족 유럽인은 자원의 해외 반출을 위해 해안과 내륙을 연결하는 도로 및 철도망을 주로 건설 → 재화나 서비스 등이 원활하게 제공되지 않음

2. 저개발의 현황 자료 04

(1) **빈곤 문제** 경제 발달 수준이 낮아 1인당 국내 총생산이 낮고 사회적 불평등이 심함

(2) **식량 문제** 기후 변화에 따른 가뭄과 사막화의 심화, 낮은 농업 생산성, 급속한 인구 증가 → 식량 부족 문제와 기아 문제 심각

(3) **도시 문제** 급속한 도시화, 이촌향도 → 이주민들 대부분 도시의 변두리를 중심으로 무질서하게 팽창하여 거대한 슬럼 형성

(4) **기타 문제** 의료 환경이 열악해 기대 수명 낮음, 열악한 교육 환경과 아동 노동 문제 등 아동 인권 문제 심각
> 사하라 이남 아프리카 도시 인구의 약 55%가 슬럼에 거주함. 학교, 상하수도 등 도시 기반 시설이 부족하고 질병 및 범죄 발생률이 높음

3. 사하라 이남 아프리카의 발전을 위한 노력 자료 05

(1) **아프리카 연합(AU) 결성** 아프리카인의 권리 신장 및 생활 수준 향상 등 아프리카의 공동 이익 추구, 빈곤 문제 해결과 질병 퇴치를 위해 노력, 국가 간 연대 추구 등

(2) **국제 사회의 노력**

① 국제 연합 평화 유지군이 분쟁 지역에서 활동하고 있음

② 국제 사회의 협력으로 도로, 철도, 의료 시설 등에 대한 공적 개발 원조(ODA)⑥가 이루어지고 있음

③ 저개발 및 빈곤 해결을 위한 원조 확대, 부채 탕감 등 다양한 지원

(3) **개별 국가 및 다양한 주체들의 노력**

① 천연자원과 풍부한 노동력을 활용하여 경제 성장에 힘씀

② 민주주의를 정착시키고, 교육에 대한 적극적인 투자로 미래 세대를 육성시키는 국가들이 증가하고 있음

고득점을 위한 셀파 Tip

사하라 이남 아프리카의 저개발 원인

정치	민주적인 정치 체계의 부족, 사회 내부의 신뢰 부재
산업	1차 생산품을 수출하고 공업 제품을 수입하는 산업 구조
보건·의료	절대 빈곤층이 많으며, 보건·의료 시설의 부족
사회·경제	상품 작물 위주의 농업 구조, 사회 기반 시설 부족

④ 높은 영아 사망률

(단위: 천 명)

대한민국	3
세계	31
나이지리아	69
코트디부아르	68
시에라리온	86
중앙아프리카 공화국	91

* 2016~2020년 평균값임

(국제 연합 2016 인구 전망)

사하라 이남 아프리카에서는 말라리아 같은 질병에 걸린 환자가 많다. 특히 영양 상태가 충분하지 않고 면역력이 약한 어린이의 피해가 많으며, 특히 영아 사망률(아이가 태어난 지 일 년 이내에 사망하는 비율)이 높게 나타난다.

⑤ 플랜테이션

유럽 열강의 식민지 정책의 하나로 열대 및 아열대 기후 지역에 대규모 농장을 운영하면서 비롯되었다. 원주민의 노동력을 바탕으로 고무, 커피 등의 상품 작물을 주로 단일 경작으로 생산한다. 수출용 상품 작물은 세계 경제 상황 변동의 영향을 크게 받으므로 선진국의 경제가 위축되면 이 지역 농민들은 큰 타격을 받는다.

⑥ 사하라 이남 아프리카에 제공된 공적 개발 원조

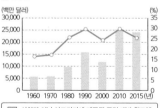

(백만 달러) (%)

	사하라 이남 아프리카에 제공된 공적 개발 원조액
-○-	개발 도상국 원조액 중 사하라 이남 아프리카의 차지 비율

(경제 협력 개발 기구, 2015)

한 국가의 정부 또는 공공 기관이나 원조 집행 기관이 개발 도상국의 경제 개발과 복지 향상을 위해 개발 도상국이나 국제기구에 제공하는 자금의 흐름을 뜻한다. 사하라 이남 아프리카에 제공된 공적 개발 원조는 과거에 비해 많이 증가하였다.

자료 03 · 사하라 이남 아프리카의 산업 구조

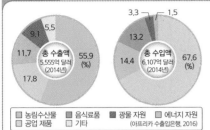

▲ 아프리카의 수출입 품목 구성
(아프리카 수출입은행, 2016)

▲ 산업별 부가 가치 비중
(세계 은행, 2014)

▲ 산업별 종사자 수 비중
(국제 노동 기구, 2016)

자료 분석 | 사하라 이남 아프리카 국가들은 독립 이후에도 농산물과 광산물 위주로 수출하는 무역 구조를 벗어나지 못하고 있다. 즉 대부분의 국가는 주로 광물·에너지 자원과 농작물을 수출하고 부가 가치가 큰 공업 제품을 수입하고 있다. 이와 같은 무역 구조로 인해 국가의 경제 상황은 국제 원자재 시장의 영향을 크게 받는다. 한편 제조업이나 서비스업보다는 상대적으로 부가 가치가 낮은 농업에 종사하는 사람들이 많다.

● **교과서 자료 더 보기**

| 아프리카의 교통망 |

(우간다 지리 부도, 2013)

현재의 교통망 뼈대는 대부분 과거 유럽 열강이 만든 것으로, 아프리카의 풍부한 자원을 외부로 가져가기 위해 만든 것이다. 특히 아프리카의 철도는 내륙의 지하자원을 해안의 항구로 운반하기 위해 건설된 것이 많다.

자료 04 · 사하라 이남 아프리카의 저개발 현황

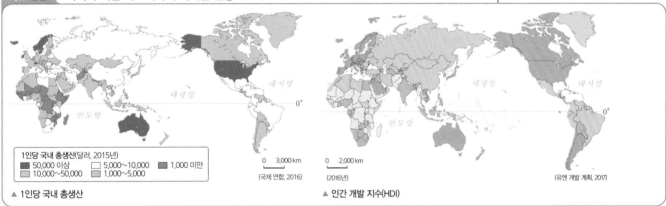

▲ 1인당 국내 총생산

▲ 인간 개발 지수(HDI)

자료 분석 | 사하라 이남 아프리카 국가 대부분은 식민 지배에서 독립한 이후에도 저개발 상황에서 벗어나지 못하고 있다. 이 지역에는 1인당 국내 총생산이 1천 달러 미만의 국가가 많다.

인간 개발 지수는 유엔 개발 계획(UNDP)에서 평균 수명과 교육 수준, 국민 소득 등을 기준으로 국민의 삶의 질을 평가한 지표이다. 하위 30개 국가 중 27개 국가가 사하라 이남 아프리카에 있으며, 이들 국가의 대부분은 빈곤과 기아에 시달리고 있다.

자료 05 · 사하라 이남 아프리카의 저개발 해결을 위한 노력

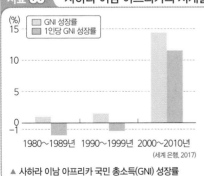

▲ 사하라 이남 아프리카 국민 총소득(GNI) 성장률

자료 분석 |

최근 사하라 이남 아프리카의 일부 국가는 천연자원과 풍부한 노동력을 활용하여 경제 성장에 힘쓰고 있다. 이러한 변화로 아프리카 국민들의 국민 총소득이 상승하고 있으며, 일부 국가는 다음 세대를 위한 교육 투자에도 적극적으로 나서고 있다.

● **교과서 탐구 풀이**

Q 사하라 이남 아프리카 지역이 가진 경제 성장의 잠재력을 말해 보자.

A 사하라 이남 아프리카에는 넓은 토지와 풍부한 지하자원 및 인적 자원이 있으므로 의무 교육 확대, 기반 시설 확충, 정치 및 사회적 환경 개선 등 적절한 노력이 이루어진다면 발전 가능성이 큰 지역이다.

3 자원 개발을 둘러싼 과제

1. 자원 개발과 산업 구조의 특징

자원 개발의 특징	• 외국 다국적 기업 주도로 자원 개발이 이루어져 외국 자본의 투자 비율이 높음 • 자원 개발에 필요한 기술과 자본이 부족하여 대부분 부가 가치가 낮은 원료 자원을 수출함
산업 구조의 특징	• 산업 구조에서 1차 산업이 차지하는 비중이 높음 • 광물과 농산물을 수출하여 벌어들인 외화로 선진국에서 공산품을 수입함
플랜테이션 농업 발달	• 열대 기후 지역에 널리 분포 → 기호 작물 재배에 유리 • 불공정한 무역 구조 → 선진국의 다국적 기업이 진출하여 계약 재배나 직접 경영을 통해 기호 작물을 싼 값에 구입한 뒤 가공하여 판매하는 방식으로 많은 이윤을 남김 → 현지의 농민이나 노동자의 이윤이 적음 • 밀, 옥수수 등을 대규모로 재배하는 선진국에서 식량 작물을 수입해야 하는 농업 구조❼

└─ 불공정한 무역 구조 문제를 해결하기 위해 공정 무역이 확산되고 있음 → 생산자와 소비자의 상호 존중에 기반하여 국제 무역이 보다 공정하게 이루어질 수 있도록 노력하는 사회 운동임

2. 중·남부 아메리카의 자원 분포와 개발 (자료 06)

(1) 세계적인 농축산물 산지

① 열대 기후 지역 커피(브라질, 콜롬비아), 사탕수수(브라질, 멕시코), 바나나(에콰도르, 콜롬비아) 등

② 온대 기후 지역 밀, 옥수수, 콩 등 대규모 생산 및 목축업 발달

(2) 국가별 자원 분포

┌─ 국내 수출액의 약 45%를 구리가 차지함(2019년 기준)

칠레❾	세계 최대의 구리 생산국(추키카마타), 구리 수출 비중 높음
브라질	철광석이 풍부하게 매장되어 있음
멕시코	세계 최대의 은 생산국
베네수엘라 볼리바르	석유와 천연가스 생산량이 많음

3. 사하라 이남 아프리카의 자원 분포와 개발

(1) 국가별 자원 분포❾ ┌─ 다른 아프리카 지역 국가들과 달리 정치적 혼란 없이 꾸준한 경제 성장을 이루고 있는 국가임

보츠와나	세계적인 다이아몬드 생산국 국내 수출액의 약 90%를 다이아몬드가 차지함(2019년 기준)
나이지리아	아프리카의 대표적인 산유국 국내 수출액의 약 85%를 석유가 차지함(2019년 기준)
남아프리카 공화국	석탄 생산량이 많으며 금, 다이아몬드 등의 자원이 풍부함

(2) 성장 가능성이 높은 지역 자원 개발, 해외 투자 유치 등을 통한 성장 기대, 중국, 일본, 러시아, 미국 등의 자원 확보 경쟁 → 산업 인프라, 각종 기금 등을 지원하는 조건으로 자원 채굴권을 확보하고 있음

4. 자원 개발에 따른 문제와 해결 방안

(1) 자원 개발에 따른 문제 (자료 07)

환경 문제	• 열대림 파괴 → 지구 온난화 가속화, 생물 종 다양성 감소, 원주민의 생활 터전 파괴 등 • 유전 지대에서의 석유 유출에 따른 해양 및 토양 오염, 광산 개발로 인한 오염 등
사회 문제	• 정부의 부정부패, 허약한 경제 구조 등으로 소득 분배의 불평등 문제 발생 • 내전과 정치적 불안정으로 주민에 대한 강제 노동, 아동 노동 등 인권 문제 발생

(2) 환경 보존과 정치·사회적 안정 환경 파괴를 최소화하면서 경제 성장 추구, 정치적 불안정 해소, 부정·부패 척결 등 정의로운 사회 구조 구축

중·남부 아메리카와 사하라 이남 아프리카의 자원 분포

중·남부 아메리카	• 칠레: 구리 • 멕시코: 은 • 브라질: 철광석 • 베네수엘라 볼리바르: 석유
사하라 이남 아프리카	• 보츠와나: 다이아몬드 • 나이지리아: 석유 • 남아프리카 공화국: 석탄

❼ 카카오 수출액과 곡물 순 수입액의 비교

* 2009~2013년 누계액임
(국제 연합 식량 농업 기구, 2017)

농업이 식량 작물 생산이 아닌 상품 작물 위주여서 상품 작물을 수출해 식량 작물을 수입하는 구조이다.

❽ 칠레의 국내 총생산(GDP)과 구리 가격의 변화

(이코노미스트, 2013)

칠레는 국내 경제에서 구리 수출이 차지하는 비중이 크다. 따라서 구리의 국제 가격 변동은 칠레 경제에 큰 영향을 미칠 수 있다.

❾ 사하라 이남 아프리카의 주요 광물 자원 생산 비중

사하라 이남 아프리카는 백금, 코발트, 다이아몬드와 같은 광물 자원이 풍부하며, 나이지리아 같은 경우는 석유의 생산량도 많은 편이다. 따라서 이 지역에서는 광업이 매우 중요한 산업이며, 광물 자원의 수출 비중이 매우 높다.

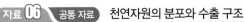

자료 06 공통 자료 **천연자원의 분포와 수출 구조**

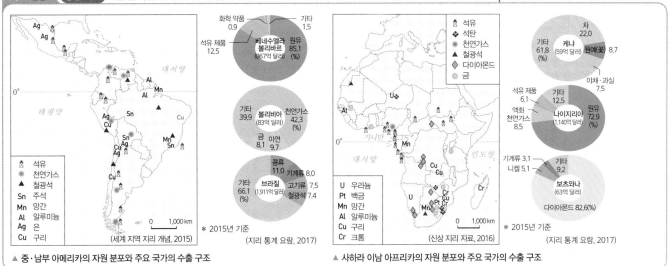

▲ 중·남부 아메리카의 자원 분포와 주요 국가의 수출 구조   ▲ 사하라 이남 아프리카의 자원 분포와 주요 국가의 수출 구조

자료 분석 | 중·남부 아메리카와 사하라 이남 아프리카는 자원 개발에 필요한 기술과 자본이 부족하여 가공하지 않은 원료를 수출하는 경우가 대부분이다. 특히 사하라 이남 아프리카는 일부 대도시를 제외하고 산업 발달이 미약하여 인구 대부분이 농업에 종사하므로, 각국의 산업 구조에서 1차 산업의 비중이 높다. 광물과 농산물을 선진국으로 수출하고 벌어들인 외화로 선진국에서 자본재와 공산품을 수입한다.

자료 07 공통 자료 **개발로 인한 아마존 열대림의 파괴**

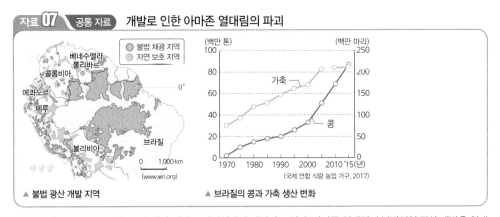

▲ 불법 광산 개발 지역   ▲ 브라질의 콩과 가축 생산 변화

자료 분석 | 아마존 열대림은 불법 광산 개발로 광범위하게 파괴되고 있다. 아마존 열대림의 불법적인 광산 개발은 열대림 파괴는 물론 채굴 과정에서 나오는 중금속에 의해 주변 지역의 하천을 오염시키는 원인이 되어 생태계에 악영향을 미치고 있다.

최근 브라질의 가축과 콩 생산량이 점차 증가하고 있다. 세계적으로 육류 소비가 늘어나면서 열대림 지역에 가축을 사육하는 목장을 조성하거나 콩과 같이 가축의 사료로 사용하는 작물을 재배하는 농경지로 개발되고 있다. 이처럼 지구에 산소를 공급하며 지구 온난화를 감소시키는 열대림이 감소하면서 이곳을 터전으로 살아가는 야생 동물과 원주민이 위협받고 있으며, 기후 변화 문제가 심화되고 있다.

 교과서 탐구 풀이

Q 열대 우림 지역 개발의 긍정적 영향과 부정적 영향을 정리해 보자.

A 긍정적인 영향으로 도시와 도로 등 기반 시설이 갖추어지게 되면 지역이 발전하고 국가 경제에 도움이 된다. 부정적 영향으로는 열대림의 파괴로 지구 온난화가 가속화되며 기상 이변으로 인한 재해가 발생한다. 또한 토양 침식, 생태계 파괴, 원주민의 삶의 터전이 박탈당하는 등의 문제가 발생한다.

1 사하라 이남 아프리카의 다양한 지역 분쟁

유럽의 식민지 경험	유럽인의 진출로 정치·사회·경제적으로 큰 변화를 겪음 → 자연과 노동력 착취, 독립 이후 내전과 빈곤 심화
분쟁의 원인과 영향	유럽 열강의 무분별한 국경선 설정으로 분쟁 발생, 불안한 정치 체제, 자원 배분 등 → 난민 발생, 거주지 분리
주요 갈등 사례	• 수단: 이슬람교를 믿는 북부 지역과 크리스트교와 토착 신앙을 믿는 남부 지역 간 종교 차이 → 남수단 독립 • (❶　　　): 벨기에 식민 지배의 영향 → 소수의 투치족과 다수의 후투족 간의 갈등 • 남아프리카 공화국: 인종 차별 정책인 (❷　　　) 시행
다양한 민족과 언어 및 종교	• 민족(인종): 아프리카계 비중 높음, 부족 중심 • 종교: 토속 신앙, 이슬람교, 크리스트교 등

2 사하라 이남 아프리카의 저개발

저개발의 원인	• 민주적인 정치 체계의 부족, 행정 시스템의 비효율과 사회 내부의 신뢰 부재 • (❸　　　)을 수출하고 부가 가치가 큰 공업 제품을 수입하는 산업 구조 • 사회 기반 시설 부족 → 재화나 서비스의 원활한 공급이 어려움
저개발 현황	• 1인당 국내 총생산이 낮으며 사회적 불평등이 심함 • 기후 변화에 따른 가뭄과 사막화, 낮은 농업 생산성 → 식량 부족, 기아 발생 • 낮은 기대 수명과 아동 노동 문제
개발 노력	아프리카 연합(AU) 결성, 국제 연합 평화 유지군 활동, 공적 개발 원조, 천연자원과 풍부한 노동력의 효율적 활용 등

3 중·남부 아메리카와 사하라 이남 아프리카의 자원 개발

칠레	세계 최대의 구리 생산국(추키카마타)
브라질	철광석이 풍부하게 매장되어 있음
보츠와나	세계적인 (❹　　　) 생산국
나이지리아	아프리카의 대표적인 산유국

4 자원 개발에 따른 문제와 해결 방안

환경 문제	열대림 파괴 → 지구 온난화 가속화, 생물 종 다양성 감소, 원주민의 생활 터전 파괴 등
사회 문제	정부의 부정부패, 허약한 경제 구조 등으로 소득 분배의 불평등 문제 발생

정답 ❶ 로완다 ❷ 아파르트헤이트 ❸ 1차 생산품 ❹ 다이아몬드

탄탄 내신 문제

01 다음은 세계지리 수업 중 일부이다. 교사의 질문에 대한 학생의 대답으로 옳지 않은 것은?

> 교사: 오늘은 사하라 이남 아프리카의 식민지 경험에 대해 이야기해 볼까요?
> 갑: 15세기 이후 유럽인이 진출하였습니다.
> 을: 유럽인은 진출 초기 내륙 지역을 중심으로 활동했습니다.
> 병: 신대륙으로 진출 이후 아프리카계 흑인들이 아메리카 지역으로 이주했습니다.
> 정: 제2차 세계 대전 이후부터 1970년대까지 대부분의 국가들이 독립을 했습니다.
> 무: 독립 이후 많은 나라들이 정치적 불안과 분쟁에 어려움을 겪고 있습니다.

① 갑　　② 을　　③ 병　　④ 정　　⑤ 무

02 지도는 아프리카의 국가 경계와 민족(종족) 경계를 나타낸 것이다. A와 같은 국경선이 나타나게 된 배경으로 옳은 설명만을 〈보기〉에서 고른 것은?

0　1,000 km

--- 국가 경계
····· 민족(종족) 경계

(경계에서 권역을 보다, 2015)

보기

ㄱ. 산맥, 하천 등 자연적 요인을 기준으로 설정하였다.
ㄴ. 유럽 열강들의 이해관계에 따라 경계가 설정되었다.
ㄷ. 각 지역의 농업 차이를 토대로 국경선이 설정되었다.
ㄹ. 민족(종족) 간 차이를 고려하지 않고 국경선을 설정하였다.

① ㄱ, ㄴ　　② ㄱ, ㄷ　　③ ㄴ, ㄷ
④ ㄴ, ㄹ　　⑤ ㄷ, ㄹ

03 (가), (나)에 해당하는 국가를 지도의 A~D에서 고른 것은?

> (가) 이 국가의 북부 지역은 이슬람교를 믿는 아랍인들이, 남부 지역은 크리스트교나 토속 신앙을 믿는 주민들이 주로 거주하였다. 이후 정부의 아랍화 정책에 반발하면서 분쟁이 시작되었으며, 2011년 남부 지역이 분리 독립하였다.
>
> (나) 이 국가는 벨기에의 식민지였다. 벨기에는 효과적인 식민지 통치를 위해 소수인 투치족에게 권력을 주고 다수의 후투족을 차별하는 정책을 실시하였다. 이런 정책은 독립 후 부족 간의 갈등의 원인이 되어 내전이 발생하였다.

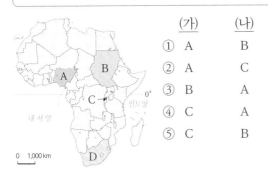

	(가)	(나)
①	A	B
②	A	C
③	B	A
④	C	A
⑤	C	B

04 그래프는 사하라 이남 아프리카의 종교 비중 변화를 나타낸 것이다. A~C 종교에 대한 설명으로 옳은 것은? (단, A~C는 이슬람교, 크리스트교, 토속 신앙 중 하나임.)

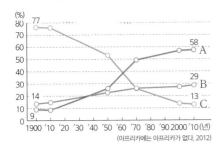

(아프리카에는 아프리카가 없다, 2012)

① A는 북부 지역에 넓게 분포한다.

② B는 유럽인의 식민지 개척 과정에서 널리 전파되었다.

③ C의 비중은 감소하지만, 일상생활에서 큰 영향을 미치고 있다.

④ A, B 모두 민족 종교이다.

⑤ B는 C보다 전파 시기가 이르다.

05 그래프는 사하라 이남 아프리카의 산업 구조를 나타낸 것이다. 이에 대한 옳은 설명만을 〈보기〉에서 고른 것은? (단, A~C는 농업, 제조업, 서비스업 중 하나임.)

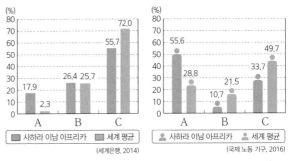

▲ 산업별 부가 가치 비중   ▲ 산업별 종사자 수 비중

> **보기**
>
> ㄱ. 대부분의 선진국은 C의 종사자 비중이 높다.
>
> ㄴ. A는 제조업, B는 농업이다.
>
> ㄷ. 일반적으로 부가 가치는 B가 A보다 높다.
>
> ㄹ. 노동 생산성은 A가 C보다 높다.

① ㄱ, ㄴ   ② ㄱ, ㄷ   ③ ㄴ, ㄷ

④ ㄴ, ㄹ   ⑤ ㄷ, ㄹ

06 지도는 인간 개발 지수(HDI)를 나타낸 것이다. (가) 지역과 비교한 (나) 지역의 상대적 특징을 그림의 A~E에서 고른 것은?

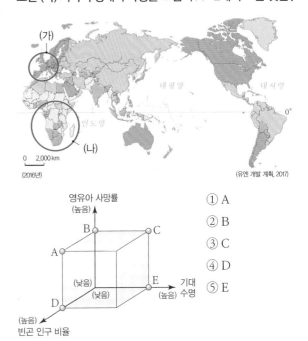

① A
② B
③ C
④ D
⑤ E

07 지도는 중·남부 아메리카의 자원 분포를 나타낸 것이다. (가), (나) 자원으로 옳은 것은?

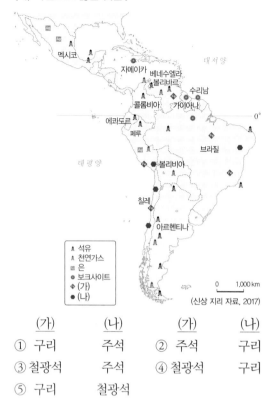

(신상 지리 자료, 2017)

	(가)	(나)		(가)	(나)
①	구리	주석	②	주석	구리
③	철광석	주석	④	철광석	구리
⑤	구리	철광석			

08 그래프는 (가), (나) 국가의 자원 수출 구조를 나타낸 것이다. 이에 대한 설명으로 옳은 것은? (단, (가), (나)는 보츠와나, 나이지리아 중 하나임.)

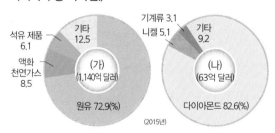

(2015년)

① (가)의 유전 지대는 내륙 지역에 집중해 있다.
② (나)는 종족 갈등 없이 꾸준한 성장을 하고 있다.
③ (가)는 (나)보다 1인당 국민 소득이 높다.
④ (나)는 (가)보다 적도와 가깝다.
⑤ (가), (나) 모두 신기 습곡 산지 지역에 위치해 있다.

09 다음 글의 (가)에 들어갈 제목으로 가장 적절한 것은?

> 제목: _____(가)_____
>
> 콩고 민주 공화국에는 콜탄이 풍부하게 매장되어 있다. 콜탄에 포함된 탄탈륨은 휴대 전화, 노트북 등 IT 제품의 중요한 원료로 매우 중요하다. 그러나 콜탄의 주요 생산지인 콩고 민주 공화국의 동부 지역은 세계적으로 중요한 고릴라의 서식지이다. 콜탄 채굴로 큰 경제적 이익을 얻을 수 있는 콩고 민주 공화국 정부는 콜탄 채굴로 인한 열대림 파괴와 수질 오염 등으로 고릴라를 멸종 위기에 몰아 넣고 있다.

① 정의로운 자원의 분배
② 자원 개발을 통한 경제 성장
③ 무분별한 자원 개발의 문제점
④ 자원 개발의 긍정적·부정적 영향
⑤ 콩고 민주 공화국의 저개발의 문제점

10 그림에 나타난 지역에서 발생할 것으로 예상되는 현상으로 옳지 **않은** 것은?

(브라질 에너지 광물 자원부, 2017)

① 수몰 지역 증가
② 전력 생산량 증가
③ 생물 종 다양성 감소
④ 원주민의 삶의 터전 축소
⑤ 아마존강 수운 교통 발달

11 사진은 르완다에서 발생한 학살 사건에 대한 추모식 모습이다. 이를 보고 물음에 답하시오.

(1) 사진에 나타난 사건과 관련 있는 두 부족의 이름을 쓰시오.

> 벨기에는 (   ), (   )을 구별한 후 두 부족 간 차별 정책을 실시해 분쟁의 씨앗이 생겼다.

(2) 르완다에서 발생한 학살 사건의 원인을 벨기에의 식민 지배와 관련지어 서술하시오.

12 그래프는 아프리카의 수출입 품목 구성을 나타낸 것이다. 이를 보고 물음에 답하시오.

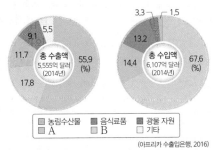

(아프리카 수출입은행, 2016)

(1) 그래프의 A, B에 들어갈 품목을 쓰시오. (단, A, B는 에너지 자원과 공업 제품 중 하나임.)

(2) 위와 같은 무역 구조의 특징과 문제점을 서술하시오.

13 그래프는 (가) 에너지 자원의 대륙 및 아프리카 국가별 매장량을 나타낸 것이다. 이를 보고 물음에 답하시오.

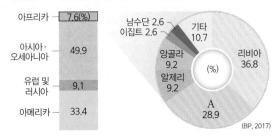

(BP, 2017)

(1) (가) 자원과 A 국가의 이름을 쓰시오.

(2) A 국가의 경우 (가) 자원이 풍부함에도 2021년 1인당 국민 총생산이 약 5,200달러 밖에 되지 않는다. 그 이유를 부의 분배 측면에서 서술하시오.

14 그래프는 칠레의 국내 총생산과 (가) 자원의 가격 변화를 나타낸 것이다. 이를 보고 물음에 답하시오.

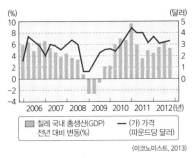

(이코노미스트, 2013)

(1) (가) 자원의 이름을 쓰시오.

(2) 위 자료를 보고 칠레 자원 개발의 특징을 서술하시오.

01 | 교육청 응용 |
다음은 세계지리 수업 시간에 학생이 작성한 활동지의 일부이다. ㄱ~ㄹ 지역에 대해 옳게 작성한 내용만을 고른 것은?

'사하라 이남 아프리카의 분쟁 지역' 조사하기
※ 주요 분쟁 지역을 지도에 표시하고 각 지역의 분쟁 원인 및 배경을 조사하여 작성하시오.

ㄱ 북부의 이슬람교도와 남부의 크리스트교도 간의 분쟁이 심하다.

ㄴ 종교적·인종적 차이로 내전이 발생하였다.

ㄷ 영국으로부터 독립 이후 이슬람교도와 힌두교도 간의 갈등이 지속되고 있다.

ㄹ 정부군과 반정부군이 다이아몬드 광산 쟁탈을 위한 전쟁이 발생하고 있다.

① ㄱ, ㄴ   ② ㄱ, ㄷ   ③ ㄴ, ㄷ
④ ㄴ, ㄹ   ⑤ ㄷ, ㄹ

02 | 수능 기출 |
다음 영화 소개 글에 등장하는 (가), (나) 국가를 지도의 A~C에서 고른 것은?

제목: ◇◇◇ 다이아몬드	제목: 파워 ○○○
1990년대 서아프리카의 __(가)__ 에서 다이아몬드 광산을 차지하려는 정부군과 인접국 라이베리아의 지원을 받은 반군 사이의 내전을 배경으로 한 영화이다. 비인간적인 소년병 실태와 분쟁 지역에서의 불법적 다이아몬드 유통 문제를 이야기하고 있다.	__(나)__ 에서 태어나 성장한 백인 소년의 사례를 통해 흑인의 인권과 정의를 이야기하고 있다. 영화의 주무대가 된 곳은 요하네스버그로 1994년 아파르트헤이트 정책이 철폐될 때까지 인종 차별이 극심했던 지역이다.

	(가)	(나)
①	A	B
②	A	C
③	B	A
④	B	C
⑤	C	A

03 | 교육청 기출 |
지도에 표시된 두 지역의 공통점으로 옳은 것만을 〈보기〉에서 고른 것은?

┤ 보기 ├
ㄱ. 과거 프랑스의 식민 지배를 받은 지역이다.
ㄴ. 크리스트교도와 이슬람교도 간에 갈등이 있다.
ㄷ. 석유 자원을 둘러싼 지역 간 분쟁을 겪고 있다.
ㄹ. 민족(종족) 분포를 토대로 국경선이 설정되었다.

① ㄱ, ㄴ   ② ㄱ, ㄷ   ③ ㄴ, ㄷ
④ ㄴ, ㄹ   ⑤ ㄷ, ㄹ

04 | 교육청 기출 |
다음 신문 기사의 (가)에 해당하는 국가를 지도의 A~E에서 고른 것은?

△△신문

__(가)__ 은/는 아프리카 최대 석유 생산국이며, 약 2억 명의 인구대국이다. 높은 성장 가능성에도 불구하고 석유를 둘러싼 이권 다툼이 이어지고 북부와 남부 간 민족·종교 갈등이 계속되었다. 이러한 상황에서 예상치 못한 성장을 이룬 산업이 영화 산업이다. 계속된 분쟁과 불안정한 치안으로 늦은 시간 외출할 수 없었던 주민들에게 TV에서 방영하는 영화는 주요한 여가 수단이 되었다. 매년 수천 편의 저예산 영화가 제작되면서 영화 산업은 많은 일자리와 큰 수익을 창출하였다. 이 국가의 영화 산업은 국가명과 할리우드라는 단어를 합성하여 날리우드(Nollywood)라고 불리며, 새로운 성장 동력으로 자리 잡고 있다.

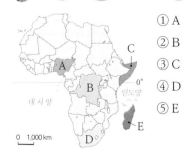

① A
② B
③ C
④ D
⑤ E

| 교육청 응용 |

05 다음 자료의 ㉠~㉤에 대한 설명으로 옳지 <u>않은</u> 것은?

수단과 이집트 사이의 ㉠ 국경선은 직선으로 나타난다. 옛 수단은 ㉡ 두 종교의 점이 지대에 위치하여 내전을 겪은 후 남수단과 수단으로 분리되었으며, 여전히 ㉢ 두 국가의 접경 지역에서는 갈등이 지속되고 있다.

남아프리카 공화국은 과거 ㉣ 아파르트헤이트를 실시하였으나, 현재는 다양한 사람들이 공존하는 국가로 거듭나고 있다. 금, 석탄, 다이아몬드 등 풍부한 자원을 바탕으로 공업이 성장하고 있으며, 특히 남부의 ㉤ 드라켄즈버그산맥 일대에서 주로 채굴되는 석탄은 아프리카에서 수출량이 가장 많다.

① ㉠ – 하천 유로를 따라 국경이 설정되었기 때문이다.
② ㉡ – 이슬람교와 크리스트교이다.
③ ㉢ – 석유 생산과 수송을 둘러싼 다툼이 원인 중 하나이다.
④ ㉣ – 유럽계가 아프리카계 주민 등을 차별한 정책이다.
⑤ ㉤ – 고기 습곡 산지이다.

| 평가원 응용 |

06 지도에 표시된 A, B 환경 문제에 대한 설명으로 옳지 <u>않은</u> 것은? (단, A, B는 각각 사막화와 열대림 파괴 중 하나임.)

① A의 자연적 요인으로 집중 호우를 들 수 있다.
② A의 인위적 요인으로 과도한 방목을 들 수 있다.
③ B는 생물 종 다양성 감소를 초래한다.
④ B의 대표적인 사례 지역으로 아마존강 유역이 있다.
⑤ A, B로 인해 토양 침식이 심화된다.

| 교육청 응용 |

07 자료는 답사한 지역에서 스케치한 그림을 나타낸 것이다. 그림의 내용과 답사 지역이 일치하는 것만을 지도의 A~D에서 고른 것은?

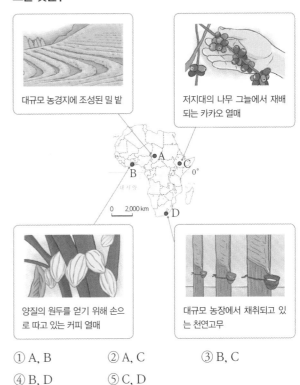

① A, B   ② A, C   ③ B, C
④ B, D   ⑤ C, D

| 평가원 응용 |

08 다음은 세계지리 수업 장면이다. 교사의 질문에 옳게 대답한 학생을 고른 것은?

① 갑: 1월보다 7월의 낮 길이가 깁니다.
② 을: 경제가 발달한 선진국에 해당합니다.
③ 병: 국토 대부분이 고산 기후 지역에 속합니다.
④ 정: 광산물이 수출에서 매우 큰 비중을 차지합니다.
⑤ 무: 판의 경계에서 멀어 지각이 안정되어 있습니다.

| 평가원 응용 |

09 다음은 세계지리 수업 장면이다. 교사의 질문에 옳게 대답한 학생만을 고른 것은?

지도는 대하천 (가)의 주변 국가를 나타낸 것입니다. (가)와 A~C 국가의 특성에 대해 이야기해 볼까요?

주제: (가) 유역 주변 국가 알아보기

갑 A는 고산 기후 지역을 중심으로 커피 산업이 발달했습니다.

을 B는 자원, 종교 등을 둘러싸고 A와 갈등이 지속되고 있습니다.

병 C에서 신자 수가 가장 많은 종교는 이슬람교입니다.

정 (가)는 습윤 지역에서 건조 지역으로 흐르는 외래 하천입니다.

① 갑, 을　　② 갑, 병　　③ 을, 병
④ 을, 정　　⑤ 병, 정

| 교육청 응용 |

10 지도에 표시된 (가), (나) 지역의 상대적 특징을 그림과 같이 나타낼 때, A, B에 들어갈 지표로 옳은 것은?

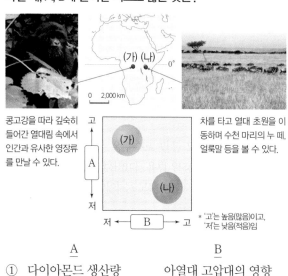

콩고강을 따라 깊숙히 들어간 열대림 속에서 인간과 유사한 영장류를 만날 수 있다.

차를 타고 열대 초원을 이동하며 수천 마리의 누 떼, 얼룩말 등을 볼 수 있다.

* '고'는 높음(많음)이고, '저'는 낮음(적음)임

	A	B
①	다이아몬드 생산량	아열대 고압대의 영향
②	다이아몬드 생산량	수목의 밀도
③	수목의 밀도	난민의 수
④	아열대 고압대의 영향	다이아몬드 생산량
⑤	아열대 고압대의 영향	수목의 밀도

| 평가원 기출 |

11 그래프는 두 국가의 상품 수출액 비율을 나타낸 것이다. (가), (나)에 해당하는 국가를 지도의 A~C에서 고른 것은?

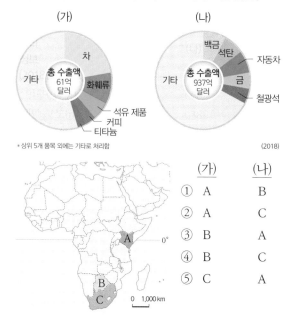

(가) 총 수출액 61억 달러 / 차, 화훼류, 석유 제품, 커피, 티타늄, 기타

(나) 총 수출액 937억 달러 / 백금, 석탄, 자동차, 금, 철광석, 기타

* 상위 5개 품목 외에는 기타로 처리함

(2018)

	(가)	(나)
①	A	B
②	A	C
③	B	A
④	B	C
⑤	C	A

| 수능 기출 |

12 그래프는 두 국가의 상품 수출액 비율을 나타낸 것이다. (가), (나)에 해당하는 국가를 지도의 A~D에서 고른 것은?

(가) 총 수출액 61억 달러 / 차, 화훼류, 석유 제품, 커피, 티타늄, 기타

(나) 총 수출액 418억 달러 / 원유, 석탄 및 석탄 제품, 화훼류, 커피, 석유 제품, 기타

(2018)

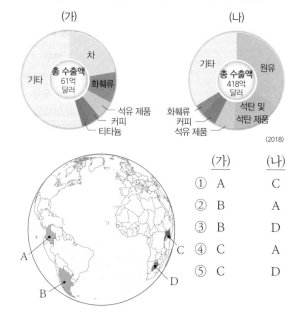

	(가)	(나)
①	A	C
②	B	A
③	B	D
④	C	A
⑤	C	D

딱풀 p. 58

| 평가원 기출 |

13 그래프는 남아메리카 세 국가의 주요 수출 상품 수출액 비율을 나타낸 것이다. (가)~(다)에 해당하는 국가를 지도의 A~C에서 고른 것은?

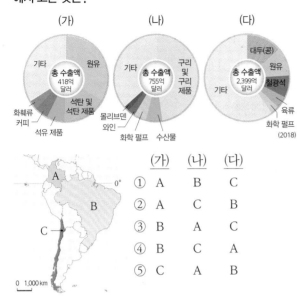

	(가)	(나)	(다)
①	A	B	C
②	A	C	B
③	B	A	C
④	B	C	A
⑤	C	A	B

| 교육청 기출 |

15 (가), (나)에 해당하는 국가를 지도의 A~D에서 고른 것은?

(가) 이 국가는 천연자원의 보고로 알려져 있다. 구리와 코발트가 풍부한 코퍼 벨트가 지나고 금, 주석, 콜탄, 다이아몬드 등의 매장량도 세계적이다. 하지만 풍부한 자원이 내전을 지속시키는 주요 원인이 되고 있고, 자원 개발 과정에서 고릴라와 같은 멸종 위기 동물의 서식지도 파괴되고 있다.

(나) '츠와나족의 땅'이라는 이름을 가진 이 국가는 아프리카에서 정치·경제적으로 안정된 국가 중 하나이다. 1966년 독립 이후 민족, 종교 문제로 인한 내전 없이 민주주의가 계속 유지되고 있으며, 전체 수출액의 상당한 부분을 차지하는 다이아몬드는 경제 성장의 원동력이 되고 있다.

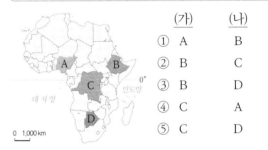

	(가)	(나)
①	A	B
②	B	C
③	B	D
④	C	A
⑤	C	D

| 평가원 기출 |

14 그래프의 (가)~(다)에 해당하는 국가를 지도의 A~C에서 고른 것은?

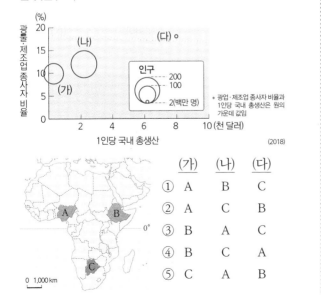

	(가)	(나)	(다)
①	A	B	C
②	A	C	B
③	B	A	C
④	B	C	A
⑤	C	A	B

| 평가원 기출 |

16 그래프는 아프리카 (가), (나) 국가의 상품 수출액 비율을 나타낸 것이다. 두 국가를 지도의 A~C에서 고른 것은?

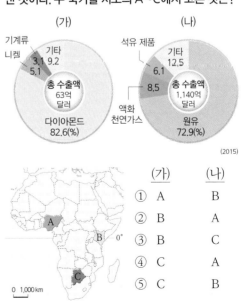

	(가)	(나)
①	A	B
②	B	A
③	B	C
④	C	A
⑤	C	B

VIII

공존과 평화의 세계

이 단원의 핵심 포인트

중단원	핵심 포인트	학습일
01 경제의 세계화와 경제 블록의 형성	• 경제의 세계화의 의미와 영향 • 세계 주요 경제 블록의 형성과 특징	월 일 ~ 월 일
02 지구적 환경 문제와 국제 협력 및 세계 평화와 정의를 위한 노력	• 지구적 환경 문제와 국제 협력 • 세계 평화와 정의를 위한 노력	월 일 ~ 월 일

셀파와 내 교과서 단원 비교

셀파	천재교과서	미래엔	비상교육	금성출판사
01 경제의 세계화와 경제 블록의 형성	01 경제의 세계화와 경제 블록의 형성	01 경제 세계화에 대응한 경제 블록의 형성	01 경제의 세계화와 경제 블록	01 경제의 세계화와 경제 블록
02 지구적 환경 문제와 국제 협력 및 세계 평화와 정의를 위한 노력	02 지구적 환경 문제와 국제 협력	02 지구적 환경 문제에 대한 국제 협력과 대처	02 지구촌 환경 문제와 국제 협력	02 지구적 환경 문제 해결을 위한 노력
	03 세계 평화와 정의를 위한 국제적 노력	03 세계 평화와 정의를 위한 지구촌의 노력들	03 세계 평화와 정의를 위한 지구촌의 노력들	03 세계 평화와 정의를 위한 노력

01 경제의 세계화와 경제 블록의 형성

1 경제의 세계화의 의미와 영향

1. 경제의 세계화 → 교통·통신이 발달하고 국가 간의 인적·물적 교류가 활발해지면서 국가 간 경제적 상호 의존성이 커짐

(1) **의미** 국경을 넘어 세계가 하나로 통합되어 가는 현상

(2) **특징** 국가 간 무역 장벽이 완화되고 세계가 하나의 시장으로 통합됨 → 다국적 기업의 활동
이 강화되며, 유통·금융 등 다양한 측면에서 경제의 세계화가 진행됨 └─ 세계를 무대로 하여 상품 판매 및 생산 활동을 하는 기업을 의미함

(3) **경제의 세계화가 미치는 영향**

긍정적 영향	• 기업의 제품 판매 시장 확대 → 기업 간 경쟁 과정에서 기술과 품질 향상 • 소비자의 상품 구매 시 선택의 기회 증가 • 국제 분업[1] 확산으로 자원 이용의 효율성 증가 • 무역 장벽[2] 완화로 국제 거래 규모 증가 → 경제적으로 상호 의존도가 높은 국가 간 자유 무역 협정(FTA) 체결로 자유 무역 확대
부정적 영향	• 선진국과 개발 도상국 간 경제적 격차 확대 • 산업 기반이 약한 개발 도상국 생산자(기업)의 다국적 기업 종속 심화 → 개발 도상국의 경쟁력이 낮은 산업은 고용과 발전 가능성이 감소함 • 자유 무역 협정에 따라 역외국에 대한 차별적 무역 조치로 무역 분쟁 발생 가능성 높아짐

└─ 선진국은 주로 고부가 가치의 첨단 산업을 담당하고 개발 도상국은 주로 저렴한 노동력을 활용한 제조업 부문을 담당하기 때문임

2. 세계 무역 기구(WTO)

(1) 우루과이 라운드 합의 사항에 대한 이행을 감시하기 위해 1995년에 만들어짐

(2) 공산품과 더불어 농산물과 서비스업에서도 자유 무역을 추진함 ─ 관세 및 무역에 관한 일반 협정(GATT)의 제8차 다자간 무역 협상을 의미함

(3) 무역 분쟁 조정 및 해결을 위한 법적 권한과 구속력 행사가 가능함

2 세계 주요 경제 블록의 형성과 특징

1. 경제 블록의 형성

(1) **의미** 지리적으로 인접하고 경제적으로 상호 의존도가 높은 국가들이 공동의 이익을 위해 구성하는 배타적인 경제 협력체

(2) **형성 배경**

① 상호 이익을 추구하기에 유리한 주변 국가끼리 공통된 경제적 목적을 이루기 위해 형성 → 다자주의[3]를 표방하는 세계 무역 기구(WTO)의 단점을 보완

② 지리적으로 밀접하며 경제적으로 상호 보완적인 국가 간에 나타남

③ 지역주의 심화로 최근 선진국 또는 개발 도상국을 중심으로 다양한 경제 블록이 형성됨

2. 경제 블록의 특징과 영향

(1) **특징** 경제적으로 공동의 이해관계에 놓인 지역 내 국가들은 관세와 수입 제한 철폐, 자본과 노동력·서비스의 자유로운 이동을 보장함 → 자유 무역 협정, 관세 동맹, 공동 시장, 완전 경제 통합 `자료 01`

(2) **영향**

① 장점 국가 간 경제 교류 활성화로 생산 비용 절감, 국가 간 관세 및 무역 장벽이 사라져 회원국 간의 무역량 증가[4]

② 단점 비회원국에 대한 차별로 국가 간 무역 및 외교 분쟁이 발생할 수 있음

(3) **주요 경제 블록** 미국·멕시코·캐나다 협정(USMCA)[5], 동남아시아 국가 연합(ASEAN), 남아메리카 공동 시장(MERCOSUR), 유럽 연합(EU) `자료 02`

고득점을 위한 셀파 Tip

경제의 세계화와 경제 블록

경제의 세계화	세계 무역 기구(WTO)가 출범하고 자유 무역이 확대되면서 경제의 세계화가 가속화됨
경제 블록	상호 이익을 추구하기 유리한 주변 국가들끼리 공통된 경제적 목적을 이루기 위해 형성됨

[1] 국제 분업(공간적 분업)
기업의 기획 및 관리, 연구, 생산, 판매 등 다양한 기능이 세계적인 범위에서 공간적으로 분리되어 있는 현상을 의미한다.

[2] 무역 장벽
국가 간의 무역 경쟁에서 자국의 상품을 보호하고 교역에 있어서 유리한 조건을 차지하거나 국제 수지를 개선하기 위해 정부가 인위적으로 취하는 법적·제도적 조치를 의미한다.

[3] 다자주의
다수의 국가가 참여하여 공동의 원칙을 수립하는 제도 및 방법을 의미한다. 세계 무역 기구의 경우 회원국이 증가하면서 많은 국가들의 서로 다른 입장을 하나로 모으고 조율하는 것이 어려운 상황이다.

[4] 경제 블록의 역내·역외 무역액 비교

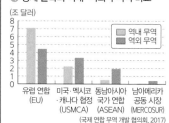

(국제 연합 무역 개발 협의회, 2017)

경제 블록에 따라 역내·역외 무역액 비율이 다르다. 역내 무역액 비율이 높은 경제 블록은 유럽 연합이며, 역외 무역액 비율이 높은 경제 블록은 동남아시아 국가 연합과 남아메리카 공동 시장이다.

[5] 미국·멕시코·캐나다 협정(USMCA)
북아메리카 자유 무역 협정(NAFTA)이 세 국가 간의 재협상을 통해 2020년 미국·멕시코·캐나다 협정(USMCA)으로 변화되었다.

자료 01 공통 자료 경제 통합의 단계

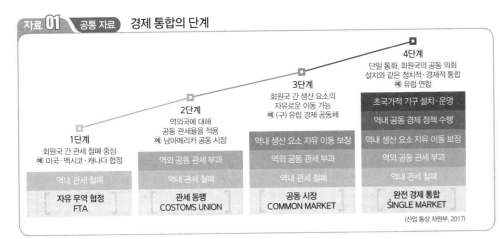

(산업 통상 자원부, 2017)

자료 분석 | 오늘날 지역 경제 통합은 크게 네 단계의 유형으로 이루어지고 있다. 자유 무역 협정(FTA)은 회원국 간 관세 축소를 통한 무역 장벽 해소를 통해 자유 무역을 추구한다. 관세 동맹은 회원국 간에는 관세를 없애거나 낮추고, 비회원국에 대해서는 공통으로 관세를 부과한다. 공동 시장은 관세 동맹에 추가로 자본, 노동 등 생산 요소의 자유로운 이동을 보장한다. 완전 경제 통합은 단일 통화 및 회원국의 공동 의회 설치와 같은 정치적·경제적 통합을 추구한다.

● 교과서 자료 더 보기 ＋

| 역내 포괄적 경제 동반자 협정 |

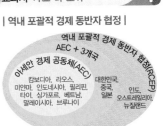

역내 포괄적 경제 동반자 협정은 동남아시아 국가 연합(ASEAN) 10개국과 대한민국, 중국, 일본, 오스트레일리아, 뉴질랜드 등 모두 15개국이 참여한 세계 최대 규모의 자유 무역 협정이다. 아시아·태평양 지역의 경제를 하나의 블록으로 묶는 이 협정이 발효될 경우 전 세계 인구의 약 절반 정도에 효력이 미칠 것으로 예상된다.

자료 02 공통 자료 주요 경제 블록

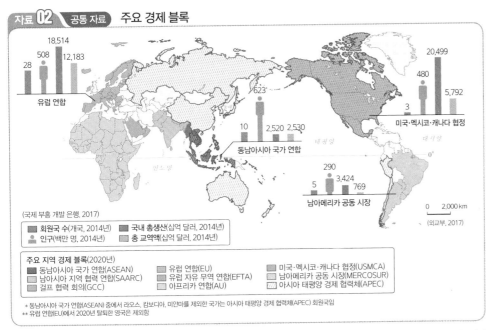

(국제 부흥 개발 은행, 2017)

■ 회원국 수(개국, 2014년)   ■ 국내 총생산(십억 달러, 2014년)
♟ 인구(백만 명, 2014년)   ■ 총 교역액(십억 달러, 2014년)

주요 지역 경제 블록(2020년)
■ 동남아시아 국가 연합(ASEAN)   □ 유럽 연합(EU)   □ 미국·멕시코·캐나다 협정(USMCA)
□ 남아시아 지역 협력 연합(SAARC)   □ 유럽 자유 무역 연합(EFTA)   □ 남아메리카 공동 시장(MERCOSUR)
□ 걸프 협력 회의(GCC)   □ 아프리카 연합(AU)   □ 아시아 태평양 경제 협력체(APEC)

＊동남아시아 국가 연합(ASEAN) 중에서 라오스, 캄보디아, 미얀마를 제외한 국가는 아시아 태평양 경제 협력체(APEC) 회원국임
＊＊유럽 연합(EU)에서 2020년 탈퇴한 영국은 제외함

0 2,000 km

(외교부, 2017)

자료 분석 | 경제 블록은 통합 수준에 따라 차이가 있지만 회원국 간에는 관세 및 수입 제한 철폐, 자본·노동력·서비스 등의 자유로운 이동 등을 보장한다. 하지만 역외국에 대해서는 차별적인 조치를 취하기도 한다. 경제 블록의 확대는 회원국 간 교역량 증가, 자원의 효율적 이용 등 긍정적 영향도 있지만, 지나치게 경제적 이윤을 중시해 경제의 세계화 흐름에서 소외된 국가와 지역은 오히려 경제 사정이 약화되는 등 부정적 영향이 나타나기도 한다.

● 교과서 탐구 풀이 ✎

Q 세계의 경제 블록이 공통적으로 지향하는 바를 정리해 보자.

A 세계의 경제 블록은 보다 넓은 시장을 확보하면서 역내의 다양한 장벽을 철폐하고 자본과 노동력의 자유로운 이동과 자유 경쟁을 보장하며, 국민들의 생활 수준 향상을 꾀한다. 결국 공동체 경제 활동의 조화로운 발전과 지속적이고 균형적인 성장 확대를 도모한다.

1 경제의 세계화

배경과 의미	• 교통·통신이 발달하고 국가 간의 인적·물적 교류가 활발해지면서 국가 간 경제적 상호 의존성이 커짐 • 국경을 넘어 세계가 하나로 통합되어 가는 현상
특징	• 국가 간 무역 장벽이 완화되고 세계가 하나의 시장으로 통합됨 • (❶)의 활동이 강화되며, 유통, 금융 등 다양한 측면에서 경제의 세계화가 진행됨

2 경제의 세계화가 미치는 영향

긍정적 영향	• 기업의 제품 판매 시장 확대 및 소비자의 상품 선택의 기회 증가 • 국제 분업 확산으로 자원 이용의 효율성 증가 • 무역 장벽 완화로 국제 거래 규모 증가
부정적 영향	• 선진국과 개발 도상국 간 경제적 격차 확대 • 산업 기반이 약한 개발 도상국 생산자(기업)의 다국적 기업 종속 심화 • 자유 무역 협정 확대에 따라 역외국에 대한 차별적 무역 조치로 인한 분쟁 확대

3 경제 블록의 형성

의미	지리적·경제적 인접성이 높은 지역 또는 국가 간의 경제 협력체
형성 배경	세계 무역 기구(WTO)가 자유 무역을 위한 합의를 효과적으로 이루어 낼 수 없음

4 경제 블록의 특징과 영향

특징	상호 이익을 추구하기 유리한 주변 국가끼리 공통된 경제적 목적을 이루기 위해 형성 → 역내 국가들은 (❷) 및 수입 제한 철폐 등을 보장
영향	• 회원국 간 자원 분배의 효율성 증가로 비용 절감, 투자 활성화, 정치적 안정화 등 • 역외 국가들에 대한 차별적인 정책으로 분쟁 가능성 증가함

5 주요 경제 블록

미국·멕시코·캐나다 협정(USMCA)	미국, (❸), 캐나다 간의 자유 무역 협정
동남아시아 국가 연합 (ASEAN)	싱가포르, 필리핀, 베트남 등 동남아시아 10개국 간의 인적·물적 교류 추진
남아메리카 공동 시장 (MERCOSUR)	남아메리카의 브라질, 아르헨티나, 우루과이 등으로 구성
유럽 연합(EU)	정치·경제·사회 분야에서 공동 정책 추진, 단일 화폐인 (❹) 사용

정답 ❶ 다국적 기업 ❷ 관세 ❸ 멕시코 ❹ 유로화

01 다음 글의 밑줄 친 (가)에 대한 설명으로 옳은 것은?

> 교통과 통신이 발달하고 국가 간의 인적·물적 교류가 활발해지면서 전 세계는 경제적으로 상호 의존성이 커지고 있으며, 국경을 넘어 세계가 하나로 통합되어 가는 경제의 세계화가 나타나고 있다. 이러한 경제의 세계화를 뒷받침하기 위해 (가) 세계 무역 기구(WTO)를 비롯한 다양한 국제기구가 설립되었다.

① 본부는 벨기에 브뤼셀에 있다.
② 무역 장벽을 높이는 역할을 주로 한다.
③ 국가 간 무역 분쟁을 조정하기도 한다.
④ 국가 간 무역 분야를 공산품에 국한시킨다.
⑤ 자유 무역 협정에 비해 자유 무역을 위한 합의가 효과적으로 이루어진다.

02 그래프는 주요 경제 블록의 역내·역외 무역액을 나타낸 것이다. 이에 대한 옳은 설명만을 〈보기〉에서 고른 것은? (단, A~C는 유럽 연합, 미국·멕시코·캐나다 협정, 동남아시아 국가 연합 중 하나임.)

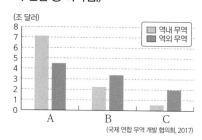

(국제 연합 무역 개발 협의회, 2017)

┤ 보기 ├
ㄱ. B는 단일 화폐를 사용한다.
ㄴ. C는 아시아 국가 간 경제 블록이다.
ㄷ. B는 A보다 통합의 단계가 높다.
ㄹ. 회원국 수는 A〉C〉B 순으로 많다.

① ㄱ, ㄴ　　　② ㄱ, ㄷ　　　③ ㄴ, ㄷ
④ ㄴ, ㄹ　　　⑤ ㄷ, ㄹ

03 (가), (나)에 해당하는 경제 블록의 유형을 표의 A~C에서 고른 것은?

(가) 회원국 간 무역 장벽을 해소하고 관세 축소를 통한 자유 무역을 추구한다. 대표적인 예로 미국·멕시코·캐나다 협정(USMCA)이 있다.

(나) 브라질, 아르헨티나, 우루과이, 파라과이 등으로 구성된 경제 협력체로, 공동의 경제 정책 시행을 목적으로 한다.

구분	역내 관세 철폐	역외 공동 관세 부과	역내 생산 요소의 자유 이동 보장
A	○	×	×
B	○	○	×
C	○	○	○

	(가)	(나)		(가)	(나)
①	A	B	②	A	C
③	B	A	④	C	A
⑤	C	B			

04 자료는 학생의 세계지리 노트 중 일부이다. ㉠에 해당하는 경제 블록을 고른 것은?

〈 ㉠ 의 주요 특징〉

1. 1인당 국내 총생산: 2007년 2,343달러에서 2015년 3,854달러로 증가하였다.
2. 교역량: 2007년 1조 6,107달러에서 2015년 2조 3,927달러로 증가하였다.
3. 인구 규모: 2015년 기준 약 6억 3,230만 명이다.
4. 회원국 수: 2015년 기준 10개국이 가입되어 있다.

① 유럽 연합(EU)
② 아프리카 연합(AU)
③ 동남아시아 국가 연합(ASEAN)
④ 남아메리카 공동 시장(MERCOSUR)
⑤ 미국·멕시코·캐나다 협정(USMCA)

05 다음 글을 읽고 물음에 답하시오.

경제의 세계화 영향으로 세계 여러 국가는 지리적으로 인접하거나 경제적으로 상호 의존도가 높은 지역 및 국가끼리 [(가)]을/를 체결하여 무역 장벽을 낮추는 등 경제 협력을 강화하는 추세이다. 이러한 [(가)]의 확대로 다양한 영향이 나타나고 있다.

(1) (가)에 들어갈 용어를 쓰시오.

_____

(2) (가)의 확대로 나타날 긍정적 영향과 부정적 영향을 각각 한 가지씩 서술하시오.

_____
_____
_____

06 지도는 두 경제 협력체를 나타낸 것이다. 이를 보고 물음에 답하시오.

(1) (가), (나)에 해당하는 경제 블록의 명칭을 쓰시오.

_____

(2) (가), (나) 경제 블록의 차이점을 서술하시오.

_____
_____
_____

01 | 교육청 기출 |

다음은 수업 노트의 일부이다. (가)에 들어갈 내용으로 가장 적절한 것은?

- 주제: (가)
- 정의: 정치·경제·사회·문화 등의 분야에서 세계가 하나의 공동체로 통합되는 현상
- 배경: 교통·통신의 발달에 따른 시공간 압축
- 영향
  - 세계 각국의 상호 의존성 증대
  - 다양한 세계 문화의 활발한 교류

① 세계화   ② 지역화   ③ 경제 블록
④ 장소 마케팅   ⑤ 지리적 표시제

02 | 교육청 기출 |

다음 글의 ⊙~ⓔ에 대한 옳은 설명만을 〈보기〉에서 고른 것은?

'한국식 메이크업'이 여러 국가에서 유행하고 있다. ⊙ 사회 관계망 서비스(SNS)를 통해 한국식 메이크업 기법을 다룬 콘텐츠들이 세계의 많은 사람들 사이에서 공유되고 있으며, 한국의 화장품을 찾는 해외 수요도 증가하였다. 국내 화장품 기업들도 적극적으로 해외에 진출하고 있다. 국내의 A사는 ⓒ 우리나라에 본사를 두고 미국, 프랑스 등에 연구 센터, 중국에 생산 공장을 설립해 해외 시장 확대에 나섰다. 특히 이 기업은 ⓒ 국가별 기후, 문화 등을 고려한 제품 개발에 노력하였고, ⓔ 타이에서는 덥고 습한 기후로 자극받은 피부를 진정시킬 수 있는 크림 제품을 출시하여 좋은 반응을 얻었다.

┤ 보기 ├

ㄱ. ⊙은 국경의 역할과 의미가 강화되면서 나타나는 현상이다.
ㄴ. ⓒ은 기업의 국제적 분업이 나타난 사례이다.
ㄷ. ⓒ은 지리 정보의 유형 중 공간 정보에 해당한다.
ㄹ. ⓔ은 지리적 특성을 반영한 현지화 전략이다.

① ㄱ, ㄴ   ② ㄱ, ㄷ   ③ ㄴ, ㄷ
④ ㄴ, ㄹ   ⑤ ㄷ, ㄹ

03 | 교육청 기출 |

자료의 ⊙~ⓔ에 대한 옳은 설명만을 〈보기〉에서 고른 것은?

2020년 결산의 첫 번째 키워드는 역내 포괄적 경제 동반자 협정(RCEP)의 타결입니다. ⊙ 동남아시아 국가 연합(ASEAN)의 회원국과 대한민국, ⓒ , 일본, 오스트레일리아, 뉴질랜드 총 15개국이 참여한 이 협정은 참여국의 무역 규모와 인구 측면에서 세계 최대의 ⓒ 자유 무역 협정입니다.
두 번째 키워드는 ⓒ , 베트남, 필리핀, 말레이시아 등 6개 국가가 대립하고 있는 ⓔ 남중국해 분쟁입니다. 최근에는 ⓒ 와/과 미국의 패권 다툼으로 이어지고 있습니다.

┤ 보기 ├

ㄱ. ⊙에는 인도가 포함된다.
ㄴ. ⓒ은 세계에서 인구가 가장 많다.
ㄷ. ⓒ은 회원국 간 무역 장벽의 완화를 목적으로 한다.
ㄹ. ⓔ의 주요 원인은 인접 국가 간 종교 갈등이다.

① ㄱ, ㄴ   ② ㄱ, ㄷ   ③ ㄴ, ㄷ
④ ㄴ, ㄹ   ⑤ ㄷ, ㄹ

04 | 교육청 기출 |

(가), (나)에 들어갈 내용으로 옳은 것은?

- (가) 은/는 회원국 간의 노동력, 자본, 상품의 자유로운 이동이 가능한 단일 시장을 형성하고 있다. 다수의 회원국이 단일 통화를 사용하고 있는 지역 경제 협력체이다.
- (나) 은/는 1995년 국가 간 무역 장벽을 제거하고 자유 무역을 확대하기 위해 설립된 국제기구이다. 공산품뿐만 아니라 농산물, 서비스 분야에서도 자유 무역을 추구한다.

	(가)	(나)
①	유럽 연합(EU)	국제 연합(UN)
②	유럽 연합(EU)	세계 무역 기구(WTO)
③	동남아시아 국가 연합(ASEAN)	국제 연합(UN)
④	동남아시아 국가 연합(ASEAN)	경제 협력 개발 기구(OECD)
⑤	미국·멕시코·캐나다(USMCA)	세계 무역 기구(WTO)

| 딱풀 p. 61

| 교육청 응용 |

05 다음은 수업 장면의 일부이다. 교사의 질문에 적절하게 대답한 학생만을 고른 것은?

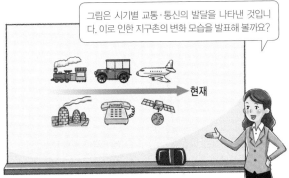

그림은 시기별 교통·통신의 발달을 나타낸 것입니다. 이로 인한 지구촌의 변화 모습을 발표해 볼까요?

갑: 다른 국가에서 열리는 스포츠 경기를 실시간으로 볼 수 있어요.

을: 전자 상거래 활성화로 국제 교역량이 감소했어요.

병: 가까운 이웃 나라로의 당일 출장이 가능해졌어요.

정: 항공 교통의 발달로 세계 도시의 영향력이 악화됐어요.

① 갑, 을 ② 갑, 병 ③ 을, 병

④ 을, 정 ⑤ 병, 정

| 평가원 기출 |

06 그래프는 지도에 표시된 네 국가의 자동차 생산량 변화를 나타낸 것이다. 이에 대한 설명으로 옳은 것은?

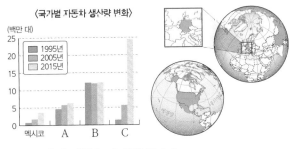

〈국가별 자동차 생산량 변화〉

① B는 유럽 연합(EU) 회원국이다.

② A는 C보다 2015년 국내 총생산(GDP) 규모가 크다.

③ B는 C보다 2015년 제조업 종사자 수가 많다.

④ 2005년 자동차 생산량은 중국이 미국보다 많다.

⑤ 1995년 대비 2015년 자동차 생산량 증가율은 멕시코가 독일보다 높다.

| 교육청 기출 |

07 다음 글의 ⊙~⊕에 대한 설명으로 옳은 것은?

> ⊙ 세계가 하나의 경제권으로 통합되면서 세계를 무대로 생산과 판매 활동을 하는 다국적 기업이 성장하고 있다. 다국적 기업은 ⓒ 관리, 연구, 생산 기능을 분리 배치함으로써 시장을 확대하고 이윤을 극대화하고자 한다. 특히 ⓒ 생산 공장은 본국을 떠나 개발 도상국뿐만 아니라 ② 선진국에도 진출해 있다. 또한 경영의 효율성을 높이기 위해서 ⓜ 금융, 디자인, 광고, 법률 등의 서비스 기능을 외부에 맡기고, 경쟁 업체와 협력 관계를 이루기도 한다.

① ⊙ – 교통과 통신의 발달로 시공간 제약이 커졌기 때문이다.

② ⓒ – 인구가 많은 개발 도상국에 주로 입지한다.

③ ⓒ – 본국에서 제조업 분야의 일자리가 증가한다.

④ ② – 생산비 중 노동비 절감의 효과가 크기 때문이다.

⑤ ⓜ – 접근성이 좋은 핵심 지역이나 대도시에 집중되는 경향을 보인다.

| 교육청 기출 |

08 지도에 표시된 (가), (나) 경제 블록의 특징을 그림의 A~D에서 고른 것은?

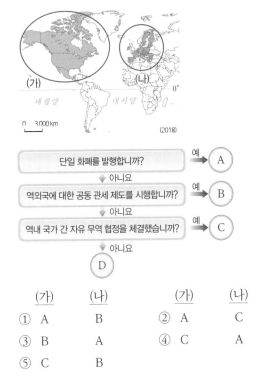

단일 화폐를 발행합니까? → 예 → A

↓ 아니요

역외국에 대한 공동 관세 제도를 시행합니까? → 예 → B

↓ 아니요

역내 국가 간 자유 무역 협정을 체결했습니까? → 예 → C

↓ 아니요

D

	(가)	(나)		(가)	(나)
①	A	B	②	A	C
③	B	A	④	C	A
⑤	C	B			

01. 경제의 세계화와 경제 블록의 형성 **231**

02 지구적 환경 문제와 국제 협력 및 세계 평화와 정의를 위한 노력

1 지구적 환경 문제와 국제 협력

1. 기후 변화와 지구 온난화 _{자료 01}

┌ 기후는 태양 복사 에너지의 변화, 대기 구성의 변화, 지표면
└ 상태의 변화에 따라 달라짐

(1) **기후 변화** 자연적·인위적 원인에 의해 기후가 변화하는 것으로, 최근에는 온실가스❶의 배출량이 증가하여 지구의 평균 기온이 상승하는 지구 온난화가 가속화되고 있음

(2) **지구 온난화**

원인	산업화와 도시화로 화석 에너지 사용량이 증가하여 이산화 탄소·아산화 질소 등의 온실가스 배출 증가, 삼림 파괴로 인한 이산화 탄소 흡수 능력 감소 등
영향	극지방 및 고산 지대의 빙하가 녹아 해수면 상승, 해충의 확산으로 인한 질병 발생 증가, 기상 이변에 따른 가뭄·홍수·폭염·한파 등의 피해 증가 등
대책	화석 에너지 사용량 감소, 신·재생 에너지 확대를 통한 온실가스 감축, 삼림 보호 등

2. 지구적 환경 문제

(1) **열대림 파괴**

① 원인 무분별한 벌목과 농경지 확대, 자원 개발 등

② 지구 대기로 배출되는 산소의 양을 감소시켜 지구 온난화 가속화, 동식물 서식지 파괴 등

(2) **오존층 파괴**

① 원인 염화 플루오린화 탄소(CFCs)❷의 사용량 증가로 성층권의 오존층❸이 감소되는 현상

② 지구 대기를 통과하는 자외선 증가로 피부암, 백내장 등 각종 질병 발병률 증가 등

(3) **사막화**

① 원인 기후 변화로 인한 장기간의 가뭄, 과도한 방목 및 개간, 관개 농업 등

② 주로 사막 주변 지역에서 발생함

(4) **산성비**

① 원인 공장, 자동차, 발전소 등에서 발생되는 황산화물과 질소 산화물 등의 대기 오염 물질이 수증기나 비와 만나 형성

② 삼림 파괴, 호수의 산성화로 인한 피해, 구조물 및 건축물의 부식, 오염 물질의 국제 이동에 따른 갈등 등

┌ 대부분 플라스틱이나 비닐로 구성되어
└ 있어 해양 생태계를 파괴하고 있음

(5) **쓰레기 섬**❹ 해양으로 유입된 쓰레기가 해류를 따라 이동하면서 거대한 쓰레기 섬을 형성

(6) **황사, 미세 먼지** 급속한 공업화가 이루어지는 지역이나 사막 등에서 발생한 모래바람과 미세 먼지가 탁월풍을 타고 이동하면서 인접 국가에 피해를 줌

3. 지구적 환경 문제에 대처하는 국제 사회의 노력

(1) **국가 간 주요 환경 협약** 람사르 협약, 런던 협약, 제네바 협약, 몬트리올 의정서, 바젤 협약, 사막화 방지 협약, 교토 의정서, 파리 협정 _{자료 02}

(2) **다양한 주체의 노력**

① 국가 환경 친화적 정책 마련, 저탄소 에너지 소비 구조 구축 등

② 개인 대중교통 이용, 환경 친화적 제품 이용 등 생활 속에서 환경 보전 활동 실천 등

③ 비정부 기구(NGO) 그린피스, 지구의 벗 등 다양한 비정부 기구의 범세계적인 활동 증대

---

❶ **온실가스**

이산화 탄소, 메테인, 아산화 질소 등 지구 복사 에너지를 흡수하여 대기의 온도를 높이는 역할을 하는 기체이다.

❷ **염화 플루오린화 탄소**

오존층을 파괴하는 주요 원인 물질 중 하나로 주로 냉장고나 에어컨의 냉매제로 사용되었다.

❸ **오존층**

오존층은 동식물에 해로운 태양의 자외선이 지상에 도달되는 것을 막아 준다.

❹ **쓰레기 섬**

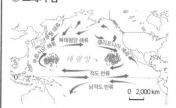

바다로 유입된 쓰레기가 해류를 타고 표류하다가 해류의 흐름이 약한 곳에 모여 쓰레기 섬을 형성한다. 문제는 이 섬을 구성하는 물질이 대부분 플라스틱이나 비닐이라 주변 해양 생태계에 악영향을 주고 있다.

고득점을 위한 셀파 Tip

주요 환경 협약

람사르 협약	습지 보호
런던 협약	해양 투기 방지
제네바 협약	산성비 문제 해결
몬트리올 의정서	오존층 보호
바젤 협약	폐기물 이동 규제
사막화 방지 협약	사막화 피해 지원
교토 의정서, 파리 협정	온실가스 감축

자료 01 기후 변화에 따른 세계 여러 지역의 피해

기후 변화의 영향
- ▢ 홍수 빈발 지역
- ▢ 가뭄 빈발 지역
- ✳ 빙하 감소 지역
- ⊙ 열대 저기압 주요 피해 지역
- ⬭ 생태 변화가 심한 지역
- ── 해수면 상승으로 인한 침수 위험 지역

(콜린스 세계 지도, 2015)

자료 분석 | 산업화와 도시화로 인해 석유, 석탄 같은 화석 연료의 사용이 급증하고 자원 개발과 농경지 확대로 삼림 파괴가 증가하였다. 이로 인해 대기 중의 온실가스 배출량이 증가하여 지구의 평균 기온이 증가하는 지구 온난화가 심화되고 있다. 지구 온난화로 극지방 및 고산 지대의 빙하가 녹아 해수면이 상승하면서 일부 해안 저지대는 생활 터전이 침수되는 피해를 받고 있다. 또한 동식물은 서식 환경 변화로 멸종 위기에 처하기도 하였다. 그 이외에도 기상 이변이 증가하여 가뭄과 홍수, 폭염과 한파 등으로 인한 피해가 증가하고 있다.

자료 02 공통 자료 주요 환경 협약

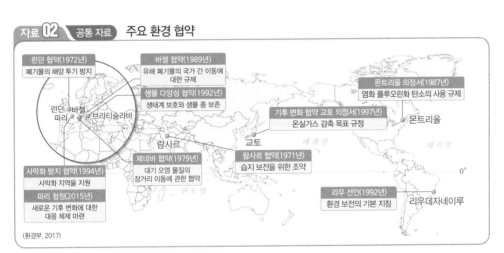

런던 협약(1972년)
폐기물의 해양 투기 방지

바젤 협약(1989년)
유해 폐기물의 국가 간 이동에 대한 규제

생물 다양성 협약(1992년)
생태계 보호와 생물 종 보존

몬트리올 의정서(1987년)
염화 플루오린화 탄소의 사용 규제

기후 변화 협약 교토 의정서(1997년)
온실가스 감축 목표 규정

람사르 협약(1971년)
습지 보전을 위한 조약

제네바 협약(1979년)
대기 오염 물질의 장거리 이동에 관한 협약

사막화 방지 협약(1994년)
사막화 지역을 지원

파리 협정(2015년)
새로운 기후 변화에 대한 대응 체제 마련

리우 선언(1992년)
환경 보전의 기본 지침

(환경부, 2017)

자료 분석 | 지구적 환경 문제를 해결하기 위해 국제기구에서는 다양한 국제 협약을 체결하고 있다.

람사르 협약	철새 및 물새 서식지로서 국제적으로 중요한 습지에 관한 협약 → 습지의 보호와 지속 가능한 이용을 목적
런던 협약	폐기물의 해양 투기로 인한 해양 오염 방지가 목적
제네바 협약	대기 오염 물질의 장거리 이동에 관한 협약 → 산성비 문제 해결을 위해 국경을 넘어 이동하는 대기 오염 물질의 감축 및 통제
몬트리올 의정서	오존층 파괴 물질의 배출을 억제하여 오존층을 보호
바젤 협약	유해 폐기물의 국가 간 이동에 관한 규제
사막화 방지 협약	국제적 노력을 통해 사막화 방지 → 사막화를 겪고 있는 개발 도상국에 재정적·기술적 지원
교토 의정서	미국, 유럽 국가 등 38개 선진국의 온실가스 감축 목표를 구체적으로 제시하였으며, 탄소 배출권 거래제를 도입
파리 협정	선진국, 개발 도상국 모두 온실가스 감축 의무에 참여하도록 독려

● 교과서 자료 더 보기 +

| 지역별 인구와 1인당 생태 발자국 |

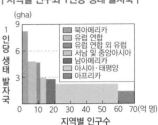

* 2012년 기준 (세계 자연 보호 기금, 2016)

인구 증가와 산업 발달로 생산과 소비가 증가함에 따라 지구의 생태 발자국 수치는 빠르게 커지고 있다. 특히 소득 수준이 높은 지역일수록 1인당 생태 발자국 수치가 높게 나타난다.

● 교과서 자료 더 보기 +

| 탄소 배출권 거래제 |

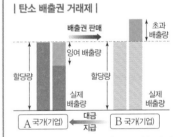

국가나 기업 간에 탄소 배출 허용량을 거래할 수 있는 제도이다. 국가 또는 기업마다 배출할 수 있는 탄소의 총량을 규정한 후 사용하지 않은 탄소 배출량은 초과 배출한 국가나 기업에 판매할 수 있다.

● 교과서 탐구 풀이

Q 우리가 일상생활에서 환경 문제 해결을 위해 실천할 수 있는 일들을 정리해 보자.

A 가까운 거리는 가능한 걷거나 대중교통 이용하기, 사용하지 않는 조명이나 전자 제품의 플러그 뽑기, 여름철·겨울철 실내 온도를 적정 온도로 유지하기, 분리배출 철저히 하기, 일회용품의 사용 자제하기, 샴푸나 세제를 많이 사용하지 않기, 종이 아껴 쓰기, 환경 문제 해결을 위한 캠페인에 관심 가지고 참여하기 등

2 세계 평화와 정의를 위한 노력

1. 세계의 주요 지역 분쟁과 난민

(1) **세계의 주요 지역 분쟁** 영역, 자원(에너지·물 자원 등)의 소유권을 둘러싼 분쟁, 민족(인종) 및 문화적 차이(종교, 언어 등)로 인한 분쟁 등 다양한 이유로 발생하며, 한 가지 원인이 아닌 여러 가지 원인이 복합적으로 작용함 자료 **03**

물 분쟁	티그리스·유프라테스강, 나일강, 갠지스강, 오리노코강 유역 등
영토 분쟁	쿠릴 열도, 포클랜드 제도 등
민족·종교 분쟁	이스라엘-팔레스타인 분쟁, 카슈미르 분쟁, 티베트 분리 독립 운동, 에스파냐 카탈루냐 지방의 분리 독립 운동, 필리핀 모로족의 분리 독립 운동 등
에너지 자원 분쟁	북극해 분쟁, 남중국해(시사 군도, 난사 군도), 기니만, 아부무사섬 등

(2) **지역 분쟁으로 인한 난민의 발생**

① **난민** 인종, 종교 또는 정치·사상적 차이로 인한 박해와 전쟁, 테러, 극도의 빈곤, 자연재해 등을 피해 외국이나 다른 지역으로 탈출한 사람

② **난민의 발생** 내전과 종교적 갈등이 자주 발생하는 아프리카와 서남아시아, 중앙 및 남아메리카 지역에서 발생 → 난민들의 대부분은 난민이 발생한 국가와 국경을 접하고 있는 인근 지역으로 유입됨

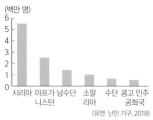

▲ 주요 국제 난민 발생국

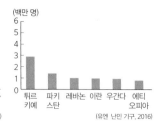

▲ 주요 국제 난민 수용국

2. 분쟁 해결을 위한 노력과 세계 시민의 함양

(1) **분쟁 해결을 위한 노력**

국제 사회 난민의 안전과 기본권을 보장하기 위해 유엔 난민 기구(UNHCR)를 만들어 대처하고 있음

① **국제 연합(UN)의 노력** 세계 평화를 위한 초국가적 협의체로서 국가 간의 상호 이해와 협력 증진 추구 → 무력 분쟁 및 갈등, 난민 문제 해결을 위한 노력 자료 **04**

국제 사법 재판소	국가 간의 분쟁을 법적으로 해결하는 국제기구
유엔 안전 보장 이사회⑤	5개 상임국과 10개의 비상임국으로 구성 → 국제 평화와 안전을 유지하기 위한 권한과 책임을 행사
국제 연합 평화 유지군⑥	분쟁 지역의 무력 충돌 방지·감시 및 주민 보호

② **비정부 기구(NGO)의 노력** 인류의 존엄과 공공의 이익을 추구하는 개인이나 민간단체를 중심으로 국제적 연대를 통해 범세계적인 문제 해결을 위해 노력하고 있음

그린피스	1970년 결성된 반핵 단체로 현재는 다양한 시민운동을 하고 있는 대표적인 환경 단체
국경 없는 의사회	전쟁이나 자연재해로 피해를 당한 사람들의 의료나 보건 지원
국제 사면 위원회(앰네스티)	중대한 인권 학대를 예방 및 종식하고자 노력함

(2) **세계 시민⑦ 의식 함양**

① 지구촌 공동체의 구성원임을 인식 → 세계의 다양한 문제에 관심을 가지고 해결하려는 의지를 가짐

② 국제 평화를 추구하고 보편적인 인권 존중 의식을 함양

지역 분쟁과 난민

지역 분쟁	영토, 자원, 종교, 민족 등 다양한 원인으로 발생

⇩

난민 발생	내전과 종교 갈등이 자주 발생하는 지역을 떠나 지리적으로 인접한 국가로 떠나는 경우가 많음

⑤ **안전 보장 이사회**

미국, 영국, 러시아, 프랑스, 중국으로 구성된 5개의 상임 이사국과 국제 연합 총회에서 2년마다 선출되는 10개의 비상임 이사국으로 구성된다. 안전 보장 이사회의 의결에는 상임 이사국 5개 국가 모두의 동의가 필요하다.

⑥ **국제 연합 평화 유지군 활동**

2000년대 이후 국제 연합 평화 유지군의 활동이 활발해졌다. 특히 사하라 이남 아프리카 지역의 활동 인원수가 가장 많다.

⑦ **세계 시민**

인류의 보편적 가치를 인식하고, 이를 생활 속에서 어떻게 실천해 갈지 고민하고 행동하는 시민을 의미한다.

자료 **03** 공통 자료 세계의 주요 지역 분쟁과 난민 수

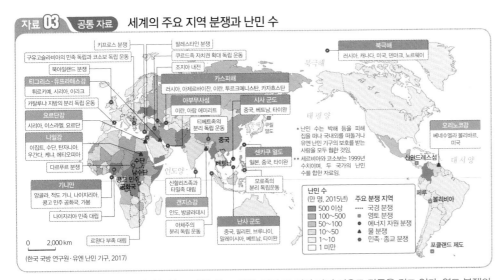

(한국 국방 연구원·유엔 난민 기구, 2017)

자료 분석 | 오늘날 세계 여러 지역은 영토, 자원, 종교, 민족, 언어 등 여러 가지 이유로 갈등을 겪고 있다. 영토 분쟁의 대부분은 영토 내 자원 확보를 둘러싸고 발생하는데, 최근 센카쿠 열도(댜오위다오)와 난사 군도(스프래틀리 군도) 등에서 석유와 천연가스가 매장되어 있다고 알려지면서 이 지역을 둘러싼 주변 국가 간 분쟁이 치열하다. 종교·민족 분쟁은 서로 다른 종교(종파)와 민족 간 갈등으로 발생한다. 자원 분쟁은 석유, 수자원 등 경제 가치가 있는 자원의 확보를 위해 발생한다.

● **교과서 자료 더 보기** +

| 쿠르드족의 거주 지역 |

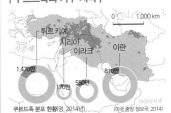

쿠르드족 분포 현황(명, 2014년).　(미국 중앙 정보국, 2014)

영토 분쟁은 국경선이 명확하게 설정되지 않은 지역, 한 국가가 다른 국가의 영역을 무력으로 점령한 역사가 있는 지역, 민족이나 종교에서 차이를 보이는 소수 민족이 분리·독립하려는 지역에서 주로 발생한다. 특히 독립 국가를 건설하기 위해 노력하고 있는 쿠르드족은 쿠르디스탄이라 불리는 지역에 거주하며, 나라로는 튀르키예, 시리아, 이라크, 이란 지역에 흩어져 살며 나라 없는 민족을 어려움을 겪고 있다.

자료 **04** 국제 연합(UN)의 활동

(국제 연합, 2016 / 외교부, 2015)

자료 분석 | 국제 연합(UN)은 분야별 전문 기관을 두고 경제적·사회적·문화적 차원에서의 국제 협력을 늘리고 있다. 국제 사회는 국가 간 분쟁을 법적으로 해결하는 국제 사법 재판소, 분쟁 지역의 무력 충돌을 감시하고 주민을 보호하며 지역의 재건과 의료 지원을 도와주는 국제 연합 평화 유지군, 국제 연합 안전 보장 이사회 등을 통해 세계 평화 유지를 위해 노력하고 있다.

● **교과서 자료 더 보기** +

| 국제 연합 헌장 제1조 |

1. 국제 평화와 안전을 유지한다. 이를 위하여 평화에 대한 위협을 방지 및 제거하고, 침략 행위와 평화를 파괴 하는 행위를 진압하기 위하여 효과적인 집단적 조치를 취한다. 평화를 파괴할 우려가 있는 국제적 분쟁이나 사태를 평화적 수단과 정의, 국제법의 원칙에 따라 조정 또는 해결한다.

2. 사람들의 평등권 및 자결의 원칙을 존중한다. 이에 기초하여 국가 간의 우호 관계를 발전시키며, 세계 평화를 위한 기타 적절한 조치를 취한다.

3. 경제적·사회적·문화적 또는 인도적 성격의 국제 문제를 해결한다. 또한 인종, 성별, 언어, 종교에 따른 차별 없이 모든 사람의 인권 및 기본적 자유를 존중한다. 이를 위하여 국제적 협력을 달성한다.

4. 이러한 공동의 목적을 달성함에 있어서 각 국의 활동을 조화시키는 중심이 된다.

1 지구적 환경 문제

(❶)	화석 연료 사용 증가로 지구 평균 기온 상승 → 해수면 상승, 이상 기후 현상 발생
열대림 파괴	농경지 확대에 따른 무분별한 벌목 → 생물 종 다양성 감소 및 지구 온난화 심화
오존층 파괴	염화 플루오린화 탄소 사용 → 피부암, 백내장 등의 질병 증가
사막화	기후 변화로 인한 장기간의 가뭄, 과도한 방목과 개간
산성비	공장·자동차·발전소 등에서 발생되는 대기 오염 물질과 비가 만나 형성
쓰레기 섬	해양으로 유입된 쓰레기가 해류를 타고 이동하면서 쓰레기 섬 형성
황사, 미세 먼지	모래바람과 미세 먼지가 바람을 타고 이동하면서 인접국에 대기 오염 피해를 줌

2 지구적 환경 문제에 대처하는 국제 사회의 노력

국제적 노력	• 환경 협약: 람사르 협약(습지), 제네바(산성비), 몬트리올 의정서(오존층), 바젤 협약(폐기물 이동) 등 • 기후 변화: 교토 의정서(1997년), (❷) (2015년)
국가적 노력	환경 친화적 정책 마련, 저탄소 에너지 소비 구조 구축 등
개인적 노력	대중교통 이용, 환경 친화적 제품 이용 등 생활 속에서 환경 보전 활동 실천
비정부 기구의 노력	그린피스, 지구의 벗 등

3 세계의 주요 지역 분쟁과 난민

분쟁 지역	• 물 분쟁: 티그리스·유프라테스 강, 나일강, 갠지스강 등 • 영토 분쟁: 쿠릴 열도, 포클랜드 제도 등 • (❸) 분쟁: 이스라엘-팔레스타인, 카슈미르, 티베트 분리 독립 운동, 카탈루냐 분리 독립 운동 등 • 자원 분쟁: 북극해, 남중국해 등
난민	인종, 종교 또는 정치·사상적 차이로 인한 박해와 전쟁, 테러, 극도의 빈곤, 자연재해 등을 피해 외국이나 다른 지역으로 탈출한 사람

4 분쟁 해결을 위한 노력과 세계 시민의 자세

(❹)	국제 사법 재판소, 유엔 안전 보장 이사회, 국제 연합 평화 유지군, 유엔 난민 기구 등
비정부 기구(NGO)	그린피스, 국경 없는 의사회 등
세계 시민 의식 함양	지구촌 공동체의 구성원임을 인식

정답 ❶ 지구 온난화 ❷ 파리 협정 ❸ 민족·종교 ❹ 국제 연합

01 자료는 북극해 빙하의 면적 변화를 나타낸 것이다. 이와 같은 추세가 지속될 경우 나타날 수 있는 현상으로 옳지 <u>않은</u> 것은?

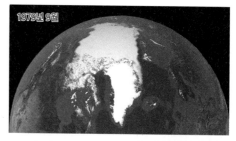

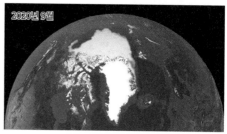

① 이상 기후 현상이 증가할 것이다.
② 고산 식물 분포 고도가 높아질 것이다.
③ 냉대 기후가 나타나는 위도대가 더 낮아질 것이다.
④ 해발 고도가 높은 지역의 만년설이 감소할 것이다.
⑤ 해수면 상승으로 바닷가의 낮은 지역은 침수될 것이다.

02 다음 글의 (가), (나)에 들어갈 내용으로 옳은 것은?

> 국가 간 주요 환경 협약으로는 온실가스를 줄이기 위한 (가) 을/를 도입한 교토 의정서, 선진국과 개발 도상국 모두 온실가스 감축 의무에 동참하도록 규정한 (나) 등이 있다.

	(가)	(나)
①	지구의 시간	파리 협정
②	지구의 시간	런던 협약
③	탄소 배출권 거래제	바젤 협약
④	탄소 배출권 거래제	파리 협정
⑤	탄소 배출권 거래제	런던 협약

★03 지도의 A~D는 분쟁 지역을 표시한 것이다. 이에 대한 설명으로 옳은 것은?

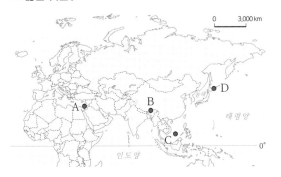

0 ———— 3,000 km

A   B   D

C

대평양

인도양   0°

① A는 물 자원을 둘러싼 주변 국가 간의 분쟁 지역이다.

② B는 힌두교와 이슬람교 간의 종교 차이가 원인이다.

③ C의 분쟁 당사국에는 중국이 포함되어 있다.

④ D는 C보다 분쟁 관련 국가의 수가 많다.

⑤ B, C, D 모두 자원 쟁탈이 분쟁의 큰 원인이다.

05 자료를 보고 물음에 답하시오.

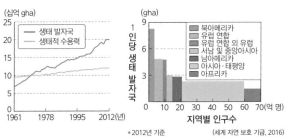

▲ 지구 생태 발자국 변화 추이　▲ 지역별 인구와 1인당 생태 발자국

(1) 1970년대 이후 생태 발자국이 생태적 수용력을 뛰어 넘은 이유를 서술하시오.

_____

_____

(2) 지역별 1인당 생태 발자국의 특징을 서술하시오.

_____

_____

04 다음 글의 ㉠~㉣에 대한 설명으로 옳은 것만을 〈보기〉에서 고른 것은?

> 세계 평화를 위한 초국가적 협의체인 [㉠]은/는 제1, 2차 세계 대전을 교훈 삼아 조직된 국제기구로, 국가 간의 상호 이해와 협력 증진을 추구한다. 한편 인류의 존엄과 공공의 이익을 추구하는 시민들은 자발적으로 ㉡ 비정부 기구(NGO)를 조직하여 세계 평화를 위해 노력하고 있다. 오늘날 ㉢ 세계화의 영향으로 국가 간 상호 의존성이 높아짐에 따라 현대 사회의 시민은 ㉣ 지구촌 공동체의 구성원임을 인식하고, 세계에서 발생하는 다양한 문제에 관심을 갖고 이를 실천하려는 의지를 가져야 한다.

┤ 보기 ├

ㄱ. ㉠에는 '세계 무역 기구(WTO)'가 들어갈 수 있다.

ㄴ. ㉡의 예로 그린피스와 국경 없는 의사회가 있다.

ㄷ. ㉢으로 국가 간 국경의 의미가 강화되고 있다.

ㄹ. ㉣을 통해 세계 시민 의식을 함양해야 한다.

① ㄱ, ㄴ　　　② ㄱ, ㄷ　　　③ ㄴ, ㄷ

④ ㄴ, ㄹ　　　⑤ ㄷ, ㄹ

06 자료를 보고 물음에 답하시오.

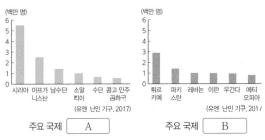

주요 국제 [A]　　주요 국제 [B]

(1) (A), (B)에 들어갈 말을 쓰시오. (단, (A), (B)는 각각 난민 발생국, 난민 수용국 중 하나임.)

_____

(2) 그래프를 통해 알 수 있는 난민 발생과 이동의 특징을 서술하시오.

_____

_____

| 교육청 기출 |

01 자료의 (가) 환경 문제가 지속될 경우 나타날 수 있는 현상으로 옳지 <u>않은</u> 것은?

1.5℃가 무너지면 모두가 무너집니다!

(가) (으)로 인해 동식물은 물론 인간까지 도미노처럼 생존을 위협받고 있습니다.

우리 모두의 삶터인 지구를 지키기 위해 평균 기온 상승폭을 2100년까지 1.5℃ 이내로 억제하기로 세계 각국의 대표들이 파리 협정에서 약속하였습니다.

① 남극의 빙하 분포 범위가 확대된다.
② 영구 동토층의 분포 범위가 축소된다.
③ 해수면 상승으로 해안 저지대가 침수된다.
④ 열대성 해충으로 인한 질병 발생률이 증가한다.
⑤ 기상 이변에 따른 가뭄, 홍수 등의 피해가 증가한다.

| 교육청 기출 |

02 (가), (나) 환경 문제에 대한 설명으로 옳지 <u>않은</u> 것은? (단, (가), (나)는 각각 열대림 파괴, 지구 온난화 중 하나임.)

• (가) 로 인해 히말라야산맥의 눈과 빙하가 크게 줄어들면서 인근 지역에 큰 문제가 발생했다. 일부 관광지에서는 식수 부족으로 외지인 방문을 꺼리게 되었고, 다른 농촌에서는 수자원 부족으로 작물 재배가 어려워졌다.

• 브라질에서는 경지 개간을 위한 불법 벌목과 방화로 인해 (나) 가 지속적으로 발생하고 있다. 최근 발생한 산물로 서울의 15배가 넘는 삼림이 잿더미로 변하였다. 국제 사회에서는 이를 방지하기 위한 다양한 활동을 펼치고 있다.

① (가)를 완화하기 위해 파리 협정이 체결되었다.
② (가)가 지속되면 해안 저지대의 침수 피해가 증가한다.
③ (나)로 인해 생물 종 다양성이 증가된다.
④ (나)는 고위도보다 저위도 지역에서 주로 발생한다.
⑤ (나)로 인해 (가)가 심해질 우려가 있다.

| 교육청 기출 |

03 다음 글의 밑줄 친 ㉠~㉤에 대한 설명으로 옳지 <u>않은</u> 것은?

• 1980년대 후반에 세계 여러 나라는 몬트리올 의정서를 채택하여 ㉠ 오존층 파괴 물질의 배출을 엄격히 제한하였다. 그 결과 2015년에 측정한 ㉡ 오존홀(구멍)은 1990년대 중반과 비교해 대폭 축소되었다.

• 산업 혁명 이후 화석 연료의 사용이 급증하면서 ㉢ 온실가스의 배출량이 크게 증가하였다. 이에 따라 온실 효과가 강화되면서 ㉣ 지구 온난화가 빠르게 진행되고 있다. 그 결과 ㉤ 북극해의 해빙(解氷) 면적 감소, 고산 지대의 만년설 감소 등의 변화가 나타나고 있다.

① ㉠의 주요 원인 물질은 염화 플루오린화 탄소(CFCs)이다.
② ㉡은 남극 상공에서 관측되었다.
③ ㉢의 증가 문제를 해결하기 위해 람사르 협약이 체결되었다.
④ ㉣로 인해 고산 식물의 평균 분포 고도가 높아지고 있다.
⑤ ㉤으로 인해 연중 북극 항로의 항해 가능 일수가 증가하였다.

| 수능 기출 |

04 다음은 세계지리 수업 장면의 일부이다. 교사의 질문에 옳은 대답을 한 학생만을 고른 것은?

(가), (나)에 대해 발표해 볼까요?

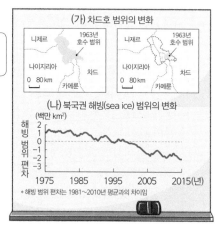

(가) 차드호 범위의 변화

(나) 북극권 해빙(sea ice) 범위의 변화

* 해빙 범위 편차는 1981~2010년 평균과의 차이임

갑: (가)는 장기간의 가뭄, 과도한 방목 등이 원인이에요.

을: (가)로 드러난 호수 바닥 대부분을 농경지로 이용하고 있어요.

병: (나)의 주요 원인 중 하나로 온실가스 증가를 들 수 있어요.

정: (나)에 대응하기 위해 국제 사회는 환경 보호를 위한 바젤 협약을 체결했어요.

① 갑, 을 ② 갑, 병 ③ 을, 병
④ 을, 정 ⑤ 병, 정

| 교육청 기출 |

05 다음은 온라인 수업 장면의 일부이다. (가) 환경 문제에 대한 대책으로 가장 적절한 것은?

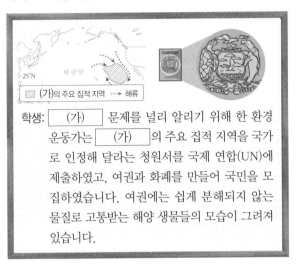

학생: (가) 문제를 널리 알리기 위해 한 환경 운동가는 (가) 의 주요 집적 지역을 국가로 인정해 달라는 청원서를 국제 연합(UN)에 제출하였고, 여권과 화폐를 만들어 국민을 모집하였습니다. 여권에는 쉽게 분해되지 않는 물질로 고통받는 해양 생물들의 모습이 그려져 있습니다.

① 람사르 협약을 준수하여 습지를 보호한다.
② 사막 주변 지역의 녹지화 사업을 추진한다.
③ 플라스틱 제품과 비닐의 사용량을 줄인다.
④ 염화 플루오린화 탄소(CFCs)의 사용량을 줄인다.
⑤ 무분별한 벌목으로 인한 열대림의 파괴를 막는다.

| 평가원 기출 |

06 다음 영화의 배경 지역을 지도의 A~E에서 고른 것은?

영화 소개 자료

영국으로부터 독립하는 과정에서 이슬람교와 힌두교 간의 갈등이 발생한 지역을 배경으로 한 영화로, 길 잃은 이슬람교도 소녀가 힌두교 가족을 만나 종교적 갈등을 극복하고 집으로 돌아가는 과정을 휴머니즘으로 표현하였다.

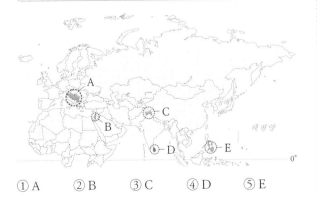

① A   ② B   ③ C   ④ D   ⑤ E

| 교육청 기출 |

07 다음은 세계지리 수행 평가 자료의 일부이다. 환경 문제 (가), (나)에 대한 옳은 설명만을 〈보기〉에서 고른 것은? (단, (가), (나)는 각각 기후 변화, 해양 쓰레기 중 하나임.)

〈세계의 젊은 환경 운동가들〉

인적 사항	주요 활동	주요 인터뷰/연설
네덜란드의 25세 청년	• 2012년 (가) 문제 해결을 위해 비영리 단체 □□□을/를 창립함 • 2014년 유엔 환경 계획(UNEP) '지구 환경 대상' 수상자로 선정됨	" (가) 은/는 바다 위를 계속 떠다니죠. 해류의 흐름을 이용해 그걸 한곳으로 모으는 장치를 개발해서 바다에 설치하면 효과적으로 수거할 수 있지 않을까 생각했습니다."
스웨덴의 17세 소녀	• 2019년 유엔 본부에서 열린 기후 행동 정상 회의에서 (나) 문제 해결의 필요성을 역설함 • 2019년 ○○지 '올해의 인물'로 선정됨	"여러분은 아이들을 사랑한다 말하면서도 탄소 배출 감축에 소극적입니다. (나) 문제에 적극적으로 대처하지 않는 것은 아이들의 미래를 훔치는 것입니다."

| 보기 |

ㄱ. (가)는 해양 생물 오염 및 폐사의 원인이 된다.
ㄴ. (가)로 인해 지표에 도달하는 자외선이 증가한다.
ㄷ. (나)로 인해 기상 이변 발생 빈도가 증가하였다.
ㄹ. (나) 문제 해결을 위한 노력으로 바젤 협약이 체결되었다.

① ㄱ, ㄴ   ② ㄱ, ㄷ   ③ ㄴ, ㄷ
④ ㄴ, ㄹ   ⑤ ㄷ, ㄹ

| 수능 기출 |

08 지도는 갈등 및 분쟁 지역을 나타낸 것이다. A~D에 대한 설명으로 옳지 않은 것은?

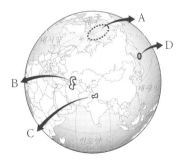

① A에서는 해저 자원의 확보를 둘러싼 갈등이 있다.
② B를 둘러싼 갈등의 주된 요인은 농업용수 확보이다.
③ C에서는 이슬람교와 힌두교 간의 갈등이 있다.
④ D는 러시아가 실효 지배하고 있다.
⑤ A는 D보다 분쟁 당사국의 수가 많다.

Memo.

고등사·과탐 고득점을 위한
내신 수능 기본서 셀파

#적중률 높은 내신·수능기출

#유튜브 문제 답변서비스

#강남인강 강의교재

#명문대생의 비법노트 제공

chunjae_edu님 외 여러명이 좋아합니다

sherpa_go1 #성적인증 #모의고사 #1등급 #셀파

사탐 시리즈

고1~고3 (통합사회/한국사/사회·문화/생활과 윤리/동아시아사/정치와 법/한국지리/
세계지리/윤리와 사상)

과탐 시리즈

고1~고3 (통합과학/물리학I/화학I/생명과학I/지구과학I)

개념을 잡아 주는 **자율학습 기본서**

고등 **셀파**

BOOK 1 | 개념 잡는 알집

세계지리

개념을 잡아 주는 **자율학습 기본서**

고등 **셀파**

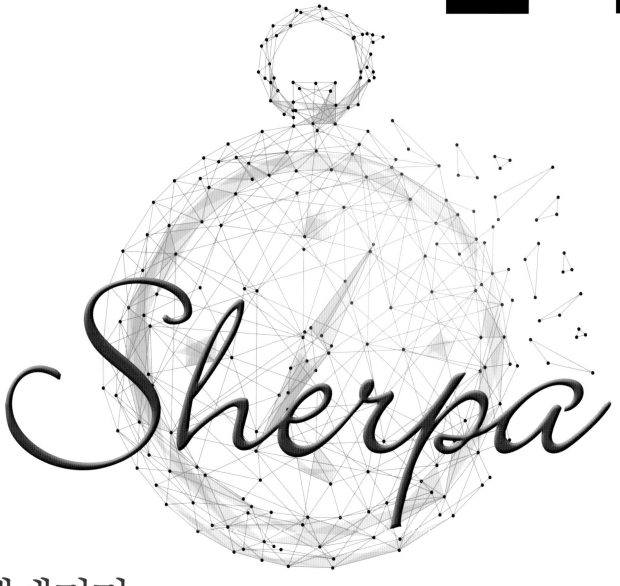

Sherpa

세계지리

고인석·윤정현·최재영·최재희·최종현

BOOK **2**

믿고 보는 정답 및 해설 **딱 맞는 풀이집**

천재교육

개념을 잡아 주는 **자율학습 기본서**

고등 **셀파**

선생님이 옆에서 풀어 주듯 친절한 해설!
오답 해결을 위한 완벽 시스템!

각 문항에 대한 상세한 설명이 필요할 때 | **정답을 찾아가는 셀파 - Tip**

문제와 관련된 개념 정리가 필요할 때 | **내 것으로 만드는 셀파 - Tip**

자료에 대한 분석 방법을 알고 싶을 때 | **자료를 분석하는 셀파 - Tip**

서술형 문제에서 고득점이 필요할 때 | **모범 답안 & 주요 단어**

"정답인 이유, 오답인 이유를 확실하게 분석하여 문제 해결력을 키워 줍니다."

세계지리
BOOK
2

믿고 보는 정답 및 해설

딱 맞는 풀이집

Ⅰ 세계화와 지역 이해

01 세계화와 지역 이해

01 교통 발달과 세계화 　　　　　　　답 ③

그래프를 통해 세계 일주 소요 시간이 1850년 이후 지속적으로 줄어들고 있음을 알 수 있다. 이러한 교통의 발달로 세계화가 진전되고 국가 및 지역 간 상호 교류는 증가할 것이다.

02 세계화와 지역화 　　　　　　　　답 ②

제시된 글에서 사회 관계망 서비스(SNS)의 발달로 시·공간적 제약이 완화되었음을 알 수 있다. 또한 다국적 기업의 국제적 분업 확대, 현지화 전략이 나타나고 있으며, 이를 통해 세계화가 촉진되고 있음을 알 수 있다. ② 지리적 표시제와 관련된 내용은 제시된 글 속에 나타나 있지 않다.

03 세계화와 지역화 　　　　　　　　답 ⑤

㉠으로 국가 간 상호 의존성은 강화되며, ㉡으로 기업 활동의 공간적 분업이 확대되었다. ㉢으로 문화 갈등 및 소수 문화 쇠퇴 등이 발생하기도 한다. ㉣은 장소 마케팅, 지역 브랜드화, 지리적 표시제 등의 지역화 전략으로 나타날 수 있다.

내 것으로 만드는 셀파 - Tip

▶ 세계화와 지역화		
세계화	의미	정치·경제·사회·문화 등 다양한 분야에서 세계가 하나의 공동체로 통합되는 현상
	영향	• 경제적 측면: 국제적 분업을 통한 생산성 증대, 국가 간 경쟁 심화 • 문화적 측면: 다양한 문화적 교류 확대, 문화 갈등 및 문화의 획일화
지역화	의미	한 지역이 세계적 차원에서 가치를 지니게 되는 현상
	전략	지리적 표시제, 장소 마케팅, 지역 브랜드화 등을 통해 지역 경제 활성화

04 세계화와 현지화 전략 　　　　　　답 ①

(가)의 이슬람교도를 위한 햄버거는 사우디아라비아, (나)의 힌두교도를 위한 햄버거는 인도, (다)의 쌀밥을 이용해 만든 햄버거는 필리핀의 현지화 햄버거이다. 지도의 A는 사우디아라비아, B는 인도, C는 필리핀이다.

05 티오 지도와 바빌로니아의 점토판 지도 　　답 ④

(가)는 O 형태의 바다로 둘러싸인 세 개의 대륙을 표현하였고 지도 위에 크리스트교의 세계관이 표현된 티오(TO) 지도이다. (나)는 지도 중심에 바빌론과 유프라테스강이 표현된 바빌로니아의 점토판 지도이다. 보기의 ㄱ은 바빌로니아의 점토판 지도, ㄴ은 천하도, ㄷ은 티오(TO) 지도이다.

06 혼일강리역대국도지도와 프톨레마이오스의 세계 지도 　답 ④

(가)는 조선 전기에 제작된 혼일강리역대국도지도이며, (나)는 150년경에 제작된 프톨레마이오스의 세계 지도이다. 두 지도 모두 신대륙 발견 이전에 제작된 지도로 아메리카와 오세아니아는 표현되어 있지 않으며, (가)의 A와 (나)의 B는 모두 아프리카에 해당한다.

정답을 찾아가는 셀파 - Tip

① (가)에는 경선과 위선이 표시되어 있다. (✕)
　　　　　　　　　→ 표시되어 있지 않다.
② (나)에는 종교적 이상향이 표현되어 있다. (✕)
　　　　　　　　　→ 표현되어 있지 않다.
③ (가)는 (나)보다 원본의 제작 시기가 이르다. (✕)
　　　　　　　　　→ 늦다.
④ (가)의 A와 (나)의 B는 모두 아프리카에 해당한다. (○)
⑤ (가), (나) 모두 아메리카가 표현되어 있다. (✕)
　　　　　　　　　→ 표현되어 있지 않다.

자료를 분석하는 셀파 - Tip

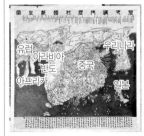
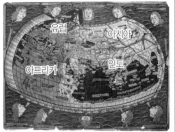

07 알 이드리시의 세계 지도, 티오 지도, 천하도 　답 ①

(가)는 알 이드리시의 세계 지도, (나)는 티오(TO) 지도, (다)는 천하도이다. (가)~(다) 중 지도의 위쪽이 남쪽인 세계 지도(A)는 알 이드리시의 세계 지도이며, 크리스트교 세계관이 반영된 세계 지도(B)는 티오(TO) 지도이다.

내 것으로 만드는 셀파 - Tip

▶ 세계 지도와 세계관	
티오(TO) 지도	• 중세 유럽에서 제작 • 지도의 위쪽이 동쪽임. • 크리스트교 세계관이 반영됨.
알 이드리시의 세계 지도	• 중세 아랍에서 제작 • 지도의 위쪽이 남쪽임. • 이슬람교 세계관이 반영됨.
천하도	• 조선 중기 이후 민간에서 제작된 지도 • 천원지방 사상, 중화사상, 도교 사상의 영향을 받음.

08 메르카토르의 세계 지도　　답 ④

제시된 지도는 유럽에서 1569년에 제작된 메르카토르의 세계 지도이다. 이 지도는 경위선이 직선으로 그려져 있어 해당 지점의 각도를 파악할 수 있지만, 고위도 지역이 지나치게 확대·왜곡되는 단점이 있다.

정답을 찾아가는 셀파 - Tip

① 지도의 위쪽이 동쪽이다. (×)
　　　→ 북쪽
② 중세 시대 유럽에서 제작되었다. (×)
　→ 근대 이후에 제작된 지도이다.
③ 이슬람교 세계관이 반영되어 있다. (×)
　→ 메르카토르의 세계 지도에는 이슬람교 세계관이 반영되어 있다고 보기 어렵다.
④ 고위도의 면적이 왜곡되어 나타나 있다. (○)
⑤ 처음으로 경위도의 개념이 사용된 지도이다. (×)
　→ 경위선이 표현되어 있기는 하지만, 처음으로 사용된 것은 아니다.

09 지리 정보의 종류　　답 ②

㉠은 시나붕 화산의 위치를 나타낸 공간 정보이며, ㉡은 인도네시아 화산의 특성을 나타낸 속성 정보이다.

내 것으로 만드는 셀파 - Tip

▶ 지리 정보의 종류

공간 정보	장소의 위치와 형태를 나타냄.
속성 정보	장소가 가진 자연적·인문적 특성을 나타냄.
관계 정보	한 장소와 다른 장소 간의 관계를 나타냄.

10 원격 탐사　　답 ③

제시된 지리 정보 수집 방법은 인공위성을 통한 원격 탐사이다. 원격 탐사는 개발 도상국보다 선진국에서 활발하게 이용되며, 인간의 접근이 어려운 지역에 대한 정보를 주기적으로 파악할 수 있다는 장점이 있다. 또한 원격 탐사는 직접 조사보다 지리 정보 수집에 활용되기 시작한 시기가 늦다.

11 주요 국가의 지리 정보　　답 ②

㉠은 위치를 나타내는 공간 정보이다. ㉡은 국가의 인구 특성을 나타낸 속성 정보로, 원격 탐사로는 알 수 없다. 표의 (가)는 프랑스, (나)는 베트남, (다)는 볼리비아이다. (가) 프랑스는 위도가 N으로 표시되어 있으므로 북반구에 위치한다는 것을 알 수 있다. (나) 베트남은 (다) 볼리비아보다 인구 밀도가 높다. 인구 밀도는 일정 지역 내의 인구를 해당 지역의 면적으로 나눈 수치이므로, 이를 비교하면 알 수 있다.

12 지리 정보 시스템(GIS)　　답 ④

지리 정보 시스템은 지리 정보를 수치화하여 컴퓨터에 입력·저장하고, 사용자의 요구에 따라 분석·가공·처리하여 필요한 결과물을 얻는 지리 정보 기술이다. 지리 정보의 통합과 분석 과정에서는 중첩 분석이 많이 사용된다. 지리 정보 시스템은 초기에 공공 기관을 중심으로 지도 제작과 환경 분야 등에 주로 사용해 왔으나, 최근에는 위성 위치 확인 시스템(GPS), 웹 GIS 기술, 사물 인터넷, 증강 현실 분야 등의 다양한 기술과 결합하면서 사용 범위가 실생활까지 확대되고 있다.

13 지리 정보 시스템(GIS)과 의사 결정　　답 ①

	A	B	C	D	E
유소년층 인구 비율	3	2	1	2	2
영아 사망률	3	3	1	2	1
1인당 GNI	2	1	2	2	3
총합	8점	6점	4점	6점	6점

지도의 A는 말리, B는 나이지리아, C는 에티오피아, D는 탄자니아, E는 마다가스카르이며, 위의 세 항목별 점수의 총합이 가장 큰 국가는 말리(A)이다.

14 지리 정보 시스템(GIS)과 의사 결정　　답 ③

	A	B	C	D	E
도시화율 80% 이상	×	○	○	○	○
외국인 직접 투자 100억 달러 이상	×	○	○	×	×
1인당 GNI 1만 달러 이상	×	×	○	×	○

지도의 A는 에콰도르, B는 브라질, C는 칠레, D는 아르헨티나, E는 우루과이이며, 위의 세 조건에 모두 만족하는 국가는 칠레(C)이다.

15 세계의 권역 구분　　답 ③

권역을 구분하는 ㉠ 자연적 지표에는 기후, 식생, 토양 등이 있으며, ㉡ 문화적 지표에는 종교, 언어, 민족 등이 있다. ㉢ 서로 다른 권역 사이의 경계에는 양쪽의 특성이 혼재되어 나타나는 경우가 있는데, 이러한 지역을 점이 지대라고 부른다. 아메리카를 앵글로아메리카와 라틴 아메리카로 구분하는 것은 문화에 따른 구분이며, 북아메리카와 남아메리카로 구분하는 것은 지리적 경계(자연적 지표)에 따른 구분이다.

16 규모에 따른 권역 구분　　답 ①

(가), (나) 지도는 규모에 따라 권역을 구분한 것이다. (가)는 대륙을 중심으로 구분하여 넓은 지역의 총체적인 지리 정보를 파악할 수 있다. (나)는 대륙을 국가 규모로 세밀하게 구분한 것이다.

정답을 찾아가는 셀파 - Tip

ㄱ. (가)는 대륙을 기준으로 권역을 구분한 것이다. (○)
ㄴ. (나)를 통해 아시아를 더 작은 규모로 구분할 수도 있음을 알 수 있다. (○)
ㄷ. (가)보다 (나)에 표현되는 지리적 범위가 넓다. (×)
　→ (가)가 (나)보다 지도에 표현되는 지리적 범위가 넓다.
ㄹ. (나)는 (가)보다 넓은 지역의 총체적인 지리 정보를 파악하기에 유리하다. (×)
　→ (가)가 (나)보다 총체적인 정보를 파악하기에 유리하다.

17 식생 분포에 따른 구분　　답 ①

제시된 세계 지도는 세계를 자연환경 지표인 식생을 기준으로 구분한 것이다. 같은 식생이 분포하는 지역을 하나의 권역으로 구분한 것이다. 이와 같이 지리적 특성이 공통적으로 나타나는 지역을 동질 지역이라고 한다. 하나의 동질 지역 내에도 여러 식생이 분포하지만 지배적으로 분포하는 식생을 그 지역의 특성으로 보고 지역을 구분한다.

18 문화에 따른 구분 　　　　　　　　　　　　 답 ④

제시된 지도는 종교, 언어, 민족 등 같은 문화 요소나 유사한 문화 경관이 나타나는 지역을 하나의 공간적 범위로 묶은 것이다. 세계 여러 지역은 각각 다양한 문화를 이루고 있지만, 지리적으로 가까운 지역은 서로 교류가 잦아 비슷한 문화가 나타나기도 한다.

내 것으로 만드는 셀파 - Tip

▶ 세계 권역 구분의 주요 지표

자연적 지표	지형, 기후, 식생 등의 자연환경과 관련된 요소
문화적 지표	언어, 종교 등 인간의 생활 양식과 관련된 요소
기능적 지표	핵심지와 배후지로 이루어진 권역을 설정할 수 있는 요소

서술형 문제

19 문화의 세계화

모범 답안 | 세계화로 문화의 활발한 교류가 가능하며 이를 통해 다양한 문화 콘텐츠가 증가하는 면에서 긍정적이다. 반면, 세계화로 서구 문화가 급속하게 전파되면서 전통문화가 쇠퇴하고 문화가 획일화된다는 부정적인 영향도 나타난다.

주요 단어 | 활발한 문화 교류, 문화 다양성 증가, 문화의 획일화

채점 기준	배점
세계화의 영향을 긍정적 · 부정적인 측면에서 모두 바르게 서술한 경우	상
세계화의 영향을 긍정적 · 부정적인 측면 중 하나의 측면에서만 서술한 경우	하

20 고지도에 나타난 세계관

(1) (가) 티오(TO) 지도, (나) 알 이드리시의 세계 지도
(2) 모범 답안 | (가)는 지도의 중앙에 예루살렘이 위치하며, 이를 통해 크리스트교 세계관이 반영되었음을 알 수 있다. (나)는 지도의 중앙에 메카가 위치하며, 이를 통해 이슬람교 세계관이 반영되었음을 알 수 있다.

주요 단어 | 예루살렘, 크리스트교 세계관, 메카, 이슬람교 세계관

채점 기준	배점
(1)을 쓰고, (2)의 (가), (나) 지도 속 세계관과 그 근거를 모두 바르게 서술한 경우	상
(1)을 쓰고, (2)의 (가), (나) 지도 속 세계관만 서술한 경우	중
(1)만 쓴 경우	하

21 고지도와 인터넷 지도

모범 답안 | (가)는 중세 유럽에서 제작된 지도이며, (나)는 최근 제작된 인터넷 지도이다. (나) 지도는 (가) 지도에 비해 더욱 정확한 지리 정보가 제공되며, 지리 정보의 수정이 용이하다. 또한 많은 양의 지리 정보를 사용자의 요구에 맞추어 표현할 수 있다.

주요 단어 | 정확성, 수정 용이, 사용자의 요구에 맞춰 표현

채점 기준	배점
(가) 지도와 비교한 (나) 지도의 장점을 세 가지 모두 바르게 서술한 경우	상
(가) 지도와 비교한 (나) 지도의 장점을 두 가지만 서술한 경우	중
(가) 지도와 비교한 (나) 지도의 장점을 한 가지만 서술한 경우	하

22 점이 지대

(1) 점이 지대
(2) 모범 답안 | 같은 권역 안에서도 다양한 특성이 나타나며, 여러 복합적인 지표로 구분된 권역의 경계는 명확한 선으로 나타나기 어렵기 때문이다.

주요 단어 | 점이 지대, 유사성, 복합성

채점 기준	배점
(1)을 쓰고, (2)를 바르게 서술한 경우	상
(1)만 쓴 경우	하

도전 수능 문제 　　　　　　　　　　　　 p. 22~25

01 ④	02 ④	03 ③	04 ①	05 ①	06 ②
07 ①	08 ②	09 ②	10 ③	11 ①	12 ④
13 ⑤	14 ④	15 ①	16 ④		

01 세계화의 배경 및 영향 　　　　　　　　 답 ④

정보의 이동 속도에서 공간적 거리의 중요성은 작아지고 있다.

02 세계화와 현지화 전략 　　　　　　　　 답 ④

ㄹ 각 지역의 특성에 맞는 메뉴를 개발하여 지역 특화 상품을 판매하는 것은 지리적 특성을 고려한 다국적 기업의 현지화 전략에 해당한다. ㄱ 1965년은 해당 기업의 개장 첫 해를 나타낸 속성 정보이며, ㄷ은 문헌이나 통계 자료를 통해 수집한 정보이다. ○○ 지수는 지역 브랜드화 전략에 해당하지 않는다.

03 지역화 전략 　　　　　　　　　　　　 답 ③

미국 뉴욕이 'I♥NY'를 통해 지역을 브랜드로 인식시켜 지역 이미지를 높이고 경제를 활성화한 것은 지역 브랜드의 사례이고, 프랑스 상파뉴가 해당 지역에서 만들어진 포도주라는 우수 상품을 이용해 지역 경쟁력을 갖춘 것은 지리적 표시제의 사례이다.

04 알 이드리시의 세계 지도와 혼일강리역대국도지도 　答 ①

(가)는 알 이드리시의 세계 지도, (나)는 혼일강리역대국도지도이다. 지도의 A는 나일강, B는 아라비아 반도이다. (가) 알 이드리시의 세계 지도는 이슬람교 세계관의 영향을 받아 제작되어 중심부에 아라비아 반도(메카)가 위치한다.

정답을 찾아가는 셀파 - Tip

① (가)의 중심부에는 B 반도가 위치한다. (○)
② (가)는 중국 중심 세계관이 반영되었다. (×)
　　　　　→ 이슬람교 세계관
③ (나)에는 아메리카 대륙이 표현되어 있다. (×)
　　　　　　　　→ 표현되어 있지 않다.
④ (나)는 크리스트교의 영향을 받아 제작되었다. (×)
　　　　→ 크리스트교가 우리나라에 전파되기 이전에 제작되었다.
⑤ A 하천은 인도양으로 유입된다. (×)
　　　　→ 지중해

05 티오 지도와 천하도 답 ①

(가)는 크리스트교 세계관이 반영된 티오(TO) 지도이며, 지도의 위쪽이 동쪽이다. (나)는 중화사상, 도교의 영향을 받은 천하도이며, 삼수국, 여인국 등 상상의 나라가 표현되어 있고 지도의 위쪽이 북쪽이다. (가), (나) 모두 아메리카 대륙은 표현되어 있지 않다.

자료를 분석하는 셀파 - Tip

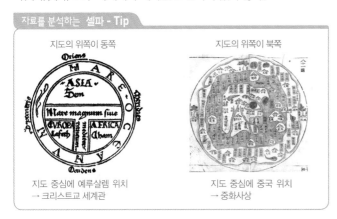

지도의 위쪽이 동쪽 | 지도의 위쪽이 북쪽

지도 중심에 예루살렘 위치
→ 크리스트교 세계관

지도 중심에 중국 위치
→ 중화사상

06 프톨레마이오스의 세계 지도와 지구 전후도 답 ②

(가)는 고대 서양에서 제작된 프톨레마이오스의 세계 지도, (나)는 조선 후기 실학자인 최한기가 제작한 지구 전후도이다. 두 지도 모두에 아프리카와 유럽이 표현되어 있으며, 지구가 구체임이 나타나 있다.

07 포르톨라노 해도와 메르카토르의 세계 지도 답 ①

포르톨라노 해도는 항해 요충지마다 나침반의 방향을 알려 주는 방사상의 선이 직선으로 나타나 있다. 메르카토르의 세계 지도는 경선과 위선이 수직으로 교차하며, 어느 지점에서든 정확한 각도를 파악할 수 있어 항로를 따라 수월한 항해가 가능하다.

08 바빌로니아의 점토판 지도, 천하도, 알 이드리시의 세계 지도 답 ②

(가)는 현존하는 가장 오래된 세계 지도인 바빌로니아의 점토판 지도로, 기원전에 제작되었다(A). (나)는 중화사상의 영향을 받아 조선 중기에 제작된 천하도이다(C). (다)는 이슬람교의 영향을 받아 아라비아반도가 지도의 중심에 있는 알 이드리시의 세계 지도(B)이다.

09 지리 정보의 종류 답 ②

제시된 지도는 세계를 무대로 활동하는 다국적 기업인 A 기업의 2015년 국가별 점포 현황을 나타낸 것이다. 지도에는 위치에 해당하는 공간 정보와 점포 수에 해당하는 속성 정보가 표현되어 있다.

10 주요 국가의 지리 정보 답 ③

㉠은 수도의 위·경도를 통해 지리적 위치를 알려 주는 공간 정보에 해당한다. ㉡은 속성 정보이며, 문헌이나 통계 자료를 통해 수집된 정보이다. 지도의 (가)는 아프리카에 속한 나이지리아, (나)는 오세아니아에 속한 뉴질랜드, (다)는 북아메리카에 속한 캐나다이다. (가) 나이지리아는 (다) 캐나다보다 인구 밀도가 높으며, (나) 뉴질랜드와 (다) 캐나다는 모두 태평양에 접해 있다.

11 원격 탐사 답 ①

원격 탐사를 통해 얻을 수 있는 위성 사진으로는 동부 아시아의 황사 이동 경로, 유럽 대도시의 도로망과 녹지 분포 등의 지리 정보를 파악할 수 있다.

12 지리 정보 수집 방법 답 ④

(가)는 조사 지역을 방문하여 관찰, 실측, 면담 등을 통해 지리 정보를 수집하는 직접 조사, (나)는 인공위성이나 항공기 등을 이용하여 관측 대상과 접촉 없이 먼 거리에서 측정을 통해 지리 정보를 수집하는 원격 탐사이다. (나) 원격 탐사는 (가) 직접 조사보다 활용 시기가 늦다.

내 것으로 만드는 셀파 - Tip

▶ 지리 정보 수집의 종류

직접 조사	조사 지역을 방문하여 실측, 면담 등을 통해 지리 정보 수집
간접 조사	지도, 문헌 등을 통한 지리 정보 수집
원격 탐사	인공위성·항공기 등을 이용하여 관측 대상과의 접촉 없이 먼 거리에서 측정을 통해 지리 정보 수집

13 지리 정보 시스템(GIS)과 의사 결정 답 ⑤

	1인당 GDP(달러)	총인구 (만 명)	여성 취업률(%)	총합
방글라데시	1	3	1	5점
베트남	1	2	3	6점
인도네시아	2	3	2	7점
타이	3	1	2	6점
필리핀	1	2	2	5점

위의 세 기준에서 항목별 점수의 총합이 가장 큰 국가는 인도네시아이다.

14 지리 정보 시스템(GIS)과 의사 결정 답 ④

	A	B	C	D	E
1인당 GDP(달러)	1	3	2	3	3
도시화율(%)	1	3	3	3	2
출생률(‰)	1	2	2	3	2
총합	3점	8점	7점	9점	7점

지도의 A는 이집트, B는 에티오피아, C는 케냐, D는 우간다, E는 탄자니아이며, 위의 세 기준에서 항목별 점수의 총합이 가장 큰 국가는 우간다(D)이다.

15 세계의 다양한 권역 구분 답 ①

(가)는 기후, (나)는 종교를 기준으로 세계의 권역을 구분한 지도이다.

16 아메리카의 권역 구분 답 ④

(가) 선은 리오그란데강, (나) 선은 파나마 지협을 가리킨다. (가) 리오그란데강은 아메리카 대륙을 문화적으로 앵글로아메리카와 라틴 아메리카로 구분하는 경계이며, (나) 파나마 지협은 지리적으로 북아메리카와 남아메리카로 구분하는 경계이다.

Ⅱ 세계의 자연환경과 인간 생활

01 세계의 기후 지역과 열대 기후

01 기후 요소와 기후 요인 답 ①

지도에서 A는 적도 부근에 위치하며, B는 남반구의 중위도 지역에 위치한다. 이 두 지역의 기온 차는 기본적으로 위도로 인해 결정된다. C는 대륙 서안에 위치하여 기온의 연교차가 작은 반면, D는 대륙 내부에 위치하여 기온의 연교차가 대체로 크다. 한편, E와 F는 모두 적도 부근에 위치하는데, E는 해발 고도가 높아 동위도의 F보다 기온이 낮다. 따라서 (가), (나), (다)에 들어갈 기후 요인은 순서대로 위도, 수륙 분포, 해발 고도이다.

내 것으로 만드는 셀파 - Tip

▶ 주요 기후 요인

위도	저위도 지역은 단위 면적당 일사량이 많아 기온이 높고, 고위도로 갈수록 단위 면적당 일사량이 적어지면서 기온이 낮아짐.
수륙 분포	육지와 바다의 비열 차로 인해 같은 위도의 해안 지역이 내륙 지역보다 기온의 연교차가 작게 나타남.
해발 고도	해발 고도가 높아질수록 기온이 낮아짐.

02 위도별 강수량과 증발량 답 ③

적도 지역은 일사량이 많아 상승 기류가 발달하여 강수량이 많다. 적도 부근에서 상승한 공기는 남·북회귀선 부근에서 하강하면서 아열대 고압대를 형성하며, 아열대 고압대에서는 하강 기류가 발달하여 강수량이 적고 증발량은 많다. 따라서 남·북회귀선 부근에서는 물 부족 현상이 나타난다.

한편, 고위도 저압대는 한대 전선이 발달하여 강수량이 많다. 반면 극지방은 하강 기류가 발달하여 강수량이 매우 적지만 기온이 낮아 증발량도 적다.

정답을 찾아가는 셀파 - Tip

① A는 증발량, B는 강수량을 나타낸다. (×)
→ 강수량   → 증발량

② 위도 20°N 부근은 강수량이 많은 편이다. (×)
→ 적은 편

③ 남·북회귀선 부근에서는 물 부족 현상이 나타난다. (○)

④ 강수량과 증발량은 고위도 저압대 부근에서 가장 많다. (×)
→ 적도 부근

⑤ 극지방으로 갈수록 강수량과 증발량은 대체로 증가한다. (×)
→ 감소

03 지구의 공전과 계절에 따른 기후 요소의 변화 답 ②

지구는 자전축이 약 23.5° 기울어진 상태로 태양 주위를 돌고 있다. 그림에 나타난 시기는 태양의 고도가 북회귀선에서 가장 높은 하지(6월 21일경)이다. 지도에 표시된 A는 북반구의 사바나 기후 지역, B는 열대 우림 기후 지역, C는 남반구의 사바나 기후 지역이다. 하지에는 북반구에 태양 에너지가 집중되므로 A가 C보다 평균 기온이 높고, B가 C보다 대류성 강수의 빈도가 높다.

정답을 찾아가는 셀파 - Tip

ㄱ. A는 C보다 평균 기온이 높다. (○)

ㄴ. A는 B보다 낮의 길이가 짧다. (×)
→ 길다.

ㄷ. B는 C보다 대류성 강수의 빈도가 높다. (○)

ㄹ. C는 A보다 적도 수렴대의 영향을 크게 받는다. (×)
→ 하지 무렵 C는 아열대 고압대의 영향을 받아 고온 건조한 날씨가 나타난다.

04 쾨펜의 기후 구분 답 ③

① (가)는 무수목 기후에 해당하는 건조 기후와 한대 기후가 들어갈 수 있다. ② (나)는 열대 기후이므로 기온의 연교차보다 일교차가 크다는 특징이 나타난다. ③ (다)는 냉대 기후이므로 식생은 침엽수림이 주를 이룬다. ④ (라)는 온대 기후로 대체로 편서풍의 영향을 받는다. ⑤ 연 강수량은 (나) 열대 기후 지역이 가장 많은 편이다.

05 열대 우림 기후와 사바나 기후 답 ②

콩고 분지, 아마존 분지 등을 포함하는 (가) 지역은 열대 우림 기후, 중앙아프리카 등을 포함하는 (나) 지역은 사바나 기후가 나타난다.

정답을 찾아가는 셀파 - Tip

① (가) 지역은 연중 아열대 고압대의 영향을 받는다. (×)
→ 적도 수렴대

② (나) 지역은 건기와 우기가 뚜렷하게 나타난다. (○)

③ (가)와 (나) 지역의 구분 기준은 최한월 평균 기온이다. (×)
→ 강수의 계절적 차이

④ (가) 지역은 (나) 지역보다 단위 면적당 수목 밀도가 낮다. (×)
→ 열대 우림이 발달한 (가) 지역은 초원이 발달한 (나) 지역보다 단위 면적당 수목 밀도가 높다.

⑤ (나) 지역은 (가) 지역보다 연 강수량이 많다. (×)
→ 연 강수량은 (가) 열대 우림 기후가 (나) 사바나 기후보다 많다.

06 열대 기후의 특징 답 ②

(가)는 열대 우림 기후, (나)는 사바나 기후, (다)는 열대 고산 기후 지역의 기후 그래프이다. ② (나)는 최한월이 7월에 해당하므로 남반구에 위치한 사바나 기후 지역임을 알 수 있다.

07 태양의 회귀에 따른 열대 기후의 변화 답 ⑤

(가) 시기는 적도 수렴대가 남반구에 치우쳐 위치하므로 1월이고, (나) 시기는 적도 수렴대가 북반구에 위치하므로 7월이다. ㉠은 1월에 아열대 고압대의 영향을 받는 북반구의 사바나 기후, ㉡은 연중 적도 수렴대의 영향을 받는 열대 우림 기후, ㉢은 7월에 아열대 고압대의 영향을 받는 남반구의 사바나 기후이다.

ㄱ. (가) 시기는 7월, (나) 시기는 1월이다. (×)
→ (가) 시기는 1월, (나) 시기는 7월이다.

ㄴ. (가) 시기에 ⓒ은 낮보다 밤이 길다. (×)
→ 1월에 ⓒ은 낮이 밤보다 길다.

ㄷ. (나) 시기에 ⓒ은 ⓐ보다 초원의 풀이 말라 있다. (○)
→ 7월에 ⓒ은 아열대 고압대의 영향을 받기 때문에 적도 수렴대의 영향을 받는 ⓐ보다 건조하다.

ㄹ. ⓛ은 ⓐ, ⓒ에 비해 강수량의 월별 편차가 작다. (○)
→ 연중 적도 수렴대의 영향을 받는 ⓛ 열대 우림 기후는 강수량의 월별 편차가 작은 편이다.

08 열대 기후 지역의 식생   답 ④

상록 활엽수들이 다층의 울창한 숲을 이루고 있는 (가) 지역은 열대 우림 기후 지역 혹은 열대 몬순 기후 지역이고, 키가 큰 풀이 초원을 이루며 작은 가지가 많은 관목이 드문드문 분포하는 (나) 지역은 사바나 기후 지역이다. 따라서 (가), (나) 지역은 모두 열대 기후 지역에 속하므로 최한월 평균 기온이 18℃ 이상이다. ①은 열대 몬순 기후, ②는 열대 우림 기후, ③은 건조 기후, ⑤는 열대 고산 기후에 해당하는 설명이다.

09 열대 기후의 전통 가옥 특징   답 ④

제시된 자료의 가옥은 열대 우림 기후 지역에서 주로 볼 수 있는 고상 가옥이다. 열대 우림 기후 지역은 주로 상록 활엽수림이 분포하고, 연중 고온 다습하여 통풍이 잘되는 개방적인 의복이 발달하였다.

ㄱ. 강수량이 적은 지역이다. (×)
→ 일 년 내내 강수량이 많아 지붕의 경사를 급하게 만든다.

ㄴ. 주로 상록 활엽수림이 분포한다. (○)

ㄷ. 해발 고도가 높아 연중 온화한 날씨가 나타난다. (×)
→ 열대 고산 기후에 해당하는 설명이다.

ㄹ. 통풍이 잘되는 개방적인 형태의 의복이 발달하였다. (○)

10 열대 기후 지역의 산업   답 ①

이동식 화전 농업을 통해 주로 얌, 카사바, 타로 등을 재배하였다. 커피, 카카오, 바나나 등을 대규모로 재배하는 것은 플랜테이션이다.

서술형 문제

11 대기 대순환에 따른 위도별 기압대와 강수 분포

(1) 아열대 고압대
(2) 모범 답안 | 기온이 높은 적도 부근에서는 대기가 상승하여 적도 저압대가 형성되어 강수량이 많다.
주요 단어 | 높은 기온, 상승 기류, 적도 저압대, 다우지

채점 기준	배점
(1)을 쓰고, (2)의 적도 부근의 강수 특징을 바르게 서술한 경우	상
(1)만 쓴 경우	하

12 기후 요소와 기후 요인

(1) 해발 고도
(2) 모범 답안 | 저위도의 고산 지역에 위치한 키토는 저위도의 저지대에 위치한 마나우스에 비해 기온이 낮으며, 연중 우리나라의 봄과 같은 날씨가 나타난다.
주요 단어 | 고산 지역, 낮은 기온, 상춘 기후

채점 기준	배점
(1)을 쓰고, (2)의 열대 고산 기후 특징을 바르게 서술한 경우	상
(1)만 쓴 경우	하

13 열대 우림 기후와 사바나 기후의 식생

(1) (가) 열대 우림 기후, (나) 사바나 기후
(2) 모범 답안 | (가) 지역은 일 년 내내 기온이 높고 강수량이 많은 열대 우림 기후 지역으로 상록 활엽수가 밀림을 이루고 있다. (나) 지역은 건기와 우기가 뚜렷한 사바나 기후 지역으로 키가 큰 풀이 자라는 초원에 키가 작은 관목이 드문드문 분포한다.
주요 단어 | 열대 우림, 밀림(상록 활엽수), 사바나, 초원(긴 풀), 관목

채점 기준	배점
(1)을 쓰고, (2)의 열대 기후 지역의 식생을 모두 바르게 서술한 경우	상
(1)을 썼으나, (2)의 열대 기후 지역의 식생 중 한가지만 서술한 경우	중
(1)만 쓴 경우	하

14 스콜

(1) 스콜
(2) 모범 답안 | 말레이시아는 열대 기후 지역으로, 오후 시간대에는 지표면이 가열되면서 대류성 강수가 쏟아진다. 이 스콜은 짧은 시간에 집중적으로 쏟아지며, 강풍, 천둥, 번개 등을 동반하기도 한다.
주요 단어 | 대류성 강수, 집중, 천둥과 번개 동반

채점 기준	배점
(1)을 쓰고, (2)의 스콜 특징을 모두 바르게 서술한 경우	상
(1)만 쓴 경우	하

도전 수능 문제   p 36 ~ p. 39

01 ⑤	02 ①	03 ②	04 ③	05 ②	06 ②
07 ①	08 ⑤	09 ④	10 ④	11 ①	12 ③
13 ①	14 ③	15 ③	16 ④		

01 대기 대순환   답 ⑤

A는 북위 66.5° 이상의 북극권에 해당되는 지역으로, 연중 극동풍이 영향을 주는 지역이다. B는 북위 60° 부근으로 극동풍과 편서풍이 만나는 지역이기 때문에 상승 기류가 형성되어 고위도 저압대가 형성된다. C는 무역풍의 수렴으로 적도 수렴대가 형성되는 지역으로, 강한 상승 기류가 발생한다. 적도 부근(C)은 햇빛을 수직에 가깝게 받아 단위 면적당 일사량이 많으며, 강한 일사에 따른 지표면 가열로 대류성 강수가 자주 발생한다.

02 탁월풍 　 ▶답 ①

A는 북반구 중위도의 파리로, 남서쪽에서 불어오는 편서풍의 영향을 많이 받는다. B는 북반구 저위도의 사나로, 북동쪽에서 불어오는 무역풍의 영향을 많이 받는다. C는 남반구 저위도의 상파울루로, 남동쪽에서 불어오는 무역풍의 영향을 크게 받는다.

자료를 분석하는 **셀파 - Tip**

(가)는 남서풍, (나)는 북동풍, (다)는 남동풍의 출현 비율이 높다.

03 기후 요인과 기후 요소 　 ▶답 ②

A는 한류의 영향으로 B보다 연평균 기온이 낮으며, C는 D보다 저위도에 위치해 있어 기온의 연교차가 작다. E는 해발 고도가 높아 F보다 최난월 평균 기온이 낮다.

04 태양의 회귀에 따른 기후 요소의 변화 　 ▶답 ③

(가)는 북반구 여름, 남반구 겨울인 7월, (나)는 북반구 겨울, 남반구 여름인 1월이다. 지도에서 A는 페루의 리마, B는 볼리비아의 라파스, C는 브라질의 브라질리아, D는 아르헨티나의 우수아이아이다. ③ 1월에는 북극권에서 남극권으로 갈수록 낮 길이는 길어지고 밤 길이는 짧아지므로 (나) 시기 즉, 1월에 적도 부근의 A보다 남극권과 가까운 D의 밤 길이가 짧다.

05 세계 기후 구분 　 ▶답 ②

(가)는 열대 기후, (나)는 온대 기후, (다)는 냉대 기후에 해당한다. 지도에서 A는 열대 기후, B는 건조 기후, C는 온대 기후, D는 냉대 기후, E는 한대 기후이다.

06 열대 기후 지역의 특징 　 ▶답 ②

(가)는 열대 우림 기후, (나)는 사바나 기후, (다)는 열대 몬순 기후이다. ② 건기와 우기가 뚜렷한 사바나 기후는 아프리카 동부 지역과 남아메리카의 열대 우림 주변 지역에 주로 나타나지만, 동남아시아와 오스트레일리아 북부에서도 나타난다.

정답을 찾아가는 **셀파 - Tip**

① (가)는 편서풍대에 나타나며 해류의 영향으로 강수량이 많다. (×)
　→ 열대 우림 기후 지역에서는 무역풍이 수렴하여 상승 기류가 발생해 강수량이 많다.
② (나)는 동남아시아와 오스트레일리아 북부에서도 나타난다. (○)
③ (다) 지역은 세계 최대의 목화 생산 지역이다. (×)
　→ 열대 몬순 기후 지역에서는 주로 벼농사가 이루어지며, 세계 최대의 목화 생산 지역인 인도의 데칸 고원에서는 사바나 기후가 나타난다.
④ (나) 지역은 (다) 지역보다 단위 면적당 수목 밀도가 높다. (×)
　→ (다) 열대 몬순 기후 지역이 (나) 사바나 기후 지역보다 수목 밀도가 높다.
⑤ (가)~(다) 모두 연교차가 일교차보다 더 크다. (×)
　→ 열대 기후는 전반적으로 일교차가 연교차보다 크다.

07 사바나 기후의 특징 　 ▶답 ①

자료에서 설명하는 지역은 탄자니아의 사바나 기후 지역이다. ①은 사바나 기후, ②는 열대 우림 기후, ③은 열대 몬순 기후, ④는 서안 해양성 기후, ⑤는 온난 습윤 기후의 그래프이다.

08 열대 기후의 구분과 특징 　 ▶답 ⑤

A는 열대 고산 기후가 나타나는 에콰도르의 키토이다. B는 열대 우림 기후가 나타나는 페루의 이키토스이며, C는 사바나 기후가 나타나는 브라질의 리우데자네이루이다.

정답을 찾아가는 **셀파 - Tip**

ㄱ. A는 최한월 평균 기온이 18℃ 이상이다. (×)
　→ A는 일 년 내내 월평균 기온이 15℃ 내외이다.
ㄴ. C는 연중 적도 수렴대 안에 위치한다. (×)
　→ 열대 우림 기후에 해당하는 설명이다.
ㄷ. B는 A보다 7월 평균 기온이 높다. (○)
　→ 열대 우림 기후는 최한월 기온이 18℃ 이상이므로 열대 고산 기후보다 7월 평균 기온이 높다.
ㄹ. C는 B보다 연 강수량이 적다. (○)
　→ 연 강수량은 열대 우림 기후가 2,000mm이상, 사바나 기후가 900~1,800mm이다.

09 열대 기후의 구분과 강수량 　 ▶답 ④

지도에 표시된 지역은 뭄바이, 다윈, 마나우스이다. 연 강수량이 가장 많고 다른 두 지역에 비해 연중 고른 강수 분포가 나타나는 (가)는 마나우스, 6~8월의 누적 강수량 증가가 적은 (나)는 남반구 사바나 기후가 나타나는 다윈, 6~8월의 누적 강수량 증가가 많은 (다)는 뭄바이이다. ㄹ. 12월 누적 강수량에서 11월 누적 강수량을 빼면, (나)가 (다)보다 12월 강수량이 많다는 것을 알 수 있다.

10 열대 기후의 구분과 특징 　 ▶답 ④

지도에 표시된 지역은 열대 고산 기후의 보고타, 사바나 기후의 아라구아이나, 열대 우림 기후의 브라질리아이다. (가)는 연중 봄과 같은 기온이 나타나는 열대 고산 기후 지역, (나)는 건·우기가 뚜렷한 사바나 기후 지역, (다)는 연중 고온 다습한 열대 우림 기후 지역이다.

정답을 찾아가는 **셀파 - Tip**

① (가)는 7월보다 1월에 정오의 태양 고도가 높다. (×)
　→ (가)는 북반구에 위치하여 7월보다 1월에 정오의 태양 고도가 낮다.
② (나)는 (다)보다 대류성 강수 일수가 많다. (×)
　→ (나) 사바나 기후보다 (다) 열대 우림 기후의 대류성 강수 일수가 더 많다.
③ (다)는 (가)보다 해발 고도가 높다. (×)
　→ 해발 고도는 (가)가 제일 높다.
④ (나), (다)는 동일한 국가에 위치한다. (○)
⑤ (가)~(다)는 모두 기온의 연교차가 일교차보다 크다. (×)
　→ (가)~(다)는 모두 열대 기후로 기온의 연교차가 일교차보다 작다.

11 열대 기후의 구분과 특징 　 ▶답 ①

(가)는 연중 강수량이 고르게 많은 열대 우림 기후, (나)는 12~2월이 가장 강수량이 적으므로 북반구 사바나 기후, (다)는 6~8월이 가장 강수량이 적으므로 남반구 사바나 기후 지역이다.

① (가)는 연중 적도 수렴대의 영향을 받는다. (○)

② (나)는 12~2월에 동물들이 풀을 찾아 북쪽으로 이동한다. (×)
→ (나)는 12~2월에 건기이므로 동물들은 적도 방향인 남쪽으로 이동한다.

③ (가)는 (나), (다)보다 건기와 우기의 구분이 뚜렷하다. (×)
→ 사바나 기후가 열대 우림 기후보다 건기와 우기의 구분이 뚜렷하다.

④ (나)와 (다)는 기온의 일교차보다 연교차가 크게 나타난다. (×)
→ 세 지역 모두 기온의 일교차가 연교차보다 크게 나타난다.

⑤ (다)는 6~8월에 (나)보다 대류성 강수가 자주 내린다. (×)
→ 6~8월에 (나)는 우기이지만, (다)는 건기이기 때문에 대류성 강수가 거의 내리지 않는다.

12 열대 기후의 구분과 특징　답 ③

A는 미얀마 양곤으로 열대 몬순 기후, B는 인도네시아의 발릭파판으로 열대 우림 기후, C는 오스트레일리아의 다윈으로 사바나 기후 지역이다. 그래프에서 강수량 차는 7월 강수량에서 1월 강수량을 뺀 값이므로, 0에 가까우면 연중 습윤, +값이면 7월에 강수량이 더 많고, -값이면 1월에 강수량이 더 많은 것으로 볼 수 있다. 따라서 (가)는 C, (나)는 B, (다)는 A이다. ③ (다)는 B보다 연 강수량이 적다.

13 열대 기후의 구분과 특징　답 ①

A~C 모두 열대 기후 지역에 해당한다. 월 강수 편차 그래프에서 (가)는 12~2월이 우기이고 6~8월이 건기이므로, 남반구의 사바나 기후 지역인 A에 해당한다. (나)는 연중 고른 강수 분포를 나타내므로 열대 우림 기후 지역인 B이다. (다)는 6~8월이 우기이고 12~2월이 건기이므로 북반구의 사바나 기후인 C이다.

14 열대 기후의 주민 생활　답 ③

(가)는 사바나 기후 지역의 전통 가옥이고, (나)는 열대 우림 또는 열대 몬순 기후 지역에서 나타나는 전통 가옥이다. ③ 열대 우림 또는 열대 몬순 기후 지역에서는 키가 큰 열대림이 주로 나타나며, 사바나 기후 지역에서는 키가 작은 관목과 긴 풀로 이루어진 초원이 주로 나타난다.

① (가)는 연중 적도 수렴대의 영향을 받는다. (×)
→ 열대 우림 기후에 해당하는 설명이다.

② (나)는 기온의 연교차가 기온의 일교차보다 크다. (×)
→ 작다.

③ (나)는 (가)보다 수목의 평균 키가 크다. (○)

④ (가)는 이동식 경작, (나)는 유목이 활발하다. (×)
→ (가) 사바나 기후 지역에서는 이동식 경작이 이루어지기도 하지만, (나) 열대 우림 기후 지역에서는 유목이 이루어지지 않는다.

⑤ (가), (나) 모두 비옥한 흑색의 체르노젬이 발달한다. (×)
→ 체르노젬은 스텝 기후 지역에 주로 분포한다.

15 열대 우림 기후의 주민 생활　답 ③

고무나무 농장을 체험하고 스콜을 경험한 것으로 보아 열대 우림 기후 지역의 여행기임을 알 수 있다. ①은 지중해성 기후, ②는 사막 기후, ③은 열대 우림 기후, ④는 냉대 기후, ⑤는 스텝 기후 지역에서 주로 볼 수 있는 경관이다.

16 열대 기후의 식생과 토양　답 ④

㉠은 크고 작은 나무들이 다층의 숲을 이룬 열대림으로, 이산화 탄소를 흡수하여 지구 온난화를 예방하는 효과를 가지고 있다. ㉡은 라테라이트로, 화학적 풍화 작용을 강하게 받아 붉은색을 띠며 매우 척박하다.

02 온대 기후와 건조 및 냉·한대 기후

　p. 46 ~ p. 49

01 ④	02 ②	03 ①	04 ⑤	05 ③	06 ⑤
07 ⑤	08 ④	09 ③	10 ②	11 해설 참고	
12 해설 참고		13 해설 참고		14 해설 참고	
15 해설 참고					

01 온대 기후 구분과 특징　답 ④

(가)는 지중해성 기후(Cs), (나)는 온난 습윤 기후(Cfa)와 서안 해양성 기후(Cfb), (다)는 온대 겨울 건조 기후(Cw)에 해당한다. ④ 여름에 건조하고 겨울에 습윤한 (가)는 연중 습윤한 (나)보다 겨울철 강수 집중률이 높다고 할 수 있다.

① (가)는 목초지 조성에 유리하다. (×)
→ (가)는 여름철이 매우 건조하여 목초지 조성에 불리하다.

② (나)는 수목 농업이 널리 행해진다. (×)
→ 지중해성 기후 지역에 해당하는 설명이다.

③ (다)는 혼합 농업이 주로 이루어진다. (×)
→ 서안 해양성 기후 지역에 해당하는 설명이다.

④ (가)는 (나)보다 겨울철 강수 집중률이 높다. (○)

⑤ (나)는 대륙 동안, (다)는 대륙 서안에 주로 분포한다. (×)
→ (나)는 대륙 동안과 서안, (다)는 대륙 동안에 주로 분포한다.

02 온대 기후 지역의 비교　답 ②

(가)~(다)는 최한월 평균 기온이 -3~18℃에 해당하므로 온대 기후가 나타난다. (가)는 연중 고른 강수 분포가 나타나므로 서안 해양성 기후 지역에 해당한다. (나)는 여름이 건조하므로 지중해성 기후 지역에 해당한다. (다)는 여름 강수 집중률이 매우 높으므로 온대 겨울 건조 기후 지역에 해당한다. ② 지중해성 기후 지역은 여름에 아열대 고압대의 영향을 받아 고온 건조하다.

① (가)는 벼의 2기작이 활발하게 이루어진다. (×)
→ 중국 남부, 베트남 등 저위도의 온대 동안 기후 지역에 해당하는 설명이다.

② (나)는 여름에 아열대 고압대의 영향을 크게 받는다. (○)

③ (다)는 6~8월에 주로 대륙에서 해양으로 계절풍이 분다. (×)
→ (다)는 여름인 6~8월에 주로 해양에서 대륙으로 계절풍이 분다.

④ (나)는 대륙 동안, (다)는 대륙 서안에 위치한다. (×)
→ 대륙 서안　→ 대륙 동안

⑤ (가)는 북반구, (나)와 (다)는 남반구에 위치한다. (×)
→ 남반구　→ 북반구

03 아시아의 계절풍 기후　　　　답 ①

(가)는 기온이 낮고 강수량이 적으며 북풍 계열의 바람이 부는 것으로 보아 1월, (나)는 기온이 높고 강수량이 많으며 남풍 계열의 바람이 부는 것으로 보아 7월에 해당한다. 아시아의 계절풍 기후 지역은 여름철에 홍수 피해가 발생하기도 한다.

04 유럽의 기후　　　　답 ⑤

유럽의 계절별 기온과 강수 분포를 통해 기온의 연교차 및 시기별 강수 분포 등을 알 수 있다. ⑤ 마드리드는 여름에 아열대 고압대, 겨울에 편서풍의 영향을 받고, 파리는 연중 편서풍의 영향을 받는다.

정답을 찾아가는 셀파 - Tip

① 런던은 키예프보다 기온의 연교차가 크다. (×)
→ 해양에 위치한 런던이 내륙에 위치한 키예프보다 기온의 연교차가 작다.

② 아테네는 런던보다 여름 강수 집중률이 높다. (×)
→ 아테네는 지중해성 기후 지역으로, 여름 강수 집중률이 낮은 편이다.

③ 1월에 스톡홀름은 프라하보다 낮의 길이가 길다. (×)
→ 상대적으로 고위도에 위치한 스톡홀름이 프라하보다 1월 낮의 길이가 짧다.

④ 베를린과 스톡홀름은 7월보다 1월에 강수량이 많다. (×)
→ 두 지역 모두 1월보다 7월에 강수량이 더 많다.

⑤ 파리는 마드리드보다 연중 편서풍의 영향을 크게 받는다. (○)

05 건조 기후 지역의 비교　　　　답 ③

(가)는 강수량이 250mm 미만인 사막 기후이고, (나)는 강수량이 250~500mm인 스텝 기후이다.

정답을 찾아가는 셀파 - Tip

ㄱ. (가)는 강수량이 증발량보다 많다. (×)
→ (가)와 (나) 모두 증발량이 강수량보다 많은 건조 기후이다.

ㄴ. (나)에는 비옥한 흑색토가 분포한다. (○)
→ 스텝 기후 지역은 강수에 의한 유기물의 손실이 적어 비옥한 흑색토가 분포한다.

ㄷ. (가)는 (나)보다 식생 밀도가 낮다. (○)
→ 사막 기후 지역에서는 식생이 발달하기 어려우나, 스텝 기후 지역에서는 초원이 발달한다.

ㄹ. (가)에는 주로 기업적 목축, (나)에는 주로 오아시스 농업이 발달한다. (×)
→ (가)에는 주로 오아시스 농업, (나)에는 주로 기업적 목축이 발달한다.

06 사막의 형성 원인　　　　답 ⑤

(가)는 연중 아열대 고압대의 영향을 받아, (나)는 대륙 내부에 위치하여 수증기의 공급이 어렵기 때문에 형성된 사막이다. (다)는 한류의 영향으로 대기가 안정되어, (라)는 탁월풍이 높은 산지에 가로막혀 형성된 사막이다.

내 것으로 만드는 셀파 - Tip

▶ 사막의 형성 원인

아열대 고압대 지역	대기 대순환에 따라 연중 하강 기류가 발달함.
대륙 내부 지역	바다와 떨어져 있어 수분 공급을 받기 어려움.
대륙 서안의 한류 연안 지역	대기가 안정되어 있어 상승 기류가 형성되기 어려움.
탁월풍의 비그늘 지역	고온 건조한 바람이 지속적으로 불어옴.

07 건조 기후 지형　　　　답 ⑤

(가)는 사구, (나)는 플라야, (다)는 와디, (라)는 버섯바위이다. ⑤ (가)와 (라)는 바람, (나)와 (다)는 유수에 의해 형성된다.

08 냉대 기후 지역과 한대 기후 지역의 특징　　　　답 ④

최한월 평균 기온이 −3℃ 미만이고, 최난월 평균 기온이 10℃ 이상이며 계절별 강수량 차이가 큰 (가)는 냉대 겨울 건조 기후 지역이다. 최난월 평균 기온이 0℃~10℃인 (나)는 툰드라 기후 지역이다. 최난월 평균 기온이 0℃ 미만인 (다)는 빙설 기후 지역이다. ④ (가)는 최난월이 7월이므로 북반구에 위치해 있고, (다)는 최난월이 1월이므로 남반구에 위치해 있다. 따라서 (가)는 (다)보다 7월에 낮의 평균 길이가 길다.

정답을 찾아가는 셀파 - Tip

① (가)의 지표면은 연중 얼음으로 덮여 있다. (×)
→ (다)

② (나)는 물리적 풍화 작용보다 화학적 풍화 작용이 활발하다. (×)
→ 툰드라 기후 지역은 동결과 융해가 반복되는 기후 환경에 의해 물리적 풍화 작용이 우세하게 나타난다.

③ (다)는 상록 활엽수림이 넓게 나타난다. (×)
→ 빙설 기후는 무수목 기후에 해당한다.

④ (가)는 (다)보다 7월에 낮의 평균 길이가 길다. (○)

⑤ (가)~(다)는 강수량보다 증발량이 많아 매우 건조하다. (×)
→ (가)~(다)는 모두 강수량이 증발량보다 많다.

09 빙하 지형　　　　답 ③

(가)는 빙하의 침식으로 형성된 뾰족한 봉우리인 호른이고, (나)는 빙하 운반 물질이 숟가락 모양으로 퇴적된 구릉 모양의 지형인 드럼린이고, (다)는 빙하의 침식 작용으로 형성된 U자형의 골짜기인 빙식곡(유자곡)이며, (라)는 융빙수에 의해 형성된 제방 모양의 지형인 에스커이다. ③ 해수면 상승으로 빙식곡(유자곡)이 침수되면 좁고 깊은 만인 피오르가 형성된다.

정답을 찾아가는 셀파 - Tip

① (가)는 빙하의 퇴적 작용으로 형성되었다. (×)
→ 침식 작용

② (나)는 빙하가 여러 방향에서 깎아 만든 봉우리이다. (×)
→ (가)

③ 빙하가 후퇴한 후 (다)가 바닷물에 잠기면 피오르가 된다. (○)

④ (라)는 빙하에 의해 운반된 물질이 퇴적된 지형이다. (×)
→ 융빙수

⑤ (나)는 (라)보다 구성 물질의 분급이 양호하다. (×)
→ 빙하가 쌓은 물질로 이루어진 (나) 드럼린이 융빙수에 의해 퇴적된 (라) 에스커보다 분급이 불량하다.

10 사막 기후와 툰드라 기후　　　　답 ②

흙벽돌집을 주로 볼 수 있는 (가) 지역은 사막 기후 지역이고, 건물이 붕괴되는 것을 막기 위해 지은 고상 가옥을 주로 볼 수 있는 (나) 지역은 툰드라 기후 지역이다. 사막 기후는 강수량보다 증발량이 많고, 툰드라 기후 지역은 여름에 활동층이 녹아 움직이는 경우가 있다. ㄴ은 열대 우림 기후 지역, ㄹ은 계절풍 기후 지역에 해당하는 설명이다.

서술형 문제

11 온대 서안과 동안 기후

모범 답안 | (가) 지역은 (나) 지역보다 기온의 연교차가 작고 1월 평균 기온은 높은 반면, 8월 평균 기온은 낮다. (가) 지역의 강수량은 비교적 연중 일정하여 (나) 지역에 비해 계절별 강수 편차가 작다.

주요 단어 | 작은 연교차, 높은 1월 평균 기온, 낮은 8월 평균 기온, 작은 강수 편차

채점 기준	배점
제시된 조건을 모두 고려하여 온대 동안과 비교한 서안 기후의 특징을 바르게 서술한 경우	상
제시된 조건 중 2~3가지만 고려하여 온대 동안과 비교한 서안 기후의 특징을 서술한 경우	중
제시된 조건 중 한 가지만 고려하여 온대 동안과 비교한 서안 기후의 특징을 서술한 경우	하

12 사막 형성 원인

모범 답안 | A 지역은 남·북위 30° 부근으로 아열대 고압대가 발달하여 연중 맑고 건조한 날씨가 이어지기 때문에 사막이 형성되었다. B 지역은 대륙 내부에 위치하여 바다로부터 수증기를 공급받기가 어려워 비가 적게 내리기 때문에 사막이 형성되었다.

주요 단어 | 아열대 고압대, 대륙 내부, 수증기 공급

채점 기준	배점
A, B 지역의 사막 형성 원인을 모두 바르게 서술한 경우	상
A, B 지역의 사막 형성 원인 중 한 가지만 서술한 경우	하

13 냉대 기후 지역의 주민 생활

모범 답안 | 냉대 기후 지역은 침엽수림 지대가 발달하여 통나무로 지은 전통 가옥을 볼 수 있으며, 임업이 발달하였다.

주요 단어 | 통나무집, 임업

채점 기준	배점
냉대 기후 지역의 전통 가옥과 산업 특징을 모두 바르게 서술한 경우	상
냉대 기후 지역의 전통 가옥과 산업 특징 중 한 가지만 서술한 경우	하

14 열대 기후와 한대 기후의 고상 가옥

(1) 모범 답안 | (가), (나) 모두 바닥에서 높이 띄워 집을 지은 고상 가옥이다.

주요 단어 | 고상 가옥

(2) 모범 답안 | 열대 우림 기후 지역에서는 지면에서 올라오는 열기와 습기를 차단하고 해충 피해를 줄이기 위해 (가)와 같은 형태의 고상 가옥을 짓는다. 툰드라 기후 지역에서는 지면의 냉기를 차단하고 난방열이나 기온 상승으로 지반이 붕괴되는 현상을 막기 위해 (나)와 같은 고상 가옥을 짓는다.

주요 단어 | 열기와 습기, 해충, 냉기, 난방열, 가옥 붕괴 예방

채점 기준	배점
(1)을 쓰고, (2)의 가옥 구조가 발달한 배경을 각 기후와 관련지어 모두 바르게 서술한 경우	상
(1)을 썼으나, (2)의 가옥 구조가 발달한 배경을 하나만 서술한 경우	중
(1)만 쓴 경우	하

15 툰드라 기후 지역의 주민 생활

모범 답안 | (가)는 부족한 비타민과 무기질을 보충하기 위해서이다. (나)는 기온이 매우 낮으며 겨울이 춥고 길기 때문에 추위를 견디기 위해서이다. (다)는 기온이 매우 낮아 농사를 지을 수 없었기 때문이다.

주요 단어 | 비타민과 무기질, 추위, 농사 불가능

채점 기준	배점
주요 단어를 사용하여 (가)~(다)의 이유를 모두 바르게 서술한 경우	상
(가)~(다)의 이유 중 두 가지만 서술한 경우	중
(가)~(다)의 이유 중 한 가지만 서술한 경우	하

도전 수능 문제
p. 50 ~ p. 53

01 ③	02 ⑤	03 ③	04 ⑤	05 ④	06 ⑤
07 ⑤	08 ①	09 ⑤	10 ①	11 ②	12 ②
13 ⑤	14 ②	15 ③	16 ⑤		

01 서안 해양성 기후와 지중해성 기후 답 ③

(가)는 서안 해양성 기후 지역, (나)는 지중해성 기후 지역이다. ③ 지중해성 기후 지역은 여름에는 아열대 고압대의 영향을 크게 받아 고온 건조하며, 겨울에는 편서풍의 영향을 받아 온난 습윤하다.

정답을 찾아가는 셀파 - Tip

① (가)는 연중 계절풍의 영향을 받는다. (×)
 → 편서풍
② (가)는 건기와 우기가 뚜렷하게 구분된다. (×)
 → (가)는 연중 강수량이 고르다.
③ (나)는 겨울보다 여름이 건조하다. (○)
④ (가)는 (나)보다 여름철 평균 기온이 높다. (×)
 → 낮다.
⑤ (가), (나) 모두 최한월 평균 기온이 -3℃ 미만이다. (×)
 → 이상

02 온대 서안과 동안 기후 비교 답 ⑤

(가)는 서안 해양성 기후 지역, (나)는 지중해성 기후 지역, (다)는 온대 겨울 건조 기후 지역이다. 유라시아 대륙의 동안에서 북쪽의 내륙에서 계절풍이 불어오는 A 시기는 겨울, 남쪽의 해양에서 계절풍이 불어오는 B 시기는 여름이다. 또한 지중해성 기후 지역은 겨울(A 시기)에 편서풍, 여름(B 시기)에 아열대 고압대의 영향을 받는다. ⑤ 온대 겨울 건조 기후는 지중해성 기후보다 여름철 강수량이 많다.

정답을 찾아가는 셀파 - Tip

① (가)는 오렌지나 올리브를 재배하는 수목 농업이 활발하다. (×)
 → (나) 지중해성 기후 지역에 해당하는 설명이다.
② (나)는 B 시기에 밀 농사가 활발하다. (×)
 → (나) 지중해성 기후 지역에서는 겨울(A 시기)에 곡물 재배가 이루어진다.
③ (다)는 B보다 A 시기에 열대 저기압의 영향을 많이 받는다. (×)
 → (다) 온대 겨울 건조 기후 지역에서는 여름(B 시기)에 열대 저기압의 영향을 받는다.
④ (가)는 (다)보다 A와 B 시기의 강수량 차이가 크다. (×)
 → (가) 서안 해양성 기후는 (다) 온대 겨울 건조 기후보다 계절별 강수 차이가 작다.
⑤ (다)는 (나)보다 B 시기의 강수량이 많다. (○)

03 열대 및 온대 기후의 분포와 특성   답 ③

(가)는 연중 습윤하고 최한월 평균 기온이 -3~18℃, 최난월 평균 기온이 22℃ 이상인 온난 습윤 기후(Cfa)이고, (나)는 연중 15℃ 내외로 기온의 연교차가 크지 않으므로 열대 고산 기후(AH)이며, (다)는 최한월 평균 기온이 18℃ 이상, 뚜렷한 건기와 우기가 특징이므로 사바나 기후(Aw)이다. (가)와 (나)는 7월에 강수량이 많으므로 북반구, (다)는 1월에 강수량이 많으므로 남반구에 위치함을 알 수 있다. 이를 지도에서 찾으면 C에 해당한다.

	(가)	(나)	(다)
A	Cfb(북)	Aw(북)	Aw(남)
B	Cfa(북)	H(북)	Am(북)
C	Cfa(북)	AH(북)	Aw(남)
D	Cfa(북)	AH(북)	Aw(북)
E	Cfa(남)	AH(남)	Aw(남)

04 온대 기후의 기온과 강수 편차   답 ⑤

지도에 표시된 세 지역은 영국의 런던, 프랑스의 니스, 오스트레일리아의 퍼스이다. 런던은 서안 해양성 기후, 니스와 퍼스는 지중해성 기후가 나타난다. (가) 시기에는 A와 C의 기온 편차가 +값이 나타나는 것으로 보아 연평균 기온보다 해당 월의 평균 기온이 높으므로 여름에 해당되는 지역이다. 따라서 2개 지역이 여름이 나타나야 하므로 북반구가 여름인 7월이며, (나) 시기는 B의 기온 편차가 +값이 나타나는 것으로 보아 남반구가 여름인 1월이 된다. 같은 북반구인 A와 C 중 기온 및 강수 편차가 작은 A가 서안 해양성 기후인 런던에 해당한다. 따라서 A는 런던, B는 퍼스, C는 니스이다.

① (가) 시기는 ~~1월~~, (나) 시기는 ~~7월~~이다. (×)
  → 7월   → 1월
② A에서는 올리브 등을 재배하는 수목 농업이 주로 이루어진다. (×)
  → B, C
③ (가) 시기에 B는 주로 무역풍의 영향을 받는다. (×)
                  → 편서풍
④ (나) 시기에 C는 아열대 고압대의 영향으로 건기가 나타난다. (×)
                         → 편서풍의 영향으로 우기가
⑤ (나) 시기에 밤의 길이는 A~C 중 A가 가장 길다. (○)

05 온대 기후의 구분과 분포   답 ④

지도에 표시된 세 지역은 사막 기후가 나타나는 카스, 온대 겨울 건조 기후가 나타나는 홍콩, 남반구 서안 해양성 기후가 나타나는 오클랜드이다. 태양 고도각이 90°에 가까운 수치가 나타날 수 있는 지역은 북회귀선과 남회귀선 사이에 있는 곳이므로, 홍콩만이 해당한다. 따라서 (가) 시기 C가 태양 고도각이 90°에 가까우므로 북회귀선에 있는 홍콩이고, (가)는 7월이며, (나)는 1월이다. 7월에 태양 고도각이 B가 A보다 높으므로 B는 카스이고, 태양 고도각이 가장 낮은 A는 오클랜드이다. ④ A~C 중 1월, 7월 강수량 차이가 가장 큰 지역은 온대 겨울 건조 기후가 나타나는 홍콩(C)이다.

① A는 (가) 시기보다 (나) 시기에 평균 기온이 낮다. (×)
  → 남반구에 위치한 오클랜드(A)는 7월보다 1월에 평균 기온이 높다.
② C는 (가) 시기에 주로 계절풍의 영향으로 건기가 나타난다. (×)
  → 홍콩(C)은 주로 7월에 계절풍의 영향으로 우기가 나타난다.
③ B는 C보다 (나) 시기의 평균 기온이 높다. (×)
  → 카스(B)는 홍콩(C)보다 고위도 내륙에 위치하므로 1월 평균 기온이 낮다.
④ A~C 중 (가), (나) 시기 간 강수량 차이가 가장 큰 지역은 C이다. (○)
⑤ A~C 중 (나) 시기에 낮 길이가 가장 짧은 지역은 A이다. (×)
  → A~C 중 1월에 낮 길이가 가장 짧은 지역은 카스(B)이다.

06 사막의 형성 원인   답 ⑤

A는 사하라 사막, B는 타커라마간 사막, C는 그레이트빅토리아 사막, D는 아타카마 사막, E는 파타고니아 사막이다.

A는 연중 아열대 고압대의 영향을 받아, B는 대륙 내부에 위치하여 수증기의 공급이 어렵기 때문에 형성된 사막이다. C는 아열대 고압대에 위치하여 강수량이 적기 때문에 형성된 사막이다. D는 한류로 인해 대기가 안정되어 형성된 사막이다. E는 탁월풍의 비그늘 지역에 형성된 사막이다.

07 건조 기후 지역의 지형   답 ⑤

건조 기후 지역에서는 바람, 유수 등에 의해 다양한 지형이 형성된다.

ㄱ. ㉠을 외래 하천이라 한다. (×)
  → ㉠은 비가 내릴 때만 일시적으로 물이 흐르는 와디(건천)이다. 외래 하천은 습윤한 지역에서 발원하여 건조한 지역을 통과하는 하천을 말한다.
ㄴ. ㉡은 담수호이며 관개용수로 널리 활용된다. (×)
  → ㉡ 플라야호는 염호이며, 염분 농도가 높아 관개용수로 사용되기 어렵다.
ㄷ. ㉢이 연속적으로 발달하여 이어진 지형을 바하다라고 한다. (○)
ㄹ. ㉣은 경암층과 연암층이 차별 침식을 받아 형성된다. (○)
  → ㉣ 메사와 뷰트는 침식에 강한 경암층이 침식에 약한 연암층 위에 남아 형성된 지형이다.

08 건조 기후 지역의 지형   답 ①

건조 기후 지역은 강수량보다 증발량이 많은 기후 지역이다. (가)는 건조 기후 지역에서 바람의 침식 작용으로 형성된 지형으로 ① 버섯바위에 해당한다. ②는 유수의 퇴적에 의해 형성되는 선상지, ③은 빙하의 침식으로 형성되는 호른, ④는 토양의 동결과 융해에 의해 형성되는 구조토, ⑤는 바람의 퇴적 작용으로 형성되는 사구이다.

09 건조 기후 지역의 주민 생활   답 ⑤

(가) 지역은 사막 기후에 해당한다. ⑤ 쌀로 만든 국수와 볶음밥을 주식으로 먹는 지역은 아시아의 계절풍 기후 지역이다.

10 냉대 기후 지역의 기후 변화   답 ①

(가) 기후는 냉대 기후로, ①에 해당한다. ②는 지중해성 기후, ③은 열대 우림 기후, ④는 툰드라 기후, ⑤는 온대 겨울 건조 기후에 해당한다.

11 빙하 침식 지형 📖 ②

A는 권곡 안에 형성된 빙하호, B는 물리적 풍화가 활발하게 작용하는 호른, C는 지류 빙식곡에서 본류 빙식곡으로 물이 흐르는 현곡, D는 빙하가 침식하여 형성한 유(U)자 모양의 골짜기인 빙식곡이다.

12 빙하 퇴적 지형 📖 ②

A는 빙하의 퇴적 작용으로 형성된 드럼린으로, 그 형태로 대략적인 빙하의 이동 방향을 알 수 있다. 드럼린은 빙하의 상류쪽은 경사가 급하고 뭉툭하며, 그 반대쪽은 경사가 완만하고 뾰족한 편이다. B는 빙하가 녹아 형성된 빙하호, C는 융빙수의 퇴적 작용으로 형성된 제방 모양의 지형인 에스커, D는 빙하의 퇴적 작용으로 형성된 모레인이다. ②는 플라야호에 대한 설명이다.

13 주빙하 지형 📖 ⑤

자료는 구조토에 대한 것으로, (가) 기후 지역은 툰드라 기후 지역에 해당한다. 툰드라 기후 지역에서는 토양층이 녹아 가옥이 붕괴되는 것을 막기 위해 땅에 기둥을 박고 지표면에서 띄워서 집을 짓는다.

14 툰드라 기후 지역의 주민 생활 📖 ②

북극해 연안 러시아의 야말반도는 툰드라 기후 지역으로, 여름철에 지의류, 이끼류 등이 자란다. 네네츠인은 툰드라 기후 지역에서 순록을 유목하는 민족으로, 순록의 가죽을 이용하여 옷과 이불, 가옥 등을 만들어 살아간다.

15 사막 기후와 툰드라 기후 📖 ③

(가)는 사막 기후에 적응하고 사는 사막 여우이고, (나)는 툰드라 기후에 적응하고 사는 북극 토끼이다. 사막 기후는 툰드라 기후보다 일교차는 크고 증발량은 많으며, 결빙 일수는 적다.

16 빙하 지형과 건조 지형 📖 ⑤

갑 교사는 빙하 지형이 나타나는 곳을, 을 교사는 건조 지형이 나타나는 곳을 답사했다. ⑤ 사구는 바람에 날린 모래로 구성되어 있고, 사막 포도는 바람에 의해 모래가 제거된 후 남은 자갈로 구성되어 있으므로, 사구보다 사막 포도의 구성 물질의 입자 크기가 크다.

03 세계의 주요 대지형과 특수한 지형들

탄탄 내신 문제 | p. 58 ~ p. 63

01 ⑤	02 ②	03 ①	04 ③	05 ②	06 ③
07 ②	08 ①	09 ③	10 ④	11 ①	12 ④
13 ②	14 ①	15 ②	16 ③	17 ⑤	18 ④
19 해설 참조		20 해설 참조		21 해설 참조	
22 해설 참조					

01 지형 형성 작용 📖 ⑤

지형 형성 작용은 크게 지표의 기복을 높이는 내적 작용과 기복을 낮추는 외적 작용으로 구분된다. ⑤ 내적 작용에 의해 형성된 대지형은 이후 지속적으로 외적 작용의 영향을 받아 지형이 변화한다.

02 판의 경계 📖 ②

(가)는 두 해양판이 갈라지는 해령, (나)는 해양판과 대륙판이 수렴하면서 형성된 습곡 산맥이다. A는 해양판이 분리되는 대서양 중앙 해령, B는 대륙판이 분리되는 동아프리카 지구대, C는 두 대륙판이 수렴하는 히말라야산맥, D는 로키산맥, E는 해양판과 대륙판이 수렴하는 안데스산맥이다.

03 세계의 대지형 📖 ①

지도의 (가)는 안정육괴, (나)는 신기 조산대, (다)는 고기 조산대이다. (가)는 지각이 가장 안정된 지역으로, 철광석이 주로 매장되어 있다. (나)는 오늘날에도 조산 운동이 진행되기 때문에 산지의 규모가 크고 산지의 연속성이 뚜렷하다. (다)는 고생대부터 중생대 중기까지 조산 운동을 받았던 지역으로, 오랜 세월 동안 침식이 진행되어 신기 조산대에 비해 낮고 완만하며, 화산 활동이나 지진 발생 빈도가 낮다.

04 세계의 대지형　　정답 ③

(나) 신기 조산대는 (다) 고기 조산대에 비해 지진의 발생 빈도가 높고 평균 해발 고도가 높으며, 산지의 형성 시기가 늦다.

05 세계의 대지형　　정답 ②

(가)는 대서양 중앙 해령에 위치한 아이슬란드의 열곡, (나)는 두 대륙판이 수렴하여 형성된 히말라야산맥, (다)는 두 대륙판이 분리되는 과정에서 형성된 동아프리카 지구대, (라)는 판과 판이 어긋나 미끄러지는 경계부에 발달한 미국 캘리포니아의 샌안드레아스 단층이다.

06 화산 지형　　정답 ③

성층 화산은 여러 번의 화산 분출로 화산 쇄설물과 용암류가 층을 이루면서 겹겹이 쌓인 지형이다.

07 화산 및 지진의 발생 지역　　정답 ②

세계 주요 화산 분포 및 지진 발생 지역은 주요 조산대인 판과 판의 경계 지역을 따라 분포한다.

08 화산 활동과 주민 생활　　정답 ①

화산은 인간 생활에 유리하게 활용되기도 한다. 화산재가 쌓인 토양은 비옥하여 농업 활동에 도움을 준다. 또한 화산 폭발로 형성된 독특한 화산 지형과 온천은 관광 자원으로 이용되며, 땅속의 열에너지를 이용한 지열 발전을 통해 전기를 생산하기도 한다. 이 밖에 화산 주변의 주민들은 구리, 유황 등의 광물 자원을 채굴하여 경제적 이익을 얻는 경우도 있다. ① 지구의 열적 균형을 유지시켜 주는 긍정적인 효과가 있는 것은 열대 저기압이다.

09 화산 지형과 카르스트 지형　　정답 ③

(가)는 용암동굴, (나)는 석회동굴이다. 용암동굴은 용암이 분출할 때 상층의 용암은 굳어지고 하층 내부의 용암이 흘러가면서 형성된다. 석회동굴은 석회암층이 지하수에 의해 용식되어 형성된다.

10 화산 지형과 카르스트 지형　　정답 ④

(가)는 석회암의 탄산칼슘 성분이 침전되면서 만들어진 계단 모양의 지형인 석회화 단구, (나)는 유동성이 큰 현무암질 용암이 이동하면서 빠르게 냉각될 때 중심점을 향해 육각기둥 모양으로 수축하여 형성된 주상 절리이다.

11 카르스트 지형　　정답 ①

A는 탑 카르스트, B는 우발레, C는 돌리네, D는 석회동굴이다. 탑 카르스트는 중국의 구이린, 베트남의 할롱베이 등에서 볼 수 있다.

12 카르스트 지형의 이용　　정답 ④

독특하고 아름다운 경관을 바탕으로 관광지로 이용되는 카르스트 지형이 무분별한 개발로 훼손되지 않도록 지형 파괴를 줄이고 보존하기 위한 노력이 필요하다.

13 해안 지형　　정답 ②

파랑 에너지가 집중되는 (가) 곶에는 주로 암석 해안이 형성되고, 파랑 에너지가 분산되는 (나) 만에는 주로 모래 해안이나 갯벌 해안이 형성된다. ② 암석 해안에서는 해식애, 파식대, 해식동굴, 시 스택, 해안 단구 등의 지형을 볼 수 있다.

① 조차가 큰 해안에서는 (가)에서 갯벌이 발달한다. (×)
　　　　　　　　　　　　　　　→ (나)
② 지반이 융기하면 (가)에서는 해안 단구를 볼 수 있다. (○)
③ (나)에서는 침식 작용이 활발하여 사빈이 발달한다. (×)
　　　　　　　　　→ 퇴적
④ (가)를 만, (나)를 곶이라고 한다. (×)
　　　→ 곶　　　→ 만
⑤ 파랑 에너지는 (가)에서 분산되고 (나)에 집중된다. (×)
　　　　　　　　　→ 집중　　　　→ 분산

14 해안 지형　답 ①

해안 지형은 해안을 이루고 있는 구성 물질에 따라 암석 해안과 모래 해안, 갯벌 해안 등으로 구분된다. ① 산지나 구릉이 파랑에 의해 침식되면 해식애가 형성되고, 그 전면에는 해식애의 후퇴로 남은 평평한 파식대가 형성된다.

① ⓒ의 후퇴로 ㈀의 면적이 넓어진다. (○)
② ⓒ은 파랑 에너지가 분산되는 곳에 잘 발달한다. (×)
　　　　　　　　　　　→ 집중
③ ⓓ은 농경지로 이용되거나 취락이 입지한다. (×)
　　　→ 해안 단구에 해당하는 설명이다.
④ ⓔ은 조차가 큰 해안에서 잘 발달한다. (×)
　　　→ 갯벌에 해당하는 설명이다.
⑤ ⓕ의 면적은 시간이 지날수록 점점 넓어진다. (×)
　　　→ 석호의 면적은 시간이 지날수록 점점 좁아진다. 왜냐하면 하천에 의해 운반되어 온 토사가 석호에 퇴적되기 때문이다.

15 해안 지형　답 ②

진흙으로 이루어져 있는 (나) 갯벌 해안은 모래로 이루어져 있는 (가) 모래 해안에 비해 퇴적물의 평균 입자 크기는 작고, 조수 간만의 차이가 크며, 파랑의 영향은 작다.

16 해안 지형　답 ③

(가)는 U자곡이 침수된 노르웨이 서부의 피오르 해안에 해당하고, (나)는 V자곡이 침수된 에스파냐 북서부의 리아스 해안에 해당한다.

ㄱ. (가)에는 산호초 해안이 넓게 나타난다. (×)
　　　→ 산호초 해안은 열대 기후 지역에서 발달한다.
ㄴ. (나)는 해수면 상승으로 V자곡이 침수되어 형성되었다. (○)
ㄷ. 빙하 침식 지형은 (나)보다 (가)에서 주로 볼 수 있다. (○)
ㄹ. (가), (나)는 연중 한류의 영향을 받는다. (×)
　　　→ (가), (나) 모두 난류의 영향을 받는다.

▶ 리아스 해안과 피오르 해안

리아스 해안	하천의 침식 작용으로 형성된 계곡에 바닷물이 들어와 만들어진 해안 예 에스파냐 북서부 해안, 우리나라 남서 해안
피오르 해안	빙하의 침식 작용으로 형성된 계곡에 바닷물이 들어와 만들어진 해안 예 노르웨이 해안, 뉴질랜드 남섬의 남서부 해안

17 해안 지형　답 ⑤

캐나다 동부 연안, 미국 동부 연안, 북해 연안, 우리나라의 서해안, 아마존강 하구 일대에는 세계적인 갯벌이 발달해 있다. ⑤ 갯벌은 입자가 고운 물질이 퇴적되는 지형이므로 파랑의 영향을 적게 받는 만의 안쪽이나 섬의 뒤쪽 등에서 발달한다.

18 해안 지형, 화산 지형, 빙하 지형　답 ④

(가)는 해안 침식 지형, (나)는 화산 지형, (다)는 빙하 지형으로, 독특하고 특수한 경관을 관광 자원으로 활용할 수 있다. ④ 온천은 화산 주변에 발달되어 있다.

19 신기 습곡 산지와 고기 습곡 산지

모범 답안 | A 신기 습곡 산지는 중생대 말에서 신생대에 형성되어 해발 고도가 매우 높고 험준하며, 석유, 천연가스, 유황 등이 많이 매장되어 있다. 반면, B 고기 습곡 산지는 고생대에서 중생대에 걸쳐 형성되어 오랜 침식 작용을 받아 해발 고도가 낮은 편이며, 석탄이 많이 매장되어 있다.

주요 단어 | 신기 습곡 산지, 신생대, 높은 해발 고도, 석유, 천연가스, 고기 습곡 산지, 고생대, 낮은 해발 고도, 석탄

채점 기준	배점
제시된 조건을 모두 만족하여 신기 습곡 산지와 고기 습곡 산지의 특징을 바르게 서술한 경우	상
제시된 조건 중 2가지만 만족하여 신기 습곡 산지와 고기 습곡 산지의 특징을 서술한 경우	중
제시된 조건 중 한 가지만 만족하여 신기 습곡 산지와 고기 습곡 산지의 특징을 서술한 경우	하

20 화산 지형

(1) 칼데라호
(2) **모범 답안** | 마그마가 지표로 분출되어 화산이 형성되고, 지하에는 빈 공간이 생기게 된다. 이후 빈 공간이 압력을 견디지 못하고 산의 정상부가 붕괴되면서 꺼져 내리면, 분화구 주변이 붕괴되어 칼데라가 형성되고, 이곳에 빗물과 지하수가 채워져 칼데라호가 형성된다.

주요 단어 | 분화구 함몰, 빗물과 지하수, 호수

채점 기준	배점
(1)을 쓰고, (2)의 칼데라호의 형성 과정을 모두 바르게 서술한 경우	상
(1)을 썼으나, (2)의 칼데라호의 형성 과정을 미흡하게 서술한 경우	중
(1)만 쓴 경우	하

21 카르스트 지형

(1) A 돌리네, B 석회동굴
(2) **모범 답안** | C는 탑 카르스트이다. 탑 카르스트는 주로 고온 다습한 지역에서 석회암이 빗물, 하천, 해수의 차별적인 용식 작용을 받아 형성되는데, 풍화와 침식을 견디고 남은 부분이 가파른 탑 모양을 이룬다.

주요 단어 | 탑 카르스트, 석회암, 용식

채점 기준	배점
(1)을 쓰고, (2)의 탑 카르스트의 형성 과정을 모두 바르게 서술한 경우	상
(1)을 썼으나, (2)의 탑 카르스트의 형성 과정을 미흡하게 서술한 경우	중
(1)만 쓴 경우	하

22 해안 침식 지형

(1) A 시 아치, B 시 스택

(2) 모범 답안 | A 시 아치와 B 시 스택은 모두 파랑의 침식 작용에 의해 약한 부분이 뚫리고 무너져서 형성되었다.

주요 단어 | 파랑의 침식 작용

채점 기준	배점
(1)을 쓰고, (2)의 시 아치 및 시 스택의 공통적인 형성 과정을 바르게 서술한 경우	상
(1)을 썼으나, (2)의 시 아치 및 시 스택의 공통적인 형성 과정을 미흡하게 서술한 경우	중
(1)만 쓴 경우	하

도전 수능 문제 | p. 64 ~ p. 67

01 ⑤	02 ⑤	03 ④	04 ④	05 ②	06 ④
07 ⑤	08 ②	09 ⑤	10 ②	11 ③	12 ①
13 ③	14 ③	15 ③	16 ②		

01 판 구조 운동과 판의 경계 유형   답 ⑤

㉠은 두 판이 어긋나서 미끄러지는 경계로, 단층이 형성되어 있다. 대표적으로 미국 캘리포니아의 샌안드레아스 단층이 있다. ㉡은 두 판이 서로 갈라지는 경계로, 해령이나 지구대가 형성되며 지각을 확장한다. 대표적으로 대서양 중앙 해령과 동아프리카 지구대가 있다. ㉢은 대륙판과 해양판이 충돌하는 경계로, 지진과 화산 활동이 활발하며, 해구나 산맥이 형성된다. ㉣은 두 대륙판이 충돌하는 경계로 높은 습곡 산맥이 형성되어 있으며, 대표적으로 히말라야산맥이 있다. ㉣은 ㉢에 비해 화산 활동이 덜 활발하다.

02 세계의 대지형   답 ⑤

(가)는 로렌시아 순상지, (나)는 고기 습곡 산지인 애팔래치아산맥, (다)는 신기 습곡 산지인 안데스산맥, (라)는 신기 습곡 산지인 알프스산맥, (마)는 동아프리카 지구대이다.

정답을 찾아가는 셀파 - Tip

① (가) – 두 판이 수평으로 어긋나 미끄러져 형성되었다. (×)
   → (가)는 시·원생대에 형성되어 오랜 침식을 받은 안정육괴이다.

② (나) – 신생대에 대륙판과 대륙판이 충돌하여 형성되었다. (×)
   → (나)는 고생대의 조산 운동으로 만들어진 산지이다.

③ (다) – 시·원생대에 형성된 후 오랜 침식을 받은 안정육괴이다.
   (×) → (다)는 대륙판과 해양판이 충돌하여 형성된 산지이다.

④ (라) – 고생대의 조산 운동으로 만들어진 산지이다. (×)
   → (라)는 신생대에 대륙판과 대륙판이 충돌하여 형성된 산지이다.

⑤ (마) – 대륙판이 갈라지면서 만들어지는 지구대가 나타난다. (○)

03 세계의 대지형   답 ④

A는 신기 습곡 산지인 아틀라스산맥, B는 태평양판이 필리핀판 아래로 들어가면서 매우 깊은 수심이 나타나는 마리아나 해구, C는 안정 육괴에 해당되는 미국 대평원, D는 시·원생대 이후 오랜 침식을 받아 형성된 완만한 땅덩어리인 브라질 순상지, E는 고기 습곡 산지인 그레이트디바이딩산맥이다.

정답을 찾아가는 셀파 - Tip

① A의 산지는 고생대~중생대 초기 조산 운동으로 형성되었다. (×)
   → 고기 습곡 산지에 해당하는 설명이다.

② B에서는 마그마 상승에 의해 판이 서로 반대 방향으로 움직인다. (×) → B 마리아나 해구는 해양판이 다른 해양판과 만나면서 형성되었다.

③ C는 대륙 지각과 해양 지각이 만나는 곳으로 화산 활동이 활발하다. (×) → C 미국 대평원은 안정육괴로, 화산 활동이 일어나지 않는다.

④ D는 주로 시·원생대 이후 오랜 침식을 받아 형성되었다. (○)

⑤ E의 산지는 신생대 조산 운동으로 형성되었다. (×)
   → 신기 습곡 산지에 해당하는 설명이다.

04 세계의 대지형   답 ④

(가) 지형 단면도는 ㉠, (나) 지형 단면도는 ㉡에 해당한다. A는 안데스산맥, B는 브라질 순상지, C는 동아프리카 지구대이다.

정답을 찾아가는 셀파 - Tip

① (가)는 ㉡, (나)는 ㉠이다. (×)
   → (가)는 ㉠, (나)는 ㉡이다.

② A는 고생대에 습곡 운동으로 형성된 산지이다. (×)
   → A 안데스산맥은 신기 습곡 산지이다.

③ B는 지진과 화산 활동이 활발한 지역이다. (×)
   → B 브라질 순상지는 오랜 기간 침식 작용을 받아 형성된 안정육괴이다.

④ C는 대륙판이 갈라지면서 형성된 지구대이다. (○)

⑤ A는 B보다 철광석이 풍부하게 매장되어 있다. (×)
   → A보다 B에 철광석이 풍부하게 매장되어 있다.

05 세계의 대지형   답 ②

(가)는 에베레스트산과 히말라야산맥이 표현되어 있는 네팔 화폐이고, (나)는 안데스산맥이 표현되어 있는 페루 화폐이다. 지도의 A는 네팔, B는 인도네시아, C는 멕시코, D는 페루이다.

06 화산 지형의 특징   답 ④

성층 화산은 수차례의 용암 분출과 화산 쇄설물이 화구 주변에 지속적으로 쌓여 형성된다.

정답을 찾아가는 셀파 - Tip

① ㉠ – 해양판과 대륙판의 충돌로 형성되었다. (×)
   → 동아프리카 지구대는 대륙판이 갈라져 형성되었다.

② ㉡ – 분포 고도 하한선이 낮아지고 있다. (×)
   → 기후 변화로 인해 만년설의 분포 고도 하한선이 높아지고 있다.

③ ㉢ – 주로 유동성이 작은 용암의 분출로 형성되었다. (×)
   → 순상 화산은 유동성이 큰 용암의 분출로 형성되었다.

④ ㉣ – 수차례 용암 분출과 화산 쇄설물 퇴적으로 형성되었다. (○)

⑤ ㉤ – 경암과 연암의 차별 침식으로 형성되었다. (×)
   → 칼데라호는 화구의 함몰로 형성된 칼데라에 물이 고여 형성된다.

07 화산 지형　　　　　　　　　　답 ⑤

밑줄 친 부분들을 통해 추론할 수 있는 지형은 화산 지형이다. ⑤는 카르스트 지형에 대한 설명이다.

08 화산 지형과 카르스트 지형　　　　답 ②

자료를 통해 A는 화산, B는 탑 카르스트 지형임을 알 수 있다.

> **정답을 찾아가는 셀파 - Tip**
>
> ㄱ. A는 마그마가 분출하여 형성되었다. (○)
> ㄴ. A의 정상부에는 지표수에 의해 용식된 지형이 나타난다. (×)
> 　→ 카르스트 지형에 해당하는 설명이다.
> ㄷ. B는 주로 습윤 기후 지역의 석회암 지대에서 나타난다. (○)
> ㄹ. B는 해수면 상승으로 빙식곡이 바닷물에 잠겨 형성되었다. (×)
> 　→ 피오르 해안에 해당하는 설명이다.

09 카르스트 지형　　　　　　　　　답 ⑤

밑줄 친 ㉠ 지형은 탑 카르스트로, 석회암이 빗물, 하천, 해수의 차별적인 용식 작용을 받아 형성된다. 중국의 구이린과 베트남의 할롱베이는 탑 카르스트로 유명한 세계적인 관광지이다.

10 카르스트 지형　　　　　　　　　답 ②

카르스트 지형이 발달하기 위해서는 석회암층이 넓고 깊게 분포해야 하고 강수량이 풍부해야 하며 지하수의 순환이 원활해야 한다. 현재 카르스트 지형은 습윤 기후 지역의 석회암 지대에서 잘 나타난다. 대표적인 지역으로는 튀르키예, 슬로베니아 등 지중해 연안, 베트남과 인도네시아 등 동남아시아, 중국 화남 지방, 서인도 제도 등을 들 수 있다. 카르스트 지형에는 돌리네, 우발레, 카렌, 탑 카르스트 등과 같이 지표에 나타나는 지형과 종유석, 석순, 석주 등과 같이 지하에 나타나는 지형이 있다.

> **정답을 찾아가는 셀파 - Tip**
>
> ㄱ. ㉠의 발달은 건조한 기후 환경에서보다 습윤한 기후 환경에서 잘 이루어진다. (○)
> ㄴ. ㉡은 탑카르스트라고 한다. (×)
> 　→ 석회화 단구
> ㄷ. ㉢은 지표, ㉣은 지하에 주로 발달한다. (○)
> ㄹ. ㉣은 물리적 풍화 작용으로 형성된 침식 지형이다. (×)
> 　→ 카르스트 지형은 석회암과 물의 화학 반응으로 형성되는 화학적 풍화 작용으로 형성된다.

11 카르스트 지형　　　　　　　　　답 ③

A는 빗물이나 지하수의 용식 작용에 의해 형성된 돌리네, B는 돌리네가 여러 개 연결되어 확장된 우발레, C는 동굴의 천장에서 중력 방향으로 탄산칼슘이 침전되어 형성된 종유석, D는 주로 탄산칼슘으로 이루어진 퇴적암인 석회암으로, A∼C 지형의 기반암이다.

12 빙하 지형, 카르스트 지형　　　　　답 ①

㉠은 빙식곡이 후빙기 해수면 상승으로 바닷물에 잠겨 형성된 좁고 깊은 만인 피오르 해안, ㉡은 석회암이 용식 작용을 받아 형성된 기암괴석인 탑 카르스트이다.

> **정답을 찾아가는 셀파 - Tip**
>
> ㄱ. ㉠은 후빙기 해수면 상승으로 형성되었다. (○)
> ㄴ. ㉡은 용식 작용을 받은 탑 모양의 지형이다. (○)
> ㄷ. ㉡에서는 기둥 모양의 주상 절리를 볼 수 있다. (×)
> 　→ 기둥 모양의 주상 절리는 과거 화산 활동이 있었던 지역에서 나타난다.
> ㄹ. ㉠은 ㉡보다 고온 다습한 환경에서 발달한다. (×)
> 　→ 고온 다습한 환경에서 잘 발달하는 지형은 카르스트 지형인 ㉡이다.

13 해안 지형　　　　　　　　　　　답 ③

A는 시 스택, B는 해식애, C는 사빈이다. ③은 갯벌에 해당하는 설명이다.

> **내 것으로 만드는 셀파 - Tip**
>
> ▶ 주요 해안 지형
>
> | 암석 해안 | • 해식애: 파랑의 침식을 받아 형성된 절벽
• 파식대: 해식애가 후퇴하고 남은 평탄면
• 시 스택: 파랑의 침식을 견디고 남은 바위기둥 |
> |---|---|
> | 모래 해안 | • 사빈: 하천이나 암석 해안에서 공급된 모래가 파랑과 연안류에 의해 퇴적된 지형
• 석호: 후빙기 해수면 상승으로 형성된 만의 입구를 사주가 가로막아 형성된 호수 |

14 해안 지형　　　　　　　　　　　답 ③

(가)는 밀물 때 바닷물에 잠기고 썰물 때 육지로 드러나는 갯벌, (나)는 사주의 발달로 바다와 분리된 호수인 석호, (다)는 파랑 에너지가 집중되는 곳에서 암석이 침식되어 형성된 해식애, (라)는 파랑과 연안류의 퇴적 작용으로 형성된 사빈이다.

15 리아스 해안과 피오르 해안　　　　답 ③

(가)는 에스파냐 북서부의 리아스 해안이고, (나)는 노르웨이 서안에 발달한 피오르 해안이다. 피오르 해안은 빙하의 침식 작용으로 형성된 계곡에 바닷물이 들어와 만들어진 해안으로, 뉴질랜드 남섬의 남서부 해안에서도 볼 수 있다.

> **정답을 찾아가는 셀파 - Tip**
>
> 갑. (가)에는 현곡이 많이 발달해 있어요. (×)
> 　→ 현곡은 피오르 해안에 발달해 있나.
> 을. (나)와 형성 과정이 유사한 해안은 뉴질랜드 남섬에도 있어요. (○)
> 병. (나)는 (가)보다 과거 빙하의 영향을 많이 받았어요. (○)
> 정. A의 물은 염도가 낮아 농업용수로 사용하고 있어요. (×)
> 　→ 피오르는 빙식곡이 해수면 상승으로 형성된 좁고 긴 만으로, 염도가 높아 농업용수로 사용하기 어렵다.

16 세계의 다양한 지형　　　　　　　답 ②

갑이 이야기하고 있는 지역은 과거 빙하가 분포했던 곳으로, 빙력토 평원이 발달한 곳이다. 을이 이야기하고 있는 지역은 빙하호가 발달한 곳으로, 이를 관광지로 활용하기도 한다. 병이 이야기하고 있는 지역은 한류 연안에 발달한 아타카마 사막이다. 정이 이야기하고 있는 지역은 피오르 해안이 발달한 칠레 남부 해안이다.

III 세계의 인문 환경과 인문 경관

01 세계의 주요 종교

탄탄 내신 문제
p. 74 ~ p. 77

01 ①	02 ③	03 ⑤	04 ③	05 ⑤	06 ①
07 ⑤	08 ②	09 ③	10 ④	11 해설 참조	
12 해설 참조		13 해설 참조		14 해설 참조	

01 보편 종교와 민족 종교의 사례 답 ①

(가)는 보편 종교, (나)는 민족 종교이다. 보편 종교에는 크리스트교, 이슬람교, 불교가 있으며, 민족 종교에는 유대교, 힌두교 등이 있다.

02 세계의 종교 인구 비중 답 ③

세계의 종교 인구 비중은 크리스트교 〉이슬람교 〉힌두교 〉불교 순으로 높다. 따라서 A는 크리스트교, B는 이슬람교, C는 힌두교, D는 불교이다.

정답을 찾아가는 셀파 - Tip

① A는 민족 종교이다. (×)
  → 크리스트교(A)는 보편 종교이다.
② C의 신자들은 유일신을 믿는다. (×)
  → 힌두교(C)는 다신교이다.
③ B는 A보다 아시아에서 신자 수가 많다. (○)
  → 아시아에서는 이슬람교(B)가 크리스트교(A)보다 신자 수가 많다.
④ D는 B보다 기원한 시기가 늦다. (×)
  → 불교(D)는 기원전 6세기, 이슬람교(B)는 기원후 7세기에 발생하였다.
⑤ B와 D는 모두 서남아시아에서 기원하였다. (×)
  → 이슬람교(B)는 서남아시아, 불교(D)는 남부 아시아에서 기원하였다.

03 주요 지역별 종교 비중 답 ⑤

(가)는 유럽에서 신자 수 비중이 높은 크리스트교, (나)는 서남아시아와 북부 아프리카에서 신자 수 비중이 높은 이슬람교, (다)와 (라)는 불교와 힌두교 중 하나인데, 아시아·오세아니아에서 신자 수가 많은 (라)가 힌두교, (다)가 불교이다. 지도의 인도(A)는 힌두교, 타이(B)는 불교, 인도네시아(C)는 이슬람교, 필리핀(D)은 크리스트교 신자 수 비중이 가장 높다.

자료를 분석하는 셀파 - Tip

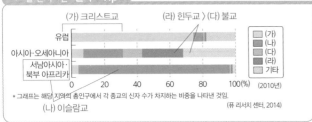

04 크리스트교와 불교의 특징 비교 답 ③

(가)는 크리스트교, (나)는 불교이다.

정답을 찾아가는 셀파 - Tip

ㄱ. (가)는 보편 종교, (나)는 민족 종교이다. (×)
  → (가), (나) 모두 보편 종교이다.
ㄴ. (가)는 (나)보다 전 세계 분포 면적이 넓다. (○)
  → 종교별 전 세계 분포 범위는 크리스트교 〉이슬람교 〉불교 〉힌두교 순이다.
ㄷ. (가)의 기원지는 (나)의 기원지보다 강수량이 적다. (○)
  → (가)의 기원지는 건조 기후, (나)의 기원지는 습윤 기후에 해당한다.
ㄹ. (가), (나) 모두 기원지에서 신자 수 비중이 가장 높다. (×)
  → (가), (나) 모두 기원지에서 쇠퇴하고 주변으로 전파되었다.

05 세계 3대 보편 종교의 기원지와 전파 경로 답 ⑤

A는 팔레스타인 지역에서 기원하여 유럽, 아메리카, 오세아니아, 사하라 이남 아프리카 등으로 전파된 크리스트교이다. B는 사우디아라비아의 메카에서 기원하여 서남아시아, 북부 아프리카, 동남아시아 등으로 전파된 이슬람교이다. C는 인도 북부에서 기원하여 아시아 지역으로 전파된 불교이다. 종교의 기원 시기는 불교(C) 〉크리스트교(A) 〉이슬람교(B) 순으로 이르다.

내 것으로 만드는 셀파 - Tip

▶ 세계 보편 종교 간 지표 비교

신자 수	크리스트교 〉이슬람교 〉불교
기원 시기	불교(B.C 6C) 〉크리스트교(1C 초) 〉이슬람교(7C 초)
분포 범위	크리스트교 〉이슬람교 〉불교

06 주요 종교의 성지 답 ①

(가)는 크리스트교의 성지 중 한 곳인 예루살렘에 대한 설명이고, (나)는 이슬람교의 최대 성지인 메카, (다)는 불교의 대표적인 성지인 부다가야에 대한 설명이다. 지도의 A는 이스라엘의 예루살렘, B는 사우디아라비아의 메카, C는 인도의 부다가야이다.

07 예루살렘 구시가지의 종교 경관 답 ⑤

(가)는 크리스트교, (나)는 유대교, (다)는 이슬람교이다. (가)와 (다)는 보편 종교, (나)는 민족 종교이며, (가)~(다) 모두 유일신교이다.

08 크리스트교와 이슬람교의 특징 답 ②

㉠은 이슬람교, ㉡은 크리스트교이다. 이슬람교는 군사적 정복 활동과 상업 활동을 바탕으로 북부 아프리카와 서남아시아 전역, 동남 및 남부 아시아 일대에 전파되었다. 이슬람교는 사우디아라비아의 메카, 크리스트교는 팔레스타인 지역에서 기원하였으므로 두 종교 모두 기원지는 서남아시아에 있다.

정답을 찾아가는 셀파 - Tip

ㄱ. ㉠은 정복과 무역 활동에 의한 전파가 활발했다. (○)
ㄴ. ㉡의 종파로는 수니파와 시아파가 있다. (×)
  → 이슬람교의 특징이다.
ㄷ. ㉠과 ㉡의 기원지는 서남아시아에 위치한다. (○)
ㄹ. ㉠과 ㉡의 종교 시설에는 다양한 신들의 조각상이 장식되어 있다. (×)
  → 힌두교의 특징이다. 이슬람교와 크리스트교는 유일신교이다.

09 불교와 힌두교의 특징　답 ③

(가)는 길거리에서 수양에 힘쓰는 불교 승려들의 모습이고, (나)는 갠지스강에서 목욕 의식을 하고 있는 힌두교 신자들의 모습이다. 두 종교 모두 윤회 사상을 믿는다.

정답을 찾아가는 셀파 - Tip

① (가)의 수도자들은 ~~육식~~을 선호한다. (×)
　　　　　　　　　→ 채식
② (나)의 대표적인 종교 경관은 모스크이다. (×)
　　→ 이슬람교의 특징이다.
③ (가)와 (나)는 모두 윤회 사상을 믿는다. (○)
④ (가)와 (나)는 아시아에 분포하는 민족 종교이다. (×)
　　→ (가)는 보편 종교, (나)는 민족 종교이다.
⑤ (가)는 서남아시아, (나)는 남부 아시아에서 기원하였다. (×)
　　→ (가), (나) 모두 남부 아시아에서 기원하였다.

10 이슬람교의 특징　답 ④

이슬람교 여성들은 얼굴이나 몸 전체를 가리기 위해 천이나 베일로 만든 의복을 착용한다. 제시된 그림은 이슬람교 여성들이 착용하는 의복으로 부르카, 니카브, 히잡, 차도르이다.

정답을 찾아가는 셀파 - Tip

ㄱ. 소를 신성시하여 소고기 섭취를 금기시한다. (×)
　　→ 힌두교의 특징이다.
ㄴ. 신자들은 경전인 쿠란의 가르침을 실천하며 생활한다. (○)
ㄷ. 윤회 사상을 믿으며, 선행과 고행을 통한 수련을 중시한다. (×)
　　→ 힌두교의 특징이다.
ㄹ. 사원에는 우상 숭배를 금지하는 아라베스크 문양이 그려져 있다. (○)
　　→ 모스크에는 꽃, 문자 등을 기하학적으로 배치한 아라베스크 문양이 있다.

서술형 문제

11 크리스트교의 전파

(1) A- 가톨릭교, B- 개신교
(2) 모범 답안 | 라틴 아메리카에는 남부 유럽 사람들이 진출하면서 가톨릭교가 전파되었고, 앵글로아메리카에는 북서부 유럽의 청교도들이 이주하면서 개신교가 전파되었다.
주요 단어 | 남부 유럽, 북서부 유럽

채점 기준	배점
(1)을 쓰고, (2)의 두 종교의 전파 배경을 모두 바르게 서술한 경우	상
(1)을 썼으나, (2)의 두 종교의 전파 배경 중 한 가지만 서술한 경우	중
(1)만 쓴 경우	하

12 불교의 전파와 주요 종파

(1) A- 대승 불교, B- 상좌부(소승) 불교, C- 티베트 불교(라마교)
(2) 모범 답안 | 대승 불교는 동아시아로 전파되었는데, 전파된 지역별로 각기 다른 재료를 이용하여 탑이 건축되었다. 대체로 한국에서는 석탑, 중국에서는 전탑, 일본에서는 목탑이 만들어졌다.
주요 단어 | 석탑, 전탑, 목탑

채점 기준	배점
(1)을 쓰고, (2)의 국가별 불탑의 특성을 모두 바르게 서술한 경우	상
(1)을 썼으나, (2)의 국가별 불탑의 특성 중 일부만 서술한 경우	중
(1)만 쓴 경우	하

13 이슬람교의 특징

(1) 아라베스크
(2) 모범 답안 | (가) 종교는 이슬람교이며, 이슬람교 신자들은 경전인 쿠란의 가르침에 따라 신앙 고백, 일 5회 메카를 향한 기도, 자선, 라마단 기간 금식, 메카로의 성지 순례 등 5대 의무를 실천한다.
주요 단어 | 이슬람교, 신앙 고백, 기도, 자선, 금식, 성지 순례

채점 기준	배점
(1)을 쓰고, (2)의 종교 명칭과 신앙 실천 의무를 모두 바르게 서술한 경우	상
(1)을 썼으나, (2)의 종교 명칭만을 서술한 경우	중
(1)만 쓴 경우	하

14 힌두교 신자들의 생활 모습

(1) (가)- 힌두교, (나)- 갠지스강
(2) 모범 답안 | 힌두교는 다양한 신을 믿는 다신교로, 신자들은 윤회 사상을 믿고 선행과 고행을 통한 수련을 중시하며 생활한다. 또한 소를 신성시하며 소고기를 금기시한다.
주요 단어 | 다신교, 윤회 사상, 선행, 고행, 소고기

채점 기준	배점
(1)을 쓰고, (2)의 주요 단어를 모두 넣어 바르게 서술한 경우	상
(1)을 썼으나, (2)의 주요 단어 중 일부만 넣어 서술한 경우	중
(1)만 쓴 경우	하

도전 수능 문제　　　　　　　　　p. 78 ~ p. 81

01 ①	02 ①	03 ①	04 ③	05 ①	06 ④
07 ④	08 ⑤	09 ①	10 ④	11 ②	12 ④
13 ④	14 ⑤	15 ④	16 ②		

01 세계의 종교 분포와 종교별 특징　답 ①

A는 크리스트교, B는 이슬람교, C는 불교, D는 힌두교이다. 크리스트교는 서남아시아에서 기원하였다.

02 보편 종교의 지역별 신자 수 비중　답 ①

(가)는 서남아시아 및 북부 아프리카에서 비중이 높은 이슬람교, (나)는 아시아·태평양에서 상대적으로 비중이 높은 불교, (다)는 대륙별로 비교적 고르게 분포하는 크리스트교이다. ① 이슬람교의 최대 성지는 사우디아라비아의 메카이며, 메카에는 모스크와 카바 신전이 있다. ② (나) 불교의 기원지는 남부 아시아이다. ③은 이슬람교에 해당하는 설명이다. ④ (나) 불교가 (가) 이슬람교보다 발생 시기가 이르다. ⑤ 불교는 유일신교가 아니다.

03 종교별 축제와 지역별 신자 비율　답 ①

(가)는 라마단 기간에 금식을 하는 이슬람교, (나)는 석가모니에 의

해 창시된 불교, (다)는 고행을 통해 수련을 하는 힌두교이다. A는 이슬람교, B는 불교, C는 힌두교이다.

04 불교, 힌두교, 이슬람교의 특징 🖋 ③

지도에 표시된 국가는 인도, 타이, 인도네시아이다. A는 타이에서 신자 수 비중이 가장 높은 불교, B는 인도에서 신자 수 비중이 가장 높은 힌두교, C는 인도네시아에서 신자 수 비중이 가장 높은 이슬람교이다. 힌두교는 민족 종교이며, 이슬람교의 대표적 종교 경관은 중앙에 돔형 지붕이 있고 주변에 첨탑이 있는 모스크이다.

05 이슬람교와 힌두교의 특징 🖋 ①

(가)는 이슬람교, (나)는 힌두교이다.

06 세 보편 종교의 특징 🖋 ④

(가)는 아라베스크 문양을 사용하는 이슬람교, (나)는 성화를 그린 크리스트교, (다)는 연꽃을 상징물로 활용하는 불교이다. 이슬람교와 크리스트교는 서남아시아에서 기원하였고, 불교는 남부 아시아에서 기원하였다. ①은 힌두교, ②는 이슬람교, ③은 크리스트교에 해당하는 설명이다.

내 것으로 만드는 셀파 - Tip

▶ 세계 주요 종교의 기원지와 성지

구분	기원지	성지
크리스트교	서남아시아(팔레스타인)	예루살렘, 바티칸
이슬람교	서남아시아(메카)	메카, 메디나
힌두교	남부 아시아(인도 북부)	갠지스강, 바라나시
불교	남부 아시아(인도 북부)	룸비니, 부다가야

07 주요 종교의 국가별 신자 수 비중 🖋 ④

(가)는 미얀마, 타이에 주로 분포하는 불교, (나)는 인도네시아, 말레이시아에 주로 분포하는 이슬람교, (다)는 필리핀에 주로 분포하는 크리스트교이다. ㄱ. 불교는 인도 북부에서 기원하여 동부 및 동남아시아로 전파되었으며, 지역에 따라 대승 불교와 상좌부 불교 등으로 분화되어 발전했다. ㄴ. 이슬람교는 서남아시아의 메카에서 기원하여 건조한 북부 아프리카 일대로 전파되었다. ㄷ. 크리스트교는 유럽 열강의 식민지 개척 과정에서 아메리카, 오세아니아 등 신대륙으로 전파되었다. ㄹ. 전 세계의 신자 수는 (다) 〉 (나) 〉 (가) 순이다.

08 이슬람교의 특징 🖋 ⑤

신자들이 돼지고기를 먹지 않고 할랄 음식을 먹는 (가) 종교는 이슬람교이다. 이슬람교 신자들은 신앙 실천의 5대 의무를 실천하는데, 이는 신앙 고백, 성지인 메카를 향해 하루 5회 예배, 자선, 라마단 기간 동안 금식, 메카로의 성지 순례이다.

09 세계의 보편 종교별 특징 🖋 ①

(가)는 초승달과 별이 상징인 이슬람교, (나)는 믿음, 소망, 사랑을 강조하는 크리스트교, (다)는 불당과 탑이 주요 종교 경관인 불교이다.

10 주요 대륙의 종교별 신자 수 비율 🖋 ④

(가)는 아프리카, (나)는 아시아이다. A는 유럽에서 신자 수 비중이 높은 크리스트교, B는 북부 아프리카에서 신자 수 비중이 높은 이슬람교, C는 아시아에서 보편 종교인 불교보다 신자 수가 많은 힌두교, D는 불교이다. 힌두교와 불교 신자들은 윤회 사상을 믿는다.

11 이슬람교와 불교의 종교 경관 특징 🖋 ②

A 종교는 돔형 지붕과 첨탑이 사원의 주요 경관인 이슬람교, B 종교는 불탑과 불상이 사원의 주요 경관인 불교이다.

ㄱ. A는 라마단 기간 금식을 종교적 의무로 한다. (○)

ㄴ. B는 세계에서 신자 수가 가장 많다. (×)
→ 세계에서 신자 수가 가장 많은 종교는 크리스트교이다.

ㄷ. A는 B보다 발생 시기가 늦다. (○)

ㄹ. A, B의 발상지는 모두 아프리카이다. (×)
→ 이슬람교의 발상지는 서남아시아, 불교의 발상지는 남부 아시아이다.

12 예루살렘의 종교 경관 답 ④

예루살렘은 크리스트교도에게는 예수가 십자가에 못 박혀 죽은 성스러운 곳이고, 이슬람교도에게는 무함마드가 다녀간 곳이며, 유대인에게는 민족의식이 형성된 원천이다. 예루살렘에서는 성묘 교회를 찾은 크리스트교도, 통곡의 벽을 찾은 유대인, 황금돔 사원을 찾은 이슬람교도 등을 볼 수 있다.

13 주요 국가별 종교 신자의 비율 답 ④

(가)는 힌두교, (나)는 크리스트교이다. 이탈리아에서 신자 수 비율이 높은 A는 크리스트교, 이란에서 신자 수 비율이 높은 B는 이슬람교, 인도에서 신자 수 비율이 높은 C는 힌두교이다.

14 불교, 힌두교, 이슬람교의 특징 답 ⑤

(가)는 미얀마에서 신자 수 비중이 가장 높은 불교, (나)는 네팔에서 신자 수 비중이 가장 높은 힌두교, (다)는 파키스탄에서 신자 수 비중이 가장 높은 이슬람교이다. 불교와 힌두교는 남부 아시아에서 기원하였다.

① (가)는 민족 종교이다. (×)
→ 보편 종교

② (나)의 신자 수가 가장 많은 국가는 인도네시아이다. (×)
→ 인도

③ (다)는 여러 신을 섬기는 다신교이다. (×)
→ 유일신교

④ (다)는 (가)보다 발생 시기가 이르다. (×)
→ (가) 불교가 (다) 이슬람교보다 발생 시기가 이르다.

⑤ (가), (나)의 기원지는 남부 아시아이다. (○)

15 주요 국가의 종교별 신사 수 비중 답 ④

A는 이집트에서 비중이 높은 이슬람교, B는 남아프리카 공화국에서 비중이 높은 크리스트교, C는 네팔에서 비중이 높은 힌두교, D는 캄보디아에서 비중이 높은 불교이다. 세계 신자 수는 크리스트교 〉 이슬람교 〉 힌두교 〉 불교 순으로 많다.

① A의 최대 신자 수 국가는 서남아시아에 위치한다. (×)
→ 이슬람교(A)의 최대 신자 수 국가는 인도네시아로, 동남아시아에 위치한다.

② D의 신자들은 소를 신성시하여 소고기를 금기시한다. (×)
→ 힌두교(C)에 해당하는 내용이다.

③ A는 B보다 기원 시기가 이르다. (×)
→ 크리스트교(B)는 1세기 초, 이슬람교(A)는 7세기 초에 기원하였다.

④ B는 D보다 세계 신자 수가 많다. (○)

⑤ C는 보편 종교, D는 민족 종교이다. (×)
→ 힌두교(C)는 민족 종교, 불교(D)는 보편 종교이다.

16 세계 주요 종교의 국가별 신자 수 답 ②

(가)는 미국이 신자 수 1위인 크리스트교, (나)는 인도네시아가 신자 수 1위인 이슬람교, (다)는 중국이 신자 수 1위인 불교이다. 세계 신자 수는 크리스트교 〉 이슬람교 〉 불교 순으로 많고, 종교의 기원 시기는 불교 〉 크리스트교 〉 이슬람교 순으로 이르다.

▶ 세계 주요 종교의 지역별 신자 수 비교

구분	1위 국가	1위 국가가 위치한 대륙	1위 대륙
크리스트교	미국	아메리카	유럽
이슬람교	인도네시아	아시아	아시아
힌두교	인도	아시아	아시아
불교	중국	아시아	아시아

02 세계의 인구와 도시

p. 86 ~ p. 91

01 ③	02 ⑤	03 ②	04 ④	05 ②	06 ③
07 ④	08 ⑤	09 ①	10 ①	11 ②	12 ③
13 ②	14 ⑤	15 ④	16 ⑤	17 ⑤	18 ④
19 해설 참조		20 해설 참조		21 해설 참조	
22 해설 참조					

01 세계의 인구 성장 답 ③

(가)는 인구가 가장 많은 아시아, (나)는 인구가 빠르게 증가하며 인구가 두 번째로 많은 아프리카, (다)는 인구 증가가 둔화되고 있는 아메리카, (라)는 앞으로 인구 감소가 예상되는 유럽이다.

02 세계의 인구 밀도 답 ⑤

A는 산업이 발달하여 인구가 조밀한 유럽, B는 건조 기후가 나타나 인구가 희박한 사하라 사막, C는 계절풍의 영향으로 벼농사가 발달하여 인구 부양력이 높이 전통적으로 인구 밀도가 높은 중국 동부 연안, D는 냉·한대 기후가 나타나는 알래스카이다. 북반구는 남반구보다 대륙이 넓게 분포하고, 냉·온대 기후가 넓게 나타나 세계 인구의 90%가 밀집해 있다.

03 인구 변천 모형의 단계별 특징 답 ②

(가) 단계는 출생률이 높지만 사망률도 높아 인구가 정체되며, (나) 단계는 과학 기술이 발달하고 의학 기술이 보급되어 사망률이 감소하여 인구가 폭발적으로 증가한다. (다) 단계는 여성의 사회 진출, 출산 억제 정책 등의 시행으로 출생률이 감소하여 인구의 자연 증가율이 둔화되지만, 총인구는 여전히 증가한다. (라) 단계는 출생률이 낮고 높은 의료 기술의 보급으로 사망률도 낮아 인구의 고령화가 나타나며, 대체로 선진국이 이 단계에 해당한다. (마) 단계는 출생률보다 사망률이 높아져 인구가 감소하며, 노년 부양비가 높게 나타난다.

04 선진국과 개발 도상국의 인구 구조 답 ④

(가) 국가는 유소년층 인구 비중이 월등히 높은 피라미드형 인구 구조의 개발 도상국, (나) 국가는 방추형 인구 구조의 선진국이다. 총부양비는 유소년 부양비와 노년 부양비의 합으로, 유소년 인구 비중이 높은 개발 도상국은 선진국에 비해 총부양비가 높다. (가)는 인구가 빠르게 증가하는 2단계, (나)는 인구 감소가 예상되는 5단계에 해당한다. 인구의 자연 증가율은 합계 출산율이 높은 (가)가 (나)보다 높다.

05 선진국과 개발 도상국의 출생률과 사망률 변화 답 ②

(가)는 출생률이 높은 개발 도상국, (나)는 1975년 이후부터 사망률이 출생률보다 높으며, 전체적으로 출생률과 사망률 모두 매우 낮은 선진국이다. 선진국은 개발 도상국에 비해 1인당 국내 총생산이 많고, 총부양비와 합계 출산율은 낮다.

06 지역(대륙)별 인구의 자연 증가율 변화 답 ③

(가)는 현재 인구의 자연 증가율이 가장 높은 아프리카, (나)는 아시아, (다)는 현재 인구의 자연 감소가 발생하는 유럽, (라)는 앵글로아메리카이다.

07 경제 발전 수준에 따른 국가별 인구 특성 답 ④

(가)는 선진국이 높으므로 1인당 국내 총생산, (나)는 저개발국 및 개발 도상국이 높으므로 출생률이다. A는 미국, B는 중국, C는 에티오피아이다. 인구의 자연 증가율은 출생률과 사망률의 차이로, 출생률이 높은 에티오피아가 미국보다 높다.

08 선진국과 개발 도상국의 인구 정책 답 ⑤

(가) 국가는 출산 장려 정책을 시행하고 있는 선진국, (나) 국가는 출산 억제 정책을 시행하고 있는 개발 도상국에 해당한다. 실제로 (가)는 프랑스, (나)는 인도이다.

09 인구 이주의 요인 답 ①

㉠은 인구를 다른 지역으로 이동하게 만드는 배출 요인, ㉡은 다른 지역으로부터 인구를 끌어들이는 흡인 요인이다. 배출 요인의 사례로는 낮은 임금, 분쟁이나 전쟁, 교육 및 문화 시설의 부족 등이 있고, 흡인 요인의 사례로는 풍부한 일자리, 우수한 교육 및 문화 시설, 쾌적한 주거 환경 등이 있다.

10 인구 이주의 유형 답 ①

(가)는 일자리를 찾아 개발 도상국에서 선진국으로 이주하는 사례로 경제적 요인에 의한 이주이고, (나)는 생존의 위협으로부터 안전을 보장받기 위해 강제로 이동하는 정치적 요인에 의한 이주이며, (다)는 기후 변화 및 자연재해로 인해 삶의 터전을 잃고 안전한 지역으로 이주하는 환경적 요인에 의한 이주이다.

11 지역(대륙)별 인구 순 이동 변화 답 ②

A는 앵글로아메리카, B는 유럽, C는 아프리카, D는 아시아이다. 유럽은 사망률이 출생률보다 높은 인구의 자연 감소가 발생하는 지역으로, 유소년층 인구 대비 노년층 인구의 상댓값인 노령화 지수가 앵글로아메리카보다 높다.

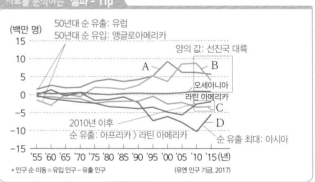
12 주요 국가 간 인구 이주 변화 답 ③

(가)는 멕시코, 중국 등에서 경제적 요인에 의한 이주가 많은 미국, (나)는 미국, 아랍 에미리트 등으로 주로 미숙련 노동자가 이주하는 인도, (다)는 튀르키예, 레바논, 요르단 등 주로 인접 국가로 이주하는 시리아이다. 시리아는 내전으로 인해 정치적 난민이 대량으로 발생하여 주변 국가로 강제적으로 이주하고 있다.

13 유럽 주요 국가의 이주민 출신국 특징 답 ②

독일은 거리상으로 가까운 폴란드, 루마니아, 체코 등 동유럽 출신의 이주민이 많고, 프랑스는 과거 식민 지배 경험으로 프랑스어를 사용하고 거리상으로도 가까운 북부 아프리카의 알제리, 모로코, 튀니지 등에서 이주민이 많다. 이주민들은 주로 소득이 낮고 고용 기회가 적은 개발 도상국 출신으로, 고용 기회가 많은 독일과 프랑스로 이주한 것이다. 프랑스는 북부 아프리카의 이슬람교도들의 유입으로 종교적·문화적 갈등을 겪고 있다.

14 세계 각국의 도시화율과 도시 인구 현황　답 ⑤

유럽의 1,000만 명 이상 도시는 파리, 모스크바 등 2개이며, 라틴 아메리카의 1,000만 명 이상 도시는 멕시코시티, 리우데자네이루, 상파울루, 부에노스아이레스 등 4개이다. 도시화율이 가장 높은 대륙은 앵글로아메리카이며, 도시 인구가 가장 많은 대륙은 아시아이다.

15 주요 국가별 도시화율 변화　답 ④

(가)는 1950년 이전부터 도시화율이 높은 상태가 유지되어 온 영국, (나)는 빠르게 도시화가 이루어지고 있는 중국, (다)는 2010년 기준 도시화 과정의 초기 단계를 벗어나지 못한 우간다이다.

정답을 찾아가는 셀파 - Tip

① (가)는 (나)보다 2010년에 도시 인구가 많다. (×)
→ 도시화율은 (가) 영국이 (나) 중국보다 높지만, 도시 인구는 전체 인구가 많은 (나) 중국이 (가) 영국보다 많다.

② (나)는 (다)보다 유소년 인구 부양비가 높다. (×)
→ 합계 출산율이 높고 노인 인구 비율이 낮은 (다) 우간다가 (나) 중국보다 유소년 인구 부양비가 높다.

③ (다)는 (가)보다 1인당 에너지 소비량이 많다. (×)
→ 선진국인 (가) 영국이 (다) 우간다보다 1인당 에너지 소비량이 많다.

④ (가)는 유럽, (나)는 아시아, (다)는 아프리카에 위치한다. (○)

⑤ (가)~(다) 중 2020년 합계 출산율은 (나)가 가장 높다. (×)
→ 합계 출산율은 (다) 우간다가 가장 높다.

16 세계 도시 선정 기준　답 ⑤

세계 도시를 선정하는 기준으로 세계적인 사업 활동, 인적 자본, 정보 교류, 문화 교류, 정치 참여 등의 다양한 요소가 활용되고 있다. 세계 도시를 선정하는 기준에 따라 세계 도시로서의 영향력을 나타내는 순위가 다르게 나타난다.

정답을 찾아가는 셀파 - Tip

ㄱ. 10위권에 속하는 도시는 유럽이 아시아보다 많다. (×)
→ 10위권에 속하는 유럽의 도시는 런던과 파리로 두 곳이고, 아시아의 도시는 도쿄, 홍콩, 싱가포르, 베이징으로 네 곳이다.

ㄴ. 정치 관련 지표에서 가장 높은 점수를 받은 도시는 런던이다. (×)
→ 정치 참여 항목에서 가장 높은 점수를 받은 도시는 뉴욕이다.

ㄷ. 경제, 문화, 정치 등의 다양한 지표로 도시 순위가 선정되었다. (○)

ㄹ. 세계 도시를 선정하는 지표가 달라지면 도시 순위는 달라질 수 있다. (○)

17 주요 세계 도시　답 ⑤

(가)는 대규모 금융가를 중심으로 경제적 중심지 기능을 하며 국제 연합(UN) 본부가 위치하는 뉴욕(D), (나)는 주요 제조업체와 무역 업체의 본사가 위치하고 이와 관련된 산업이 지역 내 분업 체계를 형성하고 있는 도쿄(C)이다. A는 런던, B는 싱가포르이다.

18 세계 도시의 계층 체계　답 ④

(가)는 런던, 뉴욕, 도쿄의 최상위 세계 도시, (나)는 서울, 시드니, 토론토 등의 하위 세계 도시이다. 최상위 세계 도시는 하위 세계 도시보다 도시 수는 적어 도시 간 평균 거리가 멀지만, 중심지 기능은 다양하고 생산자 서비스업 종사자 비율이 높으며 금융 서비스 기능이 발달해 있어 국제적 영향력은 크다.

서술형 문제

19 인구 변천 모형의 단계별 특징

(1) B는 출생률이고, C는 사망률이다. A는 사망률이 출생률보다 높아 인구의 자연 감소가 발생한 것이다.

(2) **모범 답안** | 인구가 가장 빠르게 증가하는 단계는 (나) 단계이며, 그 이유는 의학 발달과 경제 성장으로 사망률이 크게 감소하면서 인구가 자연적으로 가장 빠르게 증가하기 때문이다.

주요 단어 | (나) 단계, 의학 발달, 경제 성장

채점 기준	배점
(1)을 쓰고, (2)의 단계와 그 특징을 모두 바르게 서술한 경우	상
(1)을 썼으나, (2)의 단계만 서술한 경우	중
(1)만 쓴 경우	하

20 개발 도상국과 선진국의 인구 구조

(1) **모범 답안** | (나) 국가는 선진국으로, 개발 도상국인 (가) 국가에 비해 유소년층 인구 비율이 낮고 노년층 인구 비율 높아 인구 부양비 중 노년 부양비가 높다. 또한 산업별 인구 구조에서 1차 산업 종사자 비율이 낮고 3차 산업 종사자 비율이 높다.

주요 단어 | 노년 부양비 높음, 3차 산업 종사자 비율 높음.

(2) **모범 답안** | (가) 국가에서는 인구 과잉, 기반 시설 부족에 따른 도시 문제 등이 나타난다. 이를 해결하기 위해서는 산아 제한 정책을 실시하고, 인구 분산 정책을 시행해야 한다.

주요 단어 | 인구 과잉, 도시 문제, 산아 제한 정책, 인구 분산 정책

채점 기준	배점
(나) 국가의 특징을 서술하고, (가) 국가의 인구 문제와 그 해결 방안을 모두 바르게 서술한 경우	상
(나) 국가의 특징을 서술하였으나, (가) 국가의 인구 문제만 서술한 경우	중
(나) 국가의 특징만 서술한 경우	하

21 미국과 멕시코 간 인구 이주에 따른 지역 변화

(1) **모범 답안** | 이주자의 집단 주거지 형성으로 이주자와 원거주자 간 문화적 차이에 따른 갈등과 다양한 도시 문제가 발생한다.

주요 단어 | 문화 갈등, 지역 갈등, 도시 문제

(2) **모범 답안** | 해외 이주 노동자들의 송금액 유입으로 지역 경제가 활성화되고 지역 내 실업률이 하락한다.

주요 단어 | 송금액 유입, 경제 활성화, 실업률 하락

채점 기준	배점
인구 이주에 따른 인구 유입 지역의 부정적인 영향과 인구 유출 지역의 긍정적인 영향을 모두 바르게 서술한 경우	상
인구 이주에 따른 인구 유입 지역의 부정적인 영향과 인구 유출 지역의 긍정적인 영향 중 하나만 서술한 경우	하

22 세계 도시 체계

(1) 런던, 뉴욕, 도쿄

(2) **모범 답안** | 최상위 세계 도시는 하위 세계 도시보다 도시 수는 적고 도시 간 평균 거리는 멀지만 도시가 보유한 기능은 다양하여 국제 사회에 끼치는 영향력이 크다.

주요 단어 | 도시 수 적음, 보유 기능 많음, 도시 간 평균 거리 멂.

채점 기준	배점
(1)을 쓰고, (2)를 제시된 조건을 모두 고려하여 바르게 서술한 경우	상
(1)을 썼으나, (2)를 제시된 조건 중 일부만 고려하여 서술한 경우	중
(1)만 쓴 경우	하

도전 수능 문제

p. 92 ~ p. 95

01 ②	02 ④	03 ④	04 ①	05 ④	06 ④
07 ②	08 ③	09 ③	10 ②	11 ①	12 ③
13 ①	14 ②	15 ①	16 ①		

01 세계 인구 분포의 특징   답 ②

세계의 인구는 지역적으로 편중되어 있으며, 주로 북반구에 밀집해 있다. 지형이 평탄하고 토양이 비옥한 아시아 계절풍 지역에 인구가 밀집해 있다. 반면에 사막이 발달한 오스트레일리아 내륙이나 극지방과 같이 지형이나 기후 조건이 불리한 지역에는 인구가 희박하다.

02 주요 국가의 인구 구조   답 ④

(가)는 출생률이 높은 개발 도상국, (나)는 출생률이 낮고 노년 인구 비중이 큰 선진국이다. 생산 연령 인구(15~64세)는 (나)가 (가)보다 많다.

정답을 찾아가는 셀파 - Tip

① (가)는 노년 부양비가 유소년 부양비보다 높다. (×)
  → (가) 개발 도상국은 유소년 부양비가 노년 부양비보다 높다.

② (나)는 노년층에서 남초 현상이 나타나고 있다. (×)
  → 여초 현상

③ (가)는 (나)보다 중위 연령이 높다. (×)
  → (나) 선진국이 (가) 개발 도상국보다 중위 연령이 높게 나타난다.

④ (나)는 (가)보다 생산 연령 인구가 많다. (○)

⑤ (나)는 (가)보다 출생률과 사망률이 모두 높다. (×)
  → (가) 개발 도상국이 (나) 선진국보다 출생률과 사망률이 모두 높다.

03 국가별 인구 변천 모델   답 ④

A 국가군은 과거에 다산다사 단계였지만, 현재는 다산감사 단계이다. B 국가군은 과거와 현재 모두 소산소사 단계이다. C 국가군은 과거에 다산감사 단계였지만, 현재는 소산소사 단계이다. A 국가군은 과거에 출생률이 약 45~50‰이고 사망률이 약 30‰이므로 인구 증가율은 약 15~20‰였고, 현재는 출생률이 약 40~45‰이고 사망률이 약 10~15‰이므로 인구 증가율은 약 30~35‰이다. 따라서 A 국가군의 자연 증가율 변화 폭은 약 15‰이다. 한편, C 국가군은 과거에 출생률이 40~45‰이고 사망률이 약 10~15‰이므로 인구 증가율은 약 30‰였고, 현재는 출생률이 약 10~15‰이고 사망률이 약 5~10‰이므로 인구 증가율은 약 5‰이다. 따라서 C 국가군의 자연 증가율 변화 폭은

약 25‰이다. 결국 자연 증가율의 변화 폭은 A 국가군보다 C 국가군이 더 크다.

04 국가별 인구 특징과 인구 정책   답 ①

(가) 국가는 산아 제한 정책에도 불구하고 높은 출생률을 유지하고 있는 A, (나) 국가는 최근 노년층 인구 비율이 20%를 넘었다고 하였으므로 B에 해당한다.

05 주요 국가별 인구 현황   답 ④

(가)는 65세 이상 인구 비율이 높은 독일, (나)는 15~64세 인구 비율이 높은 베트남, (다)는 0~14세 인구 비율이 높은 나이지리아이다. 독일과 베트남은 총인구는 비슷하지만 독일이 베트남보다 노년층 인구 비율이 월등히 높기 때문에 노년 인구는 독일이 베트남보다 많다.

정답을 찾아가는 셀파 - Tip

① (가)는 인구의 자연 증가율이 가장 높다. (×)
  → (다)

② (나)는 중위 연령이 가장 높다. (×)
  → (가)

③ (다)는 인구 변천 모형의 인구 감소 단계에 있다. (×)
  → (가)

④ (가)는 (나)보다 노년 인구가 많다. (○)

⑤ (나)는 (다)보다 유소년 부양비가 높다. (×)
  → 청년층 인구 비율에 비해 유소년층 인구 비율이 높은 (다)의 유소년 부양비가 가장 높다.

06 주요 국가의 시기별 인구 변화 특징   답 ④

(가)는 자연적 인구 증가율이 높은 세네갈, (나)는 자연적 인구 증가율이 낮은 프랑스, (다)는 자연적 인구 증가율이 빠르게 감소하는 멕시코이다. 멕시코는 자연적 인구 증가율이 감소하였지만 전체 인구 증가율이 양의 값이므로 인구는 증가하였다.

07 대륙별 인구 순 이동 변화   답 ②

(가)는 1950~1955년에는 세계 대전의 영향으로 인구 순 유출이 발생하였으나 2010~2015년에 인구가 가장 많이 유입되고 있는 유럽, (나)는 1950년대 이후 지속적으로 인구 순 이동이 양의 값인 앵글로아메리카, (다)는 1950년대부터 지속적으로 인구 순 유출이 이루어지고 있는 아프리카, (라)는 현재 인구가 가장 많이 유출되고 있는 아시아이다. 앵글로아메리카는 지리적으로 인접한 라틴 아메리카로부터의 인구 순 유입이 뚜렷하다.

정답을 찾아가는 셀파 - Tip

① (가) 대부분의 국가는 도시화의 가속화 단계에 있다. (×)
  → 종착 단계

② (나)는 최근 라틴 아메리카에서의 인구 순 유입이 뚜렷하다. (○)

③ (나)는 (다)보다 유소년 부양비가 높다. (×)
  → (다) 아프리카가 (나) 앵글로아메리카보다 유소년 부양비가 높다.

④ (다)는 (라)보다 총인구가 많다. (×)
  → 총인구는 (라) 아시아가 가장 많다.

⑤ (라)는 (가)보다 산업화가 시작된 시기가 이르다. (×)
  → (가) 유럽은 (라) 아시아보다 산업화가 일찍 시작되었다.

08 인구의 국제적 이주 현황 답 ③

(다)는 앵글로아메리카로 가장 많이 이주하는 라틴 아메리카이다. (나)는 상대적으로 유럽으로 이주하는 비중이 큰 아프리카, (가)는 아시아이다. ㄱ. 세계 인구에서 차지하는 인구 비율은 (가) 아시아가 가장 높다. ㄴ. (가) 아시아는 (다) 라틴 아메리카보다 인구 밀도가 높다. ㄷ. 동일 대륙 내 이주 비율은 (가) 아시아가 59.6%, (나) 아프리카가 51.6%, (다) 라틴 아메리카가 26.3%이다. ㄹ. 아시아는 유럽으로 이주하는 비율이 앵글로아메리카로 이주하는 비율보다 높다.

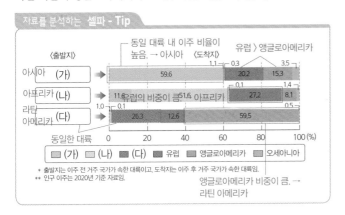

자료를 분석하는 셀파 - Tip

09 주요 대륙별 인구 특성 답 ③

(나)는 인구가 가장 많은 아시아, (가)는 아프리카, (다)는 유럽이다. A는 2010~2015년 인구의 자연 증가율이 가장 낮고 순 이동률 값이 가장 높은 유럽이다. C는 인구의 자연 증가율이 가장 높고 인구 순 이동률 값이 음의 값인 아프리카이다. B는 인구의 자연 증가율이 유럽보다 높고 아프리카보다 낮은 아시아이다. 아시아는 아프리카보다 순 이동률 값이 높지만 총인구가 많기 때문에 순 유출 인구가 많다.

10 유럽과 앵글로아메리카의 이주민 출신지 특성 답 ②

A는 앵글로아메리카보다 유럽으로 유입된 이주자가 많은 아프리카, B는 유럽으로 유입된 이주민 중 가장 많은 아시아, C는 라틴 아메리카이다. 앵글로아메리카는 라틴 아메리카 출신 이주민이 가장 많다.

정답을 찾아가는 셀파 - Tip

① 이주민의 유입은 유럽이 앵글로아메리카보다 많다. (×)
→ 이주민의 유입은 앵글로아메리카가 유럽보다 많다.
② 앵글로아메리카는 라틴 아메리카 출신 이주민이 가장 많다. (○)
③ A는 C보다 1인당 지역 내 총생산이 많다. (×)
→ 라틴 아메리카(C)는 아프리카(A)보다 1인당 지역 내 총생산이 많다.
④ B는 A보다 인구의 자연 증가율이 높다. (×)
→ 아프리카(A)는 아시아(B)보다 인구의 자연 증가율이 높다.
⑤ C는 B보다 총인구가 많다. (×)
→ 아시아(B)는 총인구가 가장 많은 지역이다.

11 지역(대륙)별 도시화율과 도시 인구 변화 답 ①

A는 2015년 도시화율이 가장 높은 앵글로아메리카, B는 도시화율이 세 번째로 높은 유럽, C는 도시화율이 가장 낮은 아프리카, D는 도시 인구가 가장 많은 아시아이다. 앵글로아메리카(A)는 1950년 도시화율이 60% 이상이기 때문에 도시 인구가 촌락 인구보다 많다.

12 지역(대륙)별 도시화율 및 인구 밀도 변화 답 ③

2015년 기준 A는 도시화율이 가장 높은 앵글로아메리카, B는 라틴 아메리카, C는 도시화율이 가장 낮은 아프리카이다. 2015년 기준 (가)~(다) 중 인구 밀도가 가장 낮은 (가)는 앵글로아메리카, 1975년 대비 2015년에 인구 밀도가 가장 많이 증가한 (나)는 아프리카, (다)는 라틴 아메리카이다. (가) 앵글로아메리카에는 뉴욕이라는 최상위 세계 도시가 위치하고 있다.

13 주요 지역(대륙)별 도시화율과 도시 인구 증가율 답 ①

(가)는 도시화율이 높고 도시 인구 증가율이 가장 낮은 유럽, (나)는 도시화율과 도시 인구 증가율 모두 유럽보다 높은 라틴 아메리카, (다)는 도시화율이 낮고 도시 인구 증가율이 가장 높은 아프리카이다.

정답을 찾아가는 셀파 - Tip

ㄱ. (가)에는 최상위 계층 세계 도시가 위치한다. (○)
→ (가) 유럽에는 최상위 계층 세계 도시인 런던이 위치한다.
ㄴ. (가)는 (나)보다 산업화의 시작 시기가 이르다. (○)
→ (가) 유럽은 (나) 라틴 아메리카보다 산업화가 일찍 시작되었다.
ㄷ. (가)는 (다)보다 도시 인구 증가에 따른 기반 시설의 부족 문제가 심각하다. (×)
→ (다) 아프리카에는 각종 도시 문제가 발생하고 있다.
ㄹ. 아프리카 도시 인구 상위 5개국 모두 촌락 인구가 도시 인구보다 많다. (×)
→ 상위 5개국 중 2개국은 도시화율이 60%를 넘으므로, 도시 인구가 촌락 인구보다 많은 도시도 있다.

14 세계 도시의 특징 답 ②

파리와 런던에 있는 100대 기업의 총매출액은 큰 차이가 없지만, 100대 기업의 수는 파리가 6개, 런던이 4개이기 때문에, 100대 기업의 평균 매출액은 런던이 파리보다 많다.

15 세계 도시의 특징과 위치 답 ①

(가)는 본초 자오선을 지나가는 최상위 세계 도시인 런던, (나)는 유럽 연합(EU)의 본부가 위치한 상위 세계 도시인 브뤼셀에 관한 설명이다. A는 런던, B는 브뤼셀, C는 로마, D는 빈이다.

16 세계 도시의 계층별 특성 답 ①

(가)는 런던, 뉴욕, 도쿄에 해당하는 최상위 세계 도시, (나)는 로스앤젤레스, 시카고, 파리, 싱가포르 등의 상위 세계 도시, (다)는 서울, 홍콩, 시드니 등의 하위 세계 도시이다. 최상위 세계 도시는 하위 세계 도시에 비해 기업을 대상으로 전문화된 서비스를 제공하는 생산자 서비스업 종사자 비율이 높다.

정답을 찾아가는 셀파 - Tip

ㄱ. (가)는 최상위 세계 도시에 해당한다. (○)
ㄴ. (가)는 (다)보다 생산자 서비스업 종사자 비율이 높다. (○)
ㄷ. (나)는 (다)보다 도시의 수가 많다. (×)
→ (다)는 (나)보다 도시의 수가 많다.
ㄹ. (다)는 (가)보다 도시당 다국적 기업의 본사 수가 많다. (×)
→ 도시당 다국적 기업의 본사 수는 (가)가 가장 많다.

01 주요 곡물 자원의 특징   目④

쌀은 생육기에 고온 다습한 환경, 수확기에 건조한 환경이 필요한 작물이다. 이러한 환경은 계절풍 기후 지역에 잘 나타난다. 옥수수는 주식 이외에 가축의 사료, 바이오 에탄올의 원료 등으로 이용된다. 밀은 생산지와 소비지가 다른 경우가 많아 국제 이동이 활발하다.

02 대륙별 곡물 수출 및 수입 현황 비교   目⑤

(가)는 곡물 수출이 수입보다 월등히 많은 오세아니아, (나)는 곡물 수입이 가장 많은 아시아, (다)는 곡물 수출이 가장 많은 아메리카, (라)는 곡물 수출이 가장 적은 아프리카이다. 옥수수의 기원지는 아메리카, 밀의 기원지는 서남아시아이다.

내 것으로 만드는 셀파 - Tip

▶ **곡물 자원의 대륙별 생산량**

전체	아시아 〉 아메리카 〉 유럽 〉 아프리카 〉 오세아니아
쌀	아시아 〉 아메리카 〉 아프리카 〉 유럽 〉 오세아니아
밀	아시아 〉 유럽 〉 아메리카 〉 오세아니아 ≒ 아프리카
옥수수	아메리카 〉 아시아 〉 유럽 〉 아프리카 〉 오세아니아

03 쌀과 밀의 특징   目④

(가)는 쌀, (나)는 밀이다. 쌀은 밀보다 단위 면적당 생산량이 많아 인구 부양력이 높다. 밀은 쌀보다 내건성과 내한성이 강해 재배 범위가 쌀보다 넓다. 쌀과 밀의 최대 생산국은 중국이다.

04 옥수수의 특징   目②

가축의 사료, 바이오 에탄올의 원료, 식량 등의 용도로 이용되는 작물은 옥수수이다. 아메리카가 기원인 옥수수의 최대 생산국과 최대 수출국은 미국이다. 옥수수는 기후 적응력이 뛰어나 다양한 기후 지역에서 재배되며, 아메리카에서 가장 많이 생산된다. 3대 식량 작물 중 국제 이동량은 밀이 가장 많다.

05 주요 곡물 자원의 특징   目②

(가)는 밀, (나)는 쌀, (다)는 옥수수이다. 쌀은 인구 부양력이 높아 주 재배 지역인 아시아 계절풍 지역은 세계에서 인구 밀도가 가장 높은 지역이다. 세계 총 생산량은 옥수수 〉 쌀 ≒ 밀 순으로 많고, 낱알의 평균 크기는 옥수수 〉 쌀 ≒ 밀 순으로 크다. 주식으로 이용되는 비율은 쌀이 옥수수보다 높다. 옥수수는 가축의 사료, 바이오 에탄올의 원료로 주로 이용된다.

06 주요 곡물 자원의 국가별 생산량   目④

A는 쌀, B는 밀, C는 옥수수이다. 쌀과 밀의 2위 생산국인 ㉮는 인도, 쌀과 밀의 최대 생산국이자 옥수수의 2위 생산국인 ㉯는 중국, 옥수수의 최대 생산국인 ㉰는 미국이다. 인도, 중국, 미국 중 쌀을 가장 많이 수출하는 국가는 인도이다.

내 것으로 만드는 셀파 - Tip

▶ **주요 곡물 자원별 특징 비교**

총생산량	옥수수 〉 쌀 ≒ 밀		
단위 면적당 생산량	옥수수 〉 쌀 〉 밀		
재배 면적	밀 〉 옥수수 〉 쌀		
생산량 대비 수출량	밀 〉 옥수수 〉 쌀		
기원지	쌀	밀	옥수수
	몬순 아시아	서남아시아	아메리카

07 주요 가축의 특징   目②

소는 고기, 각종 유제품 제공 등 경제적 가치가 높아서 세계 각지에서 사육하고 있다. 닭은 금기시하는 지역이 없고 사육 기간도 짧아 세계 여러 지역에서 사육되고 소비된다. 을. 양은 구대륙에서는 유목 형태로, 신대륙에서는 기업적 목축 형태로 사육하고 있다. 병. 이슬람교 신자의 비중이 높은 서남아시아와 북부 아프리카에서는 돼지고기를 금기시하기 때문에 돼지를 거의 사육하지 않는다.

08 주요 가축의 사육지 및 육류의 이동   目③

(가)는 소, (나)는 돼지이다. 소는 주로 중국, 인도, 브라질 등에서, 돼지는 주로 중국, 미국, 브라질 등에서 사육된다. 주요 가축의 세계 사육 두수는 소 〉 양 〉 돼지 순으로 많으며, 육류 생산량은 돼지고기 〉 소고기 〉 양고기 순으로 많다. ①은 양, ②는 소에 해당하는 설명이다. ⑤ 돼지는 유제품을 생산하지 않는다.

09 주요 가축의 대륙별 육류 생산 비중   目①

왼쪽 그래프는 아프리카, 오세아니아의 비중이 상대적으로 큰 소고기 생산 비중이며, 오른쪽 그래프는 총생산량이 더 많은 돼지고기 생산 비중이다. 아메리카는 소를 가장 많이 사육하는 대륙이며, 아시아는 돼지를 가장 많이 사육하는 대륙이다.

10 주요 가축의 국가별 사육 두수 변화   目②

(가)는 중국이 총생산량의 절반 정도를 사육하는 돼지, (나)는 브라질에서 가장 많이 사육되는 소, (다)는 오스트레일리아의 사육 비중이 상대적으로 높은 양이다. 소는 아메리카에서 가장 많이 사육된다. 소는 힌두교 신자들이 신성시하며, 돼지는 이슬람교에서 금기시한다.

내 것으로 만드는 셀파 - Tip

▶ **가축의 대륙별 사육 두수**

전체	아시아 〉 아메리카 〉 아프리카 〉 유럽 〉 오세아니아
소	아메리카 〉 아시아 〉 아프리카 〉 유럽 〉 오세아니아
돼지	아시아 〉 유럽 〉 아메리카 〉 아프리카 〉 오세아니아
양	아시아 〉 아프리카 〉 유럽 〉 오세아니아 〉 아메리카

11 세계 1차 에너지 소비 구조 변화   답 ③

A는 석유, B는 석탄, C는 천연가스, D는 원자력, E는 수력이다. 화석 에너지 중 연소 시 대기 오염 물질 배출량은 석탄 〉 석유 〉 천연가스 순으로 많다.

정답을 찾아가는 셀파 - Tip

① A는 고기 조산대 주변에 주로 매장되어 있다. (×)
→ 석탄(B)은 고기 조산대 주변에, 석유(A)와 천연가스(C)는 신생대 제3기층 배사 구조에 주로 매장되어 있다.

② B는 주로 수송용으로 이용된다. (×)
→ 석유(A)는 주로 수송용, 석탄(B)은 주로 산업용으로 많이 이용된다.

③ C는 B보다 연소 시 대기 오염 물질 배출량이 적다. (○)

④ D는 E보다 전력 생산 시 기후 조건의 영향을 많이 받는다. (×)
→ 수력(E)이 원자력(D)보다 전력 생산 시 기후 조건의 영향을 많이 받는다.

⑤ E는 냉각수 공급에 유리하고 지반이 안정된 해안에 주로 입지한다. (×)
→ 원자력(D)에 해당하는 설명이다.

12 국가별 화석 에너지 소비 비중 변화   답 ④

세계 최대의 인구 대국 중국은 1990년대 이후 급속한 경제 성장으로 화석 에너지 소비가 급증하여 현재 세계 최대의 화석 에너지 소비 국가가 되었다. 반면에 세계 최대 경제 대국인 미국의 화석 에너지 소비 비중은 감소하고 있다. 개발 도상국인 인도는 화석 에너지 소비 비중이 중국과 함께 증가하고 있다.

13 화석 에너지의 지역별 생산 및 소비 비중   답 ⑤

(가)는 대륙별 생산과 소비가 거의 일치하며, 앵글로아메리카의 비중이 상대적으로 높은 천연가스, (나)는 아시아 및 오세아니아에서 생산과 소비 모두 비중이 월등히 높은 석탄, (다)는 서남아시아의 생산 비중이 상대적으로 높은 석유이다. 국제 이동량은 석유 〉 천연가스 〉 석탄 순으로 많다.

정답을 찾아가는 셀파 - Tip

① (가)는 19세기 내연 기관의 발명과 함께 수요가 급증하였다. (×)
→ (다) 석유에 해당하는 설명이다.

② (나)는 신생대 제3기층 배사 구조에 대량으로 매장되어 있다. (×)
→ (다) 석유와 (가) 천연가스에 해당하는 설명이다.

③ (다)는 냉동 액화 기술의 발달로 수요가 급증하였다. (×)
→ (가) 천연가스에 해당하는 설명이다.

④ (가)는 (나)보다 세계 1차 에너지 소비 구조에서 차지하는 비중이 크다. (×)
→ 세계 1차 에너지 소비 구조에서 차지하는 비중은 (다) 석유 〉 (나) 석탄 〉 (가) 천연가스 순으로 높다.

⑤ (가)~(다) 중 국제 이동량은 (다)가 가장 많다. (○)

14 지역별 화석 에너지 생산 비중 변화   답 ⑤

A는 화석 에너지의 생산 비중이 점차 증가하고 2015년 기준 화석 에너지를 가장 많이 생산하는 아시아·오세아니아이다. B는 석유와 천연가스 생산량은 많지만 석탄 생산량이 상대적으로 적어 총 화석 에너지 생산량이 적은 서남아시아이다. C는 생산 비중이 점차 감소하는 유럽이다. 유럽은 산업 혁명이 시작된 지역으로 서남아시아보다 산업화 시기가 이르다. ② 1인당 에너지 소비량은 선진국일수록 많은 편이다.

15 화석 에너지의 국제 이동   답 ⑤

A는 페르시아만에서 동아시아 등으로 많이 이동하는 석유, B는 오스트레일리아에서 아시아로 많이 이동하는 석탄이다. 석탄(B)은 18세기 산업 혁명 시기에 상용화되었고, 석유(A)는 19세기 이후 내연 기관의 발명과 함께 상용화되었다. ① 석유(A)의 최대 생산국인 사우디아라비아는 아시아에 위치한다. ② 석탄(B)은 주로 고생대 지층에 매장되어 있다.

16 석탄, 석유의 용도별 소비 비중 특징   답 ①

(가)는 수송용으로 이용되는 비중이 높은 석유, (나)는 산업용으로 이용되는 비중이 높은 석탄, (다)는 다른 화석 에너지에 비해 가정용으로 이용되는 비중이 높은 천연가스이다.

17 신·재생 에너지별 특징 비교   답 ④

(가)는 태양광(열), (나)는 풍력, (다)는 수력, (라)는 지열이다. 빙하 지형이 발달한 노르웨이는 수력 발전량이 풍력 발전량보다 많다.

18 국가별 신·재생 에너지 공급   답 ④

A는 캐나다, 노르웨이 등에서 공급량 비중이 높은 수력, B는 아이슬란드, 뉴질랜드, 미국, 멕시코 등에서 공급량 비중이 높은 지열, C는 영국, 덴마크 등에서 공급량 비중이 높은 풍력이다. 신·재생 에너지 중 세계 에너지 소비 구조에서 차지하는 비중은 수력(A)이 가장 높다. 지열(B)은 판의 경계 부근에서 주로 생산된다. 발전 시 기후 조건의 영향을 많이 받는 에너지는 수력(A)과 풍력(C)이다.

서술형 문제

19 주요 식량 작물의 생산량 대비 수출량 비중

(1) (가) 쌀, (나) 밀, (다) 옥수수
(2) 모범 답안 | (나) 밀이 (가) 쌀보다 생산량 대비 수출량 비중이 월등히 높기 때문에 국제 이동량이 많다.
주요 단어 | 밀이 쌀보다 국제 이동량 많음.

채점 기준	배점
(1)을 쓰고, (2)의 국제 이동 특징을 바르게 서술한 경우	상
(1)을 썼으나, (2)의 국제 이동 특징을 미흡하게 서술한 경우	중
(1)만 쓴 경우	하

20 소와 돼지의 사육지 분포 특징

(1) (가) 소, (나) 돼지
(2) 모범 답안 | (가) 소는 힌두교에서 신성시하는 가축으로, 힌두교 신자가 많은 인도에서는 소고기 섭취를 금기시한다. (나) 돼지는 이슬람교 신자들이 종교적 신념으로 섭취를 금기시하며, 이슬람교 신자가 주로 분포하는 서남아시아, 북부 아프리카, 중앙아시아 등에서는 돼지고기를 소비하지 않는다.
주요 단어 | 힌두교, 인도, 이슬람교, 서남 및 중앙아시아·북부 아프리카

채점 기준	배점
(1)을 쓰고, (2)의 두 가축을 소비하지 않는 지역과 그 이유를 명확하게 서술한 경우	상
(1)을 썼으나, (2)의 두 가축을 소비하지 않는 지역과 그 이유를 한 가지만 서술한 경우	중
(1)만 쓴 경우	하

21 대륙별 곡물의 수출과 수입 특징

모범 답안 | 개발 도상국이 많은 아시아, 아프리카는 곡물 생산량 대비 인구가 많아 곡물을 수입하며, 유럽과 아메리카, 오세아니아는 인구 대비 곡물 생산량 비중이 월등히 높아 곡물을 상업적으로 생산하여 수출한다.

주요 단어 | 곡물 생산량 대비 인구 비교

채점 기준	배점
대륙별 곡물의 수출과 수입 특징을 모두 바르게 추론하여 서술한 경우	상
대륙별 곡물의 수출과 수입 특징 중 한 가지만 추론하여 서술한 경우	하

22 석유의 특성

(1) 석유

(2) **모범 답안** | 석유는 주로 신생대 제3기층 배사 구조에 매장되어 있으며, 서남아시아 등 특정 지역을 중심으로 집중 분포하여 편재성이 크다. 따라서 국제 이동이 매우 활발하다.

주요 단어 | 신생대 제3기층 배사 구조, 서남아시아, 국제 이동 활발

채점 기준	배점
(1)을 쓰고, (2)의 분포와 이동 특징을 모두 바르게 서술한 경우	상
(1)을 썼으나, (2)의 분포와 이동 특징 중 한 가지만 서술한 경우	중
(1)만 쓴 경우	하

23 세계 지열 발전과 국가별 발전량 비중

모범 답안 | 지열 발전량이 많은 국가들의 공통점은 판과 판의 경계에 해당하는 신기 조산대 주변에 위치하고 있다는 점이다. 판의 경계 주변 지역은 지구 내부 에너지가 지표로 표출되는 지역으로 지열 발전의 잠재력이 높다.

주요 단어 | 판의 경계, 신기 조산대, 지열 발전 잠재력

채점 기준	배점
지열 발전량이 많은 국가의 공통점을 바르게 서술한 경우	상
지열 발전량이 많은 국가의 공통점을 미흡하게 서술한 경우	하

도전 수능 문제   p. 106 ~ p. 109

01 ⑤	02 ①	03 ⑤	04 ③	05 ④	06 ③
07 ⑤	08 ③	09 ④	10 ③	11 ②	12 ⑤
13 ④	14 ⑤	15 ③	16 ⑤		

01 밀의 특징   답 ⑤

A 작물은 중국, 미국, 유럽 등지에서 주로 생산되고, 미국, 유럽, 오스트레일리아 등지에서 주로 수출되는 밀이다. 밀의 기원지는 서남아시아이며, 밀은 신대륙에서 기계화된 영농 방식으로 대량 생산하여 수출한다. ㄱ은 쌀, ㄴ은 옥수수에 해당하는 설명이다.

02 옥수수와 쌀의 특징 비교   답 ①

(가)는 미국과 중국의 생산량이 많은 옥수수, (나)는 중국과 인도의 생산량이 많은 쌀이다. 옥수수는 주로 가축 사료나 바이오 에너지의 원료로 이용된다.

내 것으로 만드는 셀파 - Tip

▶ **세계 곡물 자원별 생산 및 수출 상위 5개국**

(2012~2016년 기준)

순위	쌀		밀		옥수수	
	생산	수출	생산	수출	생산	수출
1	중국	타이	중국	미국	미국	미국
2	인도	베트남	인도	프랑스	중국	아르헨티나
3	인도네시아	인도	미국	캐나다	브라질	브라질
4	방글라데시	파키스탄	러시아	호주	아르헨티나	우크라이나
5	베트남	미국	프랑스	러시아	우크라이나	프랑스

03 식량 작물의 대륙별 생산량   답 ⑤

(가)는 아메리카의 생산량이 가장 많고 아시아에서도 많이 생산되는 옥수수, (나)는 아시아에서 대부분 생산되는 쌀, (다)는 아시아와 유럽에서 생산량이 많고 오세아니아에서 상대적으로 많이 생산되는 밀이다. 주요 식량 작물의 국제적 이동량은 밀 〉 옥수수 〉 쌀 순으로 많다.

정답을 찾아가는 셀파 - Tip

① (가)의 기원지는 아시아 계절풍 기후 지역이다. (×)
　→ (나) 쌀에 해당하는 설명이다.

② (나)는 가축용 사료로 이용되면서 수요가 급증하고 있다. (×)
　→ (가) 옥수수에 해당하는 설명이다.

③ (다)는 생육기에 높은 기온과 많은 강수량이 필요하다. (×)
　→ (나) 쌀에 해당하는 설명이다.

④ (가)는 (다)보다 단위 면적당 생산량이 적다. (×)
　→ 단위 면적당 생산량은 (가) 옥수수 〉 (나) 쌀 〉 (다) 밀 순으로 많다.

⑤ (다)는 (나)보다 국제적 이동량이 많다. (○)

04 주요 식량 작물의 수출국   답 ③

(가)는 미국, 유럽, 오스트레일리아 등지에서 수출량이 많은 밀이다. (나)는 타이, 베트남, 인도 등 아시아에서 수출량이 많은 쌀이다. (다)는 미국, 아르헨티나, 브라질 등 아메리카 대륙에서 수출량이 많은 옥수수이다. (가) 밀은 (나) 쌀보다 국제 이동량이 많다.

05 주요 식량 작물의 대륙별 수출량 및 경작 면적   답 ④

(가)는 유럽과 아메리카의 수출량 비중이 높고, 오세아니아의 수출량 비중도 상대적으로 높은 밀, (나)는 아메리카의 수출량 비중이 월등히 높은 옥수수, (다)는 아시아의 수출량 비중이 높은 쌀이다. 옥수수는 식량으로 이용되기도 하지만 가축 사료로 이용되는 비중이 높으며, 바이오 에탄올의 원료로도 이용된다.

06 곡물 자원의 수출입 현황   답 ③

(가)는 곡물 순 수출량 1,000만 톤 이상인 국가군, (나)는 곡물 순 수입량 1,000만 톤 이상인 국가군이다. (가)는 (나)보다 국토 면적이 넓고 인구 대비 경지 면적이 넓으며, 세계에서 차지하는 곡물 생산량 비중이 높다. 곡물 가격이 상승하면 (나)가 어려워질 가능성이 높다.

07 소와 돼지의 이동 ❸ ⑤

(가)는 주로 신대륙에 위치한 국가에서 수출이 이루어지고 있으므로 소이고, (나)는 주로 유럽과 미국 등에서 수출이 이루어지고 있으므로 돼지이다. 돼지는 소보다 사육 두수는 적지만, 육류 생산량은 많다. ㄱ. (가) 소의 사육 두수가 가장 많은 국가는 브라질이다. ㄴ. (나) 돼지는 유목 생활에 적합하지 않다.

08 주요 가축의 아시아 사육 두수 비율 ❸ ③

(가)는 인도가 포함된 남아시아의 사육 두수 비율이 높은 소, (나)는 세계에서 아시아의 사육 두수 비율이 절반 이상을 차지하며, 아시아에서도 중국이 포함된 동아시아의 사육 두수 비율이 매우 높은 돼지이다. (다)는 건조 기후 지역인 서아시아와 중앙아시아의 사육 두수 비율이 상대적으로 높은 양이다. 중국은 돼지와 양의 세계 최대 사육 국가이다. 소는 브라질에서 가장 많이 사육한다. ①은 돼지, ②는 양에 해당하는 설명이다.

> **자료를 분석하는 셀파 - Tip**
>
>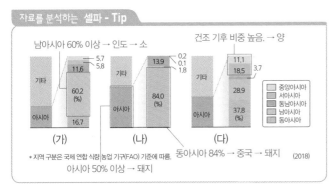
>
> 남아시아 60% 이상 → 인도 → 소
> 건조 기후 비중 높음. → 양
> * 지역 구분은 국제 연합 식량 농업 기구(FAO) 기준에 따름.
> 동아시아 84% → 중국 → 돼지 (2018)
> 아시아 50% 이상 → 돼지

09 주요 가축의 지역(대륙)별 사육 두수 비율 ❸ ④

A~C 중 오세아니아의 사육 두수 비율이 상대적으로 높은 B는 양이다. (가)는 A~C 모두 사육 두수 비율이 높은 아시아이다. 아시아의 사육 두수 비율이 가장 높은 C는 돼지이며, A는 소이다. 소의 사육 두수 비율이 높은 (나)는 세계 최대 소 사육 두수 국가인 브라질이 포함된 라틴 아메리카이며, (다)는 앵글로아메리카이다. 아시아의 건조 기후 환경에서는 양(B)을 유목 형태로 기른다.

10 천연가스의 분포와 이동 ❸ ③

러시아 및 카스피해 인근, 미국 등에서 주로 채굴되어 전 세계로 수송되는 해당 에너지 자원은 천연가스이다. 천연가스는 냉동 액화 기술의 발달로 소비량이 급증하였다.

> **정답을 찾아가는 셀파 - Tip**
>
> ① 주로 제철 공업용으로 이용된다. (×)
> → 석탄에 해당하는 설명이다.
> ② 주로 고기 조산대 주변에 매장되어 있다. (×)
> → 석탄에 해당하는 설명이다.
> ③ 냉동 액화 기술의 발달로 소비량이 급증하였다. (○)
> ④ 방사능 누출과 방사성 폐기물 처리의 문제가 있다. (×)
> → 원자력 발전에 해당하는 설명이다.
> ⑤ 현재 세계 1차 에너지 자원 소비 구조에서 가장 큰 비중을 차지한다. (×)
> → 석유에 해당하는 설명이다.

11 석유와 석탄의 지역별 생산량 ❸ ②

A는 서남아시아, 유럽, 북아메리카에서 상대적으로 생산량이 많은 석유, B는 중국과 오스트레일리아가 포함된 아시아·태평양 지역에서 생산량이 월등히 많은 석탄이다. 석탄은 산업 혁명 초기의 주요 에너지 자원이었다. ①은 천연가스, ③은 석유, 천연가스에 해당하는 설명이다.

12 세 화석 에너지 자원의 국가별 수출량 ❸ ⑤

(가)는 사우디아라비아, 아랍 에미리트 등에서 수출량이 많은 석유, (나)는 인도네시아, 오스트레일리아 등에서 수출량이 많은 석탄, (다)는 러시아, 카타르 등에서 수출량이 많은 천연가스이다. 천연가스는 화석 에너지 자원 중 대기 오염 물질 배출량이 가장 적다.

> **내 것으로 만드는 셀파 - Tip**
>
> ▶ 화석 에너지의 생산 및 수출 상위 5개국
>
> | 순위 | 석탄 | | 석유 | | 천연가스 | |
> |---|---|---|---|---|---|---|
> | | 생산 | 수출 | 생산 | 수출 | 생산 | 수출 |
> | 1 | 중국 | 호주 | 사우디아라비아 | 사우디아라비아 | 미국 | 러시아 |
> | 2 | 미국 | 인도네시아 | 러시아 | 러시아 | 러시아 | 카타르 |
> | 3 | 호주 | 러시아 | 미국 | 이라크 | 이란 | 노르웨이 |
> | 4 | 인도 | 콜롬비아 | 중국 | 아랍에미리트 | 카타르 | 캐나다 |
> | 5 | 인도네시아 | 미국 | 캐나다 | 나이지리아 | 캐나다 | 알제리 |

13 주요 화석 에너지의 지역별 소비량 비교 ❸ ④

C는 특정 지역의 소비량이 대부분을 차지하고 있으므로 석탄이며, (다)는 아시아·오세아니아이다. (나)는 석탄의 소비량이 매우 적기 때문에 서남아시아이며, (가)는 앵글로아메리카이다. 아시아·오세아니아의 소비량이 상대적으로 많은 B는 석유이며, A는 천연가스이다. 석유의 최대 수출국은 사우디아라비아이며, 서남아시아는 앵글로아메리카보다 석유 수출량이 많다. 천연가스의 최대 생산국과 소비국은 미국이며, 최대 수출국은 러시아이다.

14 세 화석 에너지의 국가별 소비량 비중 ❸ ⑤

A는 중국의 소비량 비중이 가장 높고 이산화탄소 배출량 비중도 가장 높은 석탄, B는 미국의 소비량 비중이 가장 높은 석유, C는 미국과 러시아의 소비량 비중이 높고 이산화탄소 배출량 비중이 가장 낮은 천연가스이다. 세계 에너지 소비량에서 차지하는 비중은 석유 〉 석탄 〉 천연가스 순으로 높다.

15 신·재생 에너지의 국가별 발전 설비 용량 ❸ ③

제시된 신·재생 에너지의 발전 설비 용량이 큰 상위 8개 국가는 미국, 멕시코, 필리핀, 인도네시아, 뉴질랜드 아이슬란드, 튀르키예, 이탈리아 등으로, 모두 판의 경계부에 위치한다. 이는 지열 발전에 해당한다.

16 세 국가의 신·재생 에너지원별 전력 생산 비율 ❸ ⑤

A는 필리핀에서 전력 생산 비율이 높은 지열, B는 중국에서 생산 비율이 높은 수력, D는 영국에서 생산 비율이 높은 풍력, C는 태양광이다. 신·재생 에너지 중 발전량이 가장 많은 것은 수력이다.

IV 몬순 아시아와 오세아니아

01 자연환경에 적응한 생활 모습

01 계절풍의 원리   답 ④

자료에서 제시된 바람의 방향을 통해 여름철임을 알 수 있다. 여름 계절풍은 해양에서 대륙으로 불어가는 남풍 계열의 바람이며, 이는 대륙과 해양의 비열 차이로 발생한다.

02 몬순 아시아의 주요 지형 특징   답 ③

A는 고비 사막, B는 히말라야산맥, C는 메콩강 하류 지역, D는 필리핀 제도이다. 히말라야산맥은 신기 습곡 산지, 필리핀 제도는 신기 조산대에 속하며, 메콩강 하류에서는 대규모의 벼농사, 고비 사막에서는 유목이 활발하다.

03 몬순 아시아의 토지 이용 특징   답 ⑤

몬순 아시아 일대는 다양한 기후 및 지형으로 다채로운 토지 이용이 나타난다. A는 몽골 유목 지역, B는 미얀마 이라와디강 하류 충적 평야, C는 말레이시아 플랜테이션 지역, D는 필리핀의 계단식 논이 조성된 지역이다.

정답을 찾아가는 셀파 - Tip

ㄱ. A에서는 벼의 2기작이 가능하다. (×)
→ A는 몽골 사막 지역으로 벼농사가 불가능하다.

ㄴ. B에는 유목이 발달해 있다. (×)
→ B는 이라와디강 하류의 충적 평야로 벼농사가 발달해 있다. 이라와디강 하류는 적도와 가깝고 몬순의 영향으로 벼의 2기작이 가능하다.

04 몬순 아시아의 인구 밀도   답 ②

지도에 나타난 것은 인구 밀도이다. 인도는 국토 전역, 중국은 대하천의 하류와 바다를 끼고 있는 동부 지역에 인구가 집중되어 있다.

정답을 찾아가는 셀파 - Tip

① 연 강수량 (×) → 연 강수량은 지역별로 편차가 심하다.

② 인구 밀도 (○)

③ 쌀 생산량 (×) → 쌀은 인도차이나반도 대부분 지역에서 재배한다.

④ 해발 고도 (×) → 해발 고도는 티베트고원 일대에서 높게 나타나야 한다.

⑤ 1인당 국내 총생산 (×)
→ 1인당 국내 총생산은 인구가 많은 중국과 인도의 통계 값이 낮아야 한다.

05 몬순 아시아의 지형 특징   답 ⑤

히말라야산맥은 대륙판과 대륙판의 경계이며, 일본 열도는 판의 경계와 가까워 지진과 화산이 빈번하다. 티베트고원은 거대한 지형 장벽의 영향으로 문화권의 경계를 이루며, 대하천 주변의 범람원에는 대체로 충적 평야가 발달한다.

06 몬순 아시아의 농업   답 ①

충적 평야에서 재배하는 대표적인 작물은 벼이다. 중국과 인도, 스리랑카를 대표하는 기호 작물은 많은 강수량과 원활한 배수 환경을 필요로 하는 차이고, 아열대의 환경에서 플랜테이션의 형태로 재배하는 작물은 커피이다. 따라서 (가)는 쌀, (나)는 차, (다)는 커피이다.

07 몬순 아시아와 계절풍   답 ④

몬순은 바람을 뜻하는 아랍어 '마우심'에서 유래하였고, 유라시아 대륙 동안은 대륙의 영향을 받아 서안보다 기온의 연교차가 크다. 동아시아의 대표적인 국가는 대한민국, 중국, 일본 등이고, 계절풍은 겨울과 여름철 주된 바람의 방향이 바뀌는 특징이 있다.

08 몬순 아시아의 전통 음식   답 ②

(가)는 베트남의 전통 음식인 퍼, (나)는 인도네시아의 전통 음식인 나시고렝, (다)는 일본의 전통 음식인 초밥이다. 인도를 대표하는 음식은 탈리 정식이며, 베트남은 일본보다 저위도에 위치한다.

09 몬순 아시아의 지형과 대하천 특징   답 ④

A는 히말라야산맥, B는 메콩강, C는 창장강, D는 황허강이다. 히말라야산맥은 대륙판과 대륙판이 만나 지각이 두꺼워 화산보다는 지진의 발생 빈도가 높다. 메콩강은 여러 나라를 거쳐 흐르는 국제 하천이며, 고대 문명의 발상지는 황허강이다. 창장강 유역은 비옥한 충적토가 형성되어 황허강 유역보다 벼 재배가 활발하다. 황허강 유역에서는 주로 밀이 재배된다.

내 것으로 만드는 셀파 - Tip

▶ 몬순 아시아의 대하천

갠지스강	국제 하천, 비옥한 충적토, 삼각주 발달. 벼의 2기작
메콩강	국제 하천, 비옥한 충적토, 삼각주 발달. 벼의 2기작
이라와디강	국제 하천, 비옥한 충적토, 벼의 2기작
창장강	비옥한 충적토, 벼의 2기작
황허강	4대 문명의 발상지, 주로 밀 농사

10 몬순 아시아 주요 국가의 특징   답 ④

A는 방글라데시, B는 타이, C는 베트남, D는 말레이시아, E는 필리핀이다. 방글라데시 갠지스강 하류의 충적 평야에서는 계절풍의 영향으로 여름철에 홍수가 빈번하다. 타이와 베트남 남부는 대표적인 벼생산지이며, 필리핀에는 계단식 논이 조성되어 있다. 치파오는 중국의 전통 의복이다.

11 몬순 아시아의 지형 특징   답 ④

A는 고비 사막, B는 히말라야산맥, C는 체라푼지 일대, D는 인도네

시아 수마트라섬, E는 메콩강, F는 창장강이다. 고비 사막에서는 유목이 발달하였고, 히말라야산맥은 신기 습곡 산지에 해당한다. 체라푼지 일대는 지형성 강수에 의한 세계 최다우지를 이루며, 메콩강과 창장강은 충적 평야가 발달한 대하천이다.

정답을 찾아가는 셀파 - Tip

ㄱ. A는 세계적인 벼농사 지대이다. (×)
→ A는 고비 사막으로 유목 지대이다.
ㄷ. C, D는 지형 조건상 소우지에 해당한다. (×)
→ C는 세계적인 지형성 다우 지역, D는 열대 우림 기후 지역이다.

12 몬순과 관련된 축제   답 ⑤

몬순 아시아 국가에서는 계절풍과 관련된 축제가 많다. (가)는 타이, (나)는 캄보디아의 전통 축제로, 타이에서는 몬순이 시작되는 시기에 축복을 기원하는 축제를 즐기고, 캄보디아에서는 몬순이 끝나가는 시점에 보트 경기를 펼쳐 단합심을 유도한다. 지도의 A는 미얀마, B는 라오스, C는 타이, D는 베트남이다.

13 몬순 아시아의 토지 이용   답 ④

A는 쌀, B는 차, C는 커피이다. 쌀은 고온 다습한 하천의 충적지에서 주로 재배하며, 커피는 베트남과 인도네시아에서 플랜테이션을 통해 재배한다. 대체로 쌀의 재배지는 몬순 아시아 전반에 걸쳐 두드러지게 나타난다.

정답을 찾아가는 셀파 - Tip

ㄱ. A는 주로 강수량이 적고 기온이 낮은 지역에서 재배한다. (×)
→ 기온이 높고 강수량이 많아야 재배에 유리하다.
ㄷ. C는 세계에서 중국의 생산량이 가장 많다. (×)
→ 커피의 생산량은 세계에서 브라질이 가장 많다.

자료를 분석하는 셀파 - Tip

▶ **몬순 아시아의 토지 이용**

A는 몬순 아시아 전역에 고루 분포한다. 특히 인도 남부와 중국 창장강 유역에 집중하므로 쌀이다. B는 스리랑카와 인도 아삼 지방에 분포하므로 차이다. C는 베트남과 인도네시아 일대에 분포하는 것으로 보아 커피이다.

14 몬순 아시아의 전통 의복   답 ⑤

(가)는 인도, (나)는 베트남의 전통 의복이다. 인도는 남부 아시아에 속하며, 열대부터 건조까지 다양한 기후가 나타난다. 베트남은 커피 생산이 활발하여 세계적인 커피 생산국 중 하나이고, 인도의 수도 뉴델리는 베트남의 수도 하노이보다 고위도에 위치한다.

15 몬순 아시아의 전통 가옥   답 ②

(가)는 중국의 사합원, (나)는 미얀마의 수상 가옥이다. 사합원은 추운 기후에 맞서 가옥 구조가 폐쇄적이지만, 미얀마의 가옥은 개방적이다. 연 강수량은 몬순의 영향력이 강한 미얀마가 많고, 빗물의 배수를 위해 지붕의 경사가 급하다.

16 몬순 아시아의 전통 의복   답 ⑤

(가)는 베트남, (나)는 필리핀이다. 몬순 아시아의 베트남과 필리핀은 여름 계절풍의 영향으로 벼의 성장기에 필요한 고온 다습한 기후가 조성되므로 벼농사가 매우 활발하다.

정답을 찾아가는 셀파 - Tip

① 화산과 지진이 빈번하다. (×)
→ 베트남은 판의 경계로부터 떨어져 있어 화산과 지진이 드물다.
② 겨울철 눈이 많이 내린다. (×)
→ 베트남과 필리핀은 적도와 가까워 눈이 거의 내리지 않는다.
③ 대다수 국민은 불교를 신봉한다. (×)
→ 베트남은 불교, 필리핀은 크리스트교를 신봉한다.
④ 세계적인 규모의 대하천이 국토를 통과한다. (×)
→ 베트남은 메콩강이 통과하지만, 필리핀은 그렇지 않다.

17 몬순 아시아 지역의 대하천   답 ②

A는 갠지스강, B는 이라와디강, C는 메콩강, D는 창장강이다. 갠지스강은 여러 나라를 거쳐 흐르는 국제 하천이며, 이라와디강 하류에서는 벼의 2기작이 가능하다. 메콩강 하구에는 대규모 삼각주가 발달해 있고, 창장강의 충적 평야에서는 주로 벼를 재배한다.

18 몬순 아시아의 주요 국가   답 ③

(가)는 인도이다. 인도는 세계 2위의 인구 대국이며, 갠지스강의 충적 평야에서 벼농사가 활발하다. 인도의 힌두교도는 소고기를 금기시하며, 지형성 강수로 비가 많이 내리는 아삼 지방은 세계적인 차 재배지로 성장하였다.

서술형 문제

19 지형성 강수의 원리

(1) 지형성 강수
(2) **모범 답안** | 인도양에서 불어오는 다습한 여름 계절풍이 히말라야산맥의 바람받이 사면에 해당하는 체라푼지 지역에 도달하여 강수량이 집중된다.

주요 단어 | 여름 계절풍, 바람받이 사면, 강수량 집중

채점 기준	배점
주요 단어 중 두 가지 이상 넣어 바르게 서술한 경우	상
주요 단어 중 두 가지만 넣어 바르게 서술한 경우	중
주요 단어 중 한 가지만 넣어 바르게 서술한 경우	하

20 필리핀의 농경지 특징

(1) 계단식 논
(2) **모범 답안** | 신기 조산대에 속하는 인도네시아와 필리핀에는 산지의

비중이 평야보다 높다. 경사가 급한 지형의 불리함을 극복하기 위해 계단식으로 농경지를 조성하였다.

주요 단어 | 산지의 비중 높음, 지형의 불리함 극복, 계단식 논

채점 기준	배점
주요 단어 중 두 가지 이상 넣어 바르게 서술한 경우	상
주요 단어 중 두 가지만 넣어 바르게 서술한 경우	중
주요 단어 중 한 가지만 넣어 바르게 서술한 경우	하

21 몬순 아시아의 전통 음식

(1) (가) 베트남의 고이 꾸온, (나) 인도의 카레

(2) **모범 답안** | (가) 여름 기온이 높고 강수량이 많아 쌀 생산량이 많은 베트남에서 발달하였다. (나) 기온이 높아 음식을 자연 상태로 보관하기 어려운 인도에서는 다양한 향신료를 재료로 한 음식이 발달하였다.

주요 단어 | 베트남 고온 다습, 많은 쌀 생산량, 인도 열대 기후, 향신료

채점 기준	배점
주요 단어 중 두 가지 이상 넣어 바르게 서술한 경우	상
주요 단어 중 두 가지만 넣어 바르게 서술한 경우	중
주요 단어 중 한 가지만 넣어 바르게 서술한 경우	하

22 몬순 아시아의 전통 가옥

(1) (가) 사합원, (나) 합장 가옥

(2) **모범 답안** | 사합원은 겨울 추위를 막을 수 있고, 방어에 유리한 폐쇄적인 구조가 나타난다. 합장 가옥은 겨울철 지붕에 쌓인 눈이 쉽게 흘러내리도록 지붕의 경사를 급하게 만든다.

주요 단어 | 추위 및 방어 유리, 폐쇄적인 구조, 지붕의 경사, 다설지

채점 기준	배점
주요 단어를 모두 넣어 바르게 서술한 경우	상
주요 단어 중 두 가지만 넣어 바르게 서술한 경우	중
주요 단어 중 한 가지만 넣어 바르게 서술한 경우	하

도전 수능 문제

p. 122~125

01 ④	02 ②	03 ③	04 ③	05 ⑤	06 ④
07 ⑤	08 ④	09 ①	10 ⑤	11 ⑤	12 ①
13 ①	14 ①	15 ④			

01 몬순 아시아의 지형과 인간 생활   답 ④

ㄱ. 히말라야산맥과 티베트고원은 대륙판인 유라시아판과 인도·오스트레일리아판이 충돌하는 과정에서 형성되었다. ㄴ. 히말라야산맥과 티베트고원은 남부 아시아와 건조 문화권의 경계를 이룬다. ㄷ. 인도네시아, 필리핀, 일본 등은 환태평양 조산대에 속한다. ㄹ. 화산 토양은 광물질이 많아 농사에 유리하다.

02 몬순 아시아의 대하천   답 ②

(가)는 갠지스강, (나)는 창장강이다. 갠지스강은 힌두교도가 성스럽게 여기는 어머니의 강이며, 창장강은 중국에서 가장 큰 하천으로

많은 인구를 수용하는 넓은 충적 평야가 펼쳐져 있다. 지도의 A는 갠지스강, B는 이라와디강, C는 메콩강, D는 창장강이다.

03 몬순 아시아의 자연 및 인문환경   답 ③

㉠ 히말라야산맥은 신생대 조산 운동으로 형성되었다. ㉡ 갠지스강 하류의 충적 평야에서는 벼농사를 짓는다. ㉢ 인도는 최근 출산을 억제하는 정책을 펴고 있다. ㉣ 인도는 영어를 공용어로 사용해 세계화에 유리한 배경을 지닌다. ㉤ 인도의 차는 지리적 표시제 인증을 통해 차별화된 마케팅 전략을 꾀하고 있다.

04 몬순 아시아 지역의 축제   답 ③

(가)는 타이의 송끄란 축제, (나)는 인도의 디왈리 축제이다. 송끄란은 몬순이 시작될 즈음, 디왈리는 몬순이 끝나고 부와 풍요의 여신인 락슈미를 기념하기 위해 진행한다. 지도의 A는 인도, B는 타이, C는 베트남, D는 필리핀이다.

05 몬순 아시아의 전통 생활 모습   답 ⑤

(가)는 베트남, (나)는 일본, (다)는 스리랑카이다. 인도차이나반도의 세계적인 커피 생산지는 베트남이고, 스시로 세계인의 입맛을 사로잡은 나라는 일본이다. 계절풍의 영향으로 세계적인 차 재배지가 된 섬나라는 스리랑카이다. 지도의 A는 스리랑카, B는 미얀마, C는 베트남, D는 인도네시아, E는 일본이다.

내 것으로 만드는 셀파 - Tip

▶ **몬순 아시아 국가 특징**

중국	돼지 사육 1위, 인구 1위, 창장강(벼농사), 황허강(고대 문명 발상지), 베이징 오리구이
인도	인구 2위, 갠지스강(벼농사), 지형성 강수(차 재배), 탈리 정식, 첨단 산업, 영어 구사
인도네시아	화산 열도, 계단식 논, 나시고렝
베트남	삼각주, 쌀국수(퍼), 벼의 2기작
일본	합장 가옥, 벼농사, 스시, 신기 습곡 산지

06 몬순 아시아의 차(茶)   답 ④

중국, 인도, 케냐, 스리랑카 등에서 재배량이 많은 차(茶)이다. 차는 잎을 가공해 마시며, 주로 지형성 강수가 탁월한 경사면에서 배수 조건을 갖추어 재배하는 경우가 많다.

07 베트남의 전통 음식   답 ⑤

㉠ 쌀은 계절풍 기후 지역의 대하천 하류 충적 평야에서 재배한다. ㉡ 소는 신대륙에서 대규모로 방목하는 경우가 많다. ㉢ 돼지 소비가 가장 많은 국가는 중국이다. ㉣ 밀은 쌀보다 단위 면적당 생산량이 적다.

08 몬순 아시아의 전통 음식   답 ④

(가)는 일본의 스시, (나)는 인도네시아의 나시고렝, (다)는 중국 베이징의 오리구이이다. 바다와 접한 일본의 해산물, 인도네시아 열대의 다양한 식재료, 한랭한 기후에 따른 구이 요리는 모두 해당 지역의 기후 조건과 관련이 깊다. 따라서 (가)는 B, (나)는 C, (다)는 A이다.

32 딱 맞는 풀이집

09 세계의 음식 문화　답 ①

(가)는 쌀이며, 옥수수, 밀보다 국제 이동량이 적다. (나)는 쌀로 만든 국수로, 베트남에서는 퍼라고 한다. ㄷ, ㄹ. 파에야는 쌀을 주재료로 한 에스파냐의 전통 요리이다. 에스파냐는 여름에 고온 건조하고 겨울은 온난 다습한 지역이며, 포크를 주로 사용하는 국가이다.

10 몬순 아시아의 음식 문화　답 ⑤

(가)는 타이의 전통 음식인 똠양꿍, (나)는 일본의 전통 음식인 스시(초밥)이다. 이동식 화전은 열대 우림 기후 지역과 관련 있으며, 돼지고기를 금기시하는 종교는 이슬람교이다.

11 몬순 아시아의 음식 문화　답 ⑤

(가)는 나르시막 전통 음식이 발달한 동남아시아의 열대 기후 지역이고, (나)는 참파라는 간편 요리가 발달한 중국 내륙의 티베트고원 지역이다. 고원 지역은 열대 지역보다 해발 고도가 높아 최한월 평균 기온이 낮고 연 강수량이 적으며, 단위 면적당 수목 밀도가 낮다.

12 몬순 아시아의 전통 가옥　답 ①

(가)는 고상 가옥, (나)는 합장 가옥, (다)는 사합원이다. (가)는 열대 기후 지역에 위치해 기온의 연교차가 매우 작고, (다)보다 가옥의 구조가 개방적이다.

> **정답을 찾아가는 셀파 - Tip**
> ㄷ. (가) 분포 지역은 (나) 분포 지역보다 기온의 연교차가 크다. (×)
> 　→ 기온의 연교차는 열대 기후인 (가)가 가장 작다.
> ㄹ. (가)는 (다)보다 가옥의 구조가 폐쇄적이다. (×)
> 　→ 열대 기후 지역의 가옥은 중국 화북 지방의 가옥보다 개방적이다.

> **자료를 분석하는 셀파 - Tip**
> ▶ 몬순 아시아의 전통 가옥

열대 고상 가옥, 개방적, 높은 기온, 가파른 지붕 경사, 저위도 ｜ 합장 가옥, 겨울철 강수량이 많은 다설지, 가파른 지붕 경사 ｜ 사합원, 폐쇄적인 구조, 고위도, 낮은 연평균 기온

13 몬순 아시아의 전통 가옥　답 ①

말레이시아의 고상 가옥은 비가 잘 흘러내리도록 경사진 지붕을 만들었으며, 지면의 열과 해충 피해를 막기 위해 바닥에서 띄워서 집을 짓는다. 일본의 합장 가옥은 폭설이 내리는 기후를 극복하기 위해 삼각형 형태로 급경사 지붕을 만든다.

> **정답을 찾아가는 셀파 - Tip**
> 병. (가) 분포 지역은 (나) 분포 지역보다 기온의 연교차가 큽니다.
> 　(×) → 일본은 냉·온대 기후 지역이므로 기온의 연교차가 더 크다.
> 정. (가)는 폐쇄적, (나)는 개방적인 구조가 나타납니다. (×)
> 　→ 말레이시아의 고상 가옥은 무더위를 피하기 위해 개방적, 일본의 합장 가옥은 추위를 막기 위해 폐쇄적 구조가 나타난다.

14 몬순 아시아의 전통 가옥　답 ①

(가)는 몽골의 게르, (나)는 일본의 합장 가옥, (다)는 인도네시아의 고상 가옥이다. 합장 가옥의 지붕은 대설에 대비하기 위해 지붕의 경사가 급하다. 고상 가옥은 바람이 잘 통하고 땅에서 전달되는 습기와 열기를 피할 수 있는 구조이다.

> **정답을 찾아가는 셀파 - Tip**
> ㄷ. (가)는 (다)보다 통풍에 유리한 가옥 구조이다. (×)
> 　→ 게르는 열대의 고상 가옥보다 통풍에 불리하다.
> ㄹ. (나)는 (가)보다 유목 생활에 용이하다. (×)
> 　→ 유목 생활에 적합한 것은 이동식 가옥인 게르이다.

15 몬순 아시아의 음식 문화　답 ④

가로 열쇠 ❶의 낱말은 나시고렝, ❷는 합장 가옥이므로 세로 열쇠 ㉡의 낱말은 '고상 가옥'임을 알 수 있다. 고상 가옥은 덥고 습한 몬순 아시아 지역에서 습기와 해충을 막기 위해 바닥을 지면에서 띄운 전통 가옥이다.

> **정답을 찾아가는 셀파 - Tip**
> ① '긴 옷'이라는 뜻을 가진 베트남 전통 여성복 → 아오자이
> ② 물 위에 지어 이동과 물고기 잡이에 유리한 전통 가옥 → 수상 가옥
> ③ 바느질하지 않은 긴 천으로 몸을 감싸는 인도 전통 여성복 → 사리
> ⑤ '□' 형태의 폐쇄적 구조를 가진 중국 화북 지방의 전통 가옥
> 　→ 사합원

---

02 주요 자원의 분포와 산업 구조 및 민족(인종)·종교의 다양성과 지역 갈등

탄탄 내신 문제					p. 130 ～ p. 135
01 ③	02 ③	03 ①	04 ①	05 ③	06 ④
07 ⑤	08 ⑤	09 ⑤	10 ②	11 ④	12 ⑤
13 ②	14 ①	15 ⑤	16 ③	17 ③	18 ①
19 해설 참고		20 해설 참고		21 해설 참고	
22 해설 참고					

01 주요 자원의 이동　답 ③

A는 석유, B는 석탄, C는 철광석이다. 오스트레일리아를 기준으로 동부에서 수출이 많으면 석탄, 서부에서 수출이 많으면 철광석이다. 석탄은 고기 습곡 산지 주변에 매장되어 있으며, 철광석과 함께 제철 공업의 주요 원료로 사용된다.

> **정답을 찾아가는 셀파 - Tip**
> ㄱ. A는 통조림 용기 표면 도금용으로 활용된다. (×)
> 　→ 주석에 대한 설명이다. A는 석유로, 주로 수송이나 산업용으로 사용된다.
> ㄹ. B는 A보다 국제 이동량이 많다. (×)
> 　→ 자원의 국제 이동량은 석유가 석탄보다 많다.

02 주요 자원의 국가별 생산 비중 답 ③

(가)는 석탄, (나)는 철광석, (다)는 주석, (라)는 천연고무이다.

03 인도의 산업 특징 답 ①

A는 인도, B는 중국, C는 타이, D는 오스트레일리아, E는 뉴질랜드이다. 1차 산업의 비중이 높으면서도 최근 첨단 산업이 활발히 전개되고 있는 국가는 인도이다.

04 인도, 말레이시아, 일본의 산업 구조 답 ①

(가)는 1차 산업의 비중이 가장 높은 인도(A), (다)는 3차 산업의 비중이 가장 높은 일본(C)이다. 나머지 (나)는 말레이시아(B)이다. 인도는 여전히 1차 산업의 비중이 매우 크고, 일찍 공업화된 일본은 3차 산업의 비중이 매우 크다.

05 몬순 아시아와 오세아니아의 주요 자원 답 ③

(가)는 인도네시아와 오스트레일리아의 수출 비중이 높은 석탄, (나)는 오스트레일리아의 비중이 가장 큰 철광석, (다)는 타이와 인도네시아 등 열대 기후 지역에서 수출 비중이 높은 천연고무이다.

06 몬순 아시아와 오세아니아의 주요 수출 품목 답 ④

(가)는 석탄과 팜유의 수출이 두드러지므로 인도네시아, (나)는 기계류, 자동차 등 공산품의 수출이 두드러지므로 일본, (다)는 철광석, 석탄 등 원자재의 수출이 두드러지므로 오스트레일리아이다.

07 오스트레일리아의 자원 분포 및 이동 답 ⑤

A는 오스트레일리아 서부에서 주로 수출하는 광물 자원을 수입하는 중국, B는 동부 지역에서 주로 수출하는 석탄을 수입하는 일본이다. 중국은 세계에서 가장 많은 철강을 생산하고 있다. ⑤ A, B 국가는 국교를 규정한 곳이 아니다. 돼지고기를 금기시하는 종교는 이슬람교이다.

08 중국과 오스트레일리아의 상품 이동 답 ⑤

(가)는 중국, (나)는 오스트레일리아이다. 두 국가의 수출입 구조는 주로 중국이 원자재를 수입해 제품을 만들면, 오스트레일리아가 최종 생산품을 수입하는 양상을 보인다.

09 인도, 중국, 오스트레일리아의 산업 구조 답 ⑤

(가)는 2차 산업의 비중이 세 국가 중 가장 크므로 중국, (나)는 1차 산업의 비중이 가장 크므로 인도, (다)는 3차 산업의 비중이 가장 큰 오스트레일리아이다. ⑤ 남반구에 위치한 오스트레일리아는 중국, 인도와 계절이 반대이다.

10 오스트레일리아의 무역 상대국 답 ②

오스트레일리아와 최근 많은 교역을 하는 A는 중국, 그 다음으로 교역량이 많은 B는 일본이다. 중국과 일본은 주로 오스트레일리아로부터 원자재를 수입하고, 공업 제품을 오스트레일리아에 수출한다.

11 카슈미르와 민다나오섬 분쟁 답 ④

(가)는 필리핀에서 크리스트교와 이슬람교가 분쟁을 겪고 있는 민다나오섬이고, (나)는 인도의 힌두교와 파키스탄의 이슬람교가 갈등을 겪고 있는 카슈미르 지역이다. 세계적인 차 재배지는 인도 동북부의 아삼 지방이다.

12 몬순 아시아 지역의 분쟁 지역 답 ⑤

(가)는 이슬람교와 크리스트교 간 갈등이 있는 동티모르 분쟁 지역이다. 지도의 A는 카슈미르 지역, B는 네팔, C는 미얀마의 로힝야족 분쟁 지역, D는 필리핀의 민다나오섬 분쟁 지역, E는 동티모르 분쟁 지역이다.

13 몬순 아시아 지역의 분쟁 지역 답 ②

A는 중국의 신장웨이우얼 분쟁 지역, B는 카슈미르 지역, C는 시짱 자치구 분쟁 지역, D는 필리핀 민다나오섬 분쟁 지역이다. 위구르족이 거주하는 신장웨이우얼 자치구는 중국으로부터의 독립을 주장하고 있으며, 민다나오섬에 거주하는 이슬람교도인 모로족은 정부의 차별에 대항하며 무장 투쟁을 이어 오고 있다.

14 몬순 아시아 주요 국가의 종교 답 ①

A는 방글라데시, B는 타이, C는 베트남, D는 말레이시아, E는 필리핀이다. 필리핀은 주로 크리스트교를 신봉하며, 힌두교를 둘러싼 갈등이 표면화된 곳은 제시된 지역에 없다.

15 인도네시아의 종교 특징 답 ⑤

A는 이슬람교, B는 힌두교이다. 이슬람교와 힌두교와의 갈등이 나타나는 대표적인 곳은 인도와 파키스탄의 경계에 위치한 카슈미르 지

역이다.

① A 신자는 소고기 섭취를 금기시한다. (×)
  → 이슬람교 신자는 돼지고기 섭취를 금기시한다.

② A 신자는 다양한 신 조각상이 있는 사원을 방문한다. (×)
  → 이슬람교 신자는 유일신을 섬긴다.

③ B 종교는 보편 종교에 해당한다. (×)
  → 힌두교는 민족 종교에 해당한다.

④ B 종교는 세계에서 신자 수가 가장 많다. (×)
  → 세계에서 신자 수가 가장 많은 종교는 크리스트교이다.

16 인도와 뉴질랜드의 특징 　답 ③

(가)는 세계에서 이슬람교 신자 수가 가장 많은 인도네시아, (나)는 유럽계 백인과 원주민의 공존을 꾀하는 뉴질랜드이다. 뉴질랜드의 원주민은 마오리족이며, 인도네시아는 커피, 사탕수수, 천연고무 등의 플랜테이션 농업이 활발하다.

17 말레이시아의 종교 다양성 　답 ③

이슬람교 신자 수 비중이 크지만 불교, 크리스트교, 힌두교 등 다양한 종교를 믿는 주민과 종교 경관이 공존하는 국가는 말레이시아이다. 말레이시아의 믈라카 일대에 가면 다양한 종교 시설을 한 곳에서 찾아볼 수 있다. A는 중국, B는 인도, C는 말레이시아, D는 인도네시아, E는 필리핀이다.

18 중국 소수 민족의 분리 독립 운동 　답 ①

A는 위구르족이 거주하는 신장웨이우얼 자치구, B는 티베트족이 거주하는 시짱 자치구이다. 두 지역은 과거 독립국이었으나 중국의 영토로 편입되면서 중국 정부와 갈등을 빚고 있다.

ㄷ. (가)는 티베트어, (나)는 위구르어를 주로 사용한다. (×)
  → (가)는 위구르어, (나)는 티베트어를 주로 사용한다.

ㄹ. (가)는 (나)보다 평균 해발 고도가 높다. (×)
  → 티베트고원에 위치한 (나)의 평균 해발 고도가 더 높다.

서술형 문제

19 주요 광물 자원의 수출 비중

(1) (가) 석탄, (나) 철광석

(2) 모범 답안 | 석탄은 주로 오스트레일리아 동부 지역에서, 철광석은 주로 오스트레일리아 서부 지역에서 중화학 공업이 발달한 동아시아 국가로 이동한다.

주요 단어 | 석탄, 오스트레일리아 동부, 철광석, 오스트레일리아 서부, 동아시아 국가

채점 기준	배점
주요 단어 중 두 가지 이상 넣어 바르게 서술한 경우	상
주요 단어 중 두 가지만 넣어 바르게 서술한 경우	중
주요 단어 중 한 가지만 넣어 바르게 서술한 경우	하

20 중국, 인도, 일본의 산업 구조

(1) (가) 중국, (나) 인도, (다) 일본

(2) 모범 답안 | 중국은 개혁과 개방 정책을 펼쳐 2차 산업 비중이 상대적으로 많이 커졌다. 인도는 최근 산업화를 추진 중에 있지만, 여전히 1차 산업 비중이 높은 편이다. 일본은 가장 먼저 산업화에 성공한 나라로, 두 시기 모두 3차 산업 비중이 가장 크다.

주요 단어 | 중국의 개방 정책, 인도의 1차 산업, 일본의 3차 산업

채점 기준	배점
주요 단어 중 두 가지 이상 넣어 바르게 서술한 경우	상
주요 단어 중 두 가지만 넣어 바르게 서술한 경우	중
주요 단어 중 한 가지만 넣어 바르게 서술한 경우	하

21 오스트레일리아의 원주민 분포

(1) 애버리지니

(2) 모범 답안 | 유럽인이 협상 없는 강제 진입을 통해 오스트레일리아에 들어온 후 원주민의 삶터를 무력으로 빼앗아 원주민은 거주 환경이 열악한 내륙으로 이주하였다. 반면 유럽인은 오스트레일리아에서 살기 좋은 동부 해안 지역에 정착하면서 거주지가 나뉘게 되었다.

주요 단어 | 원주민 내륙 이주, 유럽인 동부 해안 지역 정착

채점 기준	배점
주요 단어 중 두 가지 이상 넣어 바르게 서술한 경우	상
주요 단어 중 두 가지만 넣어 바르게 서술한 경우	중
주요 단어 중 한 가지만 넣어 바르게 서술한 경우	하

22 스리랑카의 종교 갈등

(1) A 힌두교, B 불교

(2) 모범 답안 | 스리랑카는 불교를 신봉하는 신할리즈족과 힌두교를 믿는 타밀족 간의 갈등이 나타나고 있다.

주요 단어 | 불교, 신할리즈족, 힌두교, 타밀족, 갈등

채점 기준	배점
주요 단어 중 두 가지 이상 넣어 바르게 서술한 경우	상
주요 단어 중 두 가지만 넣어 바르게 서술한 경우	중
주요 단어 중 한 가지만 넣어 바르게 서술한 경우	하

도전 수능 문제　p. 136~139

01 ②	02 ⑤	03 ②	04 ④	05 ②	06 ③
07 ③	08 ①	09 ②	10 ②	11 ④	12 ①
13 ④	14 ②	15 ⑤	16 ④		

01 인도, 일본, 중국의 산업 구조 　답 ②

2차 산업의 비중이 가장 큰 (가)는 중국, 3차 산업의 비중이 가장 큰 (다)는 일본이다. 국내 총생산 규모가 가장 작은 (나)는 인도이다.

① (다)는 세계에서 인구가 두 번째로 많은 국가이다. (×)
→ 세계에서 인구가 두 번째로 많은 국가는 인도이다.

② (가)는 (나)보다 1인당 국내 총생산이 많다. (○)
→ 중국은 인도보다 1인당 국내 총생산이 많다. 2020년 기준 중국의 1인당 국내 총생산은 약 10,500달러이며, 인도는 약 1,900달러이다.

③ (나)는 (다)보다 수출액에서 자동차가 차지하는 비율이 높다. (×)
→ 수출액에서 자동차가 차지하는 비율이 높은 국가는 일본이다.

④ (다)는 (가)보다 1차 산업 생산액이 많다. (×)
→ 일본은 중국보다 1차 산업 생산액이 적다.

⑤ (나)와 (다)는 국경을 접하고 있다. (×)
→ 국경을 접하는 국가는 중국과 인도이다.

02 몬순 아시아와 오세아니아의 산업 구조 　답 ⑤

수출 상위 품목 중 철광석, 석탄 등 광물 자원의 수출 비중이 높은 (가)는 오스트레일리아, 기계류, 자동차 등 공업 제품 수출 비중이 높은 (나)는 일본, 의류, 섬유 등 노동 집약적 생산품의 비중이 높은 (다)는 인도이다.

① (가)는 벵갈루루, 뭄바이 등에 첨단 산업 단지를 조성하였다.
→ 인도에 대한 설명이다.

② (나)는 풍부한 지하자원을 토대로 제조업이 크게 발달하였다.
→ 일본은 지하자원이 부족하여 원료의 해외 의존도가 높다.

③ (다)는 내륙에서 찬정을 이용한 기업적 농목업이 발달하였다.
→ 오스트레일리아에 대한 설명이다.

④ (가)는 북반구, (나)는 남반구에 위치해 있다.
→ 오스트레일리아는 남반구, 일본은 북반구에 위치해 있다.

03 몬순 아시아와 오세아니아의 산업 구조와 국내 총생산 　답 ②

국내 총생산이 가장 많은 (나)는 중국, 그 다음으로 많은 (라)는 일본, 3차 산업 종사자 비중이 가장 높은 (마)는 오스트레일리아, 인도와 인도네시아 중 국내 총생산이 많고 3차 산업 종사자 비율이 낮은 (가)가 인도, 나머지 (다)가 인도네시아이다. ① 중국은 동남아시아 국가 연합 회원국이 아니며, ③은 오스트레일리아, ④는 인도, ⑤는 일본에 대한 설명이다.

04 몬순 아시아의 국가별 산업 구조 　답 ④

3차 산업의 비율이 높은 (가)는 오스트레일리아, 2차 산업의 비율이 높은 (나)는 중국, 1차 산업의 비율이 높은 (다)는 인도이다. 오스트레일리아에서는 수출액에서 광물 자원이 차지하는 비율이 높고, 중국에서는 공업 제품의 비율이 높다.

05 인도, 싱가포르, 오스트레일리아의 산업 구조 　답 ②

1차 산업의 비율이 가장 큰 (가)는 인도(A), 3차 산업의 비율이 가장 크고 (가)보다는 1차 산업의 비율이 작은 (나)는 오스트레일리아(C), 1차 산업의 종사자 수가 나타나지 않는 (나)는 도시 국가인 싱가포르(B)이다.

06 몬순 아시아의 주요 종교와 분쟁 　답 ③

(가), (나) 국가에서 비중이 높은 A는 이슬람교이고, 세 국가에서 비중이 모두 낮은 B는 크리스트교, (다) 국가에서 비중이 높은 C는 불교이

다. 따라서 (가)는 파키스탄, (나)는 말레이시아, (다)는 스리랑카이다.

① (나)는 카슈미르 분쟁 당사국이다. (×)
→ (나)는 말레이시아이다. 카슈미르 분쟁 당사국은 파키스탄이다.

② B의 발상지 국가는 (가)와 국경선이 맞닿아 있다. (×)
→ 크리스트교의 발상지 국가는 이스라엘로, 파키스탄과 국경선이 맞닿아 있지 않다.

③ C의 신자 수가 가장 많은 대륙은 아시아이다. (○)

④ B와 C는 스리랑카 분쟁의 핵심 원인이다. (×)
→ 스리랑카 분쟁은 힌두교와 불교 간의 분쟁이다.

⑤ 전 세계 신자 수는 C가 A보다 많다. (×)
→ 세계에서 신자 수가 가장 많은 종교는 크리스트교이다.

07 몬순 아시아의 주요 종교와 특징 　답 ③

㉠, ㉡은 힌두교, ㉢은 이슬람교이다. 첨탑과 둥근 지붕이 있는 모스크는 이슬람교의 종교 경관이다. 힌두교의 대표적인 종교 경관은 각색의 신이 조각된 사원이다.

08 몬순 아시아의 주요 분쟁 지역 　답 ①

A는 카슈미르 분쟁 지역, B는 미얀마 로힝야족 분쟁 지역, C는 스리랑카 분쟁 지역이다. 따라서 (가)는 A, (나)는 B에 해당한다.

09 남부 아시아의 종교와 분쟁 　답 ②

(가)는 불교, (나)는 힌두교, ㉠은 불교, ㉡은 힌두교이다. 부다가야는 석가모니가 보리수 아래에서 성불한 곳으로 유명한 불교의 주요 성지이다.

① (가)는 ㉠, (나)는 ㉡에 해당한다. (×)
→ (가)는 불교로 ㉡, (나)는 힌두교로 ㉠에 해당한다.

③ (나)는 하나의 신만을 인정하는 유일신교이다. (×)
→ 힌두교는 다신교이다.

④ (나)는 신장웨이우얼 자치구 분쟁과 관련이 깊다. (×)
→ 신장웨이우얼 자치구 분쟁은 소수 민족 독립 분쟁이다.

⑤ (가)는 민족 종교, (나)는 보편 종교에 해당한다. (×)
→ 불교는 보편 종교, 힌두교는 민족 종교이다.

▶ 종교별 특징

불교	보편 종교, 남부 아시아 기원, 발생 시기가 가장 이름
힌두교	민족 종교, 다신교, 남부 아시아 기원
크리스트교	보편 종교, 세계 최대의 신자 수 보유, 서남아시아 기원
이슬람교	보편 종교, 라마단, 서남아시아 기원

10 몬순 아시아의 다양한 종교와 갈등 지역 　답 ②

A는 네팔의 힌두교, B는 스리랑카의 불교, C는 말레이시아의 이슬람교, D는 필리핀의 크리스트교이다. 첨탑과 둥근 지붕은 이슬람교의 종교 경관에 대한 설명이다.

11 몬순 아시아의 다양한 종교 　답 ④

(가)는 말레이시아, (나)는 미얀마, (다)는 필리핀이다.

정답을 찾아가는 셀파 - Tip

① (가)는 동남아시아에서 이슬람교 신자 수가 가장 많다. (×)
→ 동남아시아에서 이슬람교 신자 수는 인도네시아가 가장 많다.

② (나)의 여성 전통 의복으로는 아오자이가 있다. (×)
→ 아오자이는 베트남의 여성 전통 의복이다.

③ (다)의 전통 음식으로는 볶음밥을 의미하는 나시고렝이 있다. (×)
→ 나시고렝은 인도네시아의 전통 음식이다.

④ (가)와 (나)는 모두 타이와 국경을 접하고 있다. (○)
→ 말레이시아와 미얀마는 모두 타이와 국경을 접하고 있다.

⑤ (가)~(다)의 수도 중 적도와의 최단 거리는 (나)의 수도가 가장 짧다. (×) → 말레이시아의 수도 쿠알라룸푸르가 적도와의 최단 거리가 가장 짧다.

12 남부 아시아의 주요 종교와 분쟁 　답 ①

(가)는 네팔의 힌두교(A), (나)는 방글라데시의 이슬람교(B), (다)는 스리랑카의 불교(C)이다.

정답을 찾아가는 셀파 - Tip

① A는 카슈미르 분쟁과 관련이 깊다. (○)
→ 카슈미르 지역은 파키스탄의 이슬람교도와 인도의 힌두교도 간 분쟁이 발생한 곳이다.

② B는 쇠고기 먹는 것을 금기시한다. (×)
→ 힌두교에 대한 설명이다.

③ C의 최대 성지에는 모스크와 카바 신전이 있다. (×)
→ 이슬람교에 대한 설명이다.

④ A와 C의 발상지는 서남아시아에 위치한다. (×)
→ 힌두교와 불교의 발상지는 남부 아시아에 위치한다.

⑤ B는 C보다 발생 시기가 이르다. (×)
→ 종교의 발생 시기는 불교, 크리스트교, 이슬람교 순으로 이르다.

13 몬순 아시아의 분쟁 지역 　답 ④

A는 카슈미르 분쟁, B는 로힝야족 분쟁, C는 민다나오섬 분쟁, D는 스리랑카 분쟁 지역이다.

정답을 찾아가는 셀파 - Tip

① A 지역 분쟁은 주변국 간의 지하자원을 둘러싼 갈등이 주요 원인이다. (×)
→ 카슈미르 지역 분쟁은 종교를 둘러싼 갈등이 주요 원인이다.

② B 지역 분쟁은 불교와 크리스트교 간의 갈등이 주요 원인이다.
(×) → 로힝야족 분쟁은 이슬람교와 불교 간의 갈등이다.

③ C 지역 분쟁은 필리핀과 베트남 간의 영유권을 둘러싼 갈등이 주요 원인이다. (×)
→ 민다나오섬 분쟁은 크리스트교와 이슬람교 간의 갈등이 주요 원인이다.

④ D 지역 분쟁은 종교가 다른 민족 간의 갈등이 주요 원인이다. (○)
→ 스리랑카는 힌두교도인 타밀족과 불교도인 신할리족 간의 갈등이 발생한 지역이다.

⑤ B, D 지역 분쟁의 당사국에는 모두 중국이 포함되어 있다. (×)
→ 두 지역의 분쟁은 중국과 관련 없다.

14 몬순 아시아의 주요 분쟁 지역 　답 ②

A는 카슈미르 분쟁 지역, B는 시짱 자치구 분쟁 지역, C는 미얀마 로힝야족 분쟁 지역, D는 스리랑카 분쟁 지역이다. 티베트족이 거주하는 시짱 자치구(B)는 중국으로부터의 독립을 주장하고 있다.

15 뉴질랜드의 갈등 해결 노력 　답 ⑤

제시된 자료의 국가는 원주민 마오리족이 있는 뉴질랜드이다. 지도의 A는 파키스탄, B는 중국, C는 필리핀, D는 오스트레일리아, E는 뉴질랜드이다.

16 말레이시아의 종교 다양성 　답 ④

A는 크리스트교, B는 불교, C는 이슬람교, D는 힌두교이다.

정답을 찾아가는 셀파 - Tip

① A는 남부 아시아에서 기원하였다. (×)
→ 크리스트교는 서남아시아에서 기원하였다.

② B는 메카로의 성지 순례를 종교적 의무로 한다. (×)
→ 메카로의 성지 순례를 강조하는 것은 이슬람교이다.

③ C는 윤회 사상을 중시하며 개인의 해탈을 강조한다. (×)
→ 윤회 사상과 해탈을 강조하는 것은 불교이다.

④ D는 소를 신성시하여 소고기 섭취를 금기시한다. (○)

⑤ D는 C보다 말레이시아에서 신자 수가 많다. (×)
→ 힌두교는 이슬람교보다 신자 수가 적다.

V 건조 아시아와 북부 아프리카

01 자연환경에 적응한 생활 모습

01 건조 아시아와 북부 아프리카의 기후 분포　답 ④

지중해와 흑해 연안에 좁게 나타나는 (가)는 지중해성 기후 지역이다. 사하라 사막과 룹알할리 사막 등의 사막에 주로 나타나는 (나)는 사막 기후 지역이고, 사막 기후 지역 주변에 나타나는 (다)는 스텝 기후 지역이다.

02 건조 아시아와 북부 아프리카의 기후 특징　답 ⑤

(가)는 지중해성 기후 지역, (나)는 사막 기후 지역, (다)는 스텝 기후 지역이다.

> **정답을 찾아가는 셀파 - Tip**
>
> ㄱ. (가)는 여름에 강수가 집중되며 벼농사가 활발하다. (×)
> → 몬순 아시아의 기후 및 농업 특징에 대한 설명이다.
>
> ㄴ. (나)에서는 올리브, 오렌지 등의 재배가 활발하다. (×)
> → 수목 농업이 활발한 지중해성 기후 지역에 대한 설명이다.
>
> ㄷ. (다)는 연 강수량보다 연 증발량이 많다. (○)
> → 스텝 기후 지역은 건조 기후 지역에 해당하므로 연 강수량보다 연 증발량이 많다.
>
> ㄹ. (가)~(다) 중에서 인구 밀도는 (나)가 가장 낮다. (○)
> → 세 지역 중에서 인구 밀도가 가장 낮은 지역은 연 강수량이 가장 적어 물을 구하기가 어려운 사막 기후 지역이다.

03 건조 아시아와 북부 아프리카의 지형 특징　답 ⑤

A는 신기 습곡 산지인 아틀라스산맥 일대, B는 사하라 사막 일대, C는 나일강, D는 티그리스·유프라테스강, E는 중앙아시아의 초원 지대이다.

> **정답을 찾아가는 셀파 - Tip**
>
> ① A는 고기 습곡 산지에 해당한다. (×)
> → 아틀라스산맥은 신기 습곡 산지에 해당한다.
>
> ② C 유역에서는 메소포타미아 문명이 발달하였다. (×)
> → 나일강 유역에서는 이집트 문명이 발달하였다. 메소포타미아 문명은 티그리스·유프라테스강 유역에서 발달하였다.
>
> ③ E에서는 벼의 2기작이 활발하게 이루어진다. (×)
> → 중앙아시아의 초원 지대는 연 강수량이 250~500mm에 불과하므로 벼의 2기작이 어렵다.
>
> ④ D 유역은 B 일대보다 인구 밀도가 낮다. (×)
> → 외래 하천인 티그리스·유프라테스강 유역은 물을 구하기가 쉬워 인구 밀도가 높게 나타나지만, 사하라 사막 일대는 물을 구하기가 어려워 인구 밀도가 매우 낮다.
>
> ⑤ C, D는 모두 외래 하천에 해당한다. (○)
> → 나일강과 티그리스·유프라테스강은 모두 습윤 기후 지역에서 발원하여 건조 기후 지역을 관통하여 흐르는 외래 하천에 해당한다.

04 건조 아시아와 북부 아프리카의 인구 분포　답 ③

A는 지중해 연안, B는 사하라 사막의 오아시스 마을, C는 나일강 유역, D는 중앙아시아의 초원 지대이다.

> **정답을 찾아가는 셀파 - Tip**
>
> ㄱ. A는 연 강수량이 250mm 미만이다. (×)
> → 지중해성 기후 지역은 연 강수량이 500mm를 넘는다. 연 강수량이 250mm 미만인 지역은 사막 기후 지역이다.
>
> ㄹ. D는 돼지고기를 주재료로 한 전통 요리가 발달해 있다. (×)
> → 중앙아시아의 초원 지대 주민들은 대부분 이슬람교를 믿으므로 돼지고기를 금기시한다. 따라서 이 지역에서 돼지고기를 주재료로 한 전통 요리가 발달했다고 볼 수 없다.

05 건조 아시아와 북부 아프리카 주요 국가의 전통 의복　답 ⑤

(가)는 초원이 넓게 형성되어 있는 중앙아시아 우즈베키스탄의 전통 의복이다. (나)는 사막이 넓게 형성되어 있는 사우디아라비아의 전통 의복이다. 지도의 A는 튀르키예, B는 사우디아라비아, C는 우즈베키스탄이다. 따라서 (가)는 C, (나)는 B이다.

> **내 것으로 만드는 셀파 - Tip**
>
> ▶ **건조 아시아와 북부 아프리카의 전통 의복**
>
> | | |
> |---|---|
> | 우즈베키스탄 | 초원에서 말을 타기 편하도록 옆과 앞이 트여 있으며, 겨울에는 춥기 때문에 두꺼운 천으로 옷을 만듦 |
> | 사우디아라비아 | 남성은 흰색 토브를 입고 머리에 두건인 셰마그를 착용함, 여성은 검은색 옷인 아바야를 입고 검은색 스카프인 샤일라를 두름 |
> | 베르베르족 | 사하라 사막에서 유목을 하므로 눈을 제외한 얼굴 대부분을 긴 천으로 휘감아 모래바람이 들어오는 것을 막음 |

06 건조 아시아와 북부 아프리카의 전통 가옥 특징　답 ③

윈드타워의 일종인 바드기르가 있는 전통 가옥은 건조 기후가 나타나는 서남아시아 지역에서 쉽게 볼 수 있다. 따라서 (가)는 서남아시아에 해당한다. ③ 건조 기후가 나타나는 서남아시아는 연 강수량보다 연 증발량이 많다.

> **정답을 찾아가는 셀파 - Tip**
>
> ① 연중 적도 저압대의 영향을 받는다. (×)
> → 열대 기후 지역에 대한 설명이다.
>
> ② 주민의 대부분이 크리스트교를 믿는다. (×)
> → 서남아시아 지역은 주민의 대부분이 이슬람교를 믿는다.
>
> ④ 연중 극동풍의 영향을 받고 순록 유목이 활발하다. (×)
> → 고위도의 툰드라 기후 지역에 대한 설명이다.
>
> ⑤ 세계에서 돼지 사육 두수가 가장 많은 국가가 위치한다. (×)
> → 세계에서 돼지 사육 두수가 가장 많은 국가는 몬순 아시아에 속한 중국이다. 서남아시아는 돼지고기를 금기시하는 이슬람교 신자의 비율이 높으므로 돼지 사육 두수가 매우 적다.

07 건조 아시아와 북부 아프리카의 전통 가옥 특징　답 ②

이동식 가옥을 짓고 사는 A는 중앙아시아의 스텝 기후 지역이고, 흙벽돌집을 짓고 사는 B는 아라비아반도의 사막 기후 지역이다.

ㄱ. A에서는 양, 염소 등의 유목이 활발하다. (○)
→ 중앙아시아의 스텝 기후 지역에서는 양, 염소 등의 유목이 활발하다.

ㄴ. B의 전통 가옥은 게르, 유르트 등으로 불린다. (×)
→ 게르, 유르트는 스텝 기후 지역에서 볼 수 있는 이동식 가옥을 말한다.

ㄷ. A는 B보다 연 강수량이 많다. (○)
→ 중앙아시아의 스텝 기후 지역은 연 강수량이 250~500mm이고, 아라비아반도의 사막 기후 지역은 연 강수량이 250mm 미만이다. 따라서 중앙아시아의 스텝 기후 지역은 아라비아반도의 사막 기후 지역보다 연 강수량이 많다.

ㄹ. A, B는 모두 수목 기후 지역에 해당한다. (×)
→ 중앙아시아의 스텝 기후 지역과 아라비아반도의 사막 기후 지역 모두 연 강수량이 적으므로 무수목 기후 지역에 해당한다.

08 건조 아시아와 북부 아프리카의 주민 생활   답 ④

동서양의 문명이 만나는 도시이자 케밥이 전통 음식인 첫 번째 촬영지는 튀르키예의 이스탄불이다. 아에쉬라는 빵이 유명하고 피라미드가 있는 두 번째 촬영지는 이집트이다. 이베리아반도가 육안으로 보이고 대추야자를 재배하는 세 번째 촬영지는 모로코의 지중해 연안이다. 지도의 A는 모로코의 지중해 연안, B는 튀르키예의 이스탄불, C는 이집트의 나일강 유역이다. 따라서 촬영 순서는 B → C → A 순이다.

09 건조 아시아와 북부 아프리카의 관계 농업 특징   답 ①

(가) 이란에서는 지하 관개 수로를 '카나트'라고 한다. (나) 스프링클러가 돌아가면서 주변에 물을 원형으로 분사하기 때문에 경작지의 형태도 원형으로 나타나게 된다.

ㄷ. (가)는 (나)보다 농업에 이용되기 시작한 시기가 늦다. (×)
→ 지하 관개 수로는 스프링클러를 이용한 관개 농업보다 농업에 이용되기 시작한 시기가 이르다.

ㄹ. (가), (나)는 모두 열대 기후 지역에서 관개 농업에 이용된다. (×)
→ 지하 관개 수로와 스프링클러를 이용한 관개 농업은 건조 기후 지역에서 많이 이용된다.

▶ 건조 아시아와 북부 아프리카의 관개 농업

지하 관개 수로	이란에서는 '카나트'라 불리는 지하 관개 수로는 산지에 내린 강수가 모여 형성된 지하수층에 수직으로 굴을 판 후 지하 수로를 활용하여 물을 끌어옴
스프링클러	지하수를 끌어올려 스프링클러로 물을 분사하면 경직지의 형태가 원형으로 나타남
외래 하천	나일강, 티그리스·유프라테스강과 같은 외래 하천 주변에서는 하천의 물을 관개하여 다양한 작물을 재배함

10 건조 아시아와 북부 아프리카의 농목업과 대상 무역   답 ⑤

건조 아시아와 북부 아프리카에서는 오아시스 농업을 통해 대추야자, 밀, 보리 등의 재배가 이루어지며, 양, 염소 등을 유목의 형태로 많이 사육한다. 최근 대상 무역이 쇠퇴하는 원인으로 국경 설정으로 인한 이동의 제약 증가, 도시화와 산업화로 인한 정착 생활 증가 등을 들 수 있다. 한편 사막 기후 지역에서는 샌드보딩, 낙타 타기 체험 등을 관광 상품으로 개발하고 있고, 스텝 기후 지역에서는 말타기 체험 등을 관광 상품으로 개발하고 있다. ⑤ 건조 기후 지역은 연 강수량이 매

우 적으므로 대규모 하천 발달이 미약하여 수력 발전이 활발하지 못하며, 일사량이 풍부하므로 태양광(열) 발전이 활발하다.

서술형 문제

11 건조 아시아와 북부 아프리카의 인구 분포

(1) 모범 답안 | 사막 기후가 나타나 물을 구하기가 어렵기 때문이다.
주요 단어 | 사막 기후, 물을 구하기 어려움

채점 기준	배점
주요 단어를 모두 넣어 바르게 서술한 경우	상
주요 단어 중 한 가지만 넣어 바르게 서술한 경우	중
주요 단어 중 한 가지만 넣었고 일부 틀린 서술이 있는 경우	하

(2) 모범 답안 | 외래 하천인 나일강이 흐르므로 나일강의 물을 생활용수, 농업용수 등으로 이용할 수 있기 때문이다.
주요 단어 | 외래 하천, 생활용수, 농업용수, 물을 구하기 쉬움

채점 기준	배점
주요 단어를 모두 넣어 바르게 서술한 경우	상
주요 단어 중 한 가지만 넣어 바르게 서술한 경우	중
주요 단어 중 한 가지만 넣었고 일부 틀린 서술이 있는 경우	하

12 스텝 기후 지역의 전통 가옥 특징

(1) 모범 답안 | 연 강수량이 250~500mm에 해당하는 스텝 기후가 나타난다.
주요 단어 | 연 강수량 250~500mm, 스텝 기후

채점 기준	배점
주요 단어를 모두 넣어 바르게 서술한 경우	상
주요 단어 중 한 가지만 넣어 바르게 서술한 경우	중
주요 단어 중 한 가지만 넣었고 일부 틀린 서술이 있는 경우	하

(2) 게르, 유르트 등
(3) 모범 답안 | 초원에서 유목을 하며 이동하면서 생활하기 때문이다.
주요 단어 | 유목, 이동 생활

채점 기준	배점
주요 단어를 모두 넣어 바르게 서술한 경우	상
주요 단어 중 한 가지만 넣어 바르게 서술한 경우	중
주요 단어 중 한 가지만 넣었고 일부 틀린 서술이 있는 경우	하

13 티그리스·유프라테스강의 특징

(1) 메소포타미아 문명
(2) 외래

14 유목과 대상 무역의 특징

(1) 모범 답안 | 여러 지역의 소식을 알려 주고 상품을 거래하여 다양한 문화의 교류에 큰 역할을 하였다.
주요 단어 | 여러 지역의 소식 전달, 상품 거래, 문화 교류

채점 기준	배점
주요 단어를 모두 넣어 바르게 서술한 경우	상
주요 단어 중 두 가지만 넣어 바르게 서술한 경우	중
주요 단어 중 한 가지만 넣어 바르게 서술한 경우	하

(2) 모범 답안 | 국경 설정, 도시화와 산업화, 자원 개발, 사막화에 따른 목초지 감소 등

주요 단어 | 국경 설정, 도시화와 산업화, 자원 개발, 사막화

채점 기준	배점
주요 단어를 두 가지 이상 넣어 바르게 서술한 경우	상
주요 단어 중 두 가지 이상 넣었고 일부 틀린 서술이 있는 경우	중
주요 단어 중 한 가지만 넣어 바르게 서술한 경우	하

15 지하 관개 수로의 특징

(1) 카나트

(2) 모범 답안 | 연 강수량보다 연 증발량이 많아 건조하다.

주요 단어 | 연 강수량, 연 증발량

채점 기준	배점
주요 단어를 모두 넣어 바르게 서술한 경우	상
주요 단어를 모두 넣어 서술하였으나 연 강수량과 연 증발량을 비교하여 서술하지 않은 경우	중
주요 단어 중 한 가지만 넣어 바르게 서술한 경우	하

도전 수능 문제
p. 150 ~ p. 153

01 ②	**02** ⑤	**03** ①	**04** ③	**05** ②	**06** ⑤
07 ②	**08** ②	**09** ③	**10** ⑤	**11** ①	**12** ③
13 ⑤	**14** ②				

01 북부 아프리카의 기후 분포 특징 〈답〉②

지중해 연안에 주로 나타나는 (가)는 지중해성 기후 지역이고, 사하라 사막이 속해 있는 (다)는 사막 기후 지역이다. 사막 기후 지역 주변에 나타나는 (나)는 스텝 기후 지역이다. A는 이집트의 나일강 유역이고, B는 사하라 사막 주변의 사헬 지대에 해당한다. ② 스텝 기후 지역에서는 양, 염소 등의 유목이 활발하다. 따라서 스텝 기후 지역은 사막 기후 지역보다 단위 면적당 가축 사육 두수가 많다.

02 건조 아시아와 북부 아프리카의 주요 국가별 특징 〈답〉⑤

지도의 A는 알제리, B는 튀르키예, C는 이란, D는 아랍 에미리트이다.

정답을 찾아가는 셀파 - Tip

ㄱ. A는 해안 지역보다 내륙 지역의 인구 밀도가 높다. (×)
→ 알제리의 해안 지역은 지중해성 기후가 나타나고 내륙 지역은 이보다 건조한 스텝 기후나 사막 기후가 나타난다. 따라서 알제리는 해안 지역보다 내륙 지역의 인구 밀도가 낮다.

ㄴ. B는 유럽 연합 회원국이다. (×)
→ 튀르키예는 유럽 연합의 회원국이 아니다.

ㄷ. C는 수니파 교도보다 시아파 교도가 많다. (○)
→ 이란은 건조 아시아의 국가들 중에서도 이슬람교의 시아파교도 비율이 높은 대표적인 국가에 해당한다.

ㄹ. D는 외국인 노동자의 유입으로 청장년층에서 여자보다 남자가 많다. (○) → 아랍 에미리트는 석유 및 천연가스 생산과 기반 시설 건설에 필요한 남성 노동력의 유입이 활발하여 청장년층에서 남초 현상이 나타난다.

03 건조 아시아와 북부 아프리카의 자연환경 및 주민 생활 〈답〉①

기온의 일교차가 크고 이동식 가옥에서 생활하며 바람의 침식 작용으로 형성된 버섯바위가 발달한 곳은 건조 기후 지역이다. ① 건조 기후 지역의 바르한(사구)에서 썰매 타기 체험 활동을 할 수 있다.

04 건조 아시아와 북부 아프리카의 전통적인 생활 모습 〈답〉③

제시된 자료는 건조 기후가 나타나는 서남아시아의 전통적인 생활 모습을 나타낸 것이다. 서남아시아에서는 곡물과 생필품을 공급해 주는 대상들의 행렬을 볼 수 있고, 양, 염소 등의 가축을 사육하는 유목민들도 많다. 또한 서남아시아의 주민들은 강한 햇볕으로부터 몸을 보호하기 위해 온몸을 가리는 의복을 입고, 주민의 대부분이 이슬람교를 믿으므로 술과 돼지고기를 금기시하는 음식 문화가 나타난다. ③ 습기를 차단하고 해충 피해를 막기 위한 고상 가옥은 열대 기후 지역의 전통 가옥에 해당한다. 서남아시아의 건조 기후 지역에서는 흙벽돌집이나 유목에 적합한 이동식 가옥을 쉽게 볼 수 있다.

05 건조 아시아와 북부 아프리카의 주요 국가별 특징 〈답〉②

이슬람교 최대 성지인 메카가 있고 국기에 쿠란 구절이 아랍어로 쓰여 있는 (가)는 사우디아라비아이다. 사하라 사막 남부에 위치해 있는 국가인 (나)는 니제르이다. 전통적으로 유목이 발달하고 이동식 가옥인 유르트를 형상화한 문양이 국기에 그려져 있는 (다)는 키르기스스탄이다. 지도의 A는 니제르, B는 사우디아라비아, C는 키르기스스탄이다. 따라서 (가)는 B, (나)는 A, (다)는 C에 해당한다.

06 건조 아시아와 북부 아프리카의 주민 생활 모습 〈답〉⑤

영화 포스터에 그려진 여자 주인공의 의복 형태, 쿠란 퀴즈 대회 등의 내용을 통해 영화의 배경이 되는 지역에서 신자 수 비중이 가장 높은 종교는 이슬람교라는 것을 알 수 있다.

정답을 찾아가는 셀파 - Tip

① 윤회 사상이 있으며 해탈을 중요시한다. (×)
→ 불교에 대한 설명이다.

② 사원에 다양한 모습의 신들이 조각되어 있다. (×)
→ 힌두교에 대한 설명이다.

③ 유럽 국가의 식민지 확대 과정에서 주로 전파되었다. (×)
→ 크리스트교에 대한 설명이다.

④ 불상과 사리가 봉안된 탑이 대표적인 종교 경관이다. (×)
→ 불교에 대한 설명이다.

07 몬순 아시아와 건조 아시아 지역의 주민 생활과 기후 특징 〈답〉②

(가) 베트남의 수도는 하노이이다. 기온이 높고 강수량이 풍부해 벼농사가 활발히 이루어지므로 쌀을 주식으로 하며, 쌀을 가루로 빻아 전병이나 국수로 만들어 먹기도 한다. 또한 얇고 시원한 천을 옷감으로 이용하며 뜨거운 햇볕과 잦은 비를 대비하기 위한 삿갓 모양 모자를 착용한다. (나) 사우디아라비아의 수도는 리야드이다. 강수량이 적고 일교차가 크며 강한 햇볕과 모래바람을 막기 위해 온몸을 감싸는 형태의 헐렁한 옷을 입는다. 리야드는 건조 기후 지역으로 계절풍 기후 지역인 하노이보다 기온의 일교차가 크고, 연 강수량이 적으며 단위 면적당 식생 밀도가 낮다.

08 건조 아시아의 음식 문화 특징 답 ②

서남아시아의 비옥한 초승달 지대에서 기원하였고 다양한 면 요리와 넌(난) 등의 음식을 만드는 데 재료로 이용되는 A는 밀이다. 이슬람교 관습에 따라 금기시되고 있는 B는 돼지이다.

정답을 찾아가는 셀파 - Tip

> ㄴ. B는 유럽의 농경 사회에서 노동력을 대신하는 가축이다. (×)
> → 유럽의 농경 사회에서 노동력을 대신하는 가축은 소이다.
> ㄹ. 서남아시아의 전통 농업 방식은 A와 B를 결합한 혼합 농업이다. (×) → 혼합 농업은 유럽의 서안 해양성 기후 지역에서 많이 행해진다. 서남아시아의 전통 농업 방식은 오아시스, 외래 하천 등을 이용한 관개 농업이다.

09 세계의 음식 문화 특징 답 ③

(가)는 튀르키예에서 먹을 수 있는 전통 음식인 양고기 케밥이다. (나)는 이탈리아에서 먹을 수 있는 전통 음식인 피자이다. (다)는 몬순 아시아에 속한 타이에서 먹을 수 있는 전통 음식인 똠양꿍이다.

정답을 찾아가는 셀파 - Tip

> ㄱ. (가)는 이동식 화전 농업을 하는 지역에서 유래되었다. (×)
> → 이동식 화전 농업은 열대 기후 지역에서 활발하다. 케밥은 건조 기후 지역에서 유래된 음식이다.
> ㄴ. (나)가 유래한 지역에서는 경엽수의 열매를 음식 재료로 많이 사용한다. (○)
> → 피자가 유래한 지역인 이탈리아는 지중해성 기후가 나타나며, 지중해성 기후 지역에서는 올리브와 같은 경엽수의 열매를 음식 재료로 많이 사용한다.
> ㄷ. (다)는 덥고 습한 기후 지역에서 사용되는 향신료가 많이 들어간다. (○) → 열대 기후가 나타나는 타이는 기온이 높아 음식이 쉽게 상하므로 덥고 습한 기후 지역에서 사용되는 향신료가 많이 들어간다.
> ㄹ. (가)와 (다)는 돼지고기가 금기시되는 지역에서 발달해 주변 지역으로 전파되었다. (×)
> → 케밥은 돼지고기가 금기시되는 아랍 지역에서 발달한 음식이 맞으나, 타이의 똠양꿍은 이에 해당하지 않는다.

10 건조 아시아와 북부 아프리카의 주민 생활 모습 답 ⑤

자료는 건조 아시아와 북부 아프리카 국가의 화폐에 묘사된 그림으로, ㉠은 요르단의 전통 복장, ㉡은 모로코의 전통 건축물인 흙벽돌집, ㉢은 말리의 낙타, ㉣은 아랍 에미리트의 대추야자 나무를 상징적으로 나타낸 것이다.

정답을 찾아가는 셀파 - Tip

> ㄱ. ㉠은 잦은 강수와 강한 일사에 대비한 것이다. (×)
> → 얇은 천으로 온몸을 감싸는 요르단의 전통 복장은 강한 일사와 모래바람으로부터 피부를 보호하기 위한 것이다. 요르단은 건조 기후가 나타나 강수량은 매우 적다.
> ㄴ. ㉡은 지면의 습기와 해충을 차단하기 위한 고상 가옥이다. (×)
> → 지면의 습기와 해충을 차단하기 위한 고상 가옥은 열대 기후 지역의 전통 가옥이다.

11 북부 아프리카의 주요 국가별 특징 답 ①

제시된 자료를 통해 (가)는 사막이 넓게 형성되어 있고, 아틀라스산맥이 위치해 있으며, 하얀 집이 많은 나라임을 알 수 있다. 따라서 (가)는 지중해 연안에 위치한 모로코이다. 모로코는 ①에 해당한다. ②는 사우디아라비아, ③은 몽골, ④는 이탈리아, ⑤는 볼리비아이다.

12 건조 아시아와 북부 아프리카의 관개 농업 답 ③

원형으로 경작지가 나타나는 (가)는 스프링클러를 이용한 관개 농업에 해당하고, 수직의 원우물을 볼 수 있는 (나)는 지하 관개 수로를 이용한 관개 농업에 해당한다.

정답을 찾아가는 셀파 - Tip

> ① (가)는 오아시스 농업에서 주로 활용한다. (×)
> → 스프링클러는 오아시스 농업에서는 거의 활용되지 않는다.
> ② (가)는 원형 경작지 중앙에 전통 방식의 우물이 있다. (×)
> → 스프링클러를 활용한 경작지는 원형으로 나타나며 경작지 중앙에는 스프링클러가 위치한다.
> ③ (나)는 지하 수로를 통해 연결되어 있다. (○)
> → 수직의 원우물은 지하에 수로를 통해 연결되어 있다.
> ④ (나)는 외래 하천의 물을 끌어오는 방식이다. (×)
> → 지하 관개 수로는 주변 산지의 물을 끌어오는 방식이다.
> ⑤ (가)는 (나)보다 개발 시기가 이르다. (×)
> → 스프링클러는 지하 관개 수로보다 개발 시기가 늦다.

13 건조 아시아와 북부 아프리카의 주요 국가별 특징 답 ⑤

두바이, 아부다비 등이 위치하는 첫 번째 여행국은 아랍 에미리트이다. 다르푸르 분쟁이 있었고 사헬 지대가 분포하는 두 번째 여행국은 수단이다. 나일강 하구가 위치하고 고대 문명 유적지를 활용한 관광 산업이 발달한 세 번째 여행국은 이집트이다. 지도의 A는 이집트, B는 수단, C는 아랍 에미리트이다. 따라서 여행 순서대로 나열하면 C(아랍 에미리트) → B(수단) → A(이집트) 순이다.

14 건조 아시아와 북부 아프리카의 주거 문화 답 ②

바드기르는 건조 기후 지역의 가옥에 설치되어 있는 시설로, 대류 현상을 이용하여 실내 공기를 정화하고 온도를 낮추는 역할을 한다.

탄탄 내신 문제 | p. 160 ~ p. 163

01 ③	**02** ⑤	**03** ⑤	**04** ⑤	**05** ④	**06** ④
07 ③	**08** ①	**09** ④	**10** ③	**11** 해설 참조	
12 해설 참조		**13** 해설 참조		**14** 해설 참조	

01 건조 아시아와 북부 아프리카의 자원 생산 ❸ ③

건조 아시아와 북부 아프리카 국가들 중에서 석유의 생산량이 가장 많은 (가)는 사우디아라비아이고, 천연가스의 생산량이 가장 많은 (나)는 이란이다. 이란 다음으로 천연가스 생산량이 많은 (다)는 카타르이다. 지도의 A는 이란, B는 사우디아라비아, C는 카타르이다. 따라서 (가) 사우디아라비아는 B, (나) 이란은 A, (다) 카타르는 C이다.

02 건조 아시아와 북부 아프리카의 주요 국가별 특징 ❸ ⑤

(가)는 사우디아라비아, (나)는 이란, (다)는 카타르이다.

ㄱ. (가)는 청장년층 남성 인구보다 여성 인구가 많다. (×)
→ 사우디아라비아는 외국인 남성 노동력의 유입이 많으므로 청장년층 인구에서 남초 현상이 나타난다. 따라서 사우디아라비아는 청장년층 남성 인구보다 여성 인구가 적다.

ㄴ. (나)에는 이슬람교의 성지인 메카가 있다. (×)
→ 사우디아라비아에 대한 설명이다.

ㄷ. (가)는 (나)보다 이슬람교 수니파 신자의 비율이 높다. (○)
→ 사우디아라비아는 이란보다 이슬람교 수니파 신자의 비율이 높은 반면 시아파 신자의 비율이 낮다.

ㄹ. (나)는 (다)보다 국토 면적이 넓다. (○)
→ 지도를 보면 이란은 카타르보다 국토 면적이 넓다.

03 건조 아시아와 북부 아프리카의 석유 매장량 ❸ ⑤

석유와 천연가스 모두 매장량이 가장 많은 A는 건조 아시아 및 북부 아프리카이다. 건조 아시아와 북부 아프리카 다음으로 사하라 이남 아프리카 및 중·남부 아메리카의 매장량이 많은 (가)는 석유이고, 유럽 및 북부 아메리카의 매장량이 많은 (나)는 천연가스이다.

① (가)는 냉동 액화 기술의 발달로 소비량이 급증하였다. (×)
→ 천연가스에 대한 설명이다.

② (나)는 세계 1차 에너지 소비 구조에서 차지하는 비율이 가장 높다. (×) → 석유에 대한 설명이다.

③ (가)는 (나)보다 연소 시 대기 오염 물질 배출량이 적다. (×)
→ 석유는 천연가스보다 연소 시 대기 오염 물질 배출량이 많다.

④ (나)는 (가)보다 수송용으로 이용되는 비율이 높다. (×)
→ 천연가스는 석유보다 수송용으로 이용되는 비율이 낮다.

⑤ A는 크리스트교 신자보다 이슬람교 신자가 많다. (○)
→ 건조 아시아 및 북부 아프리카는 주민의 대부분이 이슬람교를 믿는다.

04 건조 아시아와 북부 아프리카의 석유 생산 ❸ ⑤

사우디아라비아의 생산량이 가장 많은 에너지 자원은 석유이다. 석유는 19세기 내연 기관의 발명과 자동차 보급으로 소비량이 급증하였다.

① 산업 혁명기의 주요 에너지원이었다. (×)
→ 석탄에 대한 설명이다.

② 주로 고기 습곡 산지 주변에 매장되어 있다. (×)
→ 석탄에 대한 설명이다.

③ 세계 발전량에서 차지하는 비율이 가장 높다. (×)
→ 석탄에 대한 설명이다.

④ 세계 매장량의 절반 이상이 아메리카에 매장되어 있다. (×)
→ 석유는 세계 매장량의 절반 이상이 건조 아시아와 북부 아프리카에 매장되어 있다.

05 건조 아시아와 북부 아프리카의 지역 변화 ❸ ④

ㄷ. 비산유국에서 산유국으로 남성 노동력이 많이 유입되면서 산유국의 청장년층 인구 성비가 높아졌다.

▶ **건조 아시아와 북부 아프리카의 지역 변화**

경제 성장	석유 및 천연가스의 수출을 통해 벌어들인 외화를 바탕으로 생활 수준 및 복지 수준 향상시킴
도시화	경제 성장과 함께 급속한 도시화 진행 → 도시와 농촌 간 지역 격차 심화, 전통적 농목업의 쇠퇴 등 발생
빈부 격차	• 산유국과 비산유국 간 빈부 격차 심화 • 비산유국에서 산유국으로 많은 노동자 유입
경제의 해외 의존도 심화	거대한 부의 축적으로 소비재, 사치품 등의 수입 증가 → 자국 내 제조업 발달이 미약하여 경제의 해외 의존도 심화

06 건조 아시아와 북부 아프리카의 지역 변화 ❸ ④

제시된 자료는 아랍 에미리트 두바이의 도시화를 나타낸 것이다. 도시화와 함께 외국인 노동자의 유입이 활발해지면서 총인구 중 외국인의 비율도 높아졌다.

① 유목민의 수가 많다. (×)
→ 도시화가 되면서 유목민의 수가 감소하였다.

② 건물의 평균 층수가 낮다. (×)
→ 도시화로 고층 빌딩이 많아지면서 건물의 평균 층수가 높아졌다.

③ 1인당 지역 내 총생산이 적다. (×)
→ 석유 개발을 통해 많은 부를 축적하게 되면서 1인당 지역 내 총생산이 많아졌다.

④ 총인구 중 외국인의 비율이 높다. (○)
→ 석유 개발과 도시 기반 시설에 필요한 외국인 노동력이 많이 유입되면서 총인구 중 외국인의 비율이 높아졌다.

⑤ 도시 기반 시설의 보급률이 낮다. (×)
→ 도시화로 인해 도시 기반 시설의 보급률이 높아졌다.

07 건조 아시아와 북부 아프리카의 산업 구조 ❸ ③

공업 제품의 수출액 비율이 가장 높은 (가)는 튀르키예이고, 세 국가 중 수출액과 수입액이 가장 적은 (나)는 카자흐스탄이다. 광물 및 에너지 자원의 수출액 비율이 가장 높은 (다)는 석유 수출이 많은 사우디아라비아이다. 지도의 A는 카자흐스탄, B는 튀르키예, C는 사우디아라비아이다. 따라서 (가) 튀르키예는 B, (나) 카자흐스탄은 A, (다) 사우디아라비아는 C이다.

08 건조 아시아와 북부 아프리카의 국가별 특징 ❶ ①
(가)는 튀르키예, (나)는 카자흐스탄, (다)는 사우디아라비아이다.

정답을 찾아가는 셀파 - Tip
ㄷ. (가)는 (나)보다 인구 밀도가 낮다. (×)
→ 튀르키예는 카자흐스탄보다 인구가 많은 반면, 국토 면적이 좁으므로 인구 밀도가 높다.

ㄹ. (다)는 (가)보다 총면적 중 사막 기후 지역의 비율이 낮다. (×)
→ 룹알할리 사막이 위치한 사우디아라비아는 튀르키예보다 총면적 중 사막 기후 지역의 비율이 높다.

09 건조 아시아와 북부 아프리카의 사막화 ❶ ④
(가)는 사막화로, 건조 아시아와 북부 아프리카의 사헬 지대를 비롯한 스텝 기후 지역에서 주로 발생한다. 사막화는 기후 변화로 인한 장기간의 가뭄, 무분별한 벌목, 과도한 농경 및 방목 등이 원인이다.

정답을 찾아가는 셀파 - Tip
① 해결을 위해 바젤 협약을 체결하였다.
→ 사막화의 해결을 위해 국제 사회는 사막화 방지 협약을 체결하였다.
② 산성비로 인해 토양 산성화가 심각하다.
→ 산성비 문제에 대한 설명이다.
③ 주로 저위도의 열대 기후 지역에서 발생한다.
→ 사막화는 주로 스텝 기후 지역에서 발생한다.
⑤ 해결 방안으로 경작지 확대를 통한 식량 증산을 들 수 있다.
→ 과도한 경작지 확대는 토양 황폐화를 유발하여 사막화를 심화시킨다.

내 것으로 만드는 셀파 - Tip
▶ 사막화의 의미와 발생 원인

의미	건조 지역에서 식생이 감소하고 토양이 황폐화되는 현상
발생 원인	• 자연적 원인: 기후 변화로 인한 기상 이변과 장기간 가뭄의 지속 • 인위적 원인: 무분별한 벌목, 경작지와 방목지의 확대, 지나친 관개로 인한 토양 염류화 등

10 아랄해 주변의 사막화 ❸ ③
지도는 아랄해의 면적 감소를 나타낸 것이다. ③ 아랄해의 면적이 축소되면서 육지로 드러나게 된 지역은 사막화가 진행되었으므로 농경지로 이용할 수 없다.

서술형 문제

11 건조 아시아와 북부 아프리카의 석유와 천연가스 매장량
(1) (가) 석유, (나) 천연가스
(2) 모범 답안 | 천연가스는 석유보다 세계 소비량이 적고 상용화된 시기가 늦으며, 연소 시 대기 오염 물질 배출량이 적다.
주요 단어 | 세계 소비량, 상용화된 시기, 연소 시 대기 오염 물질 배출량

채점 기준	배점
주요 단어를 모두 넣어 바르게 서술한 경우	상
주요 단어 중 두 가지만 넣어 바르게 서술한 경우	중
주요 단어 중 한 가지만 넣어 바르게 서술한 경우	하

(3) A 사우디아라비아, B 이란

12 페르시아만 연안 주변 국가의 경제 성장
(1) 모범 답안 | 석유와 천연가스의 생산과 수출을 통해 많은 이익을 얻을 수 있기 때문이다.
주요 단어 | 석유와 천연가스, 오일 달러, 생산, 수출

채점 기준	배점
주요 단어를 모두 넣어 바르게 서술한 경우	상
주요 단어 중 한 가지만 넣어 바르게 서술한 경우	중
주요 단어 중 한 가지만 넣었고 일부 틀린 서술이 있는 경우	하

(2) 모범 답안 | 도시와 농촌 간의 빈부 격차 심화, 소비재와 사치품의 수입 증가로 인한 경제의 해외 의존도 증가 등
주요 단어 | 도시와 농촌 간 빈부 격차, 경제의 해외 의존도 증가

채점 기준	배점
주요 단어를 모두 넣어 바르게 서술한 경우	상
주요 단어 중 한 가지만 넣어 바르게 서술한 경우	중
주요 단어 중 한 가지만 넣었고 일부 틀린 서술이 있는 경우	하

13 건조 아시아와 북부 아프리카 주요 국가의 산업 구조
(1) (가) 아랍 에미리트(B), (나) 우즈베키스탄(C)
(2) 모범 답안 | 아랍 에미리트는 우즈베키스탄보다 국토 면적이 좁고 총인구 성비가 높으며, 석유 수출량이 많다.
주요 단어 | 국토 면적, 총인구 성비, 석유 수출량

채점 기준	배점
주요 단어를 모두 넣어 바르게 서술한 경우	상
주요 단어 중 두 가지만 넣어 바르게 서술한 경우	중
주요 단어 중 한 가지만 넣어 바르게 서술한 경우	하

14 사헬 지대의 사막화
(1) 사막화
(2) 모범 답안 | 사막화 방지 협약 체결을 통한 개발 도상국 및 피해 지역의 주민 지원, 조림 사업 실시 등
주요 단어 | 사막화 방지 협약, 조림 사업

채점 기준	배점
주요 단어를 한 가지 이상 넣어 바르게 서술한 경우	상
주요 단어 중 한 가지 이상 넣었고 일부 틀린 서술이 있는 경우	중
주요 단어 중 한 가지 이상 넣었으나 모두 틀린 경우	하

도전 수능 문제
p. 164 ~ p. 167

01 ①	02 ③	03 ④	04 ④	05 ⑤	06 ③
07 ③	08 ④	09 ②	10 ⑤	11 ①	12 ①
13 ②	14 ③	15 ②			

01 세계의 화석 에너지 생산 ❸ ①
미국 다음으로 사우디아라비아의 생산량이 많은 (가)는 석유이고, 미국, 러시아 다음으로 이란의 생산량이 많은 (나)는 천연가스이다. 중국의 생산량이 가장 많고 건조 아시아와 북부 아프리카 국가가 상위 5개국에 포함되어 있지 않은 (다)는 석탄이다.

① (가)는 세계 1차 에너지 중 소비량이 가장 많다. (○)
→ 석유는 세계 1차 에너지 소비 구조에서 차지하는 비율이 가장 높은 에너지이다.

② (다)는 주로 신생대 지층에 매장되어 있다. (×)
→ 석탄은 주로 고기 습곡 산지 주변에 매장되어 있다.

③ (나)는 (가)보다 상용화된 시기가 이르다. (×)
→ 천연가스는 석유보다 상용화된 시기가 늦다.

④ (다)는 (가)보다 수송용으로 이용되는 비율이 높다. (×)
→ 수송용으로는 석유가 가장 많이 이용된다.

⑤ (다)는 (나)보다 연소 시 대기 오염 물질 배출량이 적다. (×)
→ 석탄은 천연가스보다 연소 시 대기 오염 물질 배출량이 많다.

02 건조 아시아와 북부 아프리카 주요 자원의 특징　답③

(가)는 이란, 카타르, 알제리에서 생산량이 높은 것으로 보아 천연가스이며, (나)는 사우디아라비아에서 생산량 비중이 높게 나타는 것으로 보아 석유이다.

㉠ (가)는 주로 제철 공업과 발전용 연료로 많이 이용됩니다. (×)
→ 석탄에 대한 설명이다.

㉡ (가)는 (나)보다 연소 시 대기 오염 물질 배출량이 적습니다. (○)
→ 천연가스는 석유보다 환경 오염 물질이 적게 배출된다.

㉢ (나)는 (가)보다 상용화된 시기가 이릅니다. (○)
→ 석유는 천연가스보다 상용화된 시기가 이르다. 천연가스는 기체이므로 액화 기술이 개발된 제2차 세계 대전 이후 저장과 수송이 가능해졌다.

㉣ (가)는 고기 조산대, (나)는 신기 조산대 주변에 매장되어 있습니다. (×)
→ 천연가스는 석유와 함께 신생대 제3기층 배사 구조에 주로 매장되어있다.

03 주요 자원의 분포 및 특징　답④

(가), (나) 자원의 소비량 비중이 B보다 높은 A는 아시아·태평양이고, B는 서남아시아이다. (가)는 서남아시아(B)의 생산량 비중이 가장 높으므로 석유이다. (나)는 앵글로아메리카와 유럽·러시아의 생산량 비중이 높으므로 천연가스이다.

① (가)는 냉동 액화 기술이 개발된 이후 소비가 급증하였다. (×)
→ 천연가스에 대한 설명이다.

② (나)는 세계 1차 에너지 소비 구조에서 차지하는 비중이 가장 높다. (×) → 석유에 대한 설명이다.

③ (가)는 (나)보다 공업에 본격적으로 이용된 시기가 늦다. (×)
→ 석유는 천연가스보다 공업에 본격적으로 이용된 시기가 이르다.

⑤ B는 (가)의 소비량 대비 생산량 비율이 가장 낮다. (×)
→ 석유 매장량이 많은 서남아시아는 석유 생산이 활발해 석유 소비량 대비 생산량 비율이 높다.

04 건조 아시아 국가의 경제 성장과 도시화　답④

제시된 자료는 아랍 에미리트의 두바이와 사우디아라비아의 킹압둘라 경제 도시의 모습을 나타낸 것이다. 두 지역은 모두 석유 이외의 관광 및 서비스 산업 등을 육성하는 정책이 추진되고 있다. 따라서 (가)에는 비석유 분야 산업 육성을 통한 산업 구조의 다변화가 들어가야 한다.

05 건조 아시아와 북부 아프리카의 산업 구조 및 인구 구조　답⑤

(가)는 (나)에 비해 1차 산업의 생산액 비율이 높으므로 지중해성 기후 지역에서 농업이 활발한 알제리이다. (나)는 (가)보다 2차 산업의 생산액 비율이 높으며, 청장년층 남성 인구의 비율이 높아 남초 현상이 나타난다. 따라서 (나)는 석유 개발과 기반 시설 건설에 필요한 외국인 남성 노동력의 유입이 활발한 사우디아라비아이다.

ㄱ. (가)는 (나)보다 석유 생산량이 많다. (×)
→ 석유 생산량은 대표적 산유국인 사우디아라비아가 많다.

ㄴ. (가)는 (나)보다 1인당 국내 총생산(GDP)이 많다. (×)
→ 알제리는 석유 개발을 통해 많은 부를 축적한 사우디아라비아보다 1인당 국내 총생산이 적다.

ㄷ. (나)는 (가)보다 청장년층 인구의 유입이 많다. (○)
→ 사우디아라비아에는 석유 개발과 기반 시설 건설이 필요한 외국인 노동력의 유입이 활발하며, 외국인 노동력은 대부분 청장년층 인구에 해당한다.

ㄹ. (가)는 아프리카, (나)는 아시아 국가이다. (○)
→ 알제리는 아프리카, 사우디아라비아는 아시아 국가에 해당한다.

06 건조 아시아와 북부 아프리카의 산업 구조　답③

세 국가 중 1차 산업의 종사자 비율이 가장 높고 석유, 과일 및 채소 등을 주로 수출하는 (가)는 이집트이다. 운송 장비, 기계류, 철강, 의류와 같은 공업 제품이 주요 수출 품목인 (나)는 튀르키예이다. 1차 산업의 종사자 비율이 가장 낮은 반면 2차 산업의 종사자 비율이 높고 석유가 주요 수출 품목인 (다)는 아랍 에미리트이다. 지도의 A는 튀르키예, B는 이집트, C는 아랍 에미리트이다. 따라서 (가) 이집트는 B, (나) 튀르키예는 A, (다) 아랍 에미리트는 C에 해당한다.

07 건조 아시아와 북부 아프리카 주요 국가의 특징　답③

(가)는 튀르키예, (나)는 사우디아라비아이다. 튀르키예의 수도는 앙카라이며, 석회화 단구의 독특한 경관과 유적지를 바탕으로 관광 산업이 발달하였다. 걸프 협력 회의(GCC) 회원국인 사우디아라비아는 비석유 부문을 육성하여 산업 구조 다각화를 모색하고 있다. 사우디아라비아는 튀르키예보다 석유 매장량과 1인당 국내 총생산은 많으나, 1차 산업의 생산액 비율은 낮다.

08 건조 아시아와 북부 아프리카의 산업 구조　답④

세 국가 중 총 수출액이 가장 많고, 광물 및 에너지 자원 수출액 비율이 높은 (가)는 대표적인 석유 수출국인 사우디아라비아이다. 1차 산업 종사자 수 비율이 높고, 농림축수산물 수출액 비율이 높은 (다)는 지중해 연안에 위치한 모로코이다. 나머지 (나)는 튀르키예이다.

09 건조 아시아와 북부 아프리카의 인구 구조　답②

0~14세의 유소년층 인구 비율이 가장 높은 (가)는 아프리카의 개발도상국인 나이지리아이다. 15~64세의 청장년층 인구에서 남성의 비율이 높아 남초 현상이 나타나는 (나)는 외국인 남성 노동력의 유입이 많은 사우디아라비아이다. 65세 이상의 노년층 인구 비율이 가장 높은 (다)는 유럽의 선진국인 독일이다.

ㄱ. (가)는 (나)보다 청장년층 인구의 성비가 높다. (×)
→ 성비는 여성 100명당 남성의 수를 의미한다. 표를 보면 나이지리아는 사우디아라비아보다 청장년층 인구의 성비가 낮다.

ㄴ. (나)는 (다)보다 중위 연령이 낮다. (○)
→ 사우디아라비아는 독일보다 유소년층 인구 비율이 높은 반면, 노년층 인구의 비율이 낮으므로 중위 연령이 낮다.

ㄷ. (다)는 (가)보다 1인당 국내 총생산이 많다. (○)
→ 선진국인 독일은 개발 도상국인 나이지리아보다 경제 발달 수준이 높으므로 1인당 국내 총생산이 많다.

ㄹ. (가)~(다) 중에서 총 부양비는 (나)가 가장 높다. (×)
→ 총 부양비는 청장년층 인구 비율과 반비례 관계이다. 세 국가 중에서 총 부양비가 가장 높은 국가는 청장년층 인구 비율이 가장 낮은 나이지리아이다.

10 건조 아시아와 북부 아프리카의 인구 유입　🅐 ⑤

지도의 A는 영국, B는 프랑스, C는 독일, D는 사우디아라비아이다. 국가 간 경제적 인구 이동은 저개발국에서 소득이 높은 국가로, 일자리가 부족한 국가에서 일자리가 많은 국가로 많이 나타난다. 이집트, 시리아, 예멘과 같은 건조 아시아 국가 출신의 이민자가 많은 (가)는 건조 아시아의 산유국인 사우디아라비아(D)이다. 폴란드, 튀르키예 출신의 이민자가 많은 (나)는 폴란드와 국경을 접하고 있는 독일(C)이다. 독일은 튀르키예와 협정을 통해 튀르키예 출신의 노동자를 많이 받아들였고 이로 인해 유럽 국가들 중에서도 튀르키예 출신의 이민자 비율이 높은 편이다.

11 사막화와 열대림 파괴의 특징　🅐 ①

사하라 사막 주변의 사헬 지대와 건조 아시아의 스텝 기후 지역에서 주로 발생하는 A는 사막화이다. 열대 기후 지역에서 주로 발생하는 B는 열대림 파괴이다.

① A를 해결하기 위해 런던 협약이 체결되었다. (×)
→ 사막화를 해결하기 위해 국제 사회는 사막화 방지 협약을 체결하였다.

② A의 인위적 요인으로 과도한 방목을 들 수 있다. (○)
→ 사막화의 인위적 요인으로 과도한 방목으로 인한 토양 황폐화를 들 수 있다.

③ B는 생물 종 다양성 감소를 초래한다. (○)
→ 열대림이 파괴되면 열대림에 서식하는 많은 동식물들이 멸종 위기에 처하게 되므로 생물 종 다양성 감소를 초래한다.

④ B의 대표적인 사례 지역으로 아마존강 유역이 있다. (○)
→ 세계 최대의 열대림이 형성되어 있는 아마존강 유역은 열대림 파괴의 대표적인 사례 지역이다.

⑤ A, B로 인해 토양 침식이 심화된다. (○)
→ 사막화와 열대림 파괴로 인해 수목 밀도가 낮아지면 토양 침식이 가속화된다.

12 사막화의 특징　🅐 ①

(가)는 사막화이다. 사헬 지대에서는 극심한 사막화 피해를 막기 위해 나무를 심어 녹색 장벽을 구축하고 있다. 사막 주변의 스텝 기후 지역에서 주로 발생하는 사막화는 장기간의 가뭄과 과도한 경작으로 인한 토양 황폐화 등으로 인해 주로 발생한다.

ㄷ. 호수의 산성화와 건물 부식 피해를 일으킨다. (×)
→ 산성비 피해에 대한 설명이다.

ㄹ. 국제 사회가 몬트리올 의정서를 채택하는 계기가 되었다. (×)
→ 사막화의 해결을 위해 국제 사회는 사막화 방지 협약을 체결하였다.

13 지구 온난화와 사막화의 특징　🅐 ②

(가)는 북극권의 해빙 축소를 나타낸 것으로 지구 온난화가 주된 원인이다. (나)는 아랄해의 면적 축소를 나타낸 것으로 이로 인해 육지로 드러나게 된 지역은 사막화가 발생하였다. ② 지구 온난화의 해결을 위해 국제 사회는 교토 의정서와 파리 협정을 체결하였다.

14 사막화와 열대림 파괴의 특징　🅐 ③

(가)는 아프리카 사헬 지대에 위치한 차드호이며, 차드호의 면적이 축소된 주된 원인은 사막화(A)이다. (나)는 적도 부근에 위치한 보르네오섬이고, 보르네오섬의 삼림 면적이 축소된 주된 원인은 열대림 파괴(B)이다. ③ 사막화의 해결을 위해 국제 사회는 사막화 방지 협약을 체결하였다.

15 사막화의 특징　🅐 ②

스텝 기후가 나타나는 몽골에서 피해가 심각한 (가)는 사막화이다.

ㄱ. 식량 생산량 감소와 난민 증가를 초래한다. (○)
→ 사막화로 인해 토양이 황폐화되므로 식량 생산량이 감소하고 난민이 증가하게 된다.

ㄴ. 바젤 협약을 통해 문제 해결을 모색하고 있다. (×)
→ 사막화의 해결을 위해 국제 사회는 사막화 방지 협약을 체결하였다.

ㄷ. 사헬 지대와 아랄해 주변에서도 나타나고 있다. (○)
→ 사막화는 사헬 지대와 아랄해 주변에서도 심각한 상황이다.

ㄹ. 열대림에서의 경작지와 방목지 조성이 주요 원인이다. (×)
→ 사막화는 스텝 기후 지역에서 주로 발생하며 강수량이 많은 열대 우림 기후 지역에서는 발생할 가능성이 거의 없다.

01 주요 공업 지역의 형성과 최근 변화

탄탄 내신 문제
p. 174 ~ p. 177

01 ①   02 ①   03 ②   04 ④   05 ⑤   06 ⑤
07 ①   08 ⑤   09 ⑤   10 ①   11 해설 참조
12 해설 참조   13 해설 참조   14 해설 참조

01 유럽의 공업 지역 분포 특징   답 ①

랭커셔, 요크셔, 루르, 자르 지방 등이 속한 (가)는 전통 공업 지역이다. 카디프, 미들즈버러, 됭케르크, 로테르담 등이 속한 (나)는 해운·하운 교통 발달 지역이다. 케임브리지 사이언스 파크, 소피아 앙티폴리스 등이 속한 (다)는 첨단 산업 지역이다.

02 유럽의 공업 지역 특징   답 ①

(가)는 전통 공업 지역, (나)는 해운·하운 교통 발달 지역, (다)는 첨단 산업 지역이다.

정답을 찾아가는 셀파 - Tip

ㄱ. (가)는 석탄, 철광석 산지를 중심으로 공업이 발달하였다. (○)
→ 전통 공업 지역은 석탄, 철광석 산지를 중심으로 공업이 발달하였다.

ㄴ. (나)는 (다)보다 원료의 수입과 제품의 수출에 유리하다. (○)
→ 해운·하운 교통 발달 지역은 첨단 산업 지역보다 원료의 수입과 제품의 수출에 유리하다.

ㄷ. (다)는 (가)보다 첨단 산업의 특화도가 낮다. (×)
→ 첨단 산업 지역은 전통 공업 지역보다 첨단 산업의 특화도가 높다.

ㄹ. (가)~(다) 중에서 공업 지역의 형성 시기는 (가)가 가장 늦다.
(×) → 공업 지역의 형성 시기는 전통 공업 지역이 가장 이르다.

03 유럽의 전통 공업 지역의 변화   답 ②

유럽의 전통 공업 지역인 루르 공업 지역은 중화학 공업이 쇠퇴하면서 지역 경제가 침체되었으나 최근에는 첨단 산업 중심으로 산업 구조를 재편하고 기존의 산업 유산들을 관광 자원으로 재활용하면서 지역 경제가 재활성화되고 있다. 따라서 1960년과 비교한 2015년 루르 공업 지역의 특징은 방문 관광객 수가 많고 대기 오염 물질 배출량이 적으며, 2차 산업 종사자 수 비율이 낮다.

04 소피아 앙티폴리스의 특징   답 ④

(가)는 프랑스 남부의 지중해 연안에 위치한 소피아 앙티폴리스(D)로 칸, 니스와 같은 휴양 도시와 가깝고 국공립 연구소를 비롯한 유수의 대학 연구소가 입지해 있는 첨단 산업 클러스터이다. 지도의 A는 런던, B는 파리, C는 베를린, E는 베네치아이다.

05 유럽의 공업 중심지 변화   답 ⑤

지도는 유럽의 공업 중심지가 석탄 및 철광석 산지 주변의 전통 공업 지역에서 해운·하운 교통 발달 지역으로 변화한 것을 나타내고 있다. 유럽의 공업 중심지가 전통 공업 지역에서 해운·하운 교통 발달 지역으로 변화하게 된 원인으로는 석탄과 철광석의 고갈, 기존의 탄광과 공업 시설의 노후화, 석유 및 천연가스와 같은 새로운 에너지 자원의 이용 증가 등을 들 수 있다.

내 것으로 만드는 셀파 - Tip

▶ **유럽의 공업 중심지 변화**

▲ 유럽의 공업 중심지 변화

유럽의 전통 공업 지역은 원료(연료) 자원인 석탄과 철광석의 고갈, 석유 및 천연가스와 같은 새로운 에너지 자원의 이용 증가, 기존의 탄광과 공업 시설의 노후화 등으로 인해 공업이 쇠퇴하기 시작하였다. 유럽의 공업 중심지는 내륙의 원료 산지에서 원료의 수입과 제품의 수출에 유리한 지역으로 이동하였다.

06 제3 이탈리아의 특징   답 ⑤

(가)는 섬유, 의류, 신발, 가죽, 가구 등의 부문에서 장인 정신에 입각하여 다품종 소량 생산 방식으로 제품 생산이 이루어지고 있으므로 제3 이탈리아(E)이다. 지도의 A는 전통 공업 지역인 랭커셔 지방, B는 해운·하운 교통 발달 지역인 로테르담 일대, C는 전통 공업 지역인 루르 지방, D는 첨단 산업 지역인 소피아 앙티폴리스이다.

07 북부 아메리카의 공업 지역 특징   답 ①

보스턴을 중심으로 북부 아메리카 산업화 초기부터 공업이 발달한 (가)는 뉴잉글랜드 공업 지역이다. 시카고, 디트로이트를 중심으로 제철, 자동차 공업이 발달한 (나)는 오대호 연안 공업 지역이다. 석유 화학 공업과 항공·우주 산업이 발달한 (다)는 멕시코만 연안 공업 지역이다.

08 북부 아메리카의 공업 지역 특징   답 ⑤

A는 오대호 연안 공업 지역, B는 태평양 연안 공업 지역, C는 멕시코만 연안 공업 지역이다.

정답을 찾아가는 셀파 - Tip

ㄱ. A에는 첨단 산업 클러스터인 실리콘 밸리가 있다.
→ 실리콘 밸리는 태평양 연안 공업 지역에 속한 샌프란시스코 주변에 위치한다.

ㄴ. C에는 영화 산업의 중심지인 할리우드가 있다.
→ 할리우드는 태평양 연안 공업 지역에 속한 로스앤젤레스에 위치한다.

ㄷ. A는 B보다 공업 발달의 역사가 깊다.
→ 러스트 벨트에 속한 오대호 연안 공업 지역은 선벨트에 속한 태평양 연안 공업 지역보다 공업 발달의 역사가 깊다.

ㄹ. C는 B보다 석유 화학 공업의 출하액이 많다.
→ 멕시코만에서는 풍부한 석유 자원을 바탕으로 석유 화학 공업이 발달하였다. 따라서 멕시코만 연안 공업 지역은 태평양 연안 공업 지역보다 석유 화학 공업의 출하액이 많다.

09 미국 주요 주(州)의 제조업 특징 답 ⑤

화학 제품, 석유 및 석탄 제품 제조업의 생산액 비율이 높은 (가)는 멕시코만 연안 공업 지역이 속한 텍사스주(C)이다. 컴퓨터 및 전자 공업의 생산액 비율이 높은 (나)는 태평양 연안 공업 지역이 속한 캘리포니아주(B)이다. 자동차 공업의 생산액 비율이 높은 (다)는 디트로이트가 속한 미시간주(A)이다.

내 것으로 만드는 셀파 - Tip

▶ 미국 주요 주(州)의 제조업 특징

캘리포니아주	• 주요 도시: 샌프란시스코, 로스앤젤레스 • 발달 공업: 첨단 산업(실리콘 밸리), 영화 산업(할리우드) • 미국의 주 중에서 제조업 생산액이 가장 많음
텍사스주	• 주요 도시: 휴스턴 • 발달 공업: 석유 화학 공업, 항공·우주 산업 • 멕시코만의 풍부한 석유를 바탕으로 석유 화학 공업이 발달함
미시간주	• 주요 도시: 디트로이트 • 발달 공업: 자동차 공업 • 러스트 벨트에 속한 지역으로 선벨트 지역에 비해 공업 생산액 증가율이 낮음

10 미국 주요 주(州)의 특징 답 ①

(가)는 멕시코만 연안 공업 지역이 속한 텍사스주(C), (나)는 태평양 연안 공업 지역이 속한 캘리포니아주(B), (다)는 디트로이트가 속한 미시간주(A)이다.

정답을 찾아가는 셀파 - Tip

ㄱ. (가)는 (나)보다 석유 생산량이 많다. (○)
→ 멕시코만 연안에 위치한 텍사스주는 석유가 많이 생산된다. 따라서 텍사스주는 캘리포니아주보다 석유 생산량이 많다.

ㄴ. (나)는 (다)보다 전체 제조업 생산액이 많다. (○)
→ 캘리포니아주는 미국 내 모든 주 중에서 제조업 생산액이 가장 많다.

ㄷ. (다)는 (가)보다 최근 10년간 제조업 생산액 증가율이 높다. (×)
→ 러스트 벨트에 속한 미시간주는 선벨트에 속한 텍사스주보다 최근 10년간 제조업 생산액 증가율이 낮다.

ㄹ. (가)와 (다)는 선벨트에 속하고, (나)는 러스트 벨트에 속한다. (×)
→ 텍사스주와 캘리포니아주는 선벨트에 속하고, 미시간주는 러스트 벨트에 속한다.

서술형 문제

11 유럽의 공업 중심지 변화

(1) 모범 답안 | 유럽의 공업 중심지는 석탄과 철광석 산지를 중심으로 형성된 전통 공업 지역에서 원료의 수입과 제품의 수출에 유리한 해운·하운 교통 발달 지역으로 이동하였다.

주요 단어 | 전통 공업 지역, 해운·하운 교통 발달 지역, 이동

채점 기준	배점
주요 단어를 모두 넣어 바르게 서술한 경우	상
주요 단어를 넣어 서술하였으나 일부 틀린 서술이 있는 경우	중
주요 단어가 누락된 경우	하

(2) 모범 답안 | 전통 공업 지역의 석탄과 철광석 고갈, 석유 및 천연가스와 같은 새로운 에너지 자원의 이용 증가, 기존의 탄광과 공업 시설의 노후화 등

주요 단어 | 석탄과 철광석 고갈, 새로운 에너지 자원의 이용 증가, 기존의 탄광과 공업 시설의 노후화

채점 기준	배점
주요 단어를 두 가지 이상 바르게 서술한 경우	상
주요 단어 중 한 가지만 바르게 서술한 경우	중
주요 단어 중 한 가지만 넣어 서술하였으나 일부 틀린 서술이 있는 경우	하

12 유럽의 전통 공업 지역과 첨단 산업 지역 특징

(1) (가) 전통 공업 지역, (나) 첨단 산업 지역

(2) 모범 답안 | 첨단 산업 지역은 전통 공업 지역보다 대기 오염 물질 배출량이 적고 공업 발달의 역사가 짧으며, 첨단 산업의 생산액 비율이 높다.

주요 단어 | 대기 오염 물질 배출량, 공업 발달 역사, 첨단 산업의 생산액 비율

채점 기준	배점
주요 단어를 모두 넣어 바르게 서술한 경우	상
주요 단어 중 두 가지만 넣어 바르게 서술한 경우	중
주요 단어 중 한 가지만 넣었고 일부 틀린 서술이 있는 경우	하

13 미국의 공업 중심지 변화

(1) 선벨트

(2) 모범 답안 | 러스트 벨트의 산업 시설 노후화 및 자원 고갈, 선벨트의 온화한 기후, 풍부한 석유와 천연가스, 풍부한 노동력, 지방 정부의 지원 등

주요 단어 | 산업 시설 노후화, 자원 고갈, 온화한 기후, 풍부한 석유와 천연가스, 풍부한 노동력, 지방 정부의 지원

채점 기준	배점
주요 단어를 두 가지 이상 바르게 서술한 경우	상
주요 단어 중 한 가지만 바르게 서술한 경우	중
주요 단어 중 한 가지만 넣어 서술하였으니 일부 틀린 서술이 있는 경우	하

14 미국의 지역별 제조업 생산액 비율 변화

(1) (가) 북동부 지역, (나) 남부 지역

(2) 모범 답안 | 남부 지역은 북동부 지역보다 공업 발달의 역사가 짧고 1965~2016년의 제조업 생산액 증가율이 높으며, 2016년의 제조업 생산액이 많다.

주요 단어 | 공업 발달 역사, 1965~2016년의 제조업 생산액 증가율, 2016년의 제조업 생산액

채점 기준	배점
주요 단어를 모두 넣어 바르게 서술한 경우	상
주요 단어 중 두 가지만 넣어 바르게 서술한 경우	중
주요 단어 중 한 가지만 넣었고 일부 틀린 서술이 있는 경우	하

| p. 178 ~ p. 181

| 도전 수능 문제

01 ④	02 ⑤	03 ②	04 ②	05 ②	06 ⑤
07 ②	08 ⑤	09 ⑤	10 ②	11 ⑤	12 ②
13 ④	14 ⑤	15 ④

01 유럽의 주요 공업 지역   답 ④

철광석이 풍부하게 매장되어 있는 지역으로 산업 혁명 이후 이 지역의 철광석과 인접 지역의 석탄을 이용하여 철강 산업이 발달하였으나 이후 자원 고갈, 시설의 노후화로 쇠퇴한 (가) 지역은 로렌 지방이다. 볼로냐를 중심으로 섬유, 의류, 신발, 가죽, 가구 등 경공업 부문에 특화된 장인적 중소기업이 집적된 산업 지구가 있는 (나) 지역은 제3 이탈리아이다. 지도의 A는 로테르담, B는 로렌 지방, C는 소피아 앙티폴리스, D는 제3 이탈리아이다.

02 유럽의 주요 공업 지역 특징   답 ⑤

연중 맑은 날이 많아 관광 산업이 발달한 소규모 관광 도시였으나 첨단 산업 단지로 변모한 (가)는 소피아 앙티폴리스이다. 해운과 수운을 이용한 무역 중심지이며 석유 정제 및 석유 화학 공업이 발달한 (나)는 로테르담이다. 지도의 A는 요크셔·랭커셔 지방이고, B는 로테르담, C는 소피아 앙티폴리스이다. 따라서 (가) 소피아 앙티폴리스는 C, (나) 로테르담은 B이다.

03 유럽의 공업 지역 특징   답 ②

런던 북동쪽에 위치하며 케임브리지 대학교의 연구와 기업 활동에 대한 정부의 각종 지원이 있었던 (가)는 케임브리지 사이언스 파크이다. 지중해 연안의 니스와 칸 사이에 위치해 있는 혁신 클러스터인 (나)는 소피아 앙티폴리스이다. 지도의 A는 런던 근처의 케임브리지 사이언스 파크, B는 오슬로, C는 오울루, D는 소피아 앙티폴리스이다. 따라서 (가) 케임브리지 사이언스 파크는 A, (나) 소피아 앙티폴리스는 D이다.

04 유럽의 공업 지역 특징   답 ②

A는 네덜란드의 로테르담, B는 프랑스와 독일의 로렌·자르 공업 지역, C는 프랑스 남부의 소피아 앙티폴리스, D는 이탈리아의 제3 이탈리아이다.

정답을 찾아가는 셀파 - Tip

ㄱ. A는 원료 수입과 제품 수출에 유리하다. (○)
→ 해안에 위치한 로테르담은 원료의 수입과 제품의 수출에 유리하다.

ㄴ. B에는 가죽, 보석, 가구 등 장인에 의한 전통 산업이 집중되어 있다. (×) → 제3 이탈리아에 대한 설명이다.

ㄷ. C에는 기업, 대학, 연구소가 유기적으로 결합된 산업 클러스터가 있다. (○)
→ 소피아 앙티폴리스는 기업, 대학, 연구소가 유기적으로 결합한 첨단 산업 클러스터가 있다.

ㄹ. D는 풍부한 석탄과 철광석을 바탕으로 산업 혁명 초기에 성장하였다. (×) → 로렌·자르 공업 지역과 같은 전통 공업 지역에 대한 설명이다.

05 유럽의 주요 도시 특징   답 ②

고위도에 위치한 연어 수출항으로 유명하며 현재는 정보 통신 기술 중심의 첨단 산업 클러스터가 있는 (가)는 오울루이다. 라인강 하구에 위치한 무역항 중 하나로 석유 화학 클러스터가 형성되어 있는 (나)는 로테르담이다. 지도의 A는 로테르담, B는 오울루, C는 소피아 앙티폴리스, D는 베네치아이다. 따라서 (가) 오울루는 B, (나) 로테르담은 A이다.

06 미국과 멕시코의 주요 공업 지역   답 ⑤

A, E는 태평양 연안 공업 지역, B는 오대호 연안 공업 지역, C는 멕시코만 연안 공업 지역, D는 마킬라도라 공업 지역 중 일부이다.

정답을 찾아가는 셀파 - Tip

① A에서는 첨단 산업 클러스터가 성장하였다. (○)
→ 태평양 연안 공업 지역의 샌프란시스코 주변에는 첨단 산업 클러스터인 실리콘 밸리가 있다.

② B는 오대호의 수운을 바탕으로 발달하였다. (○)
→ 오대호 연안 공업 지역은 오대호의 편리한 수운을 바탕으로 공업이 발달하였다.

③ C에서는 유전을 기반으로 한 석유 화학 공업이 발달하였다. (○)
→ 멕시코만 연안 공업 지역은 멕시코만의 유전을 기반으로 한 석유 화학 공업이 발달하였다.

④ E는 선벨트 지역에 속한다. (○)
→ 미국 서부에 위치한 태평양 연안 공업 지역은 선벨트 지역에 속한다.

⑤ D는 B보다 역사가 오래된 자동차 공업 지역이다. (×)
→ 멕시코의 마킬라도라 공업 지역은 러스트 벨트에 위치한 오대호 연안 공업 지역보다 공업 발달의 역사가 짧다.

07 미국의 주요 공업 지역 특징   답 ②

A는 오대호 연안 공업 지역, B는 태평양 연안 공업 지역, C는 멕시코만 연안 공업 지역이다.

정답을 찾아가는 셀파 - Tip

ㄱ. A에서는 최근 디트로이트를 중심으로 항공·우주 산업이 급속히 성장하고 있다. (×)
→ 항공·우주 산업은 선벨트 지역의 공업 지역을 중심으로 급성장하고 있다.

ㄴ. B는 온화한 기후 조건과 고급 기술 인력을 바탕으로 영화 제작, 컴퓨터 관련 산업 등이 발달하였다. (○)
→ 태평양 연안 공업 지역은 로스앤젤레스를 중심으로 영화 제작 산업이, 실리콘 밸리를 중심으로 컴퓨터 관련 산업이 발달하였다.

ㄷ. C에는 석유 자원을 바탕으로 대규모 석유 화학 공업 단지가 조성되어 있다. (○)
→ 멕시코만 연안 공업 지역은 멕시코만의 석유 자원을 바탕으로 대규모 석유 화학 공업 단지가 조성되어 있다.

ㄹ. 철강 산업의 중심은 최근 B에서 원료 산지 주변인 A로 이동하였다. (×)
→ 미국의 산업 초기에는 원료인 철광석과 연료인 석탄이 풍부한 오대호 연안을 중심으로 철강 산업이 발달하였으나 이후 자원 고갈, 산업 시설 노후화, 신흥 공업국의 성장 등으로 인해 러스트 벨트 중심의 철강 산업이 쇠퇴하였다.

08 미국과 멕시코의 주요 공업 지역   답 ⑤

(가)는 컴퓨터, 영화 산업 등이 발달한 태평양 연안 공업 지역이고, (나)는 석유 화학, 항공·우주 산업이 발달한 멕시코만 연안 공업 지역이다.

14 실리콘 밸리의 특징 　　　　　　　　　　　　　답 ⑤

　전자 공업의 발달에 유리한 건조한 기후 환경을 갖추고 있고 인근에 명문 대학 및 연구소가 많아 전문 인력 확보가 쉬워 실리콘 밸리가 형성되어 있는 (가)는 E(새너제이)이다.

15 유럽과 북부 아메리카의 공업 지역 특징 　　　　　답 ④

　러스트 벨트에 위치한 도시로 세계 자동차 산업의 중심지였던 (가)는 디트로이트이다. 니스와 칸 사이에 위치해 있으며 혁신 클러스터가 형성되어 있는 (나)는 소피아 앙티폴리스이다. 지도의 A는 휴스턴, B는 디트로이트, C는 소피아 앙티폴리스, D는 베를린이다. 따라서 (가) 디트로이트는 B, (나) 소피아 앙티폴리스는 C이다.

09 미국의 주요 도시 특징 　　　　　　　　　　　　답 ⑤

　편리한 수운과 주변의 지하자원을 바탕으로 중화학 공업이 발달하였으며, 자동차 산업이 성장한 (가)는 디트로이트이다. 석유 화학 산업과 항공·우주 산업이 발달한 (나)는 휴스턴이다. 지도의 A는 샌프란시스코, B는 휴스턴, C는 디트로이트이다. 따라서 (가) 디트로이트는 C, (나) 휴스턴은 B이다.

10 북부 아메리카의 주요 도시 특징 　　　　　　　　답 ②

　세계적인 항공기 제조업체와 커피 제조 및 판매 업체의 본사가 위치한 (가)는 시애틀이다. 미국 서부 지역을 대표하는 세계 도시로 할리우드를 중심으로 영화 산업이 발달한 (나)는 로스앤젤레스이다. 지도의 A는 시애틀, B는 샌프란시스코, C는 로스앤젤레스이다. 따라서 (가) 시애틀은 A, (나) 로스앤젤레스는 C이다.

11 북부 아메리카의 주요 도시 특징 　　　　　　　　답 ⑤

　하버드, MIT 등을 중심으로 생명 공학 산업이 발달한 (가)는 보스턴이다. 석유 화학 공업과 항공·우주 산업이 발달한 (나)는 휴스턴이다. 러스트 벨트에 위치한 자동차 산업의 중심 도시인 (다)는 디트로이트이다. 지도의 A는 샌프란시스코, B는 디트로이트, C는 보스턴, D는 휴스턴이다. 따라서 (가) 보스턴은 C, (나) 휴스턴은 D, (다) 디트로이트는 B이다.

12 북부 아메리카의 주요 공업 지역 특징 　　　　　답 ②

　지도의 A는 캘리포니아주, B는 텍사스주, C는 오하이오주이다. ㄴ. 오하이오주보다 멕시코와 국경을 접하는 텍사스주의 히스패닉 인구 비율이 더 높다. ㄹ. 캘리포니아주와 텍사스주는 북위 37° 이남의 공업 지역인 선벨트 지역에 속한다.

13 유럽과 북부 아메리카의 공업 지역 특징 　　　　답 ④

　오대호 연안을 중심으로 입지한 전통 공업 지역은 오대호 연안 지역의 원료 산지를 중심으로 중화학 공업이 발달하였는데, 철강 공업이 발달한 시카고와 피츠버그, 자동차 공업이 발달한 디트로이트와 캐나다의 토론토 등이 대표적이다.

02 　현대 도시의 내부 구조와 특징 및 지역의 통합과 분리 운동

탄탄 내신 문제 　　　　　　　　　　　　　p. 188 ~ p. 191

01 ④	02 ②	03 ③	04 ③	05 ①	06 ⑤
07 ⑤	08 ⑤	09 ③	10 ③	11 해설 참조	
12 해설 참조		13 해설 참조		14 해설 참조	

01 메갈로폴리스의 특징 　　　　　　　　　　　　　답 ④

　(가) 거대 도시를 잇는 도시화 지역이 서로 연속된 지역은 메갈로폴리스이다.

02 메갈로폴리스의 형성 원인 　　　　　　　　　　답 ②

　메갈로폴리스의 형성 원인으로는 교통과 통신의 발달, 대도시 인구 증가와 교외화를 들 수 있다.

03 북부 아메리카와 유럽의 도시 특징 　　　　　　답 ③

　도심과 주변 지역 간의 건물 높이 차이가 큰 (가)는 북부 아메리카의 도시이고, 도심과 주변 지역 간의 건물 높이 차이가 작은 (나)는 유럽의 도시이다.

04 도심과 주변 지역의 특징 　　　　　　　　　　　답 ③

　고층 건물이 많은 ㉠은 도심에 해당하고, 건물의 높이가 상대적으로 낮고 도심으로부터 멀리 떨어진 ㉡은 주변 지역의 주거 지역에 해당한다. 도심은 주변 지역의 주거 지역에 비해 시가지 형성 시기가 이르고 상업지 평균 지가가 높으며, 생산자 서비스업 사업체 수가 많다.

▶ 도심과 주변 지역의 상대적 특징

구분	지가	접근성	시가지 형성 시기	생산자 서비스업 사업체 수
도심	높음	높음	이름	많음
주변 지역	낮음	낮음	늦음	적음

05 영국의 특징　　답 ①

잉글랜드, 스코틀랜드, 웨일스, 북아일랜드로 구성되어 있으며 2020년 1월에 유럽 연합에서 탈퇴한 (가)는 영국이다. 지도의 A는 영국, B는 프랑스, C는 독일, D는 에스파냐, E는 이탈리아이다. 따라서 (가) 영국은 A이다.

06 유럽 연합의 특징　　답 ⑤

영국이 2020년 1월에 탈퇴한 (나) 경제 블록은 유럽 연합(EU)이다. 유럽 연합은 역내 생산 요소의 자유로운 이동이 가능한 단일 시장이다.

① 역내 무역액보다 역외 무역액이 많다. (×)
→ 유럽 연합은 역내 무역액의 비율이 높으며 역내 무역액보다 역외 무역액이 적다.

② 경제 부문에서만 협력이 이루어지고 있다. (×)
→ 유럽 연합은 경제 부문뿐만 아니라 정치적인 협력도 이루어지고 있다.

③ 모든 회원국이 유로화를 단일 통화로 사용하고 있다. (×)
→ 유럽 연합의 모든 회원국이 유로화를 단일 통화로 사용하고 있는 것은 아니다.

④ 서부 유럽 국가보다 동부 유럽 국가가 먼저 가입하였다. (×)
→ 서부 유럽 국가는 동부 유럽 국가보다 유럽 연합 가입 시기가 이르다.

07 유럽의 분리 독립 운동 발생 지역　　답 ⑤

A는 북아일랜드, B는 플랑드르 지역, C는 바스크 지역, D는 카탈루냐 지역, E는 파다니아 지역이다.

① A는 크리스트교 신자보다 이슬람교 신자가 많다. (×)
→ 북아일랜드는 크리스트교 신자의 비율이 가장 높다.

② B의 주민들은 대부분 프랑스어를 사용한다. (×)
→ 플랑드르 지역의 주민들은 대부분 네덜란드어를 사용한다.

③ C의 중심 도시는 바르셀로나이다. (×)
→ 바르셀로나는 카탈루냐 지역의 중심 도시이다.

④ D는 농업 중심의 산업 구조가 나타나 소득 수준이 낮은 편이다.
(×) → 카탈루냐 지역은 소득 수준이 높은 편이다.

08 유럽 연합과 북아메리카 자유 무역 협정의 특징　　답 ⑤

유럽의 27개국이 가입되어 있는 (가)는 유럽 연합(EU)이고, 미국, 멕시코, 캐나다가 가입되어 있는 (나)는 북아메리카 자유 무역 협정(NAFTA)이다. 북아메리카 자유 무역 협정(NAFTA)은 유럽 연합(EU)보다 정치적·경제적 통합의 수준이 낮고 회원국 수가 적으며 총 무역액 중 역외 무역액 비율이 높다.

09 미국, 멕시코, 캐나다의 특징　　답 ③

두 국가와 무역액이 가장 많은 (가)는 미국이다. (나)보다 1990~2017년 미국으로의 수출액 증가율이 높은 (다)는 멕시코이고, 나머지 (나)는 캐나다이다.

① (나)는 국경 지대에 마킬라도라가 형성되어 있다. (×)
→ 멕시코에 대한 설명이다.

② (가)는 (나)보다 지역 내 총생산이 적다. (×)
→ 미국은 전 세계에서 지역 내 총생산이 가장 많은 국가이다.

③ (나)는 (다)보다 인구 밀도가 낮다. (○)
→ 캐나다는 멕시코보다 면적이 넓은 반면 인구가 적으므로 인구 밀도가 낮다.

④ (다)는 (가)보다 항공·우주 산업의 발달 수준이 높다. (×)
→ 개발 도상국인 멕시코는 선진국인 미국보다 항공·우주 산업의 발달 수준이 낮다.

⑤ (가)~(다) 중에서 총 무역액은 (다)가 가장 많다. (×)
→ 세 국가 중에서 총 무역액은 미국이 가장 많다.

10 캐나다 퀘벡주의 특징　　답 ③

지도에 표시된 (가)는 캐나다의 퀘벡주이다. 퀘벡주는 과거 프랑스의 식민 지배를 받았으므로 프랑스어 사용자의 비율이 높게 나타나고, 언어·문화적 차이가 있어 캐나다로부터의 분리 독립을 요구하고 있다.

서술형 문제

11 유럽과 북부 아메리카의 도시 특징

(1) (가) 유럽의 도시, (나) 북부 아메리카의 도시

(2) 모범 답안 | 북부 아메리카의 도시는 유럽의 도시보다 도시 발달의 역사가 짧고 도심과 주변 지역 간 건물의 높이 차이가 크며, 도심의 업무 기능 특화도가 높다.

주요 단어 | 도시 발달의 역사, 도심과 주변 지역 간 건물의 높이 차이, 도심의 업무 기능 특화도

채점 기준	배점
주요 단어를 모두 넣어 바르게 서술한 경우	상
주요 단어 중 두 가지만 넣어 바르게 서술한 경우	중
주요 단어 중 한 가지만 넣어 바르게 서술한 경우	하

12 도심과 주변 지역 특징

(1) (가) 도심, (나) 주변 지역

(2) 모범 답안 | 도심은 주변 지역보다 상주인구가 적고 상업지의 평균 지가가 높으며, 접근성이 높다.

주요 단어 | 상주인구, 상업지의 평균 지가, 접근성

채점 기준	배점
주요 단어를 모두 넣어 바르게 서술한 경우	상
주요 단어 중 두 가지만 넣어 바르게 서술한 경우	중
주요 단어 중 한 가지만 넣어 바르게 서술한 경우	하

13 벨기에의 언어 분포와 분리 독립 운동

(1) (가) 플랑드르 지역, (나) 왈로니아 지역

(2) 모범 답안 | 플랑드르 지역은 왈로니아 지역보다 프랑스어 사용자 수 비율이 낮고, 1인당 지역 내 총생산이 많다.

주요 단어 | 프랑스어 사용자 수 비율, 1인당 지역 내 총생산

채점 기준	배점
주요 단어를 모두 넣어 바르게 서술한 경우	상
주요 단어 중 모두 넣어 서술하였으나 일부 틀린 서술이 있는 경우	중
주요 단어 중 한 가지만 넣어 바르게 서술한 경우	하

14 유럽의 분리 독립 운동 발생 지역

모범 답안 | 지도에 표시된 지역은 공통적으로 유럽 내에서 분리 독립 운동이 나타나고 있는 지역이다.

주요 단어 | 분리 독립 운동

채점 기준	배점
주요 단어가 포함되어 있으며 바르게 서술한 경우	상
주요 단어가 포함되어 있으나 일부 틀린 서술이 있는 경우	중
주요 단어가 포함되어 있지 않은 경우	하

도전 수능 문제
p. 192 ~ p. 195

01 ②	**02** ①	**03** ①	**04** ②	**05** ②	**06** ②
07 ②	**08** ①	**09** ②	**10** ④	**11** ①	**12** ②
13 ⑤	**14** ④	**15** ④			

01 유럽의 분리 독립 운동   답 ②

석유 자원이 풍부한 북해 연안에 위치하고 브렉시트를 계기로 독립을 위한 움직임이 최근에 다시 커지고 있는 (가) 지역은 스코틀랜드이다. 경제 중심지로서 고유 언어를 사용할 만큼 지역 정체성이 강하고 중심 도시가 바르셀로나인 (나)는 카탈루냐 지방이다. 지도의 A는 스코틀랜드, B는 벨기에 북부의 플랑드르 지역, C는 이탈리아 북부의 파다니아 지역, D는 에스파냐의 카탈루냐 지역이다.

02 유럽의 분리 독립 운동   답 ①

앵글로색슨족이 주류를 이루며 스코틀랜드, 북아일랜드에서 분리 독립을 추진하기도 한 (가) 국가는 영국이다. 네덜란드어를 주로 사용하는 플랑드르 지역과 프랑스어를 주로 사용하는 왈로니아 지역으로 나뉘는 (나) 국가는 벨기에이다. 지도의 A는 영국, B는 벨기에, C는 에스파냐, D는 이탈리아이다.

03 유럽과 아메리카의 도시 특징   답 ①

지도의 A는 파리, B는 시카고, C는 리우데자네이루이다. 도심에 상업 기능이 발달한 샹젤리제가 있고 도심 외곽에 업무 지구인 라데팡스가 있는 (가)는 프랑스의 파리(A)이다. 동심원 내부 구조가 나타나고

오대호 수운과 철도 교통의 결절지에 중심 업무 지구가 형성되어 있는 (나)는 미국의 오대호 연안에 위치한 시카고(B)이다. 역전된 동심원 구조가 나타나고 도시 외곽에는 불량 주택 지구인 파벨라가 분포하는 (다)는 브라질의 리우데자네이루(C)이다.

04 아메리카의 도시 특징   답 ②

월가가 위치하고 세계 경제 중심지로서 역할을 수행하며 자유의 여신상, 브로드웨이 등이 유명한 (가) 도시는 뉴욕이다. 북아메리카에서 인구가 가장 많은 도시이며 멕시코의 수도인 (나) 도시는 멕시코시티이다.

정답을 찾아가는 셀파 - Tip

갑. (가)에는 국제 연합(UN) 본부가 위치합니다. (○)
→ 뉴욕에는 국제 연합의 본부가 위치한다.

을. (나)는 최상위 계층에 해당하는 세계 도시입니다. (×)
→ 멕시코시티는 최상위 세계 도시에 해당하지 않는다. 최상위 세계 도시로는 런던, 뉴욕, 도쿄를 들 수 있다.

병. (가)는 (나)보다 세계 500대 다국적 기업의 본사 수가 많습니다. (○)
→ 최상위 세계 도시인 뉴욕은 하위 세계 도시인 멕시코시티보다 세계 500대 다국적 기업의 본사 수가 많다.

정. (나)는 (가)보다 생산자 서비스업 종사자 비율이 높습니다. (×)
→ 생산자 서비스업의 종사자 비율은 최상위 세계 도시에서 높게 나타난다. 따라서 하위 세계 도시인 멕시코시티는 최상위 세계 도시인 뉴욕보다 생산자 서비스업 종사자 비율이 낮다.

05 북부 아메리카와 유럽의 도시 특징   답 ②

도시 중심부인 맨해튼의 격자형 도로망, 월스트리트가 있는 (가)는 북부 아메리카에 위치한 미국의 최상위 세계 도시인 뉴욕이다. 개선문을 중심으로 한 방사형 도로망, 라데팡스 등이 있는 (나)는 유럽에 위치한 프랑스의 수도 파리이다.

정답을 찾아가는 셀파 - Tip

ㄱ. (가)에는 국제 연합(UN) 본부가 있다. (○)
→ 뉴욕에는 국제 연합의 본부가 위치한다.

ㄴ. (나)에는 '파벨라'라는 불량 주택 지구가 있다. (×)
→ 파벨라는 브라질의 리우데자네이루에 있는 불량 주택 지구를 말한다.

ㄷ. (가)는 (나)보다 도시 발달의 역사가 짧다. (○)
→ 북부 아메리카의 도시인 뉴욕은 유럽의 도시인 파리보다 도시 발달의 역사가 짧다.

ㄹ. (가)는 유럽, (나)는 라틴 아메리카에 위치한다. (×)
→ 뉴욕은 북부 아메리카에 위치하고, 파리는 유럽에 위치한다.

06 북부 아메리카의 도시 뉴욕의 특징   답 ②

뉴욕의 ㉠ 브롱크스는 낡은 주택이 즐비하고 각종 도시 문제들이 발생하는 주변 지역에 해당하고, ㉡ 맨해튼은 도심에 해당한다. 따라서 뉴욕의 도심인 ㉡ 맨해튼은 주변 지역인 ㉠ 브롱크스보다 생산자 서비스업 종사자 비율이 높고 고층 건물의 밀집도가 높으며 평균 지가가 높다.

07 북부 아메리카와 유럽의 도시 특징   답 ②

유럽의 도시는 북부 아메리카(미국)의 도시보다 도시의 역사가 오래되어서 도로망이 불규칙하고 복잡하다. 따라서 (가)는 유럽의 도시인 런던이고, (나)는 북부 아메리카의 도시인 뉴욕이다. 북부 아메리카

의 도시는 유럽의 도시보다 도심과 주변 지역 간 건물의 평균 높이 차이가 크다.

ㄴ. (가)는 (나)보다 도심의 도로 폭이 넓고 직교 형태의 도로가 많다. (×)
→ 유럽의 도시 런던은 북부 아메리카의 도시 뉴욕보다 도심의 도로 폭이 좁고 도로 분포가 불규칙적이다.

ㄹ. (가), (나) 모두 도심에 공업 기능이 집중되어 있다. (×)
→ 두 도시 모두 공업 기능은 지가가 저렴한 주변 지역이나 도시 밖으로 이전하였다.

08 유럽의 도시 특징   답 ①

지도의 A는 런던, B는 파리, C는 베를린, D는 로마이다. 500개 이상의 외국계 은행이 입지해 있고 미국의 뉴욕과 함께 세계 금융의 중심지로 불리며 템스강을 끼고 있는 도시인 (가)는 영국 런던(A)이다. 세계 문화와 예술의 중심지로 불리고 에펠 탑을 비롯한 박물관, 미술관이 있는 (나)는 프랑스 파리(B)이다.

09 유럽 연합의 회원국 특징   답 ②

지도의 A는 영국, B는 벨기에, C는 스위스, D는 에스파냐, E는 보스니아 헤르체고비나이다. 유로화를 자국 통화로 사용하고 서로 다른 언어 사용자 간의 갈등이 있으며, 유럽 연합 본부가 있는 (가)는 벨기에(B)이다.

10 유럽 연합의 회원국 특징   답 ④

지도의 A는 노르웨이, B는 벨기에, C는 스위스이다. (가)는 유럽 연합의 회원국이므로 벨기에(B)이다. 유럽 연합의 회원국이 아닌 국가인 노르웨이, 스위스 두 국가 중에서 복수의 공용어를 사용하는 국가인 (나)는 스위스(C)이고, 나머지 (다)는 노르웨이(A)이다.

11 유럽 연합의 회원국 특징   답 ①

지도의 A는 벨기에, B는 에스파냐, C는 이탈리아이다. 네덜란드어를 사용하고 소득 수준이 높은 북부 지역과 주로 프랑스어를 사용하며 상대적으로 소득 수준이 낮은 남부 지역 간 갈등이 나타나는 (가) 국가는 벨기에(A)이다. 카탈루냐어라는 독자적인 언어를 사용하고 다른 지역과 문화와 역사가 달라 분리 독립을 요구해 온 지역이 있는 (나) 국가는 에스파냐(B)이다.

12 유럽의 분리 독립 운동   답 ②

언어와 문화, 경제적인 이유로 분리 독립을 주장하고 있는 (가)는 캐나다의 퀘벡주이고, 이탈리아에서 남부 지역과 북부 지역 간의 경제적 차이로 분리 독립 운동을 벌이는 (나)는 이탈리아 파다니아 지역이다. 지도의 A는 캐나다 퀘벡주, B는 벨기에 플랑드르 지역, C는 이탈리아 파다니아 지역, D는 에스파냐 카탈루냐 지역이다.

13 멕시코의 특징   답 ⑤

지도의 A는 영국, B는 인도, C는 중국, D는 캐나다, E는 멕시코이다. 주변국과 자유 무역 협정을 체결한 이후 풍부한 노동력을 바탕으로 노동 집약적 공업이 성장하였으며 국경 지대에 마킬라도라가 발달한 (가) 국가는 멕시코(E)이다.

14 미국, 멕시코, 캐나다의 특징   답 ④

세 국가 중 무역액이 가장 많은 (가)는 미국이다. (나)는 (다)보다 1990~2017년의 수출액 증가율이 높으므로 멕시코이고, 나머지 (다)는 캐나다이다.

ㄱ. (다)는 원자재와 중간재를 수입해 조립 가공하여 다시 수출하는 '마킬라도라'가 발달하였다. (×) → 멕시코에 대한 설명이다.

ㄴ. (가)와 (다)는 국경을 접하고 있다. (○)
→ 미국과 캐나다는 국경을 접하고 있다.

ㄷ. (나)는 (가)에 비해 항공·우주 산업이 발달하였다. (×)
→ 개발 도상국인 멕시코는 선진국인 미국보다 항공·우주 산업의 발달 수준이 낮다.

ㄹ. 2017년 캐나다의 대(對)미국 수출액이 미국의 대(對)캐나다 수출액보다 크다. (○)
→ 2017년 캐나다의 대(對)미국 수출액은 3,200억 달러이고, 미국의 대(對)캐나다 수출액은 2,821억 달러이다. 따라서 2017년 캐나다의 대(對)미국 수출액이 미국의 대(對)캐나다 수출액보다 크다.

15 미국, 멕시코, 캐나다의 특징   답 ④

세 국가 중 1차 산업 종사자 비중이 가장 높은 (나)는 멕시코이고, 전 산업 종사자 수가 가장 많은 (다)는 미국이며, 나머지 (가)는 캐나다이다. 2015년 현재 수출액이 가장 많은 B가 미국, A와 C 중 북아메리카 자유 무역 협정 발효 후 수출액 증가율이 높은 A가 멕시코이고, 나머지 C는 캐나다이다.

① (가)는 (나)보다 1990~2015년의 수출액 증가율이 높다. (×)
→ 캐나다는 멕시코보다 1990~2015년의 수출액 증가율이 낮다.

② (나)는 (다)보다 2015년의 수출액이 많다. (×)
→ 멕시코는 미국보다 2015년의 수출액이 적다.

③ A는 B보다 2015년에 1인당 국내 총생산이 많다. (×)
→ 멕시코는 미국보다 경제 발달 수준이 낮으므로 2015년에 1인당 국내 총생산이 적다.

④ C는 A보다 2015년에 3차 산업 종사자 비중이 높다. (○)
→ 선진국인 캐나다는 개발 도상국인 멕시코보다 2015년에 3차 산업 종사자 비율이 높다.

⑤ B와 인접한 C의 국경 지대에는 마킬라도라가 형성되어 있다. (×)
→ 마킬라도라는 미국에 인접한 멕시코의 국경 지대에 형성되어 있다.

VII 사하라 이남 아프리카와 중·남부 아메리카

01 도시화 및 도시 구조의 특색

탄탄 내신 문제　　　　　　p. 202 ~ p. 205

01 ④	02 ⑤	03 ②	04 ①	05 ③	06 ⑤
07 ①	08 ④	09 ③	10 ③	11 해설 참조	
12 해설 참조		13 해설 참조		14 해설 참조	

01 멕시코시티의 특징　　　　　　답 ④

과거 아스테카 문명을 발달시킨 원주민들은 텍스코코 호수의 작은 섬에 테노치티틀란이라는 도시를 세웠다. 오늘날 호수는 거의 사라지고 과거의 호수 바닥에 대도시가 성장하였는데, 이 도시가 바로 멕시코시티이다.

정답을 찾아가는 셀파 - Tip

① 빈민층이 주로 도시 중심에 거주한다. (×)
　→ 도시 외곽에 거주한다.
② 이 도시는 과달라하라로, 멕시코의 수도이다. (×)
　→ 멕시코의 수도는 멕시코시티이다.
③ '파벨라'라고 하는 불량 주택 지구가 형성되어 있다. (×)
　→ 파벨라는 브라질에 있는 불량 주택 지구 이름이다.
④ 인구 규모 2위 도시보다 인구가 2배 이상 많은 종주 도시이다. (○)
　→ 멕시코시티는 멕시코에서 인구가 가장 많은 수위 도시로, 인구 규모 2위의 도시보다 인구가 2배 이상 많은 종주 도시화 현상이 나타나고 있다.
⑤ 인구 규모와 기반 시설이 균형적인 과도시화 현상이 나타난다.
　(×) → 과도시화 현상은 기반 시설에 비해 인구 규모가 많은 것을 의미한다.

02 중·남부 아메리카 국가들의 도시화율의 특징　　답 ⑤

중·남부 아메리카 국가들의 도시화율은 인구의 국제 이주와 산업화 정책의 영향으로 급격히 증가하였다.

정답을 찾아가는 셀파 - Tip

ㄱ. 2015년 도시 인구는 아르헨티나가 가장 많다. (×)
　→ 도시화율은 아르헨티나가 가장 많으나, 전체 인구수는 미국이 훨씬 많으므로 도시 인구도 미국이 가장 많다.
ㄴ. 경제 발달 수준이 높은 국가일수록 도시화율이 높다. (×)
　→ 경제 발달 수준과 도시화율은 정비례하지 않는다.
ㄷ. 1910~2015년 도시화율의 증가 속도는 칠레가 미국보다 빠르다. (○)
　→ 도시화율의 증가 속도는 1910~2015년 도시화율 그래프가 급경사를 이루는 칠레가 미국보다 빠르다.
ㄹ. 1950년 브라질의 도시 인구보다 촌락에 거주하는 인구가 많았다. (○)
　→ 1950년 브라질의 도시화율은 약 36%이므로 도시 거주 인구보다 촌락 거주 인구가 많은 편이다.

03 고산 기후와 고산 도시의 특징　　　　　　답 ②

제시된 그래프는 안데스 산지의 고산 도시인 쿠스코의 기온과 강수량을 나타낸 것이다. 쿠스코는 적도와 가까워 기온의 연교차가 크지 않다. 또한 해발 고도가 높아 비슷한 위도의 저지대보다 기온이 낮다. 고산 기후가 나타나는 지역은 연중 봄과 같은 날씨가 나타나며 대표적인 도시로는 멕시코시티, 키토, 라파스 등이 있다.

04 중·남부 아메리카 지역의 인종(민족)의 다양성　　답 ①

중·남부 아메리카의 대부분의 지역을 식민 지배한 유럽 국가는 에스파냐와 포르투갈이다. 이로 인해 가톨릭교가 전파되었으며, 중·남부 아메리카를 라틴 아메리카로 부르게 되었다.

05 중·남부 아메리카의 언어 분포　　　　　　답 ③

중·남부 아메리카는 과거 유럽의 식민 지배를 받아 대부분의 국가에서 유럽의 언어가 전파되었다. 현재 대부분의 지역에서 에스파냐어를 사용하며, 브라질은 포르투갈어를 사용한다.

내 것으로 만드는 셀파 - Tip

▶ **중·남부 아메리카 지역의 언어**

포르투갈어	브라질
에스파냐어	아르헨티나, 칠레, 에콰도르, 콜롬비아, 멕시코 등 대부분의 중·남부 아메리카 국가들
기타 언어	• 영어 – 가이아나 • 네덜란드어 – 수리남 • 프랑스어 – 기아나(프랑스령)

06 중·남부 아메리카의 민족(인종) 분포　　　　답 ⑤

중·남부 아메리카 지역은 유럽계의 유입과 아프리카계의 유입으로 인종 구성이 매우 다양하며 민족(인종)간 혼혈도 이루어졌다. 안데스 산지에 위치한 국가에서 분포 비율이 높은 (가)는 원주민이며, 브라질과 아르헨티나에서 거주 비율이 높은 (나)는 유럽계이다.

정답을 찾아가는 셀파 - Tip

① 아프리카계의 인구가 가장 많다. (×)
　→ 혼혈 인구와 유럽계 인구가 전체적으로 많은 비중을 차지하고 있다.
② (가)는 이 지역에서 최상위 계층을 이룬다. (×)
　→ (가)는 원주민이다.
③ 아르헨티나와 브라질은 (가)의 거주 비율이 높다. (×)
　→ 아르헨티나와 브라질의 인구 절반 이상은 유럽계이다.
④ (나)는 주로 안데스 산지에 위치한 국가에서 분포 비율이 높다.
　(×) → (나)는 유럽계 백인이다.

07 중·남부 아메리카의 도시 내부 구조의 특징　　답 ①

오늘날 중·남부 아메리카 도시에는 과거 유럽의 식민 지배 흔적이 곳곳에 남아 있다. 격자형 도로망을 갖춘 도심에 중앙 광장을 조성하였고 도심에는 광장을 중심으로 통치의 중심 시설인 시청과 성당을 배치하였다. 도심 주변에 고소득층의 주거 지역이 형성되어 있으며, 도시 외곽에는 저소득층의 주거 지역이 형성되어 있다.

08 브라질의 불량 주택 지역　　　　　　답 ④

제시된 사진은 브라질에 있는 파벨라로 빈민층이 주로 거주하는 불량 주택 지구이다.

① 바리오라 불린다. (×)
→ 바리오는 베네수엘라의 불량 주택 지구를 부르는 말이다.

② 도시 중심부에 위치해 있다. (×)
→ 도시 외곽 지역의 경사지에 주로 분포한다.

③ 유럽인의 거주 비율이 매우 높다. (×)
→ 유럽인의 거주 비율은 낮은 편이다.

⑤ 사회 기반 시설이 잘 갖추어져 있다. (×)
→ 상하수도 및 교통 시설 등 사회 기반 시설이 미비하다.

09 종주 도시화 현상   답 ③

제시된 자료는 종주 도시화 현상에 관한 것이다. 종주 도시화의 원인은 급격한 도시화와 대규모 이촌향도 현상 때문이다. 이로 인해 다양한 도시 문제가 발생하며, 해결 방안으로는 국토 균형 발전 정책 등이 있다.

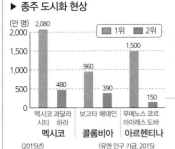

▶ 종주 도시화 현상

종주 도시화 현상은 1위 도시의 인구 규모가 2위 도시 인구의 2배 이상 되는 현상으로, 인구와 산업이 한 도시에 집중되는 과정에서 나타난다. 이에 따라 각종 도시 문제가 발생하기도 한다.

멕시코시티, 보고타, 부에노스아이레스 모두 각 국가의 수위 도시로 2위 도시 인구보다 2배 이상이다.

10 중·남부 아메리카의 도시 발달 과정과 내부 구조   답 ③

자료는 중·남부 아메리카 지역의 도시 내부 구조 변화 모델로, 식민지 시대 이후 도시 내부 구조가 변화되는 과정을 모식적으로 나타내고 있다.

① 거주지 분리 현상이 나타난다. (○)
→ 인종과 소득에 따른 거주지 분리 현상이 나타난다.

② 광장을 중심으로 도시가 형성되었다. (○)
→ 도시의 중심에 광장을 조성한 경우가 많다.

③ 독립 이후 도시가 균형 있게 성장하였다. (×)
→ 중·남부 아메리카의 도시는 독립 이후 도시가 급격히 성장하면서 공간적 불균형이 심화되었다.

④ 도시 구조에 식민 지배의 영향이 나타난다. (○)
→ 과거 유럽의 식민 지배 영향이 도시 구조에 반영되었다.

⑤ 이촌향도 현상으로 도시 규모가 급격히 확장되었다. (○)
→ 급격한 이촌향도 현상에 의해 많은 인구가 도시로 유입되어 도시 규모가 확장되었다.

서술형 문제

11 멕시코시티의 성장과 도시 문제

(1) 아스테카
(2) 모범 답안 | 차량 운행을 제한하거나, 대중교통을 무료로 운행하는

등의 노력이 필요하다.
주요 단어 | 차량, 운행 제한, 대중교통, 무료 운행

채점 기준	배점
주요 단어를 모두 넣어 바르게 서술한 경우	상
주요 단어 중 두 가지만 넣어 바르게 서술한 경우	중
주요 단어 중 한 가지만 넣어 바르게 서술한 경우	하

12 브라질의 도시 인구 분포 및 도시화의 특징

(1) 모범 답안 | 브라질의 도시 인구는 불균등하게 분포하고 있다. 내륙 지역의 도시 인구 분포는 적고, 북동 및 남동 해안 지역을 따라 도시 인구가 집중되어 있다.
주요 단어 | 도시 인구, 불균등, 내륙 지역, 해안 지역, 인구 집중

채점 기준	배점
주요 단어를 모두 넣어 바르게 서술한 경우	상
주요 단어 중 세 가지만 넣어 바르게 서술한 경우	중
주요 단어 중 한 가지만 넣어 바르게 서술한 경우	하

(2) 모범 답안 | 도시 기반 시설이 부족한 상태에서 몇몇 도시로 인구가 집중하는 과도시화 양상이 나타났을 것이다. 도시의 기존 주거 지역이 과밀화되면서 도시의 주거 지역이나 공업 지역이 도시 외곽 지역으로 무질서하게 퍼져 나갔을 것이다.
주요 단어 | 과도시화, 도시 기반 시설, 과밀화, 무질서

채점 기준	배점
주요 단어 중 세 가지 이상 넣어 바르게 서술한 경우	상
주요 단어 중 두 가지만 넣어 바르게 서술한 경우	중
주요 단어 중 한 가지만 넣어 바르게 서술한 경우	하

13 중·남부 아메리카의 도시 구조의 특징

모범 답안 | 유럽인은 도시 중심부에 광장을 만들었으며, 광장 주변에 격자형의 도로망을 건설하고 성당과 관공서, 상업 시설 등을 배치하였다.
주요 단어 | 도시 중심, 광장, 격자형 도로망

채점 기준	배점
주요 단어를 모두 넣어 바르게 서술한 경우	상
주요 단어 중 두 가지만 넣어 바르게 서술한 경우	중
주요 단어 중 한 가지만 넣어 바르게 서술한 경우	하

14 브라질의 도시 구조의 특징

(1) 파벨라
(2) 모범 답안 | 파벨라(A)는 불량 주택 지구로 내륙 지역과 도시 곳곳에 흩어져 분포한다. 고급 주택 지구는 주로 바다를 볼 수 있는 해안 지역에 분포한다.
주요 단어 | 파벨라, 내륙 지역, 고급 주택 지구, 해안 지역

채점 기준	배점
주요 단어 중 네 가지 이상 넣어 바르게 서술한 경우	상
주요 단어 중 세 가지만 넣어 바르게 서술한 경우	중
주요 단어 중 한 가지만 넣어 바르게 서술한 경우	하

01 남부 아메리카 주요 도시의 특성 🖽 ③

첫 번째 촬영지는 삼바 축제가 유명하며, 2016년 올림픽이 개최된 브라질(B)의 리우데자네이루이다. 두 번째 촬영지는 잉카 문명이 발달한 고산 도시 페루(A)의 쿠스코이다. 세 번째 촬영지는 유럽계가 많이 거주하는 아르헨티나(C)의 수도 부에노스아이레스이다.

내 것으로 만드는 셀파 - Tip

▶ **라틴 아메리카 주요 도시의 특징**

리우데자네이루	• 세계 3대 미항 중 하나임 • 1960년까지 브라질의 수도였음
쿠스코	• 잉카 문명의 대표하는 고대 도시 • 유네스코 세계 문화유산으로 지정
부에노스아이레스	• 아르헨티나의 수도 • 유럽계의 거주 비율이 높음

02 브라질과 멕시코의 특징 🖽 ⑤

(가)는 커피의 생산량이 많다는 내용과 열대림이 파괴되고 있다는 내용을 통해 브라질(C)임을 알 수 있다. (나)는 옥수수를 활용한 전통 음식이 발달하였고, 아스테카, 마야 등 고대 문명이 발달한 지역이라는 내용을 통해 멕시코(B)임을 알 수 있다.

03 중·남부 아메리카 주요 도시의 특징 🖽 ①

(가)는 세 도시 중 중·남부 아메리카 대륙의 가장 동쪽에 위치하므로 브라질의 수도인 브라질리아이다. (나)는 세 도시 중 7월의 낮 길이가 가장 짧은 지역이므로 남반구의 중위도에 위치한 칠레의 산티아고이다. (다)는 세 도시 중 가장 인구가 많고 해발 고도가 높으며, 7월의 낮 길이가 긴 지역이므로 멕시코의 멕시코시티이다.

정답을 찾아가는 셀파 - Tip

① (가)는 수위 도시이다. (×)
→ 수위 도시는 한 국가에서 인구가 가장 많은 도시를 의미한다. 브라질에서 인구가 가장 많은 도시는 상파울루이다.

② (나)는 남반구에 위치한다. (○)
→ (나)는 칠레의 산티아고로 남위 33°에 위치한다.

③ (다)는 유럽인들이 아스테카 문명의 도시를 파괴하고 건설하였다. (○)
→ 멕시코시티는 아스테카 제국의 수도였던 테노치티틀란을 에스파냐 정복자들이 파괴하고 건설한 도시이다.

④ (가)는 (다)보다 동쪽에 위치한다. (○)
→ 서경 47°의 브라질리아는 서경 99°의 멕시코시티보다 동쪽에 위치한다.

⑤ (나), (다)가 속한 각각의 국가는 종주 도시화 현상이 나타난다. (○)
→ 칠레와 멕시코는 모두 수위 도시의 인구가 인구 규모 2위 도시보다 두 배 이상인 종주 도시화 현상이 나타난다.

04 중·남부 아메리카의 도시 특징 🖽 ②

A는 콜롬비아 보고타, B는 페루 리마, C는 아르헨티나 부에노스아이레스이다.

정답을 찾아가는 셀파 - Tip

① 무역 및 교류에 유리한 해안에 위치한다. (×)
→ 보고타는 내륙에 위치한 고산 도시이다.

② 종주 도시로서 도시 과밀화 현상이 나타난다. (○)
→ 수위 도시 중 인구 규모가 제2 도시의 2배 이상인 도시를 종주 도시라 한다.

③ 대규모 슬럼이 도심의 광장 주변에 분포한다. (×)
→ 도심의 광장 주변에는 관청과 성당 등이 들어서 있다.

④ 신기 조산대에 위치하여 지진이 자주 발생한다. (×)
→ 부에노스아이레스는 신기 조산대에 위치하고 있지 않다.

⑤ 기온의 연교차가 작은 열대 고산 기후가 나타난다. (×)
→ 부에노스아이레스는 온대 기후가 나타난다.

05 중·남부 아메리카의 도시 구조 특징 🖽 ①

제시된 자료는 중·남부 아메리카의 도시 구조에 관한 것이다. 식민지 시대의 도시 계획에 따라 도시 중심에 광장이 있으며, 광장 주변에 상업 지구와 핵심 기능이 모여 있다. 접근성과 지대가 높은 도시 중심부에 고급 주택 지구가 있으며, 중심에서 멀어질수록 저급 주택 지구가 나타난다.

정답을 찾아가는 셀파 - Tip

ㄷ. ⓒ은 브라질에서 바리오라 불린다. (×)
→ 불량 주택 지구는 브라질에서 파벨라로 불린다.

ㄹ. ⓒ은 ⓛ에 비해 사회 기반 시설이 잘 갖추어져 있다. (×)
→ 사회 기반 시설은 고급 주택 지구가 더 잘 갖추어져 있다.

자료를 분석하는 셀파 - Tip

▶ **중·남부 아메리카의 도시 구조**

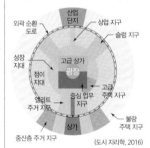

중·남부 아메리카의 도시에서는 고소득층을 이루는 유럽계 백인이 주로 도심부와 도시 발전 축을 따라 확장된 고급 주택 지구에 거주한다. 그리고 중심에서 외곽으로 갈수록 저소득층을 이루는 원주민이나 아프리카계가 거주하는 저급 주택 지구가 분포하는 형태를 이룬다.

06 중·남부 아메리카 도시 내부 구조 특색 🖽 ④

중·남부 아메리카 도시 내부 구조는 과거 식민지 시대의 유산이 반영되어 나타나기도 한다. 유럽인의 식민 통치 중심지로 건설된 도시들에는 도시 중심부에 광장이 자리 잡고 있으며, 광장을 중심으로 계층에 따른 거주지 분리 정책이 실시되었다. 오늘날에도 경제 및 사회적 계층에 따른 거주지 분리 현상이 나타나고 있다.

07 라틴 아메리카의 인종(민족) 구성 🖽 ④

잉카 및 아스테카 문명 등 라틴 아메리카 지역의 문명은 원주민에 의해 발달되었으며, 유럽계는 남부 유럽에서 식민지 건설을 위해 자발적으로 이주해 온 이들이 대부분이다. 반면에 아프리카계는 부족한 노동력을 보충하기 위해 플랜테이션 농장의 노동자로 강제 이주된 이들이 대부분이다. 메스티소는 혼혈인으로 라틴 아메리카 인종(민족) 구성에서 큰 비중을 차지하고 있어 원주민이나 유럽계, 아프리카계보다 비중이 더 높다.

▶ **멕시코의 인종(민족) 구성**

▲ 〈나의 조부모, 부모, 그리고 나〉의 일부

멕시코의 어느 화가는 자신의 가계도를 통해 라틴 아메리카의 복잡한 인종(민족) 구성을 그림으로 표현하였다. 화가의 아버지는 ㉠ 유럽계이고, 어머니는 ㉡ 원주민과 유럽계 사이에서 태어난 ㉢ 메스티소이다. 화가는 부모를 그림의 중앙에 배치하고 외조부모는 대륙 쪽에, 친조부모는 바다 쪽에 그려 넣었다.

그림은 멕시코의 화가 프리다 칼로의 작품으로 자신의 가족 구성을 표현하였다. 라틴 아메리카 지역에는 다양한 혼혈인이 있다. 원주민과 유럽계와의 메스티소뿐만 아니라 원주민과 흑인과의 혼혈인 삼보, 백인과 흑인 간 혼혈인 물라토도 있다.

08 중·남부 아메리카의 인종(민족) 구성   답 ③

(가)는 멕시코, (나)는 자메이카, (다)는 볼리비아, (라)는 아르헨티나이다. A는 아르헨티나에서 비중이 높은 유럽계, B는 멕시코에서 비중이 높은 혼혈, C는 볼리비아에서 비중이 높은 원주민, D는 자메이카에서 비중이 높은 아프리카계이다.

① A는 과거 플랜테이션 농업을 위해 강제 이주되었다. (×)
  → 플랜테이션 농업을 위해 강제 이주된 인종(민족)은 아프리카계이다.
② A는 C보다 라틴 아메리카에 정착한 시기가 이르다. (×)
  → 유럽계는 원주민보다 라틴 아메리카에 정착한 시기가 늦다.
③ B는 A가 유입된 이후 생겨난 인종(민족)이다. (○)
④ B는 D보다 라틴 아메리카 총인구에서 차지하는 비중이 낮다. (×)
  → 혼혈인은 아프리카계보다 라틴 아메리카 총인구에서 차지하는 비중이 크다.
⑤ D는 C보다 고산 기후 지역에 거주하는 비중이 높다. (×)
  → 아프리카계보다 원주민이 고산 기후 지역에 거주하는 비중이 높다.

09 멕시코 지역의 기후 특성   답 ④

멕시코의 기후는 에스파냐에 비해 햇볕이 강하고 건조하다. 그래서 에스파냐에서 전래된 챙이 짧은 모자가 멕시코의 기후 환경에 맞게 챙이 넓은 모양으로 변형되었으며, 이를 '솜브레로'라고 한다.

10 최상위 세계 도시와 비교한 리우데자네이루의 도시 특징   답 ②

(가)는 2016년 올림픽이 개최되었으며 '파벨라'라고 불리는 빈민가가 있는 브라질의 리우데자네이루이다. (나)는 대형 금융 기관이 밀집해 있는 세계 경제의 중심지인 미국의 뉴욕이다. 리우데자네이루는 뉴욕보다 혼혈 인구 비율이 높고, 생산자 서비스업 종사자 비율이 낮으며 세계 500대 다국적 기업 본사 수는 적다.

11 중·남부 아메리카 주요 도시   답 ⑤

지도의 A는 멕시코, B는 브라질, C는 칠레이다. (가)는 구리, 수산물, 포도, 와인 수출이 많고 혼혈인이 많은 칠레, (나)는 세계적인 커피 생산국이며 철광석 생산량이 많고 유럽계 인구가 많은 브라질이다.

▶ **중·남부 아메리카 지역의 민족(인종)의 다양성과 분포**

원주민	안데스 산지와 아마존강 유역
유럽계	기후 환경이 쾌적한 아르헨티나, 브라질 남동부 해안
아프리카계	플랜테이션이 발달한 브라질 북동부 해안 지역 및 자메이카

12 라틴 아메리카의 인종(민족)과 언어 분포   답 ①

라틴 아메리카 주요 국가의 인구 구성을 살펴보면 멕시코는 혼혈〉원주민〉유럽계, 브라질은 유럽계〉혼혈〉아프리카계, 페루는 원주민과 혼혈의 비중이 매우 높다. 따라서 A는 유럽계, B는 혼혈, C는 원주민이다. 대부분의 라틴 아메리카 국가들은 과거 에스파냐와 포르투갈의 식민 지배를 받았기 때문에 에스파냐어를, 브라질은 포르투갈어를 공용어로 사용한다. 따라서 ㉠은 포르투갈어, ㉡은 에스파냐어이다.

ㄷ. C는 A보다 라틴 아메리카에서의 거주 역사가 짧다. (×)
  → 원주민이 유럽계보다 거주 역사가 길다.
ㄹ. ㉠은 에스파냐어, ㉡은 포르투갈어이다. (×)
  → ㉠은 포르투갈어, ㉡은 에스파냐어이다.

13 라틴 아메리카 주요 국가의 특성   답 ⑤

'쿠스코, 태양제, 잉카'와 관련 있는 국가는 안데스 산지에 위치한 페루이다. 페루는 유럽계나 혼혈보다 원주민이 차지하는 비중이 높은 국가이다.

① 세계 최대의 구리 생산국이다. (×)
  → 세계 최대의 구리 생산국은 칠레다.
② 포르투갈어를 공용어로 사용한다. (×)
  → 포르투갈어는 브라질에서 공용어로 사용한다.
③ '지구의 허파'라 불리는 열대림이 있다. (×)
  → '지구의 허파'라 불리는 열대림은 브라질의 아마존이다.
④ 북아메리카 자유 무역 협정(NAFTA) 회원국이다. (×)
  → 북아메리카 자유 무역 협정 회원국은 미국, 캐나다, 멕시코이다.

14 멕시코 지역의 기후 특성   답 ④

지도의 A는 멕시코, B는 페루, C는 볼리비아, D는 아르헨티나이다. 우유니 소금 사막이 있는 (가)는 볼리비아, 아스테카 문명이 발달한 (나)는 멕시코, 탱고라는 음악과 춤이 만들어진 (다)는 아르헨티나이다. 따라서 (가)는 C, (나)는 A, (다)는 D이다.

15 라틴 아메리카 지역의 지역성   답 ②

지도 속 여행 계획 ㉠은 콜롬비아의 커피 농장, ㉡은 브라질 상파울루의 파벨라, ㉢은 페루의 잉카 문명, ㉣은 칠레 해안의 사막, ㉤은 칠레 남단의 피오르 해안에 관한 내용이다. 중·남부 아메리카 대부분의 도시들은 도심 인근에 상류층 주거 지역이 발달해 있고, 불량 주택 지구는 도심에서 떨어진 지역에 분포하는 경우가 많다.

| 02 | 다양한 지역 분쟁과 저개발 및 자원 개발을 둘러싼 과제 |

02 다양한 지역 분쟁과 저개발 및 자원 개발을 둘러싼 과제

탄탄 내신 문제   p. 216 ~ p. 219

01 ②	02 ④	03 ②	04 ③	05 ②	06 ①
07 ④	08 ②	09 ④	10 ⑤	11 해설 참조	
12 해설 참조		13 해설 참조		14 해설 참조	

01 사하라 이남 아프리카의 식민지 경험 답 ②

제시된 글은 사하라 이남 아프리카의 식민지 경험과 관련된 내용이다. 사하라 이남 아프리카는 다양한 민족이 독자적인 언어를 사용하는 등 고유한 전통을 유지하며 생활하였다. 그러나 15~16세기 이후 유럽인들의 진출로 많은 변화가 나타났다. 유럽 열강들은 해안 지역을 중심으로 진출하였으며, 아프리카인을 노예로 삼아 아메리카 대륙 등지로 데려갔다. 제2차 세계 대전 이후 1970년대까지 대부분의 국가들이 독립하였으나 대부분 정치적 불안과 내전으로 어려움을 겪고 있다.

02 아프리카의 국가 경계와 민족(종족) 경계의 특징 답 ④

아프리카의 국경선은 산맥이나 하천 등 자연적 요인이 아닌 지도상으로 보기에 인위적인 일직선으로 나타나는 경우가 많다. 그 이유는 과거 유럽 열강이 민족(종족) 간 차이를 고려하지 않고 자신들의 이해관계에 따라 국경선을 설정하였기 때문이다.

정답을 찾아가는 셀파 - Tip

ㄱ. 산맥, 하천 등 자연적 요인을 기준으로 설정하였다. (×)
→ 자연적 요인이 아닌 서구 열강들의 이해관계에 따라 인위적으로 설정하였다.
ㄷ. 각 지역의 농업 차이를 토대로 국경선이 설정되었다. (×)
→ 국경선의 설정과 농업의 차이는 관계가 없다.

03 수단과 르완다의 갈등 답 ②

제시된 글의 (가)는 북부의 이슬람교를 믿는 주민과 남부의 크리스트교 및 토속 신앙을 믿는 주민 간의 갈등으로 수십 년간 내전을 치른 수단이다. 2011년 남부 지역이 남수단으로 독립하였다. (나)는 벨기에의 식민 지배 시절 후투족과 투치족의 차별 정책을 실시한 르완다이다. 지도의 A는 나이지리아, B는 수단, C는 르완다, D는 남아프리카 공화국이다.

04 중·남부 아메리카 지역의 종교 비중 변화 답 ③

A는 유럽인의 식민 지배로 전파·확산된 크리스트교, B는 북부 지역에 넓게 분포하는 이슬람교, C는 사하라 이남 이프리카 주민들의 일상생활과 밀접한 토속 신앙이다.

정답을 찾아가는 셀파 - Tip

① A는 북부 지역에 넓게 분포한다. (×)
→ 북부 지역에 넓게 분포하는 종교는 이슬람교이다
② B는 유럽인의 식민지 개척 과정에서 널리 전파되었다. (×)
→ 유럽인에 의해 전파된 종교는 크리스트교이다.
③ C의 비중은 감소하지만, 일상생활에서 큰 영향을 미치고 있다. (○)
④ A, B 모두 민족 종교이다. (×) → 이슬람교, 크리스트교 모두 보편 종교이다.
⑤ B는 C보다 전파 시기가 이르다. (×) → 전파 시기는 토속 신앙이 빠르다.

05 사하라 이남 아프리카의 산업 구조의 특징 답 ②

A는 농업, B는 제조업, C는 서비스업이다. 사하라 이남 아프리카는 제조업이나 서비스업보다 상대적으로 부가 가치가 낮은 농업의 비중이 높다.

정답을 찾아가는 셀파 - Tip

ㄱ. 대부분의 선진국은 C의 종사자 비중이 높다. (○)
ㄴ. A는 제조업, B는 농업이다. (×)
→ 상대적으로 비중이 높은 A가 농업, B는 제조업이다.
ㄷ. 일반적으로 부가 가치는 B가 A보다 높다. (○)
ㄹ. 노동 생산성은 A가 C보다 높다. (×)
→ 사하라 이남 아프리카가 세계 평균보다 산업별 종사자 수 비율은 농업이 서비스업보다 높고, 산업별 부가 가치 비율은 농업이 서비스업보다 낮으므로 노동 생산성은 농업이 서비스업보다 낮다.

06 사하라 이남 아프리카의 저개발 현황 답 ①

인간 개발 지수는 유엔 개발 계획(UNDP)에서 평균 수명과 교육 수준 등을 기준으로 국가별 국민의 삶의 질을 평가한 지표이다. 사하라 이남 아프리카 국가들은 유럽 지역의 국가들에 비해 영유아 사망률과 빈곤 인구 비율이 높으며, 기대 수명이 낮다.

07 중·남부 아메리카의 자원 분포 답 ④

중·남부 아메리카는 석유, 천연가스, 구리, 철광석, 보크사이트 등의 천연자원이 풍부하다. 멕시코, 브라질, 베네수엘라 볼리바르, 에콰도르는 대표적인 산유국이다. 브라질은 철광석이 풍부하게 매장되어 있으며, 멕시코는 세계 최대의 은 생산국이다. 칠레는 세계 최대의 구리 생산국으로 수출액의 약 절반 정도를 구리가 차지하고 있다. 이외에도 볼리비아에는 주석과 천연가스가, 자메이카와 가이아나 일대에는 보크사이트가 많이 매장되어 있다.

08 나이지리아와 보츠와나의 자원 수출 구조 답 ②

대부분 원유를 수출하는 (가)는 나이지리아이며, 다이아몬드의 수출 비중이 높은 (나)는 보츠와나이다.

정답을 찾아가는 셀파 - Tip

① (가)의 유전 지대는 내륙 지역에 집중해 있다. (×)
→ 나이지리아의 유전 지대는 대부분 해안에 있다.
② (나)는 종족 갈등 없이 꾸준한 성장을 하고 있다. (○)
③ (가)는 (나)보다 1인당 국민 소득이 높다. (×)
→ 나이지리아보다 보츠와나의 국민 소득이 높다.
④ (나)는 (가)보다 적도와 가깝다. (×)
→ 나이지리아가 보츠와나보다 적도에 가깝다.
⑤ (가), (나) 모두 신기 습곡 산지 지역에 위치해 있다. (×)
→ 아프리카는 대부분 순상지에 해당한다.

09 자원 개발에 따른 영향 답 ④

제시된 글은 자원 개발을 통해 발생할 수 있는 경제적인 이익의 긍정적인 부분과 자연 생태계에 미칠 수 있는 부정적인 부분을 함께 보여 주고 있다.

10 댐 건설에 따른 환경 문제 답 ⑤

그림은 아마존강 유역의 댐 건설과 관련된 것이다. 댐 건설이 증가할 경우 강을 활용한 수운 교통은 발달할 수 없다.

서술형 문제

11 르완다 학살 사건

(1) 후투족, 투치족

(2) **모범 답안** | 벨기에는 통치의 효율성을 위해 소수인 투치족에게 권력을 주고 다수의 후투족을 차별하는 정책을 실시하여 독립 후 두 부족 간 갈등이 심화되었다.

주요 단어 | 벨기에, 통치의 효율성, 투치족, 후투족, 소수, 차별

채점 기준	배점
주요 단어를 모두 넣어 바르게 서술한 경우	상
주요 단어 중 다섯 가지만 넣어 바르게 서술한 경우	중
주요 단어 중 두 가지만 넣어 바르게 서술한 경우	하

12 아프리카의 수출입 품목 비교

(1) A 에너지 자원, B 공업 제품

(2) **모범 답안** | 에너지 자원을 수출하고 부가 가치가 큰 공업 제품을 수입하는 무역 구조이다. 이러한 무역 구조에서는 얻는 이익이 작으며, 원유 및 농산물의 국제 가격 변동에 따라 국가 경제가 큰 영향을 받는다.

주요 단어 | 1차 생산품, 부가 가치, 공업 제품, 가격 변동, 수출·수입

채점 기준	배점
주요 단어를 모두 넣어 바르게 서술한 경우	상
주요 단어 중 세 가지 가지만 넣어 바르게 서술한 경우	중
주요 단어 중 두 가지만 넣어 바르게 서술한 경우	하

13 석유 자원의 분포 특징

(1) (가) 석유, A 나이지리아

(2) **모범 답안** | 나이지리아는 석유 수출을 통해 막대한 경제적 이득을 취하지만 정부의 부정부패로 자원의 정의로운 분배가 이루어지지 않아 소득 불평등 문제가 심각하다.

주요 단어 | 나이지리아, 석유, 부정부패, 정의로운 분배, 소득 불평등

채점 기준	배점
주요 단어를 모두 넣어 바르게 서술한 경우	상
주요 단어 중 세 가지 가지만 넣어 바르게 서술한 경우	중
주요 단어 중 두 가지만 넣어 바르게 서술한 경우	하

14 구리 가격 변동과 칠레 국내 총생산의 변화

(1) 구리

(2) **모범 답안** | 칠레는 국내 경제에서 구리 수출이 차지하는 비중이 매우 크다. 따라서 구리의 국제 가격 변동은 칠레 경제에 큰 영향을 미칠 수 있다.

주요 단어 | 칠레, 국내 경제, 구리, 국제 가격 변동

채점 기준	배점
주요 단어를 모두 넣어 바르게 서술한 경우	상
주요 단어 중 두 가지 가지만 넣어 바르게 서술한 경우	중
주요 단어 중 한 가지만 넣어 바르게 서술한 경우	하

도전 수능 문제

p. 220 ~ p. 223

01 ①	02 ②	03 ③	04 ①	05 ①	06 ①
07 ③	08 ④	09 ④	10 ①	11 ②	12 ④
13 ②	14 ③	15 ⑤	16 ④		

01 사하라 이남 아프리카 분쟁 지역 **답** ①

지도의 ㉠은 나이지리아, ㉡은 수단, ㉢은 콩고 민주 공화국, ㉣은 남아프리카 공화국이다. ㉢ 영국으로부터 독립 이후 이슬람교도와 힌두교도 간의 갈등이 있는 곳은 인도와 파키스탄의 접경 지역인 카슈미르이다. ㉣ 정부군과 반정부군 간의 다이아몬드 광산을 두고 분쟁이 있는 곳은 시에라리온이다.

내 것으로 만드는 셀파 - Tip

▶ 사하라 이남 아프리카의 분쟁 지역

나이지리아	북부 이슬람교 vs 남부 크리스트교
수단	북부 이슬람교 vs 남부 크리스트교 → 2011년 남수단 독립
남아프리카 공화국	인종 차별 정책인 '아파르트헤이트' 시행, 1994년 폐지했지만 인종 간 경제적 격차로 사회적 갈등 발생
르완다	식민 지배 당시 지배층이던 투치족과 후투족 간 갈등
시에라리온	정부군과 반정부군 간의 다이아몬드 쟁탈전 심화

02 시에라리온과 남아프리카 공화국의 분쟁 **답** ②

자료에 제시된 왼쪽 영화는 '블러드 다이아몬드', 오른쪽 영화는 '파워 오브 원'이다. (가)는 '서아프리카, 다이아몬드, 인접국이 라이베리아'라는 등의 내용을 통해 지도의 A에 위치한 시에라리온임을 알 수 있다. (나)는 '흑인의 인권과 정의, 요하네스버그, 아파르트헤이트 정책' 등의 내용을 통해 지도의 C에 위치한 남아프리카 공화국임을 알 수 있다.

03 나이지리아와 수단·남수단의 분쟁 **답** ③

지도에 표시된 지역은 나이지리아, 수단·남수단이다. ㄱ. 두 지역

은 과거에 영국의 식민 지배를 받은 지역이다. ㄹ. 유럽 열강의 이익을 위한 식민지 분할 정책에 따라 민족(종족) 분포를 고려하지 않고 국경 선이 설정되었다.

04 나이지리아의 지역 특성   답 ①

지도의 A는 나이지리아, B는 콩고 민주 공화국, C는 소말리아, D는 남아프리카 공화국, E는 마다가스카르이다. (가)는 아프리카의 최대 석유 생산국이며, 북부와 남부 지역 간 민족 및 종교 갈등이 있는 나이지리아이다.

05 아프리카의 국경선과 지역 특성   답 ①

유럽 열강은 아프리카에서 원주민의 언어, 종교 등 문화적 특색을 고려하지 않고 임의적으로 국경선을 획정하였다. 그에 따라 한 국가 내에 이질적인 문화를 가진 부족들이 뒤섞여 살게 되어 분쟁의 원인이 되었다.

06 사하라 이남 아프리카 지역의 환경 문제   답 ①

지도에 표시된 A는 아프리카 사헬 지대의 사막화 지역, B는 적도 주변의 열대림 파괴 지역이다. 사막화의 자연적 요인으로는 강수량 감소 및 기온 상승 등 기후 변화와 관련하여 발생하고 있다.

07 사하라 이남 아프리카 지역의 농업 특성   답 ③

지도의 A는 차드, B는 가나, C는 에티오피아, D는 남아프리카 공화국이다.

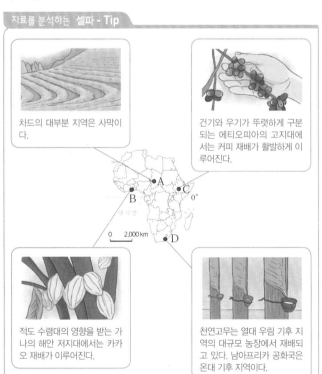

차드의 대부분 지역은 사막이다.

건기와 우기가 뚜렷하게 구분되는 에티오피아의 고지대에서는 커피 재배가 활발하게 이루어진다.

적도 수렴대의 영향을 받는 가나의 해안 저지대에서는 카카오 재배가 이루어진다.

천연고무는 열대 우림 기후 지역의 대규모 농장에서 재배되고 있다. 남아프리카 공화국은 온대 기후 지역이다.

08 칠레와 보츠와나의 공통적인 특성   답 ④

지도의 A는 칠레, B는 보츠와나이다. 두 국가 모두 광산물이 수출에서 차지하는 비중이 매우 높다. 칠레는 구리, 보츠와나는 다이아몬드

가 큰 비중을 차지하고 있다.

① 갑: 1월보다 7월의 낮 길이가 깁니다. (×)
→ 남반구 국가로 1월이 여름, 7월이 겨울이다.

② 을: 경제가 발달한 선진국에 해당합니다. (×)
→ 두 국가 모두 선진국에 해당하지는 않는다.

③ 병: 국토 대부분이 고산 기후 지역에 속합니다. (×)
→ 고산 기후뿐 아니라 다양한 기후가 나타난다.

④ 정: 광산물이 수출에서 매우 큰 비중을 차지합니다. (○)

⑤ 무: 판의 경계에서 멀어 지각이 안정되어 있습니다. (×)
→ 칠레는 판과 판의 경계에 해당한다.

09 수단, 남수단, 에티오피아의 특성   답 ④

지도의 (가)는 나일강, A는 수단, B는 남수단, C는 에티오피아이다.

갑: A는 고산 기후 지역을 중심으로 커피 산업이 발달했습니다.
→ 고산 기후 지역을 중심으로 커피 산업이 발달한 국가는 에티오피아이다.

을: B는 자원, 종교 등을 둘러싸고 A와 갈등이 지속되고 있습니다.
→ 자원, 종교 등을 둘러싸고 수단과 남수단 간 갈등이 지속되고 있다.

병: C에서 신자 수가 가장 많은 종교는 이슬람교입니다.
→ 에티오피아에서 신자 수가 가장 많은 종교는 크리스트교이다.

정: (가)는 습윤 지역에서 건조 지역으로 흐르는 외래 하천입니다.
→ 나일강은 대표적인 외래 하천이다.

10 콩고 민주 공화국과 케냐의 특성   답 ①

지도의 (가)는 아프리카 적도에 있는 콩고 민주 공화국으로 다이아몬드 생산량이 많으며, 오랜 정치적 불안정과 내전으로 난민의 수가 많다. (나)는 아열대 고압대의 영향으로 건기와 우기가 번갈아 나타나는 케냐이다.

11 케냐와 남아프리카 공화국의 수출 구조의 특성   답 ②

지도의 A는 케냐, B는 보츠와나, C는 남아프리카 공화국이다. (가) 아프리카에서 차(茶) 생산량이 가장 많은 국가는 케냐이다. (나) 석탄과 철광석 등의 수출액 비율이 높은 국가는 남아프리카 공화국이다.

12 케냐와 콜롬비아의 수출 구조의 특성   답 ④

지도의 A는 콜롬비아, B는 아르헨티나, C는 케냐, D는 보츠와나이다. (가)는 차, 화훼류의 수출액 비율이 높게 나타나므로 케냐이다. (나)는 원유, 석유 제품, 커피의 수출액 비율이 높게 나타나므로 콜롬비아이다.

▶ 중·남부 아메리카와 사하라 이남 아프리카의 자원 개발

에너지 자원	석유	베네수엘라 볼리바르, 멕시코, 브라질
	천연가스	베네수엘라 볼리바르
광물 자원	철광석	브라질
	구리	칠레
	은	멕시코

13 콜롬비아, 칠레, 브라질의 수출 구조 **답 ②**

지도의 A는 콜롬비아, B는 브라질, C는 칠레이다. 총 수출액은 상대적으로 경제 규모가 큰 브라질이 가장 많고 경제 규모가 작은 콜롬비아가 가장 작다. 주요 상품 수출액 비율에서 칠레는 구리 및 구리 제품, 와인 등의 수출액 비율이 높고, 브라질은 대두(콩), 철광석 등의 수출액 비율이 높다. 따라서 (가)는 콜롬비아, (나)는 칠레, (다)는 브라질이다.

14 나이지리아, 에티오피아, 보츠와나의 산업 구조의 특성 **답 ③**

지도의 A는 나이지리아, B는 에티오피아, C는 보츠와나이다. 세 국가 중에서 인구는 나이지리아가 가장 많고 보츠와나가 가장 적다. 석유 수출국 회원국인 나이지리아는 석유의 생산과 수출이 많지만 외국 자본에 의존한 개발로 국가 경제에 긍정적인 영향이 미미하다. 보츠와나는 아프리카에서 정치적 혼란 없이 꾸준히 경제 성장을 한 국가로 대표적이다. 다이아몬드 생산량이 많아 아프리카 여러 국가 중에서 비교적 1인당 국내 총생산이 높다. 에티오피아는 농업 비율이 높은 국가로 1인당 국내 총생산(GDP)이 적다.

15 콩고 민주 공화국과 보츠와나의 특성 **답 ⑤**

지도의 A는 나이지리아, B는 에티오피아, C는 콩고 민주 공화국, D는 보츠와나이다. (가)는 코퍼 벨트, 고릴라, 내전 등의 내용을 통해 콩고 민주 공화국임을 알 수 있다. (나)는 정치적·경제적 안정, 다이아몬드 등의 내용을 통해 보츠와나임을 알 수 있다.

16 보츠와나와 나이지리아의 수출 구조의 특성 **답 ④**

지도의 A는 나이지리아, B는 케냐, C는 보츠와나이다. (가) 보츠와나는 상품 수출액에서 다이아몬드가 차지하는 비율이 80%가 넘는다. (나) 나이지리아는 세계적인 산유국으로 상품 수출액의 70% 이상을 차지할 정도로 원유 생산량이 많다.

Ⅷ 공존과 평화의 세계

01 경제의 세계화와 경제 블록의 형성

탄탄 내신 문제　　　　　　　　　　p. 228 ~ p. 229

| 01 ③ | 02 ④ | 03 ① | 04 ③ | 05 해설 참조 |

06 해설 참조

01 세계 무역 기구의 특징 **답 ③**

제시된 글은 세계화와 세계 무역 기구에 대해 설명하고 있다.

정답을 찾아가는 셀파 - Tip

① 본부는 벨기에 브뤼셀에 있다. (×)
→ 세계 무역 기구의 본부는 스위스 제네바에 있다

② 무역 장벽을 높이는 역할을 주로 한다. (×)
→ 무역 장벽을 낮추는 역할을 한다.

③ 국가 간 무역 분쟁을 조정하기도 한다. (○)
→ 무역 분쟁 조정 및 해결을 위한 법적 권한과 구속력을 행사할 수 있다.

④ 국가 간 무역 분야를 공산품에 국한시킨다. (×)
→ 무역 분야를 공산품뿐만 아니라 서비스, 농산품까지 확대하였다.

⑤ 자유 무역 협정에 비해 자유 무역을 위한 합의가 효과적으로 이루어진다. (×)
→ 다자주의 원칙에 의해 자유 무역 협정에 비해 협의가 비효율적이다.

02 주요 경제 블록의 무역액의 특징 **답 ④**

A는 무역액이 가장 많은 유럽 연합(EU), B는 무역액이 유럽 연합 다음으로 많은 미국·멕시코·캐나다 협정(USMCA), C는 동남아시아 국가 연합(ASEAN)이다.

정답을 찾아가는 셀파 - Tip

ㄱ. B는 단일 화폐를 사용한다. (×)
→ 단일 화폐는 유럽 연합에서 사용한다.

ㄷ. B는 A보다 통합의 단계가 높다. (×)
→ 유럽 연합이 미국·멕시코·캐나다 협정보다 통합의 단계가 높다.

03 주요 경제 블록의 특징 **답 ①**

(가)는 구 북아메리카 자유 무역 협정(NAFTA)으로 회원국 간 관세를 철폐하는 자유 무역 협정 단계의 경제 협력체이다. (나)는 남아메리카 공동 시장(MERCOSUR)으로 역외국에 차별적 관세를 부과하는 관세 동맹 수준의 경제 협력체이다. 표의 A는 자유 무역 협정, B는 관세 동맹, C는 공동 시장이다.

04 동남아시아 국가 연합의 특징 **답 ③**

제시된 자료는 동남아시아 국가 연합(ASEAN)에 관한 내용이다. 유럽 연합(EU)과 미국·멕시코·캐나다 협정(USMCA)은 1인당 국내 총생산이 동남아시아 국가 연합(ASEAN)보다 더 많다.

서술형 문제

05 자유 무역 협정의 특징

(1) 자유 무역 협정(FTA)

(2) **모범 답안** | • 긍정적 영향: 소비자들은 전 세계의 값싸고 다양한 상품을 자유롭게 선택할 수 있게 되었다. 기업은 국제 시장에서 더 많은 상품을 팔 수 있게 되었으며, 외국 기업들과 경쟁하는 과정에서 우위를 차지하기 위해 기술을 개발하고 품질 관리를 위해 노력하게 되었다.

• 부정적 영향: 경제의 세계화에 따른 자유 무역의 확대로 국가 간 빈부 격차가 커지기도 한다. 자유 무역 협정은 역외국에 대한 차별적 조치로 인해 무역 분쟁의 원인이 되기도 한다. 개발 도상국의 경우 외국 기업과의 경쟁에서 경쟁력을 갖추지 못한 산업은 쇠퇴해 국가 경제에 좋지 않은 영향을 미치기도 한다.

주요 단어 | 소비자, 생산자(기업), 선택, 빈부 격차, 무역 분쟁

채점 기준	배점
주요 단어를 모두 넣어 바르게 서술한 경우	상
주요 단어 중 세 가지만 넣어 바르게 서술한 경우	중
주요 단어 중 두 가지만 넣어 바르게 서술한 경우	하

06 유럽 연합과 미국·멕시코·캐나다 협정

(1) (가) 유럽 연합(EU), (나) 미국·멕시코·캐나다 협정(USMCA)

(2) **모범 답안** | 미국·멕시코·캐나다 협정은 회원국 간 관세를 철폐하거나 무역 장벽을 없애는 자유 무역을 추구하는 경제 블록이다. 유럽 연합은 미국·멕시코·캐나다 협정보다 더 통합된 조직으로 정치·경제·사회 등 다양한 분야에서 통합을 추구하며, 단일 화폐를 사용할 뿐만 아니라 정치적인 분야까지 통합을 추구하고 있다.

주요 단어 | 관세, 무역 장벽, 정치·경제·사회, 통합, 단일 화폐

채점 기준	배점
주요 단어 중 네 가지 이상 넣어 바르게 서술한 경우	상
주요 단어 중 세 가지만 넣어 바르게 서술한 경우	중
주요 단어 중 두 가지만 넣어 바르게 서술한 경우	하

도전 수능 문제   p. 230 ~ p. 231

01 ①	02 ④	03 ③	04 ②	05 ②	06 ⑤
07 ⑤	08 ④				

01 세계화의 특징 및 영향   **답 ①**

제시된 내용은 세계화와 관련된 것이다. 세계화로 국가 간 인적·물적 교류가 활발해지면서 세계 경제의 상호 의존성이 증가해 국제 분업이 활발해진다. ② 지역화는 지역의 자율성과 고유성을 증대시키고 경쟁력을 높여가는 과정을 의미하며, ⑤ 지리적 표시제는 지역 특산품에 대해 해당 지역이 원산지라는 것을 표시하는 제도를 의미한다.

02 세계화와 다국적 기업의 특징   **답 ④**

제시된 글은 한국식 메이크업의 세계화와 다국적 기업의 국제적 분업과 현지화 전략에 대한 내용이다.

정답을 찾아가는 셀파 - Tip

ㄱ. ㉠은 국경의 역할과 의미가 강화되면서 나타나는 현상이다.
(✕) → 국경의 역할과 의미가 약화되면서 나타나는 현상이다.

ㄷ. ㉢은 지리 정보의 유형 중 공간 정보에 해당한다. (✕)
→ 지리 정보의 유형 중 속성 정보에 해당한다.

03 역내 포괄적 경제 동반자 협정과 지역 분쟁   **답 ③**

역내 포괄적 경제 동반자 협정(RCEP)과 남중국해 분쟁에 모두 관련된 나라는 중국으로, 세계에서 인구가 가장 많다. 자유 무역 협정은 회원국 간 무역 장벽을 낮춰 자유 무역을 촉진하기 위한 목적으로 체결된다.

04 유럽 연합과 세계 무역 기구의 특징   **답 ②**

다수의 회원국이 단일 시장을 형성하고, 단일 통화를 사용하는 (가)는 유럽 연합(EU)이다. 국가 간 무역 장벽을 제거하고 자유 무역을 확대하기 위해 설립된 국제기구인 (나)는 세계 무역 기구(WTO)이다.

05 교통·통신의 발달에 따른 영향   **답 ②**

제시된 자료는 교통·통신의 발달에 따른 생활 양식의 변화와 관련된 것이다. 교통·통신의 발달로 공간적 제약이 줄어들면서 세계는 긴밀하게 교류하는 사회가 되었다.

정답을 찾아가는 셀파 - Tip

을. 전자 상거래 활성화로 국제 교역량이 감소했어요. (✕)
→ 전자 상거래가 활성화되면서 국제 교역량은 증가하였다.

정. 항공 교통의 발달로 세계 도시의 영향력이 약화됐어요. (✕)
→ 국제 교류가 활발해지면서 세계 도시의 영향력이 커지고 있다.

06 국가별 자동차 생산량 변화 특징   **답 ⑤**

지도에 표시된 네 국가는 독일, 중국, 미국, 멕시코이다. C는 근래에 급속한 공업 발달과 경제 성장으로 2015년 세계 최대의 자동차 생산국이 된 중국이나. B는 1995년과 2005년에 세계 최대의 자동차 생산국이었던 미국이다. 나머지 A는 독일이다.

정답을 찾아가는 셀파 - Tip

① B는 유럽 연합(EU) 회원국이다. (✕)
→ 미국은 미국·멕시코·캐나다 협정(USMCA)을 맺었다.

② A는 C보다 2015년 국내 총생산(GDP) 규모가 크다. (✕)
→ 2015년 국내 총생산(GDP) 규모는 중국이 독일보다 크다.

③ B는 C보다 2015년 제조업 종사자 수가 많다. (✕)
→ 2015년 제조업 종사자 수는 중국이 미국보다 많다.

④ 2005년 자동차 생산량은 중국이 미국보다 많다. (✕)
→ 2005년 자동차 생산량은 미국이 중국보다 많다.

⑤ 1995년 대비 2015년 자동차 생산량 증가율은 멕시코가 독일보다 높다. (○)
→ 1995년 대비 2015년 자동차 생산량 증가율은 멕시코가 독일보다 높다.

07 세계화와 다국적 기업의 특징 답 ⑤

세계의 경제권이 통합되는 현상은 시공간 제약이 감소했기 때문이다. 다국적 기업의 관리·연구 기능은 선진국에 주로 입지하며, 생산 공장이 본국을 떠날 경우 산업 공동화 현상으로 제조업 분야의 일자리가 감소한다. 또한 생산 공장이 개발 도상국에 입지하는 경우는 생산비를 줄이기 위해서이며, 선진국에 입지하는 경우는 무역 장벽을 피하기 위해서이다.

정답을 찾아가는 셀파 - Tip

① ㉠ – 교통과 통신의 발달로 시공간 제약이 커졌기 때문이다. (×) → 시공간 제약이 감소하였다.

② ㉡ – 인구가 많은 개발 도상국에 주로 입지한다. (×) → 기업의 관리·연구 기능은 핵심 기능으로 주로 선진국에 입지한다.

③ ㉢ – 본국에서 제조업 분야의 일자리가 증가한다. (×) → 생산 공장이 본국을 떠날 경우 일자리는 감소한다.

④ ㉣ – 생산비 중 노동비 절감의 효과가 크기 때문이다. (×) → 생산 공장이 선진국에 있는 이유는 무역 장벽을 피하기 위해서이다.

⑤ ㉤ – 접근성이 좋은 핵심 지역이나 대도시에 집중되는 경향을 보인다. (○)

08 주요 경제 블록의 특징 답 ④

(가)는 미국·멕시코·캐나다 협정(USMCA), (나)는 유럽 연합(EU)이다. 미국·멕시코·캐나다 협정(USMCA)은 자유 무역 협정 수준의 통합성을 가지고 있는 경제 협력체(C)이다. 유럽 연합(EU)은 다수의 국가들이 단일 화폐인 유로화를 사용(A)한다.

02 지구적 환경 문제와 국제 협력 및 세계 평화와 정의를 위한 노력

탄탄 내신 문제 p. 236 ~ p. 237

01 ③ 02 ④ 03 ③ 04 ④ 05 해설 참조
06 해설 참조

01 지구 온난화로 인한 문제 답 ③

제시된 자료는 지구 온난화로 인해 북극해 지역의 빙하 면적이 감소한 모습을 나타낸 것이다. 지구 온난화가 지속될 경우 이상 기후 현상이 증가하며 해수면이 상승할 것이다. 또한 냉대 기후가 나타나는 위도대는 현재보다 더 고위도 지역으로 높아질 것이다.

내 것으로 만드는 셀파 - Tip

▶ 지구 온난화의 특징

| 발생 | 산업화와 도시화로 인한 화석 연료 사용 증가, 삼림 파괴 → 대기 중의 온실가스 증가 → 온실 효과 발생, 지구 온도 상승 |
| 영향 | 극지방의 빙하 면적 감소, 해수면 상승으로 인한 해안 저지대 침수, 기상 이변 발생으로 자연재해 증가, 해충의 증가 등 |

02 지구 온난화 해결을 위한 노력 답 ④

제시된 글은 지구 온난화를 위한 교토 의정서와 파리 협정에 관한 것이다. 교토 의정서에서는 국가나 기업 간에 탄소 배출권을 거래할 수 있는 탄소 배출권 거래제를 도입하였다.

03 세계의 주요 분쟁 지역 답 ③

지도는 대표적인 분쟁 지역을 나타낸 것이다. A는 이스라엘–팔레스타인 분쟁 지역, B는 티베트 분리 독립 운동, C는 남중국해(난사 군도) 분쟁 지역, D는 영토 분쟁 지역인 쿠릴 열도이다.

정답을 찾아가는 셀파 - Tip

① A는 물 자원을 둘러싼 주변 국가 간의 분쟁이다. (×) → 민족·종교 간 갈등에 따른 분쟁 지역이다.

② B는 힌두교와 이슬람교 간의 종교 차이가 원인이다. (×) → 힌두교와 이슬람교 간의 갈등은 카슈미르 지역이다.

③ C의 분쟁 당사국에는 중국이 포함되어 있다. (○) → 남중국해의 난사 군도는 인근의 말레이시아, 베트남, 브루나이, 필리핀과 중국이 분쟁 관련 국가이다.

④ D는 C보다 분쟁 관련 국가의 수가 많다. (×) → 쿠릴 열도는 일본과 러시아 2개 국가, 난사 군도는 말레이시아, 베트남, 브루나이, 필리핀, 중국 5개 국가이다.

⑤ B, C, D 모두 자원 쟁탈이 분쟁의 큰 원인이다. (×) → 직접적으로 자원과 관련된 분쟁 지역은 C이다.

04 세계 평화를 위한 국제 사회의 노력 답 ④

㉠은 국제 연합(UN)이다. 국제 연합은 분야별 전문 기관을 두고 경제적·사회적·문화적 차원에서 국제 협력을 늘리고 있다. 비정부 기구에는 그린피스, 국경 없는 의사회, 앰네스티 등이 있다. 세계화의 영향으로 국경의 의미가 약화되고 있으며, 국가 간 협력이 중요해지고 있다. 국제 평화를 추구하고 인류의 보편적 가치를 생활 속에서 어떻게 실천할지 고민하고 행동하는 사람을 세계 시민이라고 한다.

서술형 문제

05 생태 발자국의 지역 차이 및 변화

(1) 모범 답안 | 인구 증가와 산업 발달로 생산과 소비가 증가하였기 때문에 생태 발자국이 생태 수용력보다 더 커졌다.

주요 단어 | 인구, 산업, 생태 발자국, 생태 수용력

채점 기준	배점
주요 단어를 모두 넣어 바르게 서술한 경우	상
주요 단어 중 세 가지만 넣어 바르게 서술한 경우	중
주요 단어 중 두 가지만 넣어 바르게 서술한 경우	하

(2) 모범 답안 | 소득 수준이 높은 지역일수록 1인당 생태 발자국 수치가 높게 나타난다.

주요 단어 | 소득 수준, 1인당 생태 발자국

채점 기준	배점
주요 단어를 모두 넣어 바르게 서술한 경우	상
주요 단어 중 한 가지만 넣어 바르게 서술한 경우	하

06 난민의 발생과 이동 특징

(1) (A) 난민 발생국, (B) 난민 수용국

(2) 모범 답안 | 난민 발생이 많은 국가는 주로 내전 상태에 있는 시리아, 아프가니스탄 등이고, 난민을 많이 수용하는 국가는 주요 난민 발생국과 국경을 맞대고 있는 지리적으로 인접한 국가들이다.

주요 단어 | 난민, 내전, 국내 불안정, 난민 발생국, 난민 수용국, 지리적 인접

채점 기준	배점
주요 단어 중 다섯 가지 이상 넣어 바르게 서술한 경우	상
주요 단어 중 네 가지만 넣어 바르게 서술한 경우	중
주요 단어 중 두 가지만 넣어 바르게 서술한 경우	하

도전 수능 문제
p. 238 ~ p. 239

01 ①　　02 ③　　03 ③　　04 ②　　05 ③　　06 ③
07 ②　　08 ②

01 지구 온난화로 인한 문제　　답 ①

(가)는 지구 온난화이다. 지구 온난화가 지속되면 남극의 빙하 분포 범위 및 영구 동토층의 분포 범위 축소, 해수면 상승으로 인한 해안 저지대 침수, 열대성 질병 발생률 증가, 기상 이변 등의 문제가 발생한다.

02 열대림 파괴와 지구 온난화　　답 ③

히말라야산맥 같은 고산 지역의 눈과 빙하가 녹는 (가)는 지구 온난화, 경지 개간을 위한 불법 벌목과 방화로 인한 (나)는 열대림 파괴이다. 무분별한 벌목과 방화로 열대림이 파괴되면 동식물의 서식지가 파괴되어 생물 종의 다양성이 감소된다. 또한 열대림 파괴가 심해질 경우 대기 중의 이산화 탄소 흡수량이 감소해 지구 온난화가 가속화될 수 있다.

03 오존층 파괴와 지구 온난화　　답 ③

지구 온난화 문제의 해결을 위해 국제 사회가 체결한 협약으로는 1997년 교토 의정서, 2015년 파리 협정이 있다. 파리 협정에서는 선진 국뿐만 아니라 개발 도상국에게도 온실가스 감축 의무를 부여하였다. ③ 1971년 체결된 람사르 협약은 물새와 습지의 보호를 위해 국제 사회가 체결한 협약이다.

04 사막화와 지구 온난화　　답 ②

(가)는 사막화, (나)는 지구 온난화와 관련된 자료이다.

정답을 찾아가는 셀파 - Tip

을. (가)로 드러난 호수 바닥 대부분을 농경지로 이용하고 있어요.
(×) → 사막화로 토양이 황폐화되어 농경이 불가능하다.

정. (나)에 대응하기 위해 국제 사회는 환경 보호를 위한 바젤 협약을 체결했어요. (×)
→ 바젤 협약은 유해 폐기물의 국가 간 이동 및 처리에 관한 국제 협약이다. 기후 변화에 대응하기 위해 국제 사회는 교토 의정서와 파리 협정을 체결하였다.

05 해류와 해양 쓰레기 문제 해결을 위한 대책　　답 ③

(가)에 들어갈 환경 문제는 해양 쓰레기이다. 해양으로 유입된 쓰레기는 해류를 따라 이동하면서 태평양의 일부 지역에 집적되어 쓰레기 섬을 형성하기도 한다. 쓰레기 섬은 대부분 자연적으로 분해가 거의 되지 않는 플라스틱이나 비닐로 구성되어 있다. 따라서 해양 쓰레기를 줄이기 위해서는 바다로 유입되는 분해되지 않는 플라스틱 제품과 비닐의 사용을 줄여야 한다.

06 세계의 주요 갈등 및 분쟁 지역　　답 ③

지도의 A는 구 유고슬라비아 지역, B는 이스라엘–팔레스타인 분쟁 지역, C는 카슈미르 분쟁 지역, D는 스리랑카, E는 필리핀 모로족의 분리 독립 운동 지역이다. A는 이슬람교와 크리스트교, B는 유대교와 이슬람교, C는 이슬람교와 힌두교, D는 불교와 힌두교, E는 이슬람교와 크리스트교 간의 갈등 지역이다.

07 해양 쓰레기와 기후 변화　　답 ②

(가)는 바다 위를 떠다니는 것과 관련된 내용이므로 해양 쓰레기, (나)는 탄소 배출과 관련된 내용이므로 기후 변화와 관련된 것이다.

정답을 찾아가는 셀파 - Tip

ㄱ. (가)는 해양 생물 오염 및 폐사의 원인이 된다. (○)
→ 해양 쓰레기로 바다가 오염되며, 플라스틱을 먹이로 착각하여 물고기와 새의 폐사가 발생되고 있다.

ㄴ. (가)로 인해 지표에 도달하는 자외선이 증가한다. (×)
→ 오존층 파괴에 대한 설명이다.

ㄷ. (나)로 인해 기상 이변 발생 빈도가 증가하였다. (○)
→ 지구 온난화로 기상 이변 발생 빈도가 증가하고 있다.

ㄹ. (나) 문제 해결을 위한 노력으로 바젤 협약이 체결되었다. (×)
→ 기후 변화 해결을 위해 교토 의정서와 파리 협정을 체결하였다. 바젤 협약은 유해 폐기물의 국가 간 이동을 규제하기 위해 체결된 국제 협약이다.

08 세계의 주요 갈등 및 분쟁 지역　　답 ②

A는 북극해의 에너지 자원을 둘러싼 분쟁, B는 카스피해의 에너지 자원을 둘러싼 분쟁, C는 파키스탄의 이슬람교도와 인도의 힌두교 간의 카슈미르 지역 분쟁, D는 쿠릴 열도의 영유권을 둘러싼 일본과 러시아와의 분쟁 지역이다.

정답을 찾아가는 셀파 - Tip

① A에서는 해저 자원의 확보를 둘러싼 갈등이 있다. (○)
→ 북극해에 매장된 석유, 천연가스 등의 자원 확보를 둘러싸고 러시아, 캐나다, 미국, 덴마크, 노르웨이 등의 국가 간 영유권 분쟁이 가열되고 있다.

② B를 둘러싼 갈등의 주된 요인은 농업용수 확보이다. (×)
→ 카스피해는 대규모로 매장된 석유, 천연가스 등의 자원 개발을 둘러싸고 갈등을 빚고 있다.

③ C에서는 이슬람교와 힌두교 간의 갈등이 있다. (○)
→ 카슈미르 지역은 주민 대다수가 이슬람교도이므로 힌두교 국가인 인도로부터 독립을 요구하고 있다.

④ D는 러시아가 실효 지배하고 있다. (×)
→ 쿠릴 열도는 제2차 세계 대전 후 현재까지 러시아가 실효 지배하고 있다.

⑤ A는 D보다 분쟁 당사국의 수가 많다. (○)
→ 분쟁 당사국은 A는 5개국, D는 2개국이다.

Memo.